FONDEMENTS
DE **SCIENCE**
POLITIQUE

FONDEMENTS DE **SCIENCE POLITIQUE**

Thierry **BALZACQ**
Pierre **BAUDEWYNS**
Jérôme **JAMIN**
Vincent **LEGRAND**
Olivier **PAYE**
Nathalie **SCHIFFINO**

Pour toute information sur notre fonds et les nouveautés dans votre domaine de spécialisation, consultez notre site web : **www.deboecksuperieur.com**

© De Boeck Supérieur s.a., 2014   1re édition
Fond Jean Pâques, 4 – B-1348 Louvain-la-Neuve   2e tirage 2015

Imprimé aux Pays-Bas

Dépôt légal :
Bibliothèque nationale, Paris : octobre 2014
Bibliothèque royale de Belgique, Bruxelles : 2014/0074/111   ISBN 978-2-8041-7072-1

À nos professeurs qui nous ont tant apporté,
dont le goût de ce métier

À nos étudiants grâce auxquels nous puisons,
dans la force de la jeunesse, l'élan de l'apprentissage

À nos familles qui acceptent que nous consacrions
tant de temps à notre vocation

« Né citoyen d'un État libre, et membre du souverain,
quelque faible influence que puisse avoir ma voix
dans les affaires publiques, le droit d'y voter suffit
pour m'imposer le devoir de m'en instruire »

Jean-Jacques Rousseau,
Du contrat social, 1762

Sommaire

Liste des acronymes

AASP   Association africaine de science politique

ABSP   Association belge (francophone) de science politique

ACSP   Association canadienne de science politique

ADR   Parti réformiste d'alternative démocratique (parti luxembourgeois)

AELE   Association européenne de libre-échange

AEQES   Agence (belge francophone) pour l'évaluation de la qualité de l'enseignement supérieur

AISP   Association internationale de science politique

AKP   Parti de la justice et du développement (parti turc)

APSA   American Political Science Association/Association américaine de science politique

ASA   American Sociology Association/Association américaine de sociologie

ASEAN   Association des nations de l'Asie du Sud-Est

ASSP   Association suisse de science politique

BHV   Bruxelles-Halle-Vilvorde (circonscription électorale belge)

BP   British Petroleum

BRICS   Association d'États incluant le Brésil, la Russie, l'Inde, la Chine et l'Afrique du sud

BSP   Belgische Socialistische Partij/Parti socialiste belge (parti belge dont l'acronyme équivalent en français était PSB)

CD&V   Christen Democraten en Vlaams/Chrétiens-démocrates flamands (parti belge flamand)

cdH   Centre démocrate humaniste (parti belge francophone)

CDU-CSU   Union démocrate-chrétienne – Union sociale-chrétienne (parti allemand)

Fondements de science politique

CECA   Communauté européenne du charbon et de l'acier

CEDH   Cour européenne des droits de l'homme

CEE   Communauté(s) économique(s) européenne(s)

CFB   Communauté française de Belgique

CGSLB   Centrale générale des syndicats libéraux de Belgique

CIJ   Cour internationale de Justice

CiU   Convergence et union (parti catalan)

CPAS   Centre public d'action sociale

CPNT   Chasse, pêche, nature et traditions (parti français)

CPSA   Canadian Political Science Association/Association canadienne de science politique (acronyme anglais équivalent de l'acronyme français ACSP)

CRISP   Centre de recherche et d'informations socio- politiques (centre de recherche belge)

CSC   Confédération des syndicats chrétiens (syndicat belge)

CSCE   Conférence sur la sécurité et la coopération en Europe

CVP   Christelijke Volkspartij/Parti populaire chrétien (parti belge dont l'acronyme équivalent en français était PSC, puis parti flamand)

DC   Démocratie chrétienne (parti italien)

DPI   Documentation politique internationale (revue internationale de recension d'articles de science politique)

ÉCOLO   Parti écologiste (belge francophone)

ECPR   European Consortium for Political Research/Consortium européen pour la recherche politique

EEE   Espace économique européen

EJPR   European Journal for Political Research/Journal européen pour la recherche politique

EPS   European Political Science/Science politique européenne (revue)

EPS-Net   European Political Science Network/Réseau européen de science politique

EPSR   European Political Science Review/Revue européenne de science politique

ERC — Gauche républicaine de Catalogne (parti catalan)

Euratom — Communauté européenne de l'énergie atomique

FDF — Fédéralistes démocrates francophones (initialement Front démocratique des Bruxellois francophones ; parti belge francophone)

FGTB — Fédération générale du travail de Belgique (syndicat belge)

FINUL — Force intérimaire des Nations unies au Liban

FLN — Front de libération nationale (parti du régime algérien, issu du mouvement de libération nationale éponyme)

FMI — Fonds monétaire international

FN — Front national (acronyme d'un parti belge francophone et d'un parti français)

FNSP — Fondation nationale des sciences politiques (institution scientifique française)

FSR-FNRS — Fonds scientifique de la recherche-Fonds national de la recherche scientifique (de la CFB)

FWB — Fédération Wallonie-Bruxelles (autre appellation officielle de la CFB)

GATT — General Agreement on Tariffs and Trade (en français Accord général sur les tarifs douaniers et le commerce)

GI — groupes d'influence

Groen ! — Vert ! (parti écologiste flamand)

IAPSS — International Association for Political Science Students/Association internationale des étudiants en science politique

IBSP — Institut belge de science politique

IEP — Institut d'études politiques (institution française d'enseignement supérieur)

INUSOP — Institut universitaire de sondages de l'opinion publique (institut de recherche de l'ULB)

IPSA — International Political Science Association/ Association internationale de science politique (acronyme anglais)

IRRI — Institut royal (belge) des relations internationales (aujourd'hui dénommé Egmont)

ISP — Institut (belge francophone) de science politique

Fondements de science politique

ISPOLE	Institut des sciences politiques de Louvain-Europe (institut de recherche de l'UCL)
ISSC	(UNESCO's) International Social Science Council/Conseil international des sciences sociales (de l'UNESCO)
JO	Jeux olympiques
KUL(euven)	Katholieke Universiteit Leuven/Université catholique de Louvain (université flamande)
LDD	Lijst Dedecker/liste Dedecker (parti flamand)
LSE	London School of Economics and Political Science/École d'économie et de science politique de Londres
LuxPol	Association luxembourgeoise de science politique
MCC	Mouvement des citoyens pour le changement (parti belge francophone)
MOC	Mouvement ouvrier chrétien (coupole d'organisations sociales belge, puis belge francophone)
Modem	Mouvement démocrate (parti français)
Moderata	Parti du rassemblement modéré (parti suédois)
MONUC	Mission de l'Organisation des Nations unies en République démocratique du Congo
MONUSCO	Mission de l'Organisation des Nations unies pour la stabilisation de la République démocratique du Congo
MPF	Mouvement pour la France (parti français)
MR	Mouvement réformateur (parti belge francophone)
N-VA	Nieuw-Vlaamse Alliantie/Nouvelle alliance flamande (parti belge flamand)
NB	nota bene
NIMBY	not in my backyard (expression anglo-saxonne désignant le refus par des citoyens d'implantations ou de projets locaux)
NSDAP	Parti national-socialiste des travailleurs allemands
OCDE	Organisation de coopération et de développement économiques
OEA	Organisation des États américains
OECE	Organisation européenne de coopération économique

OGM	Organisme génétiquement modifié
OIF	Organisation internationale de la Francophonie
OMC	Organisation mondiale du commerce
ONG	Organisation non gouvernementale
ONU	Organisation des Nations unies
Open VLD	Open Vlaamse Liberalen en Democraten/Parti ouvert des libéraux et démocrates flamands (parti belge flamand)
OSCE	Organisation de la sécurité et de la coopération en Europe
OTAN	Organisation du Traité de l'Atlantique Nord
ÖVP	Parti populaire autrichien
PCB	Parti communiste belge
PCC	Parti communiste chinois
PCF	Parti communiste français
PCI	Parti communiste italien
PCUS	Parti communiste de l'Union soviétique
PD	Partito democratico/Parti démocrate (parti italien dont l'acronyme précédent était PDS)
PDC	Parti démocratique du Centre (parti suisse)
PDS	Partito democratico della sinistra/Parti démocrate de la gauche (parti italien prédécesseur du PD)
PESC	Politique étrangère et de sécurité commune
PI	Politologisch Instituut/institut politologique (belge flamand)
PL	Parti libéral (parti belge)
PLP	Parti de la liberté et du progrès (parti belge)
POB	Parti ouvrier belge
PP	Parti populaire (acronyme d'un parti belge francophone et d'un parti espagnol)
PR	Parti radical (parti suisse)
PRL	Parti réformateur libéral (parti belge francophone)

Fondements de science politique

PS	Parti socialiste (acronyme d'un parti belge francophone, d'un parti français et d'un parti suisse)
PSA	Political Science Association/Association (britannique) de science politique
PSB	Parti socialiste belge (parti belge dont l'acronyme équivalent en néerlandais était BSP)
PSC	Parti social-chrétien (parti belge dont l'acronyme équivalent en néerlandais était CVP, puis parti belge francophone)
PSL	Parti des paysans polonais
PTB	Parti du travail de Belgique
PVV	Partij voor de vrijheid/Parti de la liberté (parti néerlandais)
PVV	Partij voor vrijheid en vooruitgang/Parti pour la liberté et le progrès (ancien parti belge dont l'acronyme équivalent en français était PLP, puis parti flamand)
RDA	République démocratique allemande
RIPC	Revue internationale de politique comparée
RW	Rassemblement wallon (parti belge francophone)
SAP	Parti social-démocrate suédois des travailleurs
SP	Socialistiche Partij/Parti socialiste (belge flamand)
SP.A	Socialisten en Progressieven Anders/Socialistes et progressistes autrement (parti belge flamand)
SPD	Parti social-démocrate (parti allemand)
SQSP	Société québécoise de science politique
TPI	Tribunal pénal international
TUC	Trade Union Congress/Congrès des syndicats (syndicat britannique)
TV	télévision
UCL	Université catholique de Louvain (université belge francophone)
UDC	Union démocratique du centre (parti suisse)
UDF	Union pour la démocratie française (parti français)
UDRT	Union démocratique pour le respect du travail (parti belge)
UE	Union européenne

UKIP	United Kingdom Independence Party/Parti pour l'indépendance du Royaume-Uni
ULB	Université libre de Bruxelles (université belge francophone)
Ulg	Université de Liège (université belge francophone)
UMons	Université de Mons (université belge francophone)
UNamur	Université de Namur (université belge francophone)
UNESCO	Organisation des Nations Unies pour l'éducation, la science et la culture
UNMC	Union nationale des mutualités chrétiennes (belges)
UNMS	Union nationale des mutualités socialistes (belges, dénommée désormais Solidaris)
URSS	Union des républiques socialistes soviétiques
USL – B	Université Saint-Louis – Bruxelles (université belge francophone)
VB	Vlaams Belang/Intérêt flamand (anciennement Vlaams Blok/Bloc flamand ; parti belge flamand)
VNV	Vlaams nationaal verbond/Ligue nationale flamande (parti belge flamand)
VPW	Vereniging voor Politieke Wetenschappen/Association pour les sciences politiques (association belge flamande et néerlandaise)
VU	Volksunie/Union du peuple (parti belge flamand)

Avant-propos

Fruit d'un travail d'équipe, cette publication répond à plusieurs motivations, qui expliquent un certain nombre de choix éditoriaux, ainsi que le contenu des chapitres autour desquels elle s'articule.

1 | Origine et motivations

Pourquoi un manuel de science politique de plus ? D'abord, parce que le format « manuel » est beaucoup moins diffusé en science politique que dans d'autres disciplines, comme l'économie, par exemple. Ensuite, parce que la plupart des manuels de science politique sont en anglais, ce qui peut s'avérer problématique pour un public francophone ne maîtrisant pas (encore) nécessairement toutes les subtilités de la langue de Shakespeare. Enfin, parce que parmi les quelques manuels de science politique qui ont été publiés en français, la plupart privilégient une introduction à l'analyse politologique à partir de l'étude des phénomènes politiques en France.

ENCADRÉ[1] N° 0.1 : POLITOLOGIE ET SCIENCE POLITIQUE, POLITOLOGUES ET POLITISTES

Au sens courant, « politologie » et « science politique » sont synonymes. L'adjectif « politologique » signifie ce qui a trait à la science politique. Le substantif « politologue » signifie littéralement « celui qui étudie la politologie » et désigne de façon générique le spécialiste de science politique. En France toutefois, le substantif « politiste » tend à être préféré à celui de « politologue ». L'usage du mot « politiste » vise à distinguer le spécialiste « authentique » de science politique, qui fait avant tout de la recherche « fondamentale », du « politologue », expert que ce soit dans l'interprétation sur le vif de l'actualité politique dans les médias (« commentateur politique ») ou dans l'élaboration de recommandations opérationnelles au monde politique (« conseiller du prince »). Les cadres d'analyse mobilisés par les « politologues » prendraient moins de distance avec les façons habituelles dont les praticiens (les acteurs politiques) et les médias comprennent et rendent compte des phénomènes politiques (cf. chapitre Qu'est-ce que la science politique ?) que ceux des politistes. Cette différence justifierait la nécessité de distinguer le « politiste » du « politologue ». Dans ce manuel, conformément à la pratique dominante en Belgique francophone, en Suisse romande ou au Québec, nous userons du substantif « politologue » au sens large, sans faire de distinction entre « politiste » et « politologue ».

---

[1] Dans le manuel, des encadrés mettent régulièrement en exergue certains éléments des développements : définitions, personnalités, événements, résumés d'une théorie. Une liste numérotée reprenant l'ensemble des encadrés apparaît en fin de volume.

Fondements de science politique

La motivation première de ce manuel consiste ainsi à offrir une introduction à la science politique qui soit parlante à tout public francophone. Qu'il s'agisse d'étudiants et enseignants de l'enseignement supérieur, mais aussi de représentants, permanents et militants de partis politiques, de fédérations industrielles ou d'associations non marchandes (syndicats, mutuelles, ONG...), de cadres d'organisations d'éducation permanente, de journalistes politiques, d'enseignants traitant de politique dans les collèges et lycées, ou de tout citoyen soucieux d'améliorer sa compréhension de l'univers politique qui l'entoure. Même si le public belge francophone trouvera dans cette publication de nombreux liens avec l'histoire et la vie politiques belges, il ne s'agit pas, loin sans faut, d'un manuel « belgo-belge ».

À mille lieues de toute conception *provincialiste* du savoir, les auteurs partagent la ferme conviction que, dans le monde globalisé contemporain, la science politique, où qu'elle s'enseigne et se pratique, repose sur des cadres terminologiques et des apports théoriques significatifs *communs*, susceptibles d'éclairer n'importe quel contexte local ou régional. Aussi, ils ont systématiquement cherché à ne pas limiter les illustrations au cas belge. Et lorsque celui-ci est traité, c'est systématiquement au travers de catégories générales qui valent aussi pour d'autres États : partitocratie, pour l'Italie, État fédéral multilingue, à l'instar de la Suisse ou du Canada, démocratie consociationnelle, catégorie à laquelle se rattachent aussi les Pays-Bas ou le Liban, régime néo-corporatiste, comme l'Autriche, l'Allemagne ou le Venezuela d'avant Chavez....

Visant à faire d'une pierre deux coups, le manuel a poursuivi aussi un objectif institutionnel : faire en sorte que les étudiants qui s'initient à la science politique en Belgique francophone le fassent autant que possible à partir d'une base *commune*, et ce, quelle que soit la singularité de leur contexte d'apprentissage (établissement d'enseignement supérieur fréquenté, volume différent de crédits affecté au cours d'introduction à la science politique, programme d'enseignement différent dans lequel ce cours prend place...). Cette visée explique l'insertion dans le chapitre « Qu'est-ce que la science politique ? » de sections spécifiques sur le développement de l'enseignement et de la recherche en science politique en Belgique francophone.

En tant que titulaires d'un cours d'introduction à la science politique en Communauté française de Belgique (CFB), six professeurs – actifs dans quatre des cinq universités qui y organisent un premier cycle d'études universitaires en science politique – ont souhaité unir leurs efforts autour d'un projet éditorial commun. Le nombre et le statut des coauteurs du manuel donnent l'assurance d'une base d'enseignement similaire des fondements de la science politique pour environ 2 500 étudiants inscrits, chaque année, à l'un des cours d'introduction à la science politique. Il en résulte une réelle plus-value pédagogique au bénéfice du manuel. D'abord, parce qu'un support de cours commun est davantage susceptible de faciliter la mobilité des étudiants durant leurs études. Ensuite, et plus fondamentalement, du fait qu'il y a plus dans six têtes que dans une, et qu'un manuel écrit à six plumes accroît dès lors les garanties d'un haut standard de qualité.

2 | Choix éditoriaux

Pour être à la hauteur des ambitions pédagogiques poursuivies, cinq grands choix éditoriaux ont été posés.

Première option : faire de l'ensemble du manuel une œuvre *collégiale*, ce qui renforce l'autorité de son contenu. D'une part, on l'a dit, les thèmes abordés, les théories et concepts considérés comme fondamentaux, la manière de les présenter, les exemples mobilisés pour les illustrer... ont ainsi été *validés* par les six professeurs, et non par un seul. D'autre part, la construction de la matière a bénéficié d'apports *complémentaires* de la part de chercheurs spécialisés dans des domaines différents de science politique.

ENCADRÉ N° 0.2 : MÉTHODE DE RÉDACTION EN GROUPE APPLIQUÉE AU MANUEL

Concrètement, la construction du manuel a suivi le processus rédactionnel suivant, que nous exposons dans la mesure où il peut être une source d'inspiration pour l'élaboration de travaux de groupes. Dans un premier temps, après avoir déterminé ensemble la structure générale de l'ouvrage, les auteurs se sont réparti les chapitres à écrire en assignant à chacun les statuts de premier auteur (X1), deuxième auteur (X2), troisième auteur (X3). X1 était en charge de la première écriture du chapitre en question, que révisait ensuite X2, puis X3 après consensus préalable entre X1 et X2. Une fois un consensus atteint entre les trois auteurs en question sur la version à proposer, celle-ci était lue de façon approfondie par tous les auteurs du manuel et discutée en réunion plénière. Un premier chapitre «test» produit selon cette méthode de coécriture fut alors discuté tant sur la forme que sur le contenu avec l'éditeur. Ensuite, en suivant à chaque étape ce procédé (X1 + X2 + X3 + plénière), le plan de chaque chapitre fut élaboré, puis une première et ensuite une deuxième voire parfois une troisième version de son contenu furent produites. Une relecture finale de l'ensemble du manuscrit fut effectuée par l'un d'entre nous et soumise à discussion en plénière. La version prédéfinitive du manuscrit qui en résulta fut alors transmise par l'intermédiaire de l'éditeur à des *relecteurs* anonymes externes choisis par celui-ci – et que nous remercions vivement pour le travail fourni et les conseils prodigués. Enfin, les suites à réserver aux commentaires des relecteurs furent discutées en plénière, après quoi chaque X1 fut chargé d'ajuster en conséquence la version définitive du/des chapitre(s) dont il avait la charge.

Une deuxième option fondamentale, vu le contexte hétérogène des contextes d'initiation à la science politique, a consisté à produire un manuel *modulable*. Bien évidemment, le manuel s'articule autour de chapitres qui s'y succèdent selon une certaine logique (cf. la fin de cet avant-propos). Toutefois, les auteurs ont veillé à ce que chaque chapitre puisse être lu, et compris, indépendamment des autres en tenant compte du fait que tous les chapitres n'ont pas le même niveau d'accessibilité. « Pouvoir » ou « Système politique », par exemple, recouvrent un contenu plus abstrait, plus théorique, dont il est indiqué de prendre connaissance après les autres chapitres, voire après avoir suivi une introduction à d'autres sciences humaines et sociales, comme la sociologie par exemple. De plus, au sein même de chaque chapitre, le contenu a été pensé de façon à ce qu'il soit possible de faire l'impasse sur certains passages, sections ou sous-sections, dès lors que l'apprentissage des fondements de la science politique se voudrait moins approfondi que le développement « complet » de la matière que propose le manuel. Tel un meuble à tiroirs, le lecteur peut ainsi choisir de n'ouvrir que certains chapitres et de n'y saisir que certains éléments, parmi les plus directement appréhendables. Cette perspective de modularité explique aussi qu'un phénomène politique puisse être appréhendé de façon différente dans plusieurs chapitres. Des renvois réguliers d'un chapitre à l'autre permettent au lecteur de compléter l'approche d'un phénomène politique qu'il tire de la lecture d'un chapitre.

Troisièmement, nous nous sommes volontairement restreints à procéder à un exposé des connaissances politologiques dans leurs *lignes essentielles*, étant donné que nous nous adressons à un public qui, pour la majorité, ne se destine pas au métier de la recherche en science politique. L'insistance est d'abord mise sur les éléments du savoir politologique que nous considérons aujourd'hui comme *généraux*. Même si nous assumons le fait d'avoir accordé une place assez large aux cadres d'analyse inspirés par le paradigme « intégrationniste » (cf. chapitre Qu'est-ce que la science politique ?), sans doute plus large que dans d'autres manuels (cf. par ex. le chapitre Système politique), façonnant ainsi une autre originalité de ces *Fondements de science politique*.

Ce choix d'aller à l'essentiel explique que, à la différence de certains *handbooks in political science*, nous ne dressons pas, pour chaque objet d'études traité dans un chapitre, un état de l'art, selon la formule classique que l'on retrouve dans les études scientifiques. Autrement dit, nous ne présentons pas de façon systématique la dynamique historique de production du savoir scientifique, en insistant sur les débats – et donc les dissensions – ainsi que l'apport personnel de chaque auteur au domaine de connaissances concerné. Ne se trouve ainsi mise en exergue dans ce volume qu'une petite poignée d'auteurs qui rétrospectivement apparaissent comme les figures les plus marquantes dans le domaine spécialisé de connaissances qui est traité dans un chapitre. Le parti de dépersonnaliser le plus possible les éléments de connaissance qui sont exposés dans les chapitres vise à encourager le lecteur à se concentrer sur le contenu de ceux-ci plutôt que sur ceux qui les ont produits.

Pour autant, nous n'avons pas souhaité évacuer totalement du manuel la part essentielle que représentent dans la vie d'une discipline les controverses et dissensions entre chercheurs. Le bien-fondé de toute thèse scientifique et de tout cadre d'analyse peut toujours être contesté, l'est d'ailleurs fréquemment... mais doit l'être, pour être pertinent sur un plan scientifique, selon des procédures d'enquêtes et de raisonnement rigoureuses et contrôlées par les pairs. Dans son activité, le chercheur est ainsi autant invité à produire des connaissances sur le monde ayant valeur scientifique qu'à discuter du bien-fondé scientifique de celles produites par ses collègues voire des siennes propres. Il se doit donc de faire preuve de *réflexivité* vis-à-vis de sa propre activité de production de connaissances scientifiques et d'avoir une *distance critique* au savoir produit par lui et par ses pairs, de nourrir un « *doute méthodique* » à l'égard de tout produit scientifique.

C'est pourquoi dans les chapitres qui traitent de phénomènes politiques dont la connaissance scientifique doit plus que d'autres à une ou plusieurs thèses d'auteurs en particulier, il a été décidé de faire écho aux principales critiques qui leur sont adressées. Ainsi, par exemple, de la théorie de Lipset et Rokkan dans le chapitre Clivages. Ce faisant, l'intention consiste à attirer l'attention du lecteur sur l'existence d'un débat scientifique autour des thèses produites et à l'inviter à faire preuve de réflexivité à leur égard. Il ne s'agit ni de faire état, dans leur exhaustivité, de la dynamique des arguments et contre-arguments qui animent le débat, et encore moins, d'en apprécier la valeur relative ou de « trancher le débat ». Ce sont là des contributions à l'activité scientifique dont la place n'est pas dans un manuel *introductif* à la science politique.

Quatrièmement, puisque précisément il s'agit d'une introduction à la science politique, les référencements bibliographiques dans le texte des chapitres ont été volontairement maintenus en un nombre très *limité*, afin de favoriser la lisibilité du propos. L'on a également préféré le système de référencement anglo-saxon par « auteur, date », plus léger à la lecture que le système latin, avec référencement bibliographique complet en note infrapaginale à la première occurrence, puis référencement abrégé, par le biais des formules « *op. cit.* » et « *ibid.* », lors des occurrences suivantes. Dans cet ouvrage, les références bibliographiques se trouvent ainsi directement insérées entre parenthèses dans le texte. En cas d'éditions multiples, on indique l'année de l'édition que l'on a consultée, puis, s'il échet, s'il s'agit d'une publication originale ancienne ou en langue étrangère, l'année de l'édition originale, précédée d'une barre oblique (exemple : Weber, 1995/1922). En fin de chapitre, seules cinq références bibliographiques de base sont mentionnées et autant de « pour aller plus loin ». Les références de base renvoient soit à des œuvres que l'on peut considérer comme de référence, car représentant une contribution décisive pour le développement du domaine spécialisé d'études traité dans un chapitre, soit à des textes qui offrent une synthèse, complète et accessible, de l'évolution des connaissances dans ce domaine d'études. Les références « pour aller plus loin » renvoient à des publications qui donnent une connaissance plus approfondie de l'un ou l'autre aspect particulier de l'objet traité dans un chapitre, ou bien qui constituent des études de cas. Dans la bibliographie générale, les sources sont classées d'abord par ordre alphabétique de leurs auteurs, puis par ordre chronologique de leur édition. Les publications reprises ne se limitent pas à celles qui sont explicitement mentionnées dans les chapitres. La bibliographie générale est en effet conçue comme un fonds documentaire de base, venant compléter le contenu des chapitres, et utile – nous l'espérons – pour le politologue en herbe qui évolue dans un contexte francophone d'apprentissage. Pour cette raison, l'accent a surtout été mis sur des publications en français, même si référence est faite aussi à des publications en anglais, qu'il s'agisse des éditions originales de « grands » textes, ou bien de « bons » textes actuels de synthèse. Seules les ressources bibliographiques qui ne sont accessibles *que* sous format électronique sont référencées par une adresse url.

Cinquièmement, on l'aura compris, un soin particulier a été apporté dans la confection de cet ouvrage à sa dimension *didactique*. Aux côtés des nombreux dispositifs déjà évoqués, la traduction de ce souci se retrouve dans la structuration interne des chapitres. Chacun est introduit par un bref aperçu de l'objet traité, accompagné du plan de sa structuration en sections, voire, le cas échéant, en sous-sections. Chacun se termine par une liste de cinq questions destinées à tester la compréhension générale de quelques-uns des éléments principaux du chapitre. Les citations qui sont mobilisées dans les chapitres sont toutes en français. Le cas échéant, elles ont été traduites en français, et ce, afin qu'aucun biais linguistique ne vienne en obérer la compréhension. Enfin, des encadrés rythment le chapitre pour attirer l'attention du lecteur sur un concept, une thèse, un auteur ou un événement particulier.

3 | Plan du manuel

Il nous reste à préciser la logique de structuration des chapitres que nous avons suivie.

Le *premier chapitre* a une vocation introductive. Il présente un aperçu général de la science politique, posant la question : **Qu'est-ce que la science politique ?** Quel est son objet : qu'entend-on par « politique », par « politisation » ? Quelle est sa démarche : comment l'analyse politologique est-elle paramétrée, en quoi se distingue-t-elle d'autres types d'analyse spécialisée des phénomènes politiques ? Quelle est son histoire ? Quels sont ses principaux courants et sous-domaines d'études ?

Les autres chapitres s'échelonnent selon le degré plus « macro » ou au contraire plus « micro » de l'objet sur lequel ils portent – leur « unité d'analyse » –, en commençant par un chapitre sur le pouvoir et en terminant par un chapitre sur les citoyens.

ENCADRÉ N° 0.3 : LES TROIS NIVEAUX D'ANALYSE D'UN PHÉNOMÈNE POLITIQUE :
MICRO, MÉSO, MACRO

Au niveau *micro*, l'analyse s'attache aux comportements des individus. La science politique étudie par exemple le comportement électoral des citoyens, qu'il est possible de singulariser. Il s'agit donc de comprendre et d'expliquer des unités d'analyse élémentaires, au niveau individuel, par exemple : l'action d'un parlementaire, un ministre, un électeur.

Au niveau *méso*, l'analyse s'attache ici à l'action collective, conçue comme la résultante d'actions individuelles (coordonnées ou informelles, prévisibles ou spontanées, etc.), et plus encore, aux organisations collectives comme, par exemple, les partis politiques ou les groupes d'influence. Ce niveau d'analyse est celui de l'agrégation, de l'addition d'actions individuelles, et celui de collectifs organisés.

Au niveau *macro*, l'analyse s'attache au fonctionnement d'une société considérée dans sa globalité ou à un ensemble d'éléments collectifs interconnectés. Il s'agit donc d'aborder un ensemble d'éléments historiques, systémiques, pris comme un tout, comme la démocratie, la mondialisation, le capitalisme.

Les chapitres se succèdent ainsi en deux grands ensembles. Le premier, couvrant les chapitres de 2 à 7, concerne les *structures* politiques, autrement dit, les cadres relativement durables dans lesquels se déroule la vie politique, animée par les acteurs politiques. Le second ensemble de chapitres, de 8 à 10, a trait, pour sa part, aux *acteurs* politiques (individuels ou collectifs) qui, agissant dans le cadre des structures politiques, font la vie politique. Cette division principale ne doit toutefois pas être prise au pied de la lettre : nous évoquerons aussi des perspectives *actorielles* dans les chapitres dont l'objet porte sur les structures, et inversement, des perspectives *structurelles* dans les chapitres dont l'objet porte sur les acteurs. Quel que soit le chapitre dans lequel un phénomène politique est abordé de manière privilégiée, l'analyse que le manuel en donne a toujours visé à prendre en compte un point de vue tant macro que méso et micro.

Le premier ensemble de chapitres, sur les structures, s'ouvre avec le *chapitre 2*, qui traite du **pouvoir**, objet central d'attention de la science politique, dès lors que celle-ci définit couramment le politique comme l'ensemble des institutions en charge d'assurer un ordre général des conduites dans une société et dotées à cette fin de moyens de contrainte légale et physique. Le *chapitre 3* porte sur l'**État**, cadre institutionnel premier dans lequel le pouvoir politique est établi et organisé dans la quasi-totalité des sociétés humaines en ce début de XXIe siècle. Le *chapitre 4* a pour objet le **système politique**, au sens d'une représentation générale des activités gouvernementales au sein d'une société sur le mode cybernétique, à l'image d'une boîte de conversion d'éléments entrants (*input*) en éléments sortants (*output*), assurant une série de fonctionnalités sociales. Le *chapitre 5* traite des **clivages**, divisions profondes et durables qui dressent une partie d'une société contre une autre, à propos d'un enjeu majeur d'organisation sociale et génèrent des « camps sociaux » organisés en groupes d'influence et partis politiques significatifs et durables. Le *chapitre 6* porte sur les **idéologies**, ensembles relativement cohérents d'idées sur le monde, ayant vocation à donner un sens global aux phénomènes, et à orienter les idées et les conduites des acteurs politiques ainsi que le fonctionnement des institutions dans une direction aimantée à ce sens global. Le *chapitre 7*, enfin, est consacré aux **régimes politiques**, formes globales d'organisation du pouvoir, dont la démocratie libérale, inspirée de l'idéologie libérale, représente un type spécifique parmi d'autres dont des formes autoritaires ou, plus rarement, totalitaires.

Quant au second ensemble de chapitres, sur les acteurs, il commence par le *chapitre 8* qui traite des acteurs collectifs *publics* (cf. encadré suivant), ciblant les deux principaux organes qui, *au sein de* l'État, sont habituellement chargés de la détermination de l'action publique : **les parlements et gouvernements**. Le *chapitre 9* porte également sur des acteurs collectifs mais *privés* cette fois, c'est-à-dire situés *en dehors de* l'État, en se consacrant aux **partis politiques et groupes d'influence**. Clôturant le manuel, le *chapitre 10* est consacré aux **citoyens**, appréhendés sur un plan individuel, mais aussi dans leurs mobilisations collectives.

ENCADRÉ N° 0.4 : LA CLASSIFICATION DE BASE DES ACTEURS POLITIQUES
SELON LEUR RAPPORT AU POUVOIR

Types de rapport au pouvoir	Catégories d'acteurs	Statut juridique	Statut organisationnel
occupation + décision	**gouvernants :** **– parlement** **– gouvernement** **– chef d'État**	public	institutions
mise en œuvre (+ projet de décision)	**administration publique**	public	institutions
influence + occupation par procuration	**partis politiques**	privé	organisations collectives
influence	**groupes d'influence**	privé	organisations collectives
opinion (+ influence)	**citoyens (individuels)**	privé	individus + opinion publique

Source : élaboration des auteurs.

Enfin, pour conclure, indiquons qu'il est loisible à tout lecteur désireux de participer à l'amélioration du présent manuel de faire part de ses remarques et suggestions éventuelles tant sur le plan du contenu que de la forme. Que ceux et celles qui prendront le temps de transmettre leurs réactions en soient déjà vivement remercié(e)s.

Thierry Balzacq, Pierre Baudewyns, Jérôme Jamin, Vincent Legrand, Olivier Paye, Nathalie Schiffino[2]

---

[2] La présentation des noms des auteurs en couverture suit l'ordre alphabétique.

CHAPITRE 1
QU'EST-CE QUE LA SCIENCE POLITIQUE ?

Sommaire

Résumé

Ce premier chapitre donne un aperçu général de ce qu'est la science politique. Le nom lui-même de la discipline invite à la réflexion : que veut dire « politique » ? L'activité d'hommes et de femmes ayant reçu un mandat ? Pour quoi faire ? Exercer du pouvoir, piloter un État, organiser la vie en société ? Comment est-il possible d'étudier scientifiquement ces acteurs et leurs actions ? Comment une science particulière dévolue à l'analyse des phénomènes politiques s'est-elle constituée ? Voilà autant de questions dont le premier chapitre d'un manuel d'introduction à la discipline doit se saisir.

Toute science se caractérise par un objet (un domaine d'étude) et une démarche (une manière de mener cette étude) propres. L'objet de la science politique réside dans l'étude des phénomènes politiques. Le terme « phénomène » désigne tout fait – événement, groupe, comportement, valeur, institution... – tel qu'on se le représente dans notre esprit. Si la science politique s'appelle telle, c'est donc de façon quelque peu impropre, puisque c'est son objet d'étude qui est politique, et non l'activité de connaissance qu'elle déploie pour en rendre compte qui se veut, elle, rigoureusement scientifique. Aussi, des appellations comme « science(s) du politique » ou « politologie » – littéralement, discours raisonné sur la vie organisée en société, « politicologie » en néerlandais –, auraient sans doute constitué des expressions plus heureuses, d'un point de vue sémantique, puisque ce n'est pas la science qui est politique, mais son objet. Mais qu'entend-on exactement par « politique » ?

1 | Politique : un concept polysémique

Étymologiquement, l'adjectif « politique » dérive du grec « politikos » et nomme ce qui a trait à la « polis », la cité. On dirait aujourd'hui l'État, entendu au sens de communauté humaine organisée, soumise à un pouvoir suprême qui s'exerce précisément à la dimension du groupement humain ainsi constitué. En réalité, les formes auxquelles réfère l'adjectif « politique » sont multiples et variées, ses usages sont courants aussi bien que savants, et ses connotations – des plus positives aux plus négatives – évoluent dans le temps et dans l'espace. Si la science politique a longtemps été définie comme la discipline investiguant le pouvoir ou l'État (nous y reviendrons), nous savons aujourd'hui que l'éventail de ses objets d'étude est bien plus large que ne le laisserait penser, au premier abord, l'adjectif « politique ». À l'époque contemporaine, le politique, la politique, ou encore les politiques ne se réduisent pas au pouvoir et à l'État.

Sur la base de ce point de départ, nous pouvons aller plus loin. En effet, deux entrées sont possibles dans cette définition générale de politique : l'entrée par le pouvoir, la plus diffusée aujourd'hui en science politique, ou bien l'entrée plus ancienne, par la communauté.

1.1. Politique : entre pouvoir et communauté

Ainsi, la célèbre définition de « groupement politique » que donne Max Weber (1995/1922 : 96-97), figure intellectuelle de référence de la science politique actuelle, insiste sur la notion de *pouvoir*. Weber définit un groupement comme étant « politique » ou « de domination » [caractérisé par la chance pour les ordres produits d'être suivis d'effets] « tant que son existence et la validité de ses règlements [découlant des ordres de ses dirigeants] sont garantis de façon continue à l'intérieur d'un territoire géographique déterminable par l'application et la menace de la contrainte physique de la part de la direction administrative ». Weber place ainsi l'accent dans sa définition du groupement politique sur le critère du pouvoir suprême, dont un ressort est la menace ou l'emploi de la violence physique sur l'ensemble de personnes présentes sur un territoire déterminé.

ENCADRÉ N° 1.1 : MAX WEBER, UN INSPIRATEUR MAJEUR DE LA SCIENCE POLITIQUE

Max Weber (1864-1920) est l'auteur allemand notamment de *L'éthique protestante et l'esprit du capitalisme* (2004/1904-05, retravaillé en 1920), *Le savant et le politique* (2003/1919), *Économie et société* (1995/1922, à titre posthume).

Producteur de définitions fines de notions devenues canoniques en science politique : communauté politique (qu'il appelle « groupement de domination politique »), État, parti politique,…

Inventeur de grilles d'analyse de l'action politique encore pertinentes aujourd'hui : différences entre « vivre de la politique » et « vivre pour la politique », entre « éthique de conviction » et « éthique de responsabilité », entre « le politique » et le savant, entre sources de légitimité traditionnelle, charismatique ou rationnel-légale (cf. chapitre Pouvoir, section 4.3, encadré n° 2.25).

Concepteur d'une épistémologie et d'une méthodologie permettant de construire le raisonnement scientifique en science politique comme dans les autres sciences humaines et sociales : distinction entre jugements de fait et jugements de valeur, neutralité axiologique (cf. *infra*, sections 6 et 7), idéal-type comme modalité analytique des phénomènes,….

Le rôle fondateur de Max Weber dans la science politique ne doit toutefois pas être mécompris. D'abord, sa contribution à la démarche scientifique notamment en science politique doit être différenciée de son investissement en politique, notamment son éducation libérale puis sa sensibilité socialiste, sa mobilisation pendant la Première guerre mondiale, son rôle de conseiller lors de la négociation du Traité de Versailles signé en 1919, etc. D'autre part, Weber n'a jamais voulu établir une science particulière dénommée « science politique ». Et pour cause, il entendait contribuer à la fondation de la – alors toute jeune – sociologie, ce qu'il a fait de son vivant en Allemagne, notamment par la création d'une revue. Enfin, les écrits de Weber ont parfois attendu des décennies après sa mort, avant d'être traduits et rendus ainsi accessibles au plus grand nombre de scientifiques à travers le monde. Il n'existe donc pas de lien direct entre l'œuvre de Weber et le développement institutionnel de la science politique.

Dans d'autres définitions, plus proches de la notion grecque de « politeia » (cf. Aristote dans le chapitre Régimes politiques, section 1, encadré n° 7.1), l'accent est davantage mis sur l'idée de *communauté* politique. Le rassemblement d'individus dans un groupement politique inscrit leur destinée individuelle dans un ensemble humain de référence, doté de pouvoirs sur ses membres, mais par cela même aussi d'une capacité d'action collective, de possibilités de coordination des conduites individuelles pour induire un développement commun à l'échelle du groupement orienté vers des fins jugées bonnes d'un point de vue collectif. L'idée sous-jacente ici est qu'un groupe de personnes vivant ensemble ou décidant de vivre ensemble, se dote de mécanismes et de structures pour s'imposer les unes aux autres, par toutes sortes de moyens y compris contraignants, dans les limites de la communauté qu'ils forment, des décisions que tous sont censés accepter pour un bien commun, alors même qu'ils peuvent avoir des valeurs, objectifs, projets, intérêts différents.

Le concept ou adjectif « politique » renvoie ici à une dynamique du « vivre ensemble ». Ceci possède plusieurs implications. Le « vivre ensemble » peut procéder par consensus ou conflit. Il peut passer par des structures et institutions mises en place pour l'entretenir. Il renvoie donc également au *pouvoir* que les individus et les groupes exercent entre eux, et les uns sur les autres. Autrement dit, il y a « politique » lorsqu'une collectivité humaine agit ou veut agir collectivement, ou qu'on veut la faire agir collectivement dans un certain sens, sans forcément que les conduites de ses membres s'orientent « spontanément » dans ce sens commun.

Outre l'entrée par le pouvoir ou la communauté, une autre manière d'appréhender le concept de « politique » consiste à en distinguer les acceptions selon son genre (« le », « la » politique) et son nombre (singulier/pluriel). Nous allons le voir, chaque usage grammaticalement différent du substantif politique – le, la, les, une, un – recouvre des significations différentes.

1.2. Le politique

Le politique correspond à la notion de « *polity* » en anglais. Il désigne la dimension politique d'une société, son ordre politique. Lui sont apparentées des notions anciennes comme la cité, la « *polis* », la république – du latin « *res publica* », la « chose publique » –, la patrie, communauté politique ou le régime politique (cf. chapitre Régimes politiques). Mais aussi des notions modernes comme l'État (cf. chapitre État) – à la fois comme organisation représentative d'un groupement humain et comme organe de gouvernement sur un territoire –, le système politique (cf. chapitre Système politique) ou le « champ du pouvoir » au sens de Bourdieu.

ENCADRÉ N° 1.2 : LE CHAMP POLITIQUE ET LE CHAMP DU POUVOIR SELON PIERRE BOURDIEU

S'inscrivant dans les approches structurelles du pouvoir (cf. chapitre Pouvoir), le sociologue français Pierre Bourdieu (1930-2002) a fait appel à la notion de « champ » pour distinguer différents cadres du jeu social. Par « champ », il entend tout espace d'activités sociales spécialisées, doté de ses propres règles du jeu, ressources (« cartes à jouer » de valeur différente), enjeux, profits et intérêts pour le jeu (pour considérer qu'il vaille la peine de s'y investir). Il est ainsi possible de distinguer un champ économique, sportif, culturel, mais aussi littéraire, poétique... Bourdieu a isolé un « champ politique » (Bourdieu, 2000) et un « champ du pouvoir ». Le premier se limite aux « professionnels de la politique » en concurrence pour décrocher des mandats de représentation (Bourdieu 1981 : 9), alors que le second comprend les acteurs les plus importants des différents champs sociaux. Il constitue donc un méta-champ, un champ des champs (Bourdieu 1989 : 155), un champ *des* pouvoirs, celui au sein duquel se joue la domination d'un champ sur les autres. Pour Bourdieu, l'État bureaucratique est l'exemple le plus abouti d'un méta-champ. Il surplombe les autres champs sociaux en délimitant, avec plus ou moins de contrainte, leur périmètre, au travers d'un processus d'unification qui passe par un système de change – à l'image de celui qui prévaut entre les monnaies – entre les « capitaux », à la fois ressources et profits en jeu associés à ces différents champs sociaux.

Pour Paul de Bruyne (1995 : 1) de même que pour des auteurs comme Castoriadis, Gauchet ou Lefort (cf. chapitre Idéologies, section 1), le politique est immanent à la société, c'est-à-dire qu'il est impliqué dans celle-ci, grâce à trois fonctions qu'il y assure : il promeut l'intégration sociale, assure un ordre social et définit des finalités et des valeurs. Sans « le » politique, au sens de « *polity* », qui assure l'ensemble des régulations relatives au conflit et à la coopération des individus et des groupes au sein de la société, point de « vivre ensemble », de vie organisée en commun. Ceci rejoint l'entrée par la communauté que nous avons évoquée plus haut. Nous sommes donc ici dans une acception « noble » du concept, souvent délaissée aujourd'hui du fait de la connotation péjorative qui est associée au terme « politique » (cf. *infra*, section 1.3) en termes de luttes « intéressées » autour de la détention du pouvoir. Cette conception noble correspond à celle d'Aristote (1993/env. –330 : 85-93) par exemple, pour qui la politique est l'art du commandement social, l'activité pacificatrice permettant à une société divisée de s'ordonner à une finalité supérieure :

celle de la vie en communauté et pour qui « l'homme est un animal politique » : celui qui est parvenu à un degré élevé d'organisation (spécifiquement politique) par la cité, par l'institution du politique.

1.3. La politique

La politique correspond à la notion de « *politics* » en anglais et désigne l'ensemble des activités politiques, la vie politique, la mobilisation des acteurs politiques, entendus comme producteurs d'activités touchant au politique (cf. section 1.2.), ainsi que les rapports qu'ils entretiennent entre eux et les résultats que leurs interactions génèrent. Dans un sens étroit, « le plus politique » du terme (cf. *infra*, la notion de « monde politique »), la notion vise l'action d'un élu, d'un ministre, d'un chef d'État, ou d'un chef de parti d'opposition.

Dans un sens élargi (cf. *infra*, encadré n° 1.6), la notion recouvre l'activité d'un représentant syndical, d'un lobbyiste professionnel agissant pour le compte d'une multinationale, ou d'un citoyen signant une pétition en ligne pour promouvoir la protection de telle espèce d'animaux sauvages. Elle s'étend aussi à l'action d'un agent public de première ligne (un inspecteur des impôts, par exemple) ou encore d'un juge tranchant un différend particulier sur la base des textes juridiques en vigueur, produits par les acteurs politiques au sens strict.

La politique se déroule dans divers lieux, institués – comme un parlement, un conseil des ministres, une commission communale consultative en matière d'urbanisme... – ou non – une manifestation de rue, une réunion informelle dans un cabinet, une conférence-débat dans une université.

ENCADRÉ N° 1.3 : ARÈNES ET FORUMS

La politique se construit en différents lieux. Ceux-ci peuvent être publics ou non. Dans le domaine de l'analyse des politiques publiques, on fait la distinction parmi ces lieux, selon leur mode de délibération, entre arènes et forums. Dans les *arènes*, les acteurs en présence négocient (parfois à partir de positions déjà prises). Ils essaient de construire un rapport de forces le plus favorable à l'accueil maximal de leurs revendications. Les arènes (« *policy venues* ») sont des lieux institutionnels dans lesquels les acteurs portent et défendent des problèmes ou des projets en fonction de la façon dont ils les perçoivent (« *policy images* ») et les formatent (« *policy framing* ») (cf. *infra*, encadré n° 1.4). Dans les *forums*, les acteurs échangent des idées, s'engagent dans des discussions persuasives, essayant de (se) convaincre (mutuellement), dans un esprit ouvert à de possibles changements de position de leur part. Ces forums prennent une dimension particulière quand il s'agit, en démocratie, de construire des dynamiques participatives (cf. chapitre Citoyens).

Dans le sens courant, la portée de « la » politique est souvent réduite aux actions des seuls représentants politiques élus ou candidats à des fonctions parlementaires ou exécutives – considérés comme formant « le monde politique », au sens étroit d'un microcosme social particulier, parfois d'ailleurs aussi désigné sous l'expression « le politique » (« les citoyens interpellent le politique ») (cf. *infra*, encadré n° 1.6). Ainsi, dans cet éditorial de *La Libre Belgique* du 15 juillet 2007 intitulé « Vive les débats politiques » : « La politique, c'est quoi ? En bref, c'est l'art de gouverner la cité sur la base des idées formulées par des hommes et des femmes réunis au sein d'associations que l'on nomme partis ». La politique se limite alors à l'activité des partis, considérant comme non politiques les actions d'autres acteurs, comme des syndicats, des ONG, des comités d'habitants ou des citoyens. Même si leurs actions visent un changement d'orientation des normes juridiques en vigueur et touchent ainsi à la façon dont le pouvoir est exercé dans une société et au contenu de l'ordre commun qui y règne, et donc concerne – en plein – le politique. Ainsi, à la question « Amnesty [International] se dit apolitique. Est-ce une bonne chose ? », Éric David, professeur émérite de droit international répondait : « Oui, car cela évite d'identifier Amnesty à un parti. Cela ne veut pas dire qu'Amnesty ne fait pas de politique : le combat pour la promotion des droits humains est un combat politique puisqu'il concerne la gestion de la cité » (*La Libre Belgique*, 28 mai 2011). Effectivement, dans son usage courant, « la politique » renvoie en fait souvent, de manière réductrice et péjorative au phénomène « partisan », qui fait par ailleurs lui-même l'objet d'une connotation péjorative.

Ce sens courant charrie donc également souvent une connotation négative de la politique, en appréhendant celle-ci dans ses « mauvais côtés », en ses aspects jugés négatifs d'un point de vue moral. La politique renvoie dans ce cas, de façon limitative ou caricaturale, à des pratiques telles que les « compromis-compromissions », « petits arrangements entre amis », favoritisme – les « nominations politiques » dans l'administration publique, la politisation des procédures d'attribution d'un marché public à une entreprise « amie », etc. – et les combines diverses – les « affaires » et « scandales » liés au financement occulte des partis, à la corruption de mandataires ou de fonctionnaires, à des abus de biens sociaux... Il est fort probable que c'est ce sens restreint et axiologiquement très chargé de « la politique » que les citoyens ont aujourd'hui le plus souvent à l'esprit lorsqu'ils sont invités à répondre à des enquêtes d'opinion sur leur intérêt pour la politique, leur confiance en la politique ou l'importance qu'ils reconnaissent à la politique dans la société.

1.4. Un politique

L'expression « un politique » désigne avant tout un type particulier d'acteur politique, un professionnel de la politique, entendu au sens restreint du terme, équivalent de « *political man* » ou « *politician* », en anglais, c'est-à-dire un « homme ou femme politique », un « politicien ». Mais en français dans le langage courant, ce mot est souvent connoté négativement. On retrouve ce sens dans le titre d'un article publié le 25 mars 2011 sur le site de l'hebdomadaire belge *Le Vif/L'express* : « À peine 13 % des Belges font confiance aux politiques ».

Dans une signification légèrement différente, « un politique » désigne quelqu'un qui a un sens politique, de l'intelligence politique, c'est-à-dire des « qualités » pour produire des actions efficaces dans le jeu politique ou bien qui se comporte, dans un contexte qui n'est pas nécessairement politique, comme se comportent les « habiles politiciens » avec ici aussi éventuellement toutes les connotations négatives qui sont accolées à « la politique » ou à « politicien » (« manœuvres politiciennes »...) au sens courant de ces termes. On retrouve ce sens-là dans des expressions familières comme « ça c'est un vrai politique », « toi, tu pourrais faire de la politique », pour être capable d'avoir des idées ou des comportements pareils.

1.5. Une politique, les politiques

Une politique, substantif au singulier, équivaut à la notion de « *policy* » en anglais. L'expression désigne communément une ligne de conduite ou un programme plus ou moins intégré d'actions guidées par des principes et objectifs. Il peut s'agir, par exemple, de la politique de l'emploi proposée par tel parti. Mais également de la politique de recrutement ou des ressources humaines d'une entreprise. De la même façon qu'on retrouve cette signification dans des expressions de la vie courante comme « j'ai pour politique » (de ne jamais donner de l'argent aux mendiants, par exemple). Notons donc dans un premier temps que les phénomènes ainsi désignés ne s'inscrivent pas nécessairement dans un contexte politique.

Mais, plus spécifiquement, en science politique, la notion « une » politique a un sens plus précis lorsqu'elle fait référence à une ou à des « politique(s) publique(s) » (« *policies* » en anglais). Ce peut être, par exemple, la politique de l'emploi d'un pays, menée par différents gouvernements. « Une politique publique » renvoie alors à l'ensemble de l'action publique qui est produite dans un « *secteur* » particulier, correspondant à un découpage spécifique des domaines d'intervention des pouvoirs publics : la politique des transports ou de la mobilité, la politique de protection de l'environnement, la politique d'égalité hommes-femmes, etc.

Cet ordre de phénomènes politiques fait l'objet d'un domaine spécialisé d'études en science politique dénommé l'analyse des politiques publiques ou, plus récemment, l'analyse de l'action publique (cf. *infra*, encadré n° 1.4). Dès les années 1930, Lasswell (1961/1936) expliquait que la grande question de l'analyse des politiques est « *who gets what, when and how ?* ». Dye (1984) considérait pour sa part – dans les années 1980 – que les politiques publiques consistaient en ce que les gouvernements décident de faire ou de ne pas faire. Cette conception a ensuite été élargie à ce que les autorités publiques entreprennent dans une société et l'*impact* que cela a sur celle-ci. Aujourd'hui, les politiques publiques impliquent plusieurs échelons de pouvoir (du local à l'international) et des réseaux complexes d'acteurs (des autorités publiques aux acteurs privés).

L'un des outils traditionnels d'analyse des politiques publiques consiste à se représenter le processus de production d'une politique publique ou d'une action publique d'un point de vue séquentiel, en faisant l'analogie à un cycle composé d'une succession d'étapes. Cela permet de (se) représenter le fait qu'une politique publique ou une action publique soit un ensemble de décisions cohérentes, intentionnelles, en vue – souvent – de résoudre un problème perçu comme collectif, rendu public et politique.

ENCADRÉ N° 1.4 : LE CYCLE DES POLITIQUES PUBLIQUES

Charles Jones (1970) a été un des pionniers de la conception séquentielle « des » politiques, depuis lors reprise et appliquée par de nombreux analystes des politiques publiques. Sa grille distingue cinq étapes.

Émergence, perception et formatage d'un problème public : un problème, parfois d'ordre purement privé, fait l'objet d'une mobilisation sociale (groupes d'influence, par exemple) et politique (surtout de la part des partis)

Évaluation : pour faire face au problème de départ, les décisions constituant le programme d'action public sont appliquées. Le but est de concrétiser une solution au problème public.

Mise à l'agenda (principalement) gouvernemental ou parlementaire : le problème commence à faire l'objet de processus formalisés de décisions publiques. Des autorités publiques (politiques et administratives) s'en saisissent.

Mise en œuvre : pour faire face au problème de départ, les décisions constituant le programme d'action publique sont appliquées. Le but est de concrétiser une solution au problème public.

Sélection d'un programme d'action publique : parmi différentes alternatives possibles pour traiter le problème de départ, les autorités en privilégient une. Elles réfléchissent entre autres aux instruments qu'il faut mobiliser et aux ressources disponibles.

 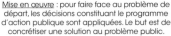 

Source : adaptation des auteurs à partir de Jones (1970) et Knoepfel, Larrue, Varone (2006).

Enfin, de façon encore plus pointue, dans un sens plus spécialisé, « les » politiques peuvent être conçues en science politique comme les produits, les « *outputs* », fournis par le système politique sous forme d'actions et de décisions (cf. chapitre Système politique et notamment encadré n° 4.13).

2 | Les conceptions maximaliste et minimaliste du politique

Dès lors que nous avons défini la portée de l'adjectif « politique » dans l'expression « science politique » comme désignant tout ce qui touche au politique dans une société, soit au pouvoir, soit au projet de vie commun de la communauté, la question suivante se pose : Qu'est-ce qui est politique dans une société ? Deux grandes réponses-types sont possibles, que ce soit sur un plan scientifique, visant à la connaissance de la réalité sociale, ou sur un plan idéologique, lié à une entreprise de conservation ou de transformation de la réalité sociale/de l'ordre social (cf. chapitre Idéologies) : une conception maximaliste et une conception minimaliste. Nous verrons que, sur un plan scientifique, une troisième conception intermédiaire, relativiste s'impose.

2.1. La conception maximaliste de ce qui est politique

Dans l'optique maximaliste, tout est politique. N'importe quelle activité humaine est politique. Ainsi, Crozier et Friedberg (1981 : 26) déclarent : « Tout est politique puisque le pouvoir est partout ». Nous retrouvons cette conception chez Foucault (cf. chapitre Pouvoir). Toute activité, même si elle n'est pas *a priori* étiquetée comme étant politique, le devient car elle contribue à transmettre les valeurs que le système politique doit allouer pour permettre la cohésion sociale (cf. chapitre Système politique) et elle reproduit donc l'ordre social : éduquer les enfants, prodiguer un enseignement à des élèves ou des étudiants, produire des biens de consommation, les consommer, etc. Remarquons d'ailleurs que « *Tout est politique* » était un des slogans des étudiants de mai 1968. De même, à la fin des années 1960, le mouvement féministe affirmait que « *le privé est politique* » pour dénoncer le fait que la domination masculine, selon ledit mouvement, s'exerçait par excellence dans la sphère privée tout en impactant le statut des femmes dans la société. Et que donc même la manière dont se déroulent les relations les plus intimes entre les hommes et les femmes – relations amoureuses et sexuelles, répartition des tâches ménagères et éducatives, articulation des vies familiales et professionnelles... – ont à voir avec l'ordre commun d'une société que le pouvoir engendre ou laisse se produire.

Bien sûr, la mise en œuvre de cette conception maximaliste du politique doit être différenciée selon que nous parlons d'un régime autoritaire, voire totalitaire, ou démocratique au sens de respectueux des droits humains (cf. chapitre Régimes politiques). Un régime totalitaire – l'Allemagne nazie sous Hitler, l'Union soviétique sous Staline, par exemple –, vise à politiser tous les aspects de la vie quotidienne des individus : l'enseignement, la littérature, les croyances et pratiques religieuses, la musique, l'architecture, le sport, la science, etc. L'objectif est de permettre le contrôle maximal par l'appareil gouvernemental de la société, dans toutes ses dimensions. Dans un régime de démocratie libérale, la réalité sociale n'est pas tranchée et organisée de la sorte. Il est vrai que, par exemple, une manifestation sportive (par exemple, un match de football) peut activer l'attachement de citoyens à leur État. De même, une œuvre artistique peut véhiculer un message pour encenser ou critiquer le parti au pouvoir ou le chef d'un État. Un journal ou une chaîne de télévision peut montrer une proximité avec une tendance politique plus qu'avec une autre dans sa manière de couvrir l'actualité. Mais, dans un régime de démocratie libérale, le processus de politisation de la société (cf. *infra*, section 3) ne résulte pas d'une stratégie délibérée et manifeste du pouvoir en place qui en fait une fin en soi.

2.2. La conception minimaliste de ce qui est politique

À l'opposé, des analystes comme des idéologues – mais pour des raisons différentes – donnent une représentation de la politique assignée à une place réduite, limitée dans la société, voire même inexistante. C'est le cas d'anthropologues politiques découvrant des sociétés dites primitives fonctionnant sans pouvoir centralisé institué en leur sein et montrant qu'une société humaine n'a pas besoin nécessairement d'institutions spécialisées – d'État – pour produire en son sein un ordre commun.

Cette conviction est aussi celle des mouvements politiques anarchistes (cf. chapitre Idéologies). Elle habitait aussi le jeune Marx lorsqu'il décrivait comme horizon de la révolution, après la phase socialiste transitoire du gonflement de l'État sous dictature du prolétariat, la phase communiste de la disparition de l'État et de l'autogestion de la société par elle-même. Dans une autre veine idéologique, un penseur libéral comme Francis Fukuyama (1992) prophétise, autant qu'il appelle son advenue, la fin de l'histoire au sens de la pérennisation d'un système politique alliant démocratie libérale et capitalisme de marché, dans lequel les fondamentaux ne font plus l'objet d'oppositions visant à en changer et qui tourne donc sur lui-même. Dans cette idée, également avancée au temps de la systématisation de l'État social (Donzelot, 1984), la fin de l'histoire signifie la fin du politique, au sens de la fin de luttes sur les fins dernières d'une société et les principales modalités de son organisation.

Une autre optique minimaliste réduit la politique à des procédures de décisions publiques et des choix structurels d'organisation sociale qui se doivent d'être les plus efficaces possibles. Nous sommes dans une logique managériale de la société : la politique sert à gérer la société, comme on gère une entreprise commerciale, sans autre forme de spécificité. Cette conception renvoie à deux autres notions : l'utilitarisme et la technocratie. L'*utilitarisme* est un courant d'abord philosophique apparu à la fin du XVIIIᵉ siècle dans le monde anglo-saxon avec Bentham. Il vise à déterminer quels critères doivent régir nos décisions collectives afin que ces dernières soient caractérisées par l'objectivité, la neutralité, la rationalité. En vertu de ces considérations, une décision politique est légitime dès lors qu'elle est efficace.

Après la Deuxième Guerre mondiale, la *technocratie* (découlant en partie de l'utilitarisme) a été largement développée en tant que gestion politique entre les mains principalement de techniciens, d'experts chargés de prendre des décisions efficaces compte tenu de leurs connaissances techniques, de leur champ spécialisé de compétences. La politique est alors l'affaire principalement d'un corps de spécialistes, comme la construction d'une maison ou les soins médicaux. La politique est réduite à un secteur spécialisé d'activités parmi d'autres, contrairement à l'idée originelle de démocratie qui a été mise en application à Athènes, durant l'Antiquité (cf. chapitre Régimes politiques et encadré ci-dessous, les propos de Protagoras dans son dialogue avec Socrate, d'après Platon).

ENCADRÉ Nº 1.5 : DIALOGUE ENTRE SOCRATE ET PROTAGORAS D'APRÈS PLATON

- Protagoras dit à Socrate qu'il enseigne un savoir différent des autres sophistes : « Ce savoir, c'est l'art de prendre des décisions dans les affaires privées comme dans les affaires publiques, c'est-à-dire comment gérer au mieux sa maison et comment être le plus apte à diriger la cité par les actes et les paroles ».

- Socrate : « Selon moi, c'est de l'art politique dont tu parles, et tu t'engages à former de bons citoyens ».

- Protagoras : « Exactement, c'est là l'engagement que je prends ».

- Socrate : « D'où me vient cette idée que cet art ne peut s'enseigner ni ne peut se communiquer d'un homme à l'autre (...). (J)e constate que lorsque nous nous réunissons à l'Assemblée, si la cité doit s'occuper de faire construire un bâtiment, nous envoyons chercher des architectes pour prendre leur avis sur ces questions ; quand il s'agit de navires, nous consultons les charpentiers qui s'en occupent ; et ainsi de suite, à l'avenant, pour tous les arts dont on estime qu'ils relèvent d'un apprentissage ou d'un enseignement.

Et si quelqu'un d'autre veut donner un conseil et qu'on pense qu'il n'est pas spécialiste, serait-il beau, riche, ou bien né, nul ne l'écoute davantage. (…). En revanche, quand il faut discuter du gouvernement de la cité, chacun est admis à se lever, pour donner son avis, le maçon aussi bien que le forgeron, le cordonnier, le négociant ou l'armateur, le riche ou le pauvre, le noble et le roturier, et nul n'encourt de critique comme dans le cas précédent si, sans avoir rien appris, sans l'aide d'aucun maître, il s'apprête à donner un avis. Il est donc clair qu'on estime qu'il n'y a rien là qui relève d'un enseignement. (…) Telles sont les considérations qui me donnent à penser, Protagoras, que la vertu ne s'enseigne pas (…) ».

– Protagoras répond d'abord par une histoire. Contant les débuts de la civilisation humaine, il dit : « (…) Si leur activité d'artisan suffisait à les nourrir (les hommes préhistoriques), elle ne leur permettait pas de lutter contre les bêtes sauvages. Car ils ne possédaient pas encore l'art politique, dont l'art de la guerre est une partie. (…) (À) chaque fois qu'ils se rassemblaient en cités, comme ils ignoraient tout de l'art politique ils se faisaient du tort réciproquement, si bien qu'ils se dispersaient de nouveau et de nouveau périssaient. Zeus alors, craignant la disparition de notre race tout entière, envoie Hermès porter aux hommes respect et justice pour unir les cités par des principes d'ordre et des liens d'amitié. Hermès donc demande à Zeus de quelle manière il doit distribuer respect et justice chez les humains : – Dois-je procéder comme pour les arts, c'est-à-dire en instituant un seul professionnel, de médecine ou de tout autre art, pour un grand nombre de gens ? Est-ce ainsi que je dois aussi établir respect et justice chez les humains ou dois-je les distribuer à tous ? – À tous répondit Zeus. Il faut que tous y aient part, car les cités ne pourraient exister si seulement un petit nombre d'humains y avait part comme c'est le cas pour les autres arts. (…). Voilà la raison, Socrate, pour laquelle les Athéniens, et tous les autres peuples, quand on discute de l'excellence d'un architecte ou de toute autre profession, n'accordent qu'à un petit nombre de gens le droit de donner un avis, (…). Mais quand ils discutent de l'excellence d'une décision dans le domaine politique, ce qui implique nécessairement justice et sagesse, il est normal qu'ils admettent que tout homme en parle car tout homme doit avoir part à cette forme de vertu, sinon il n'y a plus de cité. Telle est, Socrate, la raison de ce comportement ».

– Protagoras conclut ensuite par un raisonnement : « Existe-t-il, oui ou non, une chose à laquelle tous les citoyens doivent avoir part pour qu'une cité existe ? (…). Si cette chose existe et si cette qualité unique n'est ni l'art du charpentier, ni celui du forgeron ou du potier, mais est bien la justice, la sagesse, le respect de la loi divine, en un mot ce que j'appelle la vertu propre à l'homme, si c'est bien là ce à quoi tous doivent avoir part, si c'est là pour tout homme la condition *sine qua non* de tout savoir et de toute action, (…) il faut l'enseigner à tout humain (…) » (Platon, 1993/env. -430 : 76-89 ; 319A- 325C).

2.3. La conception intermédiaire de ce qui est politique

Entre ces deux conceptions extrêmes, maximaliste et minimaliste, du politique, il existe une posture intermédiaire, constructiviste, qui consiste à dire que tout n'est pas politique, mais que tout peut le devenir, que le politique peut potentiellement se retrouver n'importe où, et qu'est politique ce que les gens considèrent à un moment donné, dans une société donnée, comme politique. Un tel constat n'est pas normatif : il part du principe qu'en fonction de la représentation (socialement construite) qu'ont les acteurs d'une situation, du sens qu'ils donnent à une activité, des objectifs qu'ils poursuivent, ils peuvent conférer une portée politique à un phénomène qui ne relève pas directement du champ politique.

Prenons l'exemple des Jeux olympiques (JO). Il a souvent été rappelé qu'il s'agit d'une manifestation sportive dans laquelle le politique ne doit pas interférer. Pourtant, selon les conjonctures, ils peuvent devenir une occasion pour des individus ou des groupes d'attirer l'attention du monde entier sur une situation qui, selon eux, le mérite. Entre autres illustrations, nous pouvons retenir que les JO fournissent aux États une opportunité pour se positionner les uns par rapport aux autres, Vladimir Poutine (alors Premier ministre de Russie) participe à la cérémonie d'ouverture des JO d'été à Pékin en 2008, car la Russie, dont il est le président, est un allié historique de la Chine ; alors que Angela Merkel (Chancelière allemande) ou Tony Blair (Premier ministre britannique) n'y participent pas car des États membres de l'Union européenne refusent de cautionner le régime chinois (en particulier sur le plan de la situation des droits de l'Homme qui y prévaut), notamment par une participation officielle à une cérémonie largement médiatisée.

Soulignons enfin que tous les problèmes d'ordre privé ne deviennent pas sociaux, et tous les problèmes sociaux ne deviennent pas forcément publics. L'analyse des politiques publiques s'attache à expliquer le processus par lequel un problème privé (par exemple, la cohabitation de parents homosexuels) devient social (par exemple, des groupes représentant les gays et lesbiennes dénoncent comme problématique le fait que le mariage et l'adoption soient limités aux couples hétérosexuels), voire politique (si des partis se positionnent en faveur ou contre l'octroi de nouveaux droits aux homosexuels). Le problème acquiert une dimension *sociétale et* proprement *politique*, à partir du moment où il implique débat et décisions publiques censées s'imposer à tous (par exemple, une loi autorisant le mariage et l'adoption par les personnes de même sexe). Le problème pourra donc faire l'objet d'une politique publique passant par les différentes séquences que nous avons décrites plus haut (cf. encadré n° 1.4 sur le cycle des politiques publiques). Cette évolution d'un problème dépend *in fine* de la construction qu'en font les acteurs.

3 | Le concept et le processus de politisation

Cette dernière conception de ce qui est ou devient politique nous amène à évoquer le concept et le processus de politisation.

En science politique, le concept de politisation permet d'une part, de mesurer le degré d'emprise du, de la ou des politique(s) sur les *phénomènes* et les manières et degrés divers dont certains phénomènes sont investis ou désinvestis d'une « prise en charge » politique (Lagroye, 2003) et de l'autre, de mesurer le degré d'engagement politique, d'investissement des *citoyens* dans des activités à portée politique.

Avant d'aborder ce concept dans ces deux dimensions/volets, rappelons que les phénomènes politiques peuvent être abordés à des niveaux d'analyse différents : micro, méso et macro (cf. avant-propos, encadré n° 0.3).

3.1. La (dé)politisation des phénomènes

À un niveau *macro*, la politisation désigne un processus par lequel les éléments constitutifs du, de la, des politique(s) sont relayés par des acteurs influents dans diverses arènes ou forums (comme le parlement, le gouvernement) pour y faire l'objet de débats sociétaux (*versus* privés) qui amènent les décideurs politiques à se positionner par rapport à lui. Par exemple, le choix de fumer est longtemps resté une question privée ; c'est devenu un problème public à partir du moment où des associations se sont souciées des effets du tabagisme (passif) sur la santé, où des autorités publiques y ont ajouté le coût pour des traitements assumés par la sécurité sociale, jusqu'à faire l'objet d'une politique publique dont en Belgique un arrêté royal en 2005 interdisant de fumer dans les lieux publics.

Certains problèmes peuvent être plus ou moins politisés selon les périodes et les pays. Par exemple, longtemps, en Occident, la question des rapports hommes-femmes n'était pas considérée comme politique. Ce qui est aujourd'hui considéré comme des inégalités, notamment suite à la mobilisation d'un mouvement féministe, était perçu autrefois comme « naturel », « normal », allant de soi. De même, en ce qui concerne la question de la pauvreté qui a été prise en charge, pendant des siècles, seulement par des pratiques caritatives privées, avant que le mouvement ouvrier ne fasse pression sur l'État pour qu'il intervienne dans ce domaine (cf. chapitre État, section 3.3).

Par ailleurs, les types d'intervention de la puissance publique peuvent varier au cours du temps. Ainsi, en Belgique, les pouvoirs publics ont par le passé plutôt favorisé la promotion de la naissance d'un certain nombre d'enfants par foyer. Depuis une cinquantaine d'années, ils sont passés à des politiques permettant une régulation des naissances par les partenaires concernés, via le subventionnement des centres de planning familial et le remboursement (partiel) par la sécurité sociale des moyens de contraception médicaux apparus dans les années 1960. Cette question de la procréation revêt une dimension fortement politique en Chine populaire, pays de plus d'un milliard et demi d'habitants, qui met en œuvre une politique « de l'enfant unique » visant à dissuader les couples d'avoir plus d'un enfant, et ce, en vue de maîtriser la croissance démographique nationale.

Enfin, le positionnement de la société civile (cf. chapitre Citoyens, section 1) et la mobilisation des acteurs sont également à géométrie variable. Par exemple, s'agissant des organismes génétiquement modifiés (OGM), des pics de mobilisation citoyenne (y compris activistes procédant à l'arrachage d'essais en champs), de débats médiatisés, impliquant un moratoire européen, ont été enregistrés davantage à la fin des années 1990 et au début des années 2000 que dix ans plus tard.

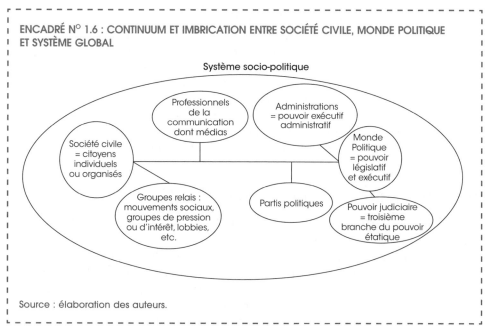

ENCADRÉ N° 1.6 : CONTINUUM ET IMBRICATION ENTRE SOCIÉTÉ CIVILE, MONDE POLITIQUE ET SYSTÈME GLOBAL

Source : élaboration des auteurs.

3.2. La (dé)politisation des citoyens

Au niveau *micro*, la politisation revêt un deuxième sens : celle de la socialisation et la participation politiques des individus. Elle dénote l'intérêt pour – l'investissement dans, voire la participation active des citoyens à – la politique. Bien sûr, elle varie d'une personne à l'autre et dans le temps : elle est réactivée par certaines conjonctures comme les campagnes électorales, les « affaires » ou des crises (par exemple la « Marche blanche » en Belgique en 1996, la votation d'initiative populaire sur l'interdiction des minarets en Suisse en 2009, la construction du port méthanier à Québec à partir de 2004). La politisation des individus s'effectue selon deux schémas idéaux-typiques.

Premièrement, la politisation peut être « pragmatique » en ce que les personnes poursuivent des objectifs, voire même des intérêts, en abordant des acteurs politiques qui sont perçus comme utiles pour les atteindre. Ces objectifs peuvent être collectifs ou individuels, de même que les acteurs politiques dont il est question pourront être des individus (un ministre) ou des organisations (un parti politique). Par exemple, les syndicats de travailleurs aux États-Unis ont toujours soutenu (y compris financièrement) le Parti démocrate. À la limite, cette politisation conduit au clientélisme et à l'extrême, aux pratiques mafieuses.

Deuxièmement, la politisation peut être « idéaliste » par le fait que des personnes considèrent la politique comme un combat pour de grandes causes prônant des valeurs de manière forte. Par exemple, la lutte contre un régime autoritaire au nom de la liberté (comme les étudiants mobilisés en Birmanie en soutien à l'opposante politique démocrate Aung San Suu Kyi et contre le régime de la junte militaire birmane depuis le milieu des années 2000), le dépassement des clivages pour l'indépendance d'un État (l'union en 1830 des catholiques et des libéraux dans le dépassement du clivage clérical vs anti-clérical pour l'indépendance de la Belgique face aux Pays-Bas dominés par les protestants, cf. chapitre Clivages), l'émancipation des travailleurs au nom de la justice sociale, etc. La politique est alors très mobilisatrice. Elle permet à un groupe de se sentir uni (cohésion sociale). Dans la doctrine marxiste, la politisation vise à donner une conscience politique à des individus inorganisés et tout particulièrement aux travailleurs conçus comme « aliénés » : la « conscience de classe ». À l'extrême, dans le contexte de la propagande employée par un régime non démocratique – au sens de la démocratie libérale –, soulignons que la politisation peut avoir comme effet pervers d'anesthésier le pluralisme, l'esprit de négociation et de compromis (par exemple, la Révolution bolchevique de 1917 en Russie, sous la direction de Lénine).

4 | Une démarche scientifique d'analyse des phénomènes politiques

En définissant les notions de « politique » et de « politisation », nous avons précisé quels étaient les phénomènes qui constituaient l'objet d'étude de la science politique. Nous nous attachons à présent à préciser en quoi consiste la démarche de la science politique, la manière spécifique dont elle entend élucider le sens des phénomènes politiques. La question n'est pas anodine, car, comme nous allons le constater, la science politique n'est pas l'unique source de connaissance et de compréhension des phénomènes politiques.

4.1. Science politique et savoir ordinaire

Comme en témoigne le mot « science » dans son appellation, la science politique entend produire une connaissance scientifique des phénomènes politiques. Le savoir scientifique se distingue avant tout du « savoir ordinaire », de la connaissance relativement commune que peut avoir du monde le profane, le citoyen lambda, l'« homme de la rue ». Comme indiqué dans l'avant-propos, ce qui fait la qualité d'un savoir scientifique, ce sont avant tout les procédures particulières de sa production. L'examen approfondi d'une question avant d'en tirer des enseignements « définitifs » quant à sa nature, son évolution, ses causes. L'assemblage d'une documentation particulière pour permettre d'établir les faits. La lecture préalable des analyses existantes qui peuvent être pertinentes pour la question traitée. L'argumentation des thèses soutenues, à cent lieues d'un savoir spontané sur le mode du « bon sens populaire ». Aussi bien fondée que puisse être une impression ou une intuition sur la réalité des choses, il manquera toujours à cette forme de savoir courant tout ce travail préalable qui est nécessaire à la production d'une connaissance scientifique et à sa validation à ce titre.

4.2. Science politique et savoir pratique

Mais la connaissance spécialisée des phénomènes politiques n'est pas l'apanage de la seule démarche scientifique. Elle ne se limite pas aux seules analyses produites par des experts académiques. Elle comprend aussi le savoir des praticiens, entendus ici comme les acteurs de la politique. Le savoir propre au monde politique tire son caractère spécialisé d'autres éléments que ceux qui sont caractéristiques d'un savoir scientifique. D'une part, d'un rapport intime d'observation de la pratique à laquelle l'acteur politique participe personnellement. De l'autre, souvent aussi, d'un accès direct à des données confidentielles : des documents, des positions exprimées oralement « off the record » par d'autres acteurs (politiques)...

S'il n'est pas dénué d'intérêt, ne fût-ce que parce qu'il peut s'appuyer sur des données non directement accessibles aux scientifiques, il manque toutefois également au savoir des praticiens tout le travail préalable nécessaire au savoir scientifique. De plus, la mise en œuvre des procédures de production des connaissances scientifiques permet une plus grande prise de distance sur les phénomènes dont on entend rendre compte, amenant à les restituer dans un contexte plus vaste que la (micro-) situation impliquant les acteurs concernés, et à les aborder avec moins de subjectivité que lorsqu'on y est soi-même impliqué (cf. *infra*, section 7).

4.3. Science politique et savoir journalistique

À la différence du savoir des praticiens, les connaissances du monde politique produites par les journalistes politiques sont générées, non pas par des acteurs politiques, mais par des observateurs de la vie politique – encore que leurs descriptions et analyses des faits politiques influencent l'action future des acteurs politiques (électeurs, responsables de partis...) –, ce que sont également les scientifiques. Rapporteurs « au quotidien » de l'action politique, témoins privilégiés des confidences des acteurs politiques, les journalistes politiques bénéficient d'une position d'observation rapprochée des phénomènes politiques. Ils peuvent ainsi plus directement « capter » une série d'éléments de connaissance qui font la spécificité du savoir des praticiens.

Mais, revers de la médaille, à force de côtoyer les praticiens du monde politique, ils peuvent avoir tendance à adopter leurs manières de voir, à l'instar de ces journalistes sportifs qui relatent le déroulement des courses cyclistes en laissant de côté la problématique du dopage. De plus, dans le monde actuel des médias, en situation de concurrence (également pour les financements publicitaires), les exigences de l'audimat peuvent amener les journalistes politiques à produire une information selon des procédures peu compatibles avec les exigences déontologiques de leur propre profession : vérification de la fiabilité des sources, recoupement des informations, etc.

5 | Science(s) politique(s) : au pluriel ou au singulier ?

Mise au singulier, l'expression « science politique » connote plutôt l'homogénéité, mettant l'accent sur ce qui réunit des savants au sein d'une même discipline, à savoir ici leur vocation à étudier de façon scientifique un même objet spécifique, les phénomènes politiques. Tandis qu'au pluriel, l'expression connote davantage la diversité, soulignant l'éventail de démarches possibles dans l'analyse scientifique des phénomènes politiques.

En réalité, l'expression « sciences politiques » (au pluriel) revêt deux sens différents. Dans un sens chronologiquement premier, le plus large, « *les* sciences politiques » désignaient un certain nombre de disciplines générales des sciences humaines dont la connaissance était jugée nécessaire pour comprendre – et pratiquer – la politique, entendue comme processus de gouvernement d'une société humaine. Ainsi l'Académie française des sciences morales et politiques, créée sous la Révolution française en 1795 regroupait à la fin du XIXe siècle les disciplines suivantes : « philosophie », « morale », « législation », « droit public et jurisprudence », « économie politique et statistique », « histoire générale et philosophique »... Aucune « classe » spécialisée en « science politique » n'y était établie dans la mesure où celle-ci n'existait pas encore.

ENCADRÉ N° 1.7 : SCIENCES SOCIALES ET SCIENCES HUMAINES

Les expressions « sciences sociales » et « sciences humaines » peuvent être utilisées comme des synonymes. Elles visent alors communément cet ensemble de sciences traitant des phénomènes spécifiquement humains et non des phénomènes naturels, comme les sciences de la nature (physique, biologie...). Aujourd'hui, la dénomination de sciences *sociales* désigne souvent la science politique, la sociologie, l'économie,... à la différence des sciences *humaines*, qui renvoient à l'histoire, la philologie ou la philosophie (les « *Humanities* », en anglais), même si une partie des scientifiques de ces disciplines revendiquent leur rattachement aux sciences sociales (par exemple, la philosophie analytique, l'histoire sociale et la linguistique post-sausurienne). Les sciences sociales se distinguent alors des sciences humaines, moins du point de vue de leurs objets d'études que des perspectives générales pour en traiter. Le paradigme, au sens kuhnien du terme (cf. *infra*, encadré n° 1.10), des sciences sociales conduit les chercheurs à appréhender l'homme en société et le résultat de ces interactions (le « social »), et non l'Homme universel, considéré

---

de façon abstraite – comme dans certains courants de la philosophie. S'ajoute à cette différence paradigmatique de base, des différences dans la démarche. Comme nous allons le développer (cf. *infra*, section 7), la recherche en sciences sociales se veut notamment non normative, recourant à des techniques spécifiques et étayant une systématicité des connaissances.

Dans un sens ultérieur, plus restreint, l'appellation « sciences politiques » (au pluriel) désigne l'ensemble des sous-parties « politiques » qui se sont développées au sein de la plupart des sciences humaines établies. Soit un certain nombre de sous-disciplines qui, dans le cadre intellectuel de leur discipline d'appartenance, se sont plus spécifiquement consacrées à l'étude des phénomènes politiques : la philosophie politique, l'histoire politique, la géographie politique – la géopolitique –, l'économie politique, la psychologie politique, la sociologie politique, l'anthropologie politique, et le droit public. Remarquons que ce dernier était anciennement dénommé « droit politique », comme en témoigne l'œuvre célèbre de Jean-Jacques Rousseau, *Du contrat social* (1762), sous-titré « Principes de droit politique » (cf. chapitre Régimes politiques, encadré n° 7.4).

Quant à l'expression « science politique » (au singulier), sa diffusion témoigne d'abord d'une volonté de fédérer les travaux entrepris, et les connaissances produites, par différents chercheurs, à propos des phénomènes politiques, dans une même communauté scientifique, une même discipline. Ce n'est que progressivement que l'appellation « science politique » (au singulier) a acquis son sens actuel, désignant une discipline unie par une épistémologie et des méthodes propres aux sciences sociales au sens positiviste du terme, et relativement différente des autres disciplines des sciences humaines et de leur partie « politique » (cf. *supra*, encadré n° 1.7). Elle s'est progressivement affirmée au XXᵉ siècle, notamment dans les universités, et à partir des États-Unis d'Amérique après la Deuxième Guerre mondiale (cf. *infra*, section 8.3).

Ne donnons toutefois pas une importance démesurée à cette différence sémantique entre « science politique » au singulier ou au pluriel, même si celle-ci peut contribuer à expliquer l'ampleur et le rythme différents de l'institutionnalisation de la science politique selon les pays (cf. *infra*, sections 8 et 9). D'une part, même dans les pays latins où c'est sous l'appellation « sciences politiques » (au pluriel) que la politologie s'est institutionnalisée à partir de la fin du XIXᵉ siècle, l'intitulé « science politique » (au singulier) était déjà communément utilisé pour désigner des travaux scientifiques traitant spécifiquement des phénomènes politiques, peu importe l'optique disciplinaire adoptée. Ainsi, en France : Esquirou de Parieu, *Principes de la science politique*, 1870, Edmond Chevrier, *Les éléments de la science politique*, 1871, ou Paul Janet, *Histoire de la science politique dans ses rapports avec la morale*, 1872. D'autre part, même dans les pays anglo-saxons où l'institutionnalisation de la politologie s'effectue directement par le biais de l'appellation « science politique » (au singulier), ce à quoi cet intitulé renvoie au départ, c'est également à une variété de démarches disciplinaires différentes, qui tendent à être réunies dans de mêmes cadres institutionnels. Non à une démarche disciplinaire unifiée, revendiquant sa singularité vis-à-vis des autres démarches disciplinaires existantes, au sens où s'entend la science politique aujourd'hui. Cette constitution intellectuelle particulière de la science politique ne va advenir que dans un deuxième temps (cf. *infra*, sections 8 et 9). Mais partout elle va être entreprise au nom et sous le label de « science politique » (au singulier).

6 | De l'appréhension normative des phénomènes politiques à la science politique

Penser la vie organisée en société, ce qui fait société, ce qui fait « tenir » et se développer une communauté humaine particulière, en bref le « vivre ensemble », n'est pas chose récente. Analyser les modalités de production d'un ordre commun à l'échelle d'un ensemble humain, chercher à appréhender ses variantes, ses effets, est une activité qui existe depuis des millénaires. Sans remonter au-delà de l'Antiquité grecque (3e millénaire avant J.-C.), songeons, au IVe siècle avant J.-C., à Platon et à sa réflexion sur les institutions et le savoir-faire nécessaire pour produire une « bonne » politique (*La République, Protagoras*), ou à Aristote et sa typologie des régimes politiques (*Les politiques*, cf. chapitre Régimes politiques).

Pour nous limiter au contexte occidental de la sortie du Moyen-Âge (à partir du XVIe siècle), un grand nombre d'auteurs qui font partie de notre héritage culturel se sont précisément rendus célèbres par des analyses des phénomènes politiques, et en particulier des modes de gouvernement des sociétés humaines et des rapports gouvernants-gouvernés. Que l'on songe à Machiavel (*Le Prince*, écrit en 1513 /publié en 1532, *Discours sur la première décade de Tite-Live*, 1531), Jean Bodin (*Les six Livres de la République*, 1576), Grotius (*Le droit de la guerre et de la paix, 1625)*, Thomas Hobbes (*Le citoyen*, 1642, *Léviathan*, 1651), John Locke (*Le deuxième traité sur le gouvernement civil*, 1690), Montesquieu (*De l'esprit des lois*, 1748), Jean-Jacques Rousseau (*Du contrat social*, 1762) ou Tocqueville (*De la démocratie en Amérique*, 1835 et 1840).

Sur la base d'une connaissance généralement très fouillée du passé et du contexte qui leur était contemporain, tous à leur manière ont livré des analyses politiques qui demeurent encore aujourd'hui marquantes. Cela est vrai du point de vue de leur démarche générale. Pensons à la mise en lumière par Machiavel de variables causales commandant l'accès et la conservation du pouvoir. Ou bien à la volonté des penseurs du contrat social comme Hobbes, Locke, Rousseau de fonder rationnellement l'ordre politique, selon un cheminement de raisonnement de type hypothético-déductif. Mais cela vaut aussi pour les concepts nouveaux qu'ils ont sinon inventés, auxquels du moins ils ont conféré une définition soigneusement élaborée : ainsi du concept de souveraineté chez Bodin ou de celui de représentation (politique) chez Hobbes.

Et pourtant, « la science politique n'est pas née avec Platon, Hobbes ou Rousseau, ces monstres sacrés de la philosophie politique. Entendue strictement, elle est une discipline contemporaine, apparue dans le sillage des grandes sciences sociales » (Braud, 2011 : 3). Comme l'exprime avec netteté le *Que-sais-je ?* qui lui est consacré, la science politique actuelle se conçoit comme une branche particulière – (entièrement) consacrée à l'étude des phénomènes politiques – des sciences sociales modernes dont la volonté est d'étudier les phénomènes humains comme les sciences de la nature étudient les phénomènes naturels. C'est-à-dire en cherchant à les observer et analyser avec le même rapport de distance, d'objectivité, en suivant ainsi les prescrits positivistes théorisés par Auguste Comte au début du XIXe siècle.

ENCADRÉ N° 1.8 : AUGUSTE COMTE ET LE POSITIVISME

Le positivisme est un concept forgé par Auguste Comte (1798-1857) dans le quatrième volume de son *Cours de philosophie positive* (1839). Il vise à rompre avec la philosophie classique en calquant l'analyse des faits sociaux sur la façon dont les sciences dites exactes ou de la nature, telle la physique ou la chimie, analysent les phénomènes physiques, depuis la découverte par Newton, au début du XVIIIe siècle, des «lois de l'attraction universelle».

Comte part du constat que la philosophie classique (métaphysique ou théologique) analyse les phénomènes sociaux en essayant de déterminer leurs «fondements premiers», en se demandant «Quelle est la *cause* ? » (question philosophique typique), et en recherchant celle-ci en dehors des manifestations concrètes des phénomènes sociaux eux-mêmes, dans un «au-delà», dans des facteurs extra-temporels, de façon donc spéculative. Par opposition, le positivisme n'entend rechercher l'explication des phénomènes sociaux que dans «l'ici-bas». Il veut dégager de l'étude de leurs manifestations concrètes des *lois* générales *explicatives* de fonctionnement, des «régularités tendancielles», «empiriquement constatées» par la mise en œuvre de techniques d'observation particulières – c'est le volet *constatatif/descriptif* du savoir positiviste –, et valant, toutes choses égales par ailleurs, comme autant de probabilités de reproduction dans le futur – c'est le volet *prédictif* du savoir positiviste. Soucieux de fonder une «physique sociale», Comte entendait promouvoir la «sociologie» – au sens de science du social – comme pendant «scientifique» de la démarche philosophique de connaissance des phénomènes humains. Il a posé, de façon plus large, les bases des sciences sociales modernes auxquelles se rattachent aujourd'hui non seulement la sociologie, mais également la psychologie, l'économie et la science politique (cf. *supra*, encadré n° 1.7)

Il reste que, faisant lui-même partie de ce qu'il analyse, étant un humain parmi les humains, celui qui étudie des phénomènes politiques aura plus de difficultés de les traiter avec distance que l'astronome qui observe les planètes. Il lui importe alors d'autant plus de prendre conscience de la relation sociale particulière qu'il entretient à l'égard de son objet d'étude (cf. *infra*, la notion de « rapport aux valeurs » de Max Weber), et des raisons qui le poussent à étudier tel objet, dans telle optique. Dans une perspective positiviste, le scientifique se doit d'essayer de se rapprocher le plus possible d'une objectivité totale dans l'étude des phénomènes qu'il analyse. Ce que contestent les approches dites « critiques » (en référence à l'école de Francfort) qui considèrent comme illusoire l'atteinte par le chercheur d'une complète neutralité. Pour les critiques du positivisme, tout résultat de recherche – la qualification du programme de tel parti comme de « centre-gauche », l'évaluation de telle politique publique comme peu efficiente, le constat de la déliquescence de tel État, etc. – est nécessairement orienté, aussi parce qu'il constitue, que le chercheur le veuille ou non, une ressource argumentative potentielle pour les acteurs sociaux et politiques engagés dans des luttes pour conserver ou transformer l'ordre social et politique existant. Dès lors, les approches critiques préconisent que le chercheur assume explicitement le caractère engagé, c'est-à-dire axiologiquement orienté, de ses choix en matière d'objet et d'optique de recherche, et partant la dimension normative de son entreprise de recherche, plutôt que de chercher à les minorer comme l'y enjoint le positivisme.

7 | Les caractéristiques d'une démarche scientifique non normative

C'est donc en rupture avec les penseurs historiques des phénomènes politiques que la science politique contemporaine s'est fondée, dans la volonté de se distinguer d'abord de la philosophie politique, mais aussi, pour des raisons similaires, du droit public. Le désir de ses principaux promoteurs était de situer leur entreprise de connaissance savante des phénomènes politiques avant tout sur un registre de savoir d'ordre constatatif/descriptif/factualiste, et non pas normatif.

7.1. Ce qui « est » plutôt que ce qui « devrait » être

L'intention de la science politique est clairement d'abandonner à la philosophie politique et au droit public la production d'un savoir qui est d'abord normatif sur les phénomènes politiques, c'est-à-dire centré sur la définition de ce qui *devrait être*, sur la détermination d'un ordre idéal ou souhaitable des choses, que ce soit selon une échelle de valeurs construite par le chercheur, en philosophie politique, ou d'après les normes juridiques en vigueur, en droit public. Dans ces démarches-là, l'appréhension des phénomènes politiques effectifs n'advient, pour ainsi dire, que dans un deuxième temps et au travers de lunettes normatives. Il s'agit en effet alors de saisir le sens des phénomènes politiques par rapport à ce qui devrait être : traduisent-ils (suffisamment) le « bien », le « juste », l'« équitable », dans un questionnement de philosophie politique, ou bien, dans un questionnement juridique, sont-ils (suffisamment) conformes aux normes légales en vigueur ou à tel prescrit juridique précis (sur le déroulement des élections, les compétences d'un gouvernement, etc.) ?

Au contraire, dans une approche positiviste, l'attention est centrée directement sur ce qui « est », sur les phénomènes politiques effectifs, dans une perspective où il s'agit de savoir d'abord et avant tout comment ils se produisent, comment ils fonctionnent et ce qui explique pourquoi ils fonctionnent de telle ou telle manière. Il ne s'agit donc pas principalement de trancher la question de savoir si ce qui se produit est « bien » ou « mal », légitime ou illégitime, ou bien légal ou illégal. Pour le dire dans les mots de Max Weber, l'ambition de la démarche politologique est de *séparer* le plus strictement possible les *jugements de fait* sur les phénomènes politiques des *jugements de valeur*, en s'ancrant le plus possible d'abord dans le domaine des jugements de fait.

7.2. Les jugements de fait plutôt que les jugements de valeur

Telle est la première des trois grandes composantes qui garantissent la scientificité de la démarche politologique, en référence aux sciences sociales modernes : la séparation aussi rigoureuse que possible entre l'analyse « clinique » (d'un cas, d'une situation, d'un événement) et le jugement de valeur. Ce que Max Weber appelait la « neutralité axiologique » renvoie à ce que nous venons de développer : le chercheur en science politique tend à suspendre tout jugement de valeur dans le temps principal de son étude, consacré à comprendre ce qu'est un phénomène politique, sans le comparer à ce qu'il devrait être sur un plan moral ou juridique.

Ce qui ne signifie pas que le politologue écarte de son champ d'étude tout ce qui est normatif. Au contraire, il peut lui être profitable pour comprendre tel phénomène politique – la popularité grandissante de partis d'extrême droite, par exemple – de prendre en considération les valeurs différentes qui lui sont attribuées dans la société – les partis d'extrême droite comme des partis xénophobes (discriminant les étrangers, l'« autre ») ou bien de défense du « nous », de « notre culture » de « notre gagne-pain ». Il peut lui être bénéfique aussi de prendre en considération les normes juridiques qui sont censées réguler ce phénomène – législation tolérante à l'égard de tout parti, quelle que soit la nature des idées promues, ou bien prohibitive, par exemple, à l'égard des partis qui promeuvent des idées contraires à la Convention européenne des droits de l'homme. Mais le politologue prend alors ces normes pour des faits, c'est-à-dire sans trancher la question de savoir quelles sont les bonnes normes à suivre, d'un point de vue moral ou légal, et sans se limiter à confronter un phénomène politique donné à ces normes pour en percer le sens. Telle est la ligne de conduite suivie par la majorité des politologues, même si dans certaines approches (les approches critiques, par exemple) et dans certains domaines (l'évaluation des politiques publiques, par exemple), l'étude des phénomènes politiques peut inclure plus directement une dimension normative, voire prescriptive (indication des « bons moyens » pour correspondre aux « bonnes normes »).

7.3. Une démarche nécessairement empirique

Deuxième composante essentielle d'une démarche de science politique, sa vocation à ne pas camper un savoir qui ne serait que théorique, c'est-à-dire où les faits seraient considérés comme connus et où l'essentiel de l'activité scientifique serait consacré à la production de cadres d'interprétation. Même si elle ne touche pas tous les domaines de la science politique de la même façon (cf. *infra*, la sous-discipline dénommée la « théorie politique »), la vocation de construire un savoir sur des bases empiriques est largement diffusée en science politique. Elle impose le recours à des méthodes d'investigation spécifiques, des procédures relativement formalisées d'attestation et d'interprétation des faits, des techniques de récolte et d'analyse des données qui sont l'équivalent des fioles et des machines d'analyse sanguine des laboratoires de recherche médicale.

De ce point de vue, l'une des particularités de la science politique est peut-être de ne pas avoir engendré de méthodes spécifiques, « se contentant » de puiser dans le stock de méthodes communes aux sciences sociales, alimenté par les méthodes canoniques propres à certaines disciplines : la recherche documentaire, la critique des sources et la mise en récit chronologique (issues de l'histoire), la définition de concepts et typologies, et la logique interne du raisonnement (issues de la philosophie), les entretiens et les enquêtes d'opinion (issus de la sociologie), l'analyse de discours (issue de la linguistique), la cartographie (issue de la géographie), l'observation de terrain (issue de l'anthropologie), l'expérimentation (issue de la psychologie), sans parler des mathématiques et des statistiques, fond méthodologique de l'économie.

ENCADRÉ N° 1.9 : LES PRINCIPALES MÉTHODES DE COLLECTE DES DONNÉES EN SCIENCE POLITIQUE

Pour collecter des informations sur les phénomènes politiques qu'il étudie, le chercheur en science politique peut mobiliser diverses méthodes, dont nous présentons ici quelques éléments de base.

La documentation : le chercheur analyse des documents de manière précise, objective et systématique à partir d'une grille d'analyse ou d'une grille de codage. Les documents sont de plusieurs natures : privée (correspondances d'un homme politique, mémoires sous forme de journal intime d'un chef d'État, etc.) ; officielle (traités entre États, directives européennes, lois nationales, déclarations gouvernementales, etc.) ; d'archives (méthode historique : remonter à des sources anciennes) ; d'actualité (suivre les événements au moment où ils se présentent au travers d'une revue de presse) ; écrits, audio-visuels, photographiques, électroniques, etc.

L'observation : le chercheur enregistre de manière précise, objective et systématique ce qu'il voit et ce qu'il entend en examinant les activités des acteurs qu'il étudie. L'observation est dite « participante » lorsque le chercheur s'implique dans les activités étudiées. La neutralité axiologique l'aidera par ailleurs à considérer cette implication comme un travail empirique de terrain et non un engagement.

L'enquête : le chercheur interroge des individus pour qu'ils fournissent des informations sur son objet d'étude. Il existe plusieurs techniques d'enquête différenciées selon leur degré de profondeur, leur caractère qualitatif ou quantitatif, leurs modalités orales ou écrites, etc. Les techniques d'enquête comprennent notamment : récits de vie, entretiens ouverts, directifs ou semi-directifs, entretiens par questionnaires ouverts ou fermés (avec questions à choix multiples).

L'expérimentation : en science politique, il est difficile de mener des expériences en tant que telles, comme on le ferait dans un centre de recherche médicale par exemple. On ne peut pas reproduire la Révolution française en laboratoire, comme l'enseignait le professeur émérite de l'Université catholique de Louvain (UCL) Rudolf Rezsohazy ! Il existe toutefois des cas où le chercheur peut créer une situation artificielle à laquelle il soumet un groupe de personnes, comme, par exemple, en psychologie sociale, l'expérience de Stanley Milgram (1963), sur la soumission à l'autorité (cf. chapitre Pouvoir, section 4.1, encadré n° 2.24).

Palliant l'absence d'une méthode d'investigation privilégiée, comme l'est le travail sur archives en histoire, l'éclectisme méthodologique qui caractérise la science politique, s'il la prive d'un cachet disciplinaire, lui confère de riches possibilités de saisir la nature des phénomènes politiques. À condition, bien sûr, de recourir à cette ample palette de méthodes et techniques à bon escient : maîtrise des méthodes utilisées, réelle plus-value de leur emploi pour l'analyse des phénomènes étudiés, cohérence de leur mise en complémentarité, etc. Raison pour laquelle il importe que le chercheur en science politique s'interroge constamment sur la validité de ces méthodes et techniques pour en évaluer soigneusement les mérites, mais aussi les limites. De cette façon, après avoir formulé des hypothèses, le chercheur pourra les tester. De manière inductive, il pourra aussi extrapoler des montées en généralités à partir des faits particuliers observés.

7.4. La systématisation des connaissances

Dernière grande composante d'une démarche de science politique, l'ambition de systématisation des connaissances permettra de mobiliser, voire de produire des concepts autorisant un approfondissement de l'analyse, d'établir des régularités, voire des « lois », de forger des modèles qui permettent le cas échéant une prédiction. Le but de toute démarche scientifique est de pouvoir généraliser à partir des cas étudiés, qui sont toujours pour partie singuliers. Bien sûr, les phénomènes politiques ne se répliquent jamais totalement à l'identique. Néanmoins, la science politique juge possible et utile, comme en physique ou en chimie, de mettre au jour des modèles généraux de compréhension et d'explication de la réalité. Ainsi, Davies (1962) a montré que la dynamique de déclenchement d'une révolution peut être schématisée sous la forme d'une courbe en J (cf. chapitre Citoyens, section 4.1, encadré n° 10.11). De même, de nombreuses études électorales menées au cours de la dernière décennie dans les États occidentaux établissent une corrélation claire entre un faible niveau d'éducation, un faible intérêt pour la politique instituée et, d'une part, une (plus) faible participation électorale, de l'autre, une (plus) forte propension à voter en faveur des partis d'extrême droite ou « anti-système » (cf. chapitres Clivages, section 9, et Citoyens, section 2.2).

En science politique, on considère dès lors comme indispensable que tout chercheur ait le souci d'aller au-delà de la « simple » connaissance du cas qu'il étudie, pour en tirer des enseignements qui contribueront à un savoir de portée plus générale sur un ordre particulier de phénomènes politiques (les révolutions, les comportements électoraux...). Cette ambition de « cumulativité du savoir » commande à tout chercheur, *avant* d'entreprendre une étude quelconque d'un phénomène politique, de faire le tour de la question, et de dresser à cette fin un « état de l'art », qui fait le point des connaissances scientifiques existantes sur le sujet, et des méthodes et techniques de leur production. Elle l'enjoint également, *après* son étude, de préciser la manière dont celle-ci apporte une plus-value aux connaissances scientifiques préexistantes sur le sujet. C'est ce qu'on appelle la montée en généralité, nécessaire à toute étude qui entend participer au développement des sciences sociales modernes.

8 | L'essor international de la science politique : de la fin du XIXᵉ siècle à la Deuxième Guerre mondiale

Une science ne vit pas que par des génies singuliers rédigeant « dans leur coin » des publications qui font autorité. Surtout dans les sociétés occidentales modernes, qui entendent démocratiser le savoir et mettre à profit la connaissance dans leur développement, la science est avant tout affaire de structures collectives de recherche et d'enseignement, et bien sûr de financement de ces structures. Centres de recherche, associations professionnelles organisant des congrès et publiant des revues, instituts d'enseignement, maisons d'édition, etc. figurent parmi ces structures qui participent à l'institutionnalisation d'une discipline scientifique, et lui confèrent sa dynamique en stimulant, contrôlant, diffusant les œuvres scientifiques produites par des chercheurs seuls ou collectivement.

8.1. Un premier essor organisationnel à la fin du XIXᵉ siècle et au début du XXᵉ siècle

De ce point de vue organisationnel, la science politique naît d'un mouvement d'institutionnalisation qui a été amorcé dans les pays occidentaux à partir du dernier tiers du XXᵉ siècle, parallèlement à l'accroissement du rôle de l'État et au développement de l'administration publique (cf. chapitre État, section 3). Si des programmes d'enseignements, et de doctorat, en science(s) politique(s) apparaissent dans une série de Facultés existantes – le plus souvent, dans les pays latins, les Facultés de droit –, la première structure exclusivement dévolue à l'enseignement d'un savoir sur les phénomènes politiques a été créée en France, en 1871, au tout début de la Troisième République, par Émile Boutmy (1835-1906). Il s'agit de l'École libre des sciences politiques, à laquelle succéderont, au sortir de la Deuxième Guerre mondiale, pour le volet « recherche », la Fondation nationale des sciences politiques (FNSP) et pour le volet « enseignement », l'Institut d'Études politiques (IEP) de Paris – plus connu sous l'appellation « Sciences Po Paris ». Les premières institutions nationales d'enseignement (uniquement) de science(s) politique(s) se créent dans la foulée : en Italie, en 1875, la Facultà di Scienze Politiche Cesare Alfieri, intégrée aujourd'hui à l'Université de Florence ; aux États-Unis, en 1880, la *School of Political Science* de l'Université de Columbia ; au Royaume-Uni, en 1895, la *London School of Economics & Political Science* (LSE).

Parallèlement, se mettent en place les premières structures de publication. Dès 1882, les « Johns Hopkins University Studies in Historical and Political Science » inaugurent la première collection d'ouvrages en science politique. L'année suivante, la Faculté « Cesare Alfieri » lance la première revue : la *Rassegna di Scienze sociali e politiche*. Suit la publication à partir de 1886 des *Annales de l'École libre de sciences politiques*, ainsi que du *Political Science Quaterly*, qu'édite la *School of Political Science* de l'Université de Columbia. Quant à l'une des revues actuelles les plus réputées, l'*American Review of Political Science,* elle paraît pour la première fois en 1906. Elle est éditée par la première association professionnelle de science politique, l'*American Political Science Association* (APSA). Créée en 1903, elle compte aujourd'hui plus de 15 000 membres, individuels et institutionnels. Sa création entraînera en 1912 celle de l'Association canadienne de science politique (ACSP/CPSA), bilingue français-anglais.

Comme il a été dit, dans un premier temps, ces structures fédèrent des démarches de connaissance des phénomènes politiques de nature très différente (cf. *supra*, section 5). Toutefois, c'est également de la fin du XIXe et du début du XXe siècle que datent les premières œuvres considérées rétrospectivement comme pionnières par, et pour, la science politique d'aujourd'hui. Les travaux déjà évoqués de Max Weber datent de cette époque (cf. *supra*, encadré n° 1.1), de même que ceux des auteurs rattachés à l'« école élitaire italienne » : Gaetano Mosca (*Sulla teorica dei governi e sul governo parlamentare*, 1884), Vilfredo Pareto (*Traité de sociologie générale*, 1917), et Roberto Michels (*Les partis politiques. Essai sur les tendances oligarchiques des démocraties*, 1914 pour l'édition française). Ce dernier est un des pionniers, avec Moïseï Ostrogorski (*La démocratie et les partis politiques*, 1903), des études sur les partis politiques (cf. chapitre Partis politiques et groupes d'influence, section 4.2.1). Comme le sont Arthur Bentley (*The Process of Government : A Study of Social Pressures*, 1908), pour les groupes d'influence, et André Siegfried (*Tableau politique de la France de l'Ouest sous la Troisième République*, 1913), pour les comportements électoraux (cf. respectivement chapitres Partis politiques et groupes d'influence, section 8.2, encadré n° 9.28 et Citoyens, section 3.1.1).

8.2. Le tournant paradigmatique fondateur

Au-delà de leurs multiples différences sur le plan épistémologique et méthodologique, ces travaux sont pionniers en ce que, pour rendre compte de façon scientifique des phénomènes politiques qu'ils étudient, ils partent tous d'un autre postulat de base sur la nature profonde du politique que le postulat alors dominant. Cette optique nouvelle les conduit à aborder, et, littéralement, à *voir* différemment le politique, et donc à y rechercher et découvrir d'autres aspects que ceux mis en lumière jusqu'alors. Ce changement de paradigme va ainsi provoquer ce que Thomas Kuhn appelle une « révolution scientifique », qui sera fondatrice de la discipline politologique actuelle.

ENCADRÉ N° 1.10 : PARADIGME ET RÉVOLUTIONS SCIENTIFIQUES SELON THOMAS KUHN

Docteur en physique de l'Université de Harvard, Thomas Kuhn (1922-1996) est un historien des sciences naturelles qui, sur la base d'études empiriques fouillées, a défendu dans un ouvrage devenu célèbre (*La structure des révolutions scientifiques*, 1972/1962), la thèse selon laquelle le ressort du progrès scientifique tient plus dans des changements de paradigmes, d'optiques sur les phénomènes étudiés, que dans l'accumulation des connaissances. Concept central de sa théorie, la notion de paradigme tel que l'utilise Kuhn ne recouvre pas un sens très stabilisé. On peut toutefois le définir comme un ensemble d'hypothèses de base et de présupposés sur la nature d'un phénomène, qui fait consensus au sein d'une communauté scientifique. Ces hypothèses étant tenues pour acquises, elles ne sont pas susceptibles d'être mises en question lors du travail d'investigation. Elles orientent les études scientifiques sur ce phénomène, et donc le champ des découvertes possibles à propos de ce phénomène. Contre l'idée d'un progrès scientifique dont le ressort tiendrait avant tout à l'accumulation des connaissances considérées comme scientifiques, Kuhn développe une vision sinusoïdale du progrès scientifique qui dépendrait plus de révolutions scientifiques : de ruptures qui tiendraient d'abord dans un changement de « grille de lecture » et d'appréhension générale du phénomène étudié : un changement de paradigme.

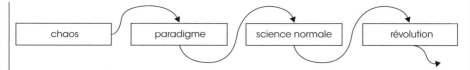

Source : élaboration des auteurs à partir de Kuhn, 1972/1962.

Le processus d'accumulation des connaissances scientifiques dans une discipline donnée ne s'effectue en effet que dans une certaine optique. Et quand cette optique change, ce qui est rare et lent, toutes ces connaissances qui étaient alors tenues pour vraies sont invalidées, tandis que la représentation nouvelle de la réalité libère un nouveau potentiel de découvertes. La révolution copernicienne dans la dynamique des corps en fournit un exemple. Pour Kuhn, « durant les révolutions, les scientifiques aperçoivent des choses neuves, des choses différentes, alors qu'ils étudient avec des instruments familiers des questions qu'ils avaient déjà examinées. (…) les changements de paradigmes font que les scientifiques, dans le domaine de leurs recherches, voient tout d'un autre œil » (Kuhn, 1972/1962 : 136).

À partir de l'étude des premiers travaux de science politique dans la première moitié du XXe siècle aux États-Unis, John Gunnell, l'un des principaux historiens actuels de la science politique états-unienne[1], résume ce changement de paradigme de la manière suivante. Au départ, dans la littérature qualifiée de science(s) politique(s), « ce à quoi le terme "État" faisait référence ne correspondait pas aux institutions concrètes de gouvernement mais au concept d'un peuple ou d'une communauté organique qui précédait à la fois la constitution et le gouvernement et traduisait les idées de souveraineté populaire et de démocratie » (Gunnell 2004 : 7 ; traduction des auteurs).

---

[1]   Nous avons pris le parti d'employer souvent le qualificatif « états-unien(s) », plus précis qu'« américain(s) », pour désigner ce qui est en lien avec les États-Unis d'Amérique qui ne constituent qu'une partie du continent américain.

Dans cette conception essentialiste d'origine, l'État est vu et décrit au travers de ce qu'il *devrait être*, dans une vision *normative* de type démocratique (cf. *supra*, section 7.1). Peu à peu, ce « paradigme démocratique » de l'État va être déconsidéré, comme « une formulation légaliste archaïque et obsolète » (Gunnell 2004 : 6) et s'effacer au profit du « paradigme pluraliste ».

Celui-ci considère l'État comme une institution sociale particulière, distincte du peuple auquel il fait référence, lui aussi désagrégé en une pluralité de groupes sociaux, d'où le nom de paradigme pluraliste. En ouvrant la « boîte noire » de l'État, le nouveau paradigme ne véhicule pas seulement une autre conception de sa nature profonde, il engage aussi vers de nouvelles études, centrées sur de « nouveaux » acteurs politiques : les électeurs, les partis politiques, les groupes d'influence, les départements administratifs, les conseillers ministériels...

8.3. L'avancée de la science politique aux États-Unis dans l'entre-deux-guerres

Ce « tournant pluraliste » ne s'est évidemment pas opéré du jour au lendemain, mais sur plusieurs décennies à partir du milieu des années 1930. Le débat théorique entre approches et courants divers de science politique – systémisme, pluralisme (au sens strict), théorie du choix rationnel, néo-institutionnalisme... – s'il mettra en jeu également des paradigmes différents (cf. *infra*, section 11), ne remettra pas en cause le postulat disciplinaire de base de la science politique, correspondant au paradigme pluraliste.

Parallèlement à son mûrissement épistémologique, la science politique a continué à se développer sur un plan organisationnel dans l'entre-deux-guerres, mais dans des proportions bien plus significatives aux États-Unis qu'ailleurs. Ce développement doit beaucoup à une figure peu connue en dehors des États-Unis : Charles Merriam.

ENCADRÉ N° 1.11 : CHARLES MERRIAM, MOTEUR DE L'INSTITUTIONNALISATION DE LA SCIENCE POLITIQUE AUX ÉTATS-UNIS

Ayant soutenu une thèse intitulée *A History of Sovereignty since Rousseau*, Merriam (1876-1953) publie, en 1903, *A History of Political Theories*. Après la Première Guerre mondiale, à l'Université de Chicago, il dirige deux importants programmes de recherche : l'un sur les partis politiques, l'autre sur les causes des guerres. De façon plus générale, on lui doit la création au sein de l'APSA d'un *Committee on Political Research*, spécifiquement consacré à coordonner et stimuler la recherche en science politique, et c'est en grande partie grâce à ses efforts qu'est créé en 1923 le premier *Social Science Research Council*, dont il devient le premier président.

En 1924, il fait paraître avec Harold Gosnell, une publication de référence sur l'étude des comportements électoraux et des opinions politiques, intitulée *Non-Voting : Causes and Methods of Control*. Œuvre pionnière car, pour la première fois, est employée la technique de l'interview brève par téléphone d'un échantillon de population (sélectionné parmi les abonnés du téléphone). Cette technique sera reprise ensuite par ce qui allait devenir les instituts de sondages politiques, à partir de l'élection présidentielle états-unienne de 1932. En 1925, Merriam plaide dans *New Aspects of Politics* (2e édition, 1931) pour l'usage par la science politique naissante de techniques répandues dans d'autres disciplines des sciences sociales, surtout les méthodes expérimentales employées en psychologie.

Au sortir de la Deuxième Guerre mondiale, le *leadership* des États-Unis dans le domaine de la science politique, renforcée par l'arrivée de politologues fuyant le nazisme, était à un point tel que l'on a pu parler de la science politique comme d'une « science américaine » (Gunnel, 2002).

ENCADRÉ N° 1.12 : LE *LEADERSHIP* HISTORIQUE DES ÉTATS-UNIS DANS LE DOMAINE DE LA SCIENCE POLITIQUE

« J'ai été frappé lors de la réunion destinée à former l'IPSA (International Political Science Association/Association internationale de science politique) à Paris (en 1949) par le manque d'associations de science politique dans le monde et par le manque de conviction parmi les participants qu'une science politique était possible. En tant que disciplines cherchant à utiliser le plus possible les méthodes objectives qui ont été développées dans les sciences naturelles, les sciences sociales en sont devenues presque un phénomène états-unien au cours de ces 50 dernières années. On n'a pourtant pas dépensé beaucoup pour les sciences sociales aux États-Unis, mais cela a représenté infiniment plus que dans les autres pays. L'une des tâches des associations internationales créées dans le domaine des sciences sociales est donc d'essayer de diffuser au reste du monde ce que nous connaissons à propos des sciences sociales aux États-Unis » (Quincy Wright, premier président de l'IPSA, 1949, cité par Bernston E. *'Schools of Political Science' and the Formation of a Discipline*, Congrès IPSA 2009, non publié, p. 2. Traduction des auteurs).

---

9 | Le développement international de la science politique à l'issue de la Deuxième Guerre mondiale

C'est au sortir de la Deuxième Guerre mondiale que la dynamique d'institutionnalisation de la science politique dans le monde va passer à la vitesse supérieure.

9.1. Le rôle moteur de l'UNESCO

Fraîchement créée, l'Organisation des Nations unies pour l'éducation, la science et la culture (UNESCO), va y jouer un rôle moteur à la fois en stimulant le développement organisationnel de la science politique dans les différents pays et au plan international, et en contribuant à l'édification de la discipline, sur un plan épistémologique, théorique et méthodologique. Dès sa première conférence générale, en 1946, la sous-commission des « sciences sociales, de la philosophie et des humanités » allait se doter d'un programme de travail propre au développement des sciences sociales.

En 1948, ce programme de développement des sciences sociales dans le monde reprend sept objets prioritaires dont « méthodes des sciences politiques ». Les raisons de cette inscription de la science politique comme axe de développement prioritaire ne tiennent pas qu'à la promotion de la connaissance pour la connaissance. L'espoir est que la connaissance « clinique » des phénomènes politiques mène les acteurs politiques à plus de sagesse, aident à l'adoption de meilleures politiques publiques, et, par-dessus tout, à éviter des désastres humains comme l'a été la Deuxième Guerre mondiale, dont l'Europe sort à peine à l'époque.

Le comité d'experts en charge du programme sur les « méthodes des sciences politiques » endossa une position assez « œcuménique » à propos des méthodes mobilisables, en retenant, en gros, toute méthode des sciences humaines (y compris la philosophie politique et le droit public) appliquée à l'étude des phénomènes politiques. Cette position était en recul par rapport à l'intégration épistémologique plus étroite réalisée aux États-Unis (cf. *supra*, section 8.3). Le comité distingua aussi quatre grands axes d'études. Premièrement, la « théorie politique », plus proche de la philosophie politique, y compris sur le plan normatif, consacrée essentiellement à la définition de grands concepts (État, nation, démocratie...), et à l'étude de la pensée politique à la fois les théories des « grands auteurs » (Hobbes, Rousseau, Tocqueville,...) et les grandes idéologies (libérales, socialistes ; cf. chapitre Idéologies). Deuxièmement, les « institutions politiques », recouvrant ce qu'on appelait alors les « sciences gouvernementales et administratives », encore fortement imprégnées d'une vision juridique des institutions politiques, dont les études étaient axées sur les régimes politiques, les processus décisionnels tels que définis sur un plan formel/institutionnel et l'action des pouvoirs publics. Troisièmement, les « relations internationales », largement dépendantes d'approches juridiques, centrées sur le droit international et les dispositions des traités régissant le fonctionnement des organisations internationales, et/ou d'approches historiennes, articulées autour de la chronique d'événements marquants des relations entre États, au cœur de l'histoire « diplomatique ». Enfin, le domaine de recherche « partis, groupes et opinion publique », dont les méthodes d'analyse étaient alors les plus proches de celles des sciences sociales modernes. Sur un plan pratique, les experts invitèrent aussi, avec le soutien financier de l'UNESCO, à créer une Association internationale de science politique (AISP ou IPSA selon l'acronyme anglais, le plus fréquemment utilisé).

9.2. L'Association internationale de science politique (IPSA) et les associations nationales

L'IPSA fut portée sur les fonts baptismaux à Paris en 1949 par quatre associations nationales de science politique : l'états-unienne APSA, la française AFSP, la canadienne ACSP, et l'indienne : Indian Political Science Association. Mission générale : promouvoir le développement de la science politique à un niveau national et mondial. Quatre instruments principaux pour y parvenir. Premièrement, l'encouragement à la création d'associations nationales de science politique, membres privilégiés de l'IPSA, ce qui va rapidement advenir : en 1950, aux Pays-Bas, en Israël, en Suède, au Royaume-Uni – la renommée PSA, *Political Science Association*, qui publie aujourd'hui six revues dont la plus connue est *Political Studies* (PS) ; en 1951, au Mexique, en Allemagne, en Grèce et... en Belgique : l'Institut belge de science politique (IBSP). À l'origine unitaire, l'IBSP s'est scindé en 1979 en deux organisations, l'une néerlandophone, le Politologisch Instituut (PI), toujours existant aujourd'hui, et l'autre francophone, l'Institut de science politique (ISP) qui a donné naissance, en 1996, à l'Association belge de science politique de la Communauté française de Belgique (ABSP) (cf. *infra*, section 10). L'Association suisse de science politique (ASSP ; trilingue allemand-français-italien) sera créée pour sa part, en 1959. Aujourd'hui, l'IPSA compte 52 associations nationales membres.

Celles-ci sont parfois « redoublées » à une échelle sous-nationale, comme pour l'ABSP et le PI, ou encore la Société québécoise de science politique (SQSP), par exemple, ou bien à une échelle régionale, comme dans le cas de l'Association africaine de science politique (AASP), fondée en 1973, ou de la Vereniging voor Politieke Wetenschappen (VPW), qui associe depuis 2010 les politologues néerlandais et belges flamands. En règle générale, ces associations professionnelles abritent des réseaux thématiques de recherche, organisent des congrès, font du relais d'information à caractère politologique auprès de leurs membres, éditent des collections d'ouvrages et publient des revues généralistes. Depuis 2005, à l'initiative de l'AFSP, l'ABSP, l'ASSP et la SQSP, – rejointes notamment par LuxPol, l'Association luxembourgeoise de science politique, créée en 2008 – une série d'associations francophones de science politique ont formé un réseau dont la principale activité consiste en la tenue d'un congrès biennal commun.

Deuxième instrument de promotion de la science politique dans le monde utilisé par l'IPSA : l'organisation régulière (triennale puis biennale) de congrès mondiaux. S'y ajoutent des conférences pendant les années sans congrès. Troisième support : la création de réseaux thématiques de recherche transnationaux, les *Standing Groups*, au nombre de 52 aujourd'hui, qui organisent leurs propres rencontres, voire publications. Dernier outil, dès 1951, l'IPSA a produit une revue bimestrielle intitulée *Documentation politique internationale (International Political Abstracts/DPI)* contenant un résumé, en français ou en anglais, des articles de revues politologiques présentés par auteur, dans un ordre alphabétique, et ce, par grands domaines de recherche en science politique. Par la suite, l'IPSA lancera, en 1977, un bulletin interne, *Participation*, et en 1980, la *Revue internationale de science politique/ International Political Science Review*. Tout récemment, l'IPSA a parrainé l'*International Encyclopedia of Political Science* en 8 volumes publiée en 2011, sous la direction de Bertrand Badie, Dirk Berg-Schlosser et Leonardo Morlino.

ENCADRÉ N° 1.13 : LES REVUES PUBLIÉES PAR LES ASSOCIATIONS FRANCOPHONES DE SCIENCE POLITIQUE

Les revues généralistes de science politique les plus connues publiées – totalement ou partiellement – en langue française émanent en général des associations « nationales » de science politique. Ainsi en va-t-il de :

- la *Revue française de science politique* (RFSP), lancée en 1951 par l'AFSP ;

- la *Revue canadienne de science politique* (bilingue français-anglais), publiée par l'ACSP, qui prit le relais en 1968 du *Canadian Journal of Economics and Political Science*, publié dès 1935 ;

- la *Revue québécoise de science politique*, lancée en 1982 par la SQSP et publiée aujourd'hui sous l'appellation *Politique et sociétés* ;

- la *Revue suisse de science politique*, publiée en 4 langues (anglais, allemand, français et italien), qui prit le relais en 1995 de l'*Annuaire suisse de science politique*, publié à partir de 1960.

En ce qui concerne la Belgique, *Res Publica* a longtemps incarné la « revue belge de science politique », depuis son lancement en 1959 par l'IBSP. Avec la scission de celui-ci en deux ailes en 1978, le comité éditorial en vint à être composé exclusivement de politologues belges flamands. Depuis 2009, il n'y a plus d'articles en français dans la revue qui se présente, depuis 2010, comme « het politiek-wetenschappelijk tijdschrift van de Lage Landen », la revue de science politique des Pays-Bas, entendus ici au sens large, s'étendant à la Flandre, puisqu'elle est publiée par la VPW, qui réunit les politologues néerlandais et belges flamands (cf. *supra*).

Enfin, depuis 1998, il existe une association internationale des étudiants en science politique dont l'acronyme est IAPSS (International Association for Political Science Students), née à l'initiative des associations néerlandaise et italienne d'étudiants en science(s) politique(s). L'IAPSS est forte aujourd'hui de 10 associations nationales membres, représentant 1 000 étudiants et d'environ 10 000 membres individuels provenant de plus de 50 pays différents. Elle publie une revue, *Politikon*, propose des cours et conférences de science politique en libre accès (*IAPSS Open Learning*), organise des forums en ligne (*IAPSS online Working Groups*) et une conférence annuelle, couplée à une assemblée générale.

9.3. L'ECPR, principale association européenne de science politique

Sur le plan européen, nul doute que le développement de la science politique doit beaucoup à la création en 1970, avec le soutien financier de la Fondation Ford, de l'European Consortium for Political Research (ECPR), fondé à l'initiative de trois politologues : le norvégien Stein Rokkan (cf. chapitre Clivages) et les français Jean Blondel et Serge Hurtig, lequel deviendra directeur de la FNSP de 1971 à 1995. Hébergée à l'université d'Essex, au Royaume-Uni, l'ECPR ne fonctionne qu'en anglais, et concerne exclusivement la recherche. Le consortium compte aujourd'hui environ 400 institutions membres, provenant de 50 pays, y compris non européens, comme le Japon ou la Nouvelle-Zélande.

L'ECPR soutient le développement de la recherche en science politique par différents biais. Des *Standing Groups* thématiques, au nombre de 46 aujourd'hui. Des revues scientifiques : dès 1973, le *European Journal for Political Research* (EJPR), depuis 2005, le *European Political Science* (EPS), co-publié avec l'EPS-Net (European Political Science Network) et valant comme journal professionnel européen de référence, et, enfin, depuis 2009, la *European Political Science Review* (EPSR), plus centrée vers les recherches innovantes. Des collections : depuis 1996, les *ECPR Studies in European Political Science* publiées chez Routledge et depuis 2005, les *ECPR Press* publient elles-mêmes leurs propres séries, qui se composent aujourd'hui de quatre collections : *ECPR Monographs*, *ECPR Classics*, *ECPR Studies in European Politics* et *Essays*. Des sessions de formations méthodologiques à l'adresse des jeunes chercheurs, sous forme de « *Summer schools* » ou « *Winter schools* », notamment en méthodes qualitatives et quantitatives. Des Conférences générales (en septembre) et, surtout, des sessions thématiques annuelles (*joint sessions*, au printemps) qui, largement ouvertes aux chercheurs juniors, attirent chaque année plus de 500 participants dans des universités hôtes, à chaque fois différentes. Enfin, depuis plus récemment, le Consortium développe des activités spécialement ciblées sur les porteurs d'un diplôme de master en science(s) politique(s) au travers de son *Graduate Student Network*.

10 | Le développement de la science politique en Belgique francophone

10.1. L'enseignement des sciences politiques : précoce mais peu spécialisé

En Belgique, le début de l'institutionnalisation de la science politique se fait de manière plutôt précoce en ce qui concerne l'enseignement. Une première « École de sciences politiques et sociales » est créée en 1889 par Ernest Solvay – capitaine d'industrie, patron social et mécène des arts et des sciences y compris humaines. Elle est intégrée à l'Université libre de Bruxelles (ULB) en 1897. En 1892, une structure dénommée de façon similaire est créée au sein de l'Université catholique de Louvain (UCL), alors unitaire et située dans la ville flamande de Louvain (Leuven). L'année suivante, en 1893, les deux universités d'État, de Liège (ULg) et de Gand, mettent également sur pied des enseignements en sciences politiques.

À Liège comme à Louvain, les départements d'enseignement en sciences politiques sont localisés au sein de la Faculté de droit. Si cette localisation est toujours d'actualité à l'ULg, sous l'appellation élargie « Faculté de droit, de science politique et de criminologie », elle ne l'est plus depuis 1950, à l'UCL, date de la création de la Faculté des sciences économiques, sociales et politiques (ESPO). Celle-ci se dédoubla lorsque l'Université catholique de Louvain se scinda en deux en 1970, la Katholieke Universiteit Leuven (KULeuven) demeurant à Leuven (Louvain), et l'Université, francophone, catholique de Louvain (actuelle UCL), voyant le jour à Louvain « la-Neuve », dans la campagne à proximité de la ville d'Ottignies, située dans le Brabant wallon. À l'Université libre de Bruxelles (ULB), une « Faculté des sciences sociales, économiques et politiques » (SOCO), a intégré en 1946 l'École des sciences politiques et sociales, avant que cette dernière ne retrouve une destinée autonome, depuis 2010, sous la dénomination de « Faculté des sciences sociales et politiques » (FSP). Dans les autres universités francophones (UNamur, UMons, Université Saint-Louis – Bruxelles), lorsqu'ils ont lieu, le lancement de programmes d'enseignement en sciences politiques et la création de structures facultaires du type ESPO/SOCO (même si la dénomination ne fait pas directement référence aux sciences politiques) datent des années 1960-début des années 1970, correspondant à la première vague de massification de l'enseignement universitaire.

Cette création d'enseignements en sciences politiques n'a pas signifié nécessairement l'organisation de programmes *spécifiquement* fléchés « sciences politiques ». Ainsi, on peut encore observer jusqu'en 1996, dans plusieurs universités belges francophones, des programmes de premiers cycles universitaires en « sciences économiques, sociales et politiques » ou en « sciences sociales et politiques ». Dans plus d'une université belge francophone, aujourd'hui encore, la première année du programme de bachelier en sciences politiques est entièrement identique à celle de la première année du programme de bachelier en information et communication et/ou en sociologie et anthropologie. S'il y a bien une caractéristique qui frappe les politologues étrangers lorsqu'ils se penchent sur les formations en sciences politiques offertes par les universités belges francophones, c'est le fait que la science politique y reste (trop) souvent enseignée comme un élément d'une formation multidisciplinaire, y compris au niveau du deuxième cycle.

ENCADRÉ N° 1.14 : L'APPRÉCIATION DES POLITOLOGUES ÉTRANGERS DU CONTENU PROPREMENT POLITOLOGIQUE DES PROGRAMMES EN SCIENCES POLITIQUES ORGANISÉS PAR LES UNIVERSITÉS BELGES FRANCOPHONES

« (La science politique comme élément d'une formation multidisciplinaire) (c)'est la démarche adoptée partout en bachelier, ce qui se justifie pleinement par le souci de ne pas enfermer les étudiants dans des spécialisations prématurées mais, au contraire, de leur laisser des portes ouvertes sur une plus large palette de masters. (…) La démarche qui fait de la science politique un simple élément de formation générale soulève davantage de questions au niveau des masters. Les règlements en vigueur concernant les habilitations (pour organiser des masters selon les dénominations officielles suivantes) : Sciences politiques : orientation générale, Sciences politiques : orientation relations internationales, Administration publique, et Études européennes suggèrent en effet que ces masters devraient atteindre un certain niveau de spécialisation disciplinaire. Indiscutablement, certains d'entre eux ont une densité suffisante en termes d'offre d'enseignements de science politique, mais cela n'est pas le cas partout, faute de moyens humains. Quand il existe un décalage entre l'étiquette officielle de la formation et le contenu des programmes proposés, cette situation est lourde de désillusions pour les étudiants qui espèrent une formation authentiquement spécialisée (…). »

Source : Comité d'experts en charge de l'évaluation des programmes en sciences politiques organisées dans les universités francophones de Belgique, *Analyse transversale*, Bruxelles, Agence pour l'Évaluation de la Qualité de l'Enseignement supérieur en Communauté française de Belgique/AEQES, 2010, pp. 12-13.

Cette caractéristique peut s'expliquer par le fait que jusqu'au début des années 1990, la grande majorité des enseignants dans les programmes en sciences politiques, y compris parmi ceux en charge des cours de science politique (au singulier), n'étaient pas des politologues, au sens où ils n'étaient pas titulaires d'un doctorat en sciences politiques. Dans certaines universités qui dispensent des programmes de premier cycle en sciences politiques, l'engagement de premier(s) enseignant(s)-chercheur(s) à temps plein, docteur(s) en sciences politiques, remonte seulement à la fin des années 1990, voire même au début de la décennie 2000.

Cela dit, les programmes en sciences politiques organisés dans les universités belges francophones ne cessent d'attirer davantage d'étudiants, les effectifs globaux ayant augmenté de 50 % au cours de la décennie 2000, pour s'établir aujourd'hui à plus de 3 000 étudiants par an.

10.2. La recherche en science politique : une impulsion première en dehors des universités

En ce qui concerne la recherche, il ne faudrait pas se méprendre sur la portée tant de l'institutionnalisation précoce de programmes d'enseignement en sciences politiques dans les universités belges francophones que de la fondation, elle aussi relativement précoce, d'une association professionnelle nationale, l'IBSP, en 1951 (cf. *supra*). En ce qui concerne l'IBSP, il faudra par exemple attendre la modification statutaire et la recomposition de l'organe d'administration de son aile francophone en 1985, pour y observer la montée en puissance d'académiques – non de praticiens – se revendiquant de la science politique, tels les trois présidents qui s'y succéderont de 1985 à 1996 : André-Paul Frognier (UCL), Paul-Henri Claeys (ULB) et Jean Beaufays (ULg). Au vrai, en matière de recherche, l'impulsion a été donnée par deux organismes créés en dehors du monde universitaire et qui sont toujours actifs aujourd'hui.

D'une part, l'Institut royal des Relations internationales (IRRI) – aujourd'hui dénommé « Egmont », en référence au palais éponyme situé à Bruxelles où se déroulent la plupart des événements publics de l'Institut – fondé par le Ministère belge des Affaires étrangères en 1947. Toujours dirigé par un diplomate, et doté d'un comité scientifique comprenant des académiques – aux côtés de praticiens (diplomates) –, l'IRRI/Egmont édite depuis 1959 la revue *Studia Diplomatica*, au départ bilingue français-néerlandais et qui publie par la suite aussi des contributions en anglais. L'IRRI a surtout joué un rôle de catalyseur des réflexions et analyses menées en Belgique dans le domaine des politiques étrangères et des relations internationales, qu'elles proviennent de praticiens ou d'académiques. Ce n'est que depuis peu qu'Egmont se présente comme un « *think tank* indépendant » et compte un personnel de recherche propre.

D'autre part, et surtout, le Centre de recherches et d'informations socio-politiques (CRISP) à qui l'on doit plusieurs analyses pionnières quant à l'appréhension générale du système politique belge. Ainsi, à propos de la description du phénomène de pilarisation : *La décision politique en Belgique. Le pouvoir et les groupes*, ouvrage publié sous la direction de Jean Ladrière, François Perrin et du politologue suisse, spécialiste des groupes d'influence, Jean Meynaud (1965). Ou, à propos du consociationalisme, la monographie réalisée par le politologue américain, Val R. Lorwin, *Conflits et compromis dans la politique belge* (1966). *L'histoire politique de la Belgique* de Xavier Mabille (2011), édité pour la première fois en 1986, deviendra également un classique du genre, appliquant une grille de lecture inspirée notamment de la théorie des clivages (cf. chapitre Clivages).

ENCADRÉ N° 1.15 : LA NAISSANCE DU CRISP, PREMIER CENTRE DE RECHERCHE POLITOLOGIQUE EN BELGIQUE FRANCOPHONE

Le CRISP voit le jour, sous la forme d'une société coopérative, à la fin 1958, sous l'impulsion de Jules-Gérard Libois (1923-2005), alors rédacteur en chef de l'édition belge de la revue *Témoignage chrétien*. Ce dernier était l'initiateur à Bruxelles d'un groupe « Esprit » réunissant de jeunes progressistes, chrétiens et laïques, inspiré par la démarche du philosophe personnaliste chrétien français Emmanuel Mounier (1905-1950), créateur en 1932 de la revue du même nom, qui fait toujours référence dans le débat public francophone de nos jours. Les groupes « Esprit » visaient à penser les grands enjeux du monde contemporain, afin de proposer des réponses politiques les plus appropriées, en dehors des institutions habituelles de savoir et dans une dynamique résolument pluraliste. Après un cycle d'exposés sur l'étude des pouvoirs réels en Belgique, il fut décidé de créer le CRISP, afin de donner un cadre plus stable à la production des réflexions. Le comité de direction d'origine comprenait – outre Jules-Gérard Libois –, notamment le philosophe Jean Ladrière (1921-2007), professeur à l'UCL et le juriste François Perin (1921-2013), alors substitut au conseil d'État, futur professeur à l'ULg et parlementaire régionaliste wallon puis libéral. Jean Van Lierde (1926-2006), le premier objecteur de conscience belge, est le premier employé à temps plein du CRISP. Il est rejoint, en 1960, par Xavier Mabille (1933-2012), qui succédera plus tard à Jules-Gérard Libois au poste de directeur général et jouera un rôle fondamental au sein du CRISP. La richesse factuelle et la rigueur font très tôt la réputation du Centre et de ses publications, nombreuses, à commencer par ses « Courriers hebdomadaires » (CH) résultant souvent de collaborations avec des académiques, publiés dès 1959, au rythme de 40 numéros/an, puis les Dossiers du CRISP et la collection « POLHIS » publiée chez De Boeck.

Si l'on excepte la création en 1970 du premier Institut universitaire de sondages de l'opinion publique, l'INUSOP, créé à partir de l'Institut de Sociologie de l'ULB, à l'initiative de la sociologue Nicole Delruelle, pionnière des études électorales, ce n'est qu'à partir des années 1980 et, surtout, des années 1990, que se créeront les premiers centres de recherche universitaires en science politique en CFB. En 1994, est lancée à l'initiative d'André-Paul Frognier, la *Revue internationale de Politique comparée* (RIPC), éditée par De Boeck, dont le secrétariat est localisé au sein de l'Institut des Sciences politiques de Louvain-Europe (ISPOLE, UCL).

Impulsés par une nouvelle génération de docteurs en sciences politiques se revendiquant de la science politique (au singulier), la dizaine de centres universitaires de recherche en science politique qui existent aujourd'hui en Belgique francophone comptent ensemble une centaine de chercheurs, juniors ou seniors, boursiers, sur contrat ou nommés à titre définitif. Depuis 1996, le développement de la science politique en CFB bénéficie du soutien d'une association professionnelle spécifique, membre de l'IPSA : l'ABSP, créée sur les cendres de la moribonde ISP (cf. *supra*, section 9.2), sous l'impulsion d'André-Paul Frognier (UCL), qui en deviendra le premier président, et de Bérengère Marques-Pereira (ULB), qui lui succédera.

Abritant des groupes de travail thématiques, l'association organise un congrès triennal et est responsable d'une collection « science politique » chez Academia-L'Harmattan. Son site web (http://www.sciencepolitique.be/) propose notamment des liens vers des ressources documentaires thématiques en science politique. Enfin, l'ABSP collabore aux activités de l'École doctorale interuniversitaire en science politique (« EDT Science Po »), créée en 2006. Reconnue par le FSR-FNRS (Fonds de la recherche scientifique de la CFB), cette École doctorale met en réseau les quelque 150 doctorants en science politique en CFB et les centres de recherche et enseignants-chercheurs des universités belges francophones. Ses offres de formation doctorale sont accessibles à tout doctorant, quelle que soit l'université où il est inscrit en thèse. Elle organise également des manifestations communes sur des thèmes d'intérêts transversaux pour les doctorants.

11 | La science politique : vue de l'intérieur

Pour terminer cette présentation de la science politique, nous proposons un aperçu général des grands domaines et sensibilités de recherche qui y ont cours.

11.1. Les subdivisions traditionnelles de la science politique

Longtemps, la science politique s'est subdivisée en deux grands territoires relativement autonomes de recherche et d'enseignement (de deuxième et troisième cycles) : la science politique interne et la science politique internationale.

Les politologues « internistes » se consacraient à l'étude des phénomènes politiques nationaux, qui se déroulaient au sein de l'État (principalement occidental). Une deuxième subdivision distinguait les « institutionnalistes » et les « sociologues politiques ». Les premiers s'attachaient au décryptage des institutions et acteurs publics/gouvernementaux, souvent dans une sensibilité « historico-institutionnelle », consacrant leurs études aux régimes politiques, à l'idéologie du gouvernement, à l'organisation de l'administration publique, aux actions parlementaires et gouvernementales. Les seconds proposaient soit des études d'ordre plus théorique, sur les systèmes politiques ou la pensée politique par exemple – domaine de la théorie politique –, soit consacraient leur attention à l'étude des acteurs politiques privés (cf. avant-propos, encadré n° 0.4). Ces derniers se subdivisaient eux-mêmes le plus souvent en spécialistes des partis politiques et des comportements électoraux d'une part, des organisations sociales, mouvements sociaux et groupes d'influence, de l'autre. Ce clivage entre « institutionnalistes » et « sociologues politiques » vint à s'estomper avec le développement dans les années 1980 de l'analyse des politiques publiques qui construisit une approche de « l'État au concret » (Padioleau, 1982) ou de « l'État en action » (Jobert, Muller, 1987), largement puisée dans la sociologie politique.

Les politologues « internationalistes » se penchaient pour leur part sur les phénomènes politiques internationaux, liés aux relations entre États : politiques étrangères, organisations internationales et, plus largement, modes de coopération et de confrontation entre États et rapports structurels de puissance. Mais se rattachaient aussi aux « internationalistes », les spécialistes « internistes » d'États non occidentaux, dont les travaux étaient réunis sous l'intitulé *area studies* » : monde arabe, pays d'Afrique sub-saharienne, États latino-américains ou asiatiques. Ces spécialistes étaient souvent localisés dans des centres d'études « du développement », dans le contexte international post-colonial de l'émergence du « Tiers-Monde » et des « relations Nord/Sud », à présent marqué par l'importance des « puissantes émergentes » dans le processus de « globalisation » (cf. les « BRICS » regroupant le Brésil, la Russie, l'Inde, la Chine et l'Afrique du Sud). Ces spécialistes développaient des approches de sociologie politique, souvent relativement éloignées des théories classiques des relations internationales.

11.2. La relativisation des subdivisions traditionnelles de la science politique

La subdivision classique de la science politique en deux parties « interne » et « internationale » va être mise en cause par un double mouvement. D'une part, le développement de deux nouveaux domaines spécialisés de recherche, la politique comparée et les études européennes. La politique comparée systématise dans sa démarche d'analyse une appréhension non « monographique » des phénomènes politiques, en les saisissant à partir de leurs points communs et différences par rapport à des phénomènes similaires se déroulant dans d'autres contextes étatiques, éventuellement non occidentaux.

Associées au développement du processus d'intégration européenne, à partir du Traité de Rome de 1957, les études européennes se donnent pour objet principal un objet institutionnel, la Communauté économique européenne (CEE), puis l'Union européenne (UE), qui se situe à l'intersection de l'interne et de l'international. En effet, l'UE est de moins en moins une organisation internationale comme les autres. Primo, l'initiative de la production des normes juridiques européennes (directives, règlements) appartient à la Commission européenne, organe composé de fonctionnaires répartis dans des directions générales ayant à leur tête des responsables politiques (les commissaires européens) qui ne sont pas censés représenter l'État dont ils ont la nationalité. Secundo, il existe depuis 1979 un parlement composé d'élus directs, qui, aujourd'hui, dans la plupart des domaines de compétences de l'UE, partage le pouvoir de produire des normes juridiques (directives, règlements) à parts égales avec le Conseil des ministres, composé d'un ministre par État, mais qui, dans bien des domaines, peut décider à la majorité qualifiée, selon une logique de fonctionnement supra-étatique (cf. chapitre État).

Comme la politique comparée, cette perspective d'études sur l'action de l'UE va ouvrir un nouvel agenda de recherche transversal aux territoires « internes » et « internationaux » de la science politique. Y participent notamment les études consacrées à l'européanisation de l'action publique nationale ou locale – c'est-à-dire cherchant à cerner l'influence de l'UE sur les politiques publiques domestiques – ou celles dévolues à l'analyse de l'action publique à échelles multiples – visant à saisir les interactions entre acteurs politiques situés à des niveaux institutionnels différents (local, national, européen, mondial...) et leur impact dans la production d'une politique publique.

L'autre mouvement qui tend à faire éclater la frontière traditionnelle entre science politique interne et science politique internationale concerne une sociologisation générale des démarches de recherche. Quel que soit le terrain spécialisé de recherche, on observe une diffusion des modes d'étude des phénomènes politiques qui étaient classiquement rattachés à la « sociologie politique ». À tel point que plus d'un manuel en français de science politique s'intitule de « sociologie politique ». En réalité, ceci s'explique par le fait que les approches traditionnellement qualifiées de « sociologie politique » étaient celles dont la démarche générale était la plus proche de celle des sciences sociales modernes (cf. *supra*, section 7). Cette sociologisation de la démarche de science politique tend donc à en raffermir l'ancrage dans le socle épistémologique et méthodologique commun aux sciences sociales, contribuant ainsi plus largement à la « science socialisation » de la discipline.

11.3. Les approches théoriques en science politique : entre paradigmes actoriel et structuraliste

Si l'on observe aujourd'hui beaucoup plus de porosité entre les frontières bornant les territoires traditionnels et les méthodes de recherche en science politique, on ne peut en conclure pour autant à une intégration totale de la discipline. La différence entre les relations internationales et les autres domaines de la science politique, par exemple, reste nette. Cela dit, au-delà de ces différences, on peut globalement situer l'éventail des approches politologiques sur un continuum délimité par deux grands idéaux-types, l'un situant la perspective de départ à un niveau micro, le paradigme stratégique, et l'autre, à un niveau macro, le paradigme structuraliste qui se dédouble entre un pôle plus conflictualiste et un pôle plus intégrationniste.

Le paradigme stratégique, ou actoriel, dans la lignée des analyses de Machiavel dans *Le Prince*, est proche de celui de l'acteur rationnel en sociologie ou de l'*homo economicus* du courant néo-classique en économie. Il situe la focale à hauteur des actions posées par les acteurs, en les analysant sur le mode du « jeu », à la manière d'une partie de poker, c'est-à-dire une situation d'affrontement entre acteurs guidés par des intérêts opposés, avec des alliances possibles, et qui agissent selon une rationalité relative, d'ajustement des moyens utilisés aux fins recherchées en fonction des informations en leur possession. L'action progresse au rythme des « coups » posés par les acteurs, dont le sens peut être compris par rapport aux coups – passés et prévisibles – des autres acteurs, aux opportunités différemment réparties entre acteurs de faire de « bons » coups et à une logique d'action commune à tous les acteurs consistant pour eux à « maximiser leurs intérêts », c'est-à-dire à chercher à faire triompher le plus possible leurs propres revendications. On retrouve une telle appréhension des phénomènes politiques par exemple dans les modèles stratégiques d'explication des comportements électoraux (cf. chapitre Citoyens, section 3.1) ou dans les récits chronologiques de la production de tel traité ou de telle loi ou du dénouement de tel conflit politique.

Le paradigme structuraliste se situe dans la lignée d'une part, des analyses conflictualistes de Marx en termes de rapports de production et de luttes des classes (cf. chapitre Idéologies), et de l'autre, dans celle des analyses intégrationnistes de Durkheim en termes de fonctionnalité sociale (cf. chapitre Système politique). Il a pour angle d'attaque des éléments du « jeu politique » qui dépassent les destinées et intentions individuelles des différents acteurs. Ceux-ci se trouvent placés dans conditions sociales, économiques, institutionnelles, culturelles qui déterminent leur marge d'action dans une mesure telle que les acteurs en eux-mêmes sont interchangeables. Jusqu'à un certain point, l'intentionnalité qui sous-tend les actions qu'ils produisent n'ont pas d'importance sur la suite de l'histoire, pour l'essentiel explicable par des éléments structurels. Par exemple, les acteurs dépendent de modes d'action institutionnalisés, hérités du passé, qui ont pour eux la force de l'existant. C'est le « déjà là », mis en exergue par un des courants « néo-institutionnalistes » de l'analyse des politiques publiques, celui que l'on appelle historique, puisqu'accordant justement un poids structurel à l'histoire.

Ce paradigme structuraliste se dédouble en deux grandes sous-perspectives. D'une part, une perspective conflictualiste, appelée aussi agonistique, du type de l'analyse marxiste, insistant sur les rapports d'opposition entre groupes, les éléments de tensions ou de contradiction du « système » qui en expliquent la dynamique, que ce soit dans le sens de l'approfondissement des oppositions ou dans celui d'un renversement du système. L'école réaliste des relations internationales, par exemple, donne une lecture des relations entre États comme conséquence d'une distribution de forces au plan mondial, analysable en termes de rapports de puissance (monde unipolaire, bipolaire...) plaçant certains États en situation de super-puissance, d'autres, de moyenne puissance et d'autres encore, de petite puissance. D'autre part, une perspective intégrationniste, appelée aussi fonctionnaliste, du type de l'analyse durkheimienne, plus attentive à la reproduction du système, aux éléments fonctionnels – sans nécessairement les juger bons, mais en détectant leur utilité pour « faire tourner » le système. Les analyses contemporaines des « arts de gouverner », comme les études sur la gouvernance, par exemple, s'inscrivent dans cette perspective intégrationniste, de même que l'analyse en termes de système politique (cf. chapitre Système politique) ou les études de management public.

Ce chapitre a montré comment la science politique, à travers ses approches, ses subdivisions, ses auteurs aborde de façon spécifique les phénomènes dits « politiques ».

Ceux-ci concernent le « vivre ensemble » tel qu'il s'impose à tous, à travers une communauté politique, les actions des praticiens de la politique, des décisions programmées. Dans la suite du manuel, nous abordons en détail une série de phénomènes politiques (l'État, le pouvoir, le gouvernement, etc.), en appliquant la démarche scientifique que nous avons décrite ici.

Questions

1) Que recouvre le qualificatif « politique » ? À partir de quel moment une question ou un phénomène devient-il politique ?

2) En quoi consiste la différenciation entre le, la, un et les politique(s) ?

3) Quels sont les critères en vertu desquels la démarche politologique est qualifiée de scientifique ?

4) Quelles sont les principales étapes de l'institutionnalisation de la science politique ?

5) Quelles sont les trois grandes perspectives théoriques qui traversent l'ensemble des études politologiques ? En quoi se différencient-elles ?

Bibliographie

RÉFÉRENCES DE BASE

- Cantelli F., Paye O. (2004), « *Star Academy* : un objet pour la science politique ? », in Y. Cartuyvels (dir.), *Star Academy : un objet pour les sciences humaines*, Bruxelles, Publications des Facultés universitaires Saint-Louis, pp. 65-89.
- de Bruyne P. (1995), *La décision politique*, Louvain – Paris, Peeters.
- Favre P., Legavre J.-B. (dir.) (1998), *Enseigner la science politique*, Paris, L'Harmattan.
- Lagroye J. (2003), *La politisation*, Paris, Belin, coll. « Socio-Histoires ».
- Sfez L. (dir.) (2002), *Science politique et interdisciplinarité*, Paris, Publications de la Sorbonne.

POUR ALLER PLUS LOIN

- Blondiaux L. (1998), « Les tournants historiques de la science politique américaine », *Politix*, n° 40, pp. 7-38.
- Déloye Y., Voutat B. (dir.) (2002), *Faire de la science politique. Pour une analyse socio-historique du politique*, Paris, Belin.
- Favre P. (1995), « Retour à la question de l'objet ou faut-il disqualifier la notion de discipline ? », *Politix*, n° 29, pp. 141-157.
- Grawitz M., Leca J. (dir.) (1985), *Traité de science politique*, Paris, PUF.
- Weber M., (2003/1919), *Le savant et le politique*, Paris, La Découverte/Poche.

CHAPITRE 2
LE POUVOIR

Sommaire

Résumé

La science politique se définit traditionnellement comme l'étude de l'État, de l'organisation des sociétés ou encore du pouvoir. Or il est caractéristique de l'analyse du pouvoir qu'elle vise précisément à comprendre comment les différents acteurs (individuels et collectifs) d'un système politique structurent leurs interactions pour atteindre certaines fins. Mais le concept même de « pouvoir » reste assez polymorphe. On parle volontiers de pouvoir social, pouvoir culturel, pouvoir économique ou pouvoir politique. Y a-t-il un dénominateur commun à ces différentes acceptions ? Le pouvoir est-il d'abord une qualité intrinsèque aux individus ou une caractéristique relationnelle ? Comment sait-on qu'une action ou une inaction est l'expression du pouvoir ? Pourquoi les individus consentent-ils à se soumettre au pouvoir des autres ? En réalité, on peut ramener ces questions en une seule : en quoi le pouvoir permet-il d'apprécier la spécificité des phénomènes politiques ?

Le chapitre aborde la question du pouvoir sous un angle singulièrement politique, c'est-à-dire, qu'il articule le pouvoir aux principales composantes du politique qui ont été développées au chapitre « Qu'est-ce que la science politique ? ». À partir d'une clarification du statut du pouvoir au sein de la science politique, ce chapitre propose, en premier lieu, une catégorisation des dimensions du pouvoir en fonction des modalités qui sous-tendent la relation entre les acteurs. Ensuite, il examine les moyens à travers lesquels le pouvoir produit ses effets : notamment la coercition, la persuasion et la propagande. Enfin, le chapitre complète la compréhension des moyens par une étude des bases du pouvoir, c'est-à-dire le socle sans lequel les moyens sont soit inefficaces, soit, et c'est le plus important, inacceptables par les sujets du pouvoir (l'autorité et la légitimité).

1 | Pouvoir et politique

Le pouvoir a toujours interpellé l'homme et ses observateurs, notamment les philosophes politiques et précurseurs de la science politique. Dans la *République* de Platon (1966/environ 315 av. J.-C.), Thrasymaque soutient que l'homme est un être dont les préférences et les désirs sont gouvernés par la quête du pouvoir. Si le pouvoir intéresse la plupart des disciplines des sciences humaines – la sociologie, la philosophie, l'économie, la géographie et le droit, entre autres traitent du pouvoir –, il faut d'emblée souligner que la science politique, contrairement aux autres disciplines, entretient avec le pouvoir une relation particulière). Selon Bertrand de Jouvenel (1945 : 162), le pouvoir politique ne doit pas être confondu avec d'autres types de pouvoir (social, économique, religieux, culturel, etc.).

Il y a pouvoir dès lors que la nature de l'ordre social est en jeu (Wolin, 1960). Et le politique a ceci de distinctif qu'il a pour finalité, en partie, de garantir l'ordre social en étant animé par la compétition autour du pouvoir. Que l'on examine l'État et ses organes (cf. chapitre État), les clivages politiques (cf. chapitre Clivages) ou encore les régimes politiques (cf. chapitre Régimes politiques), le pouvoir constitue un thème sous-jacent qui donne sa cohérence à l'ensemble. En d'autres termes, si pour Carl Schmitt (1972/1932) l'essence du politique est logée dans la définition du couple ami-ennemi, d'autres auteurs considèrent que c'est le pouvoir qui rend possible, et délimite, la compréhension de la société sous l'angle strictement politique. Lasswell et Kaplan (1950 : XIV) le disent en des termes directs : « la science politique, en tant que discipline empirique, est l'étude de l'émergence et du partage du pouvoir ».

Cependant, l'importance du pouvoir comme objet d'étude en science politique ne doit pas occulter la difficulté à en circonscrire la nature, le contenu et les limites. Il est impossible de dresser la liste exhaustive de tous les auteurs qui se sont attelés à la tâche. Nous allons en reprendre ici quelques-uns, selon l'esprit explicité dans l'avant-propos de notre manuel. Chez Machiavel (2009/1513), par exemple, le Prince gouverne la société grâce à un jeu habile de contrôle et de manipulation des circuits du pouvoir.

ENCADRÉ N° 2.1 : MACHIAVEL

Niccolò Machiavelli (1469-1527) n'est pas seulement un théoricien de la chose politique. Il a également été très impliqué dans la conduite des relations diplomatiques initiées par la République florentine. Après l'arrivée des Médicis (1512) au pouvoir, consécutive à la chute de la République florentine, il est écarté de tout ce qui touche à la gestion des affaires politiques, torturé et emprisonné. Libéré de prison, il se retire dans sa propriété et rédige, entre autres, son ouvrage majeur *Le Prince* (2009/1532 ; écrit en 1513). Le projet de Machiavel est de développer une conception de la politique non pas comme une science, mais comme l'art d'adapter pragmatiquement son action aux circonstances changeantes de son temps. Il suggère aux gouvernants d'allier force et ruse. Il ne faut pas confondre « machiavélien » et « machiavélisme ». Le premier concept est une manière de renvoyer aux idées de Machiavel ou à ses applications alors que le second, « machiavélisme », réfère davantage à une approche cynique de la politique. Il est par conséquent intéressant de lire aussi d'autres travaux de Machiavel pour mieux situer sa conception de la politique dans l'économie générale de sa pensée, notamment, les *Discours sur la première décade de Tite Live* (1531).

Hobbes (2000/1651 : 170), pour lequel le pouvoir des individus découle de la société, réduit le pouvoir aux « moyens actuels pour acquérir dans l'avenir un bien apparent quelconque ».

ENCADRÉ N° 2.2 : THOMAS HOBBES

Même s'il se voyait probablement comme l'un des fondateurs des sciences politiques, Thomas Hobbes (1588-1679) était d'abord préoccupé par des questions d'ordre philosophique. En philosophie politique, justement, son œuvre principale est le *Léviathan* ou *Traité de la matière, de la forme et du pouvoir d'une république ecclésiastique et civile* (2000/1651 ; écrit en 1640). Dans ce travail, Hobbes essaie de dresser les conditions d'émergence, et l'utilité, d'un contrat social. En effet, pour Hobbes, l'état de nature se caractérise par une situation de guerre de tous contre tous (en latin : *bellum omnium contra omnes*). En effet, dans ce contexte, les individus n'obéissent qu'à une loi naturelle : chacun utilise sa force pour préserver sa liberté et assurer sa survie contre les attaques éventuelles des autres. Pour sortir de cet état de nature, ou du moins en apprivoiser les effets, les individus confient une partie de leur liberté à un souverain qui, en retour, assure tant la protection de leurs biens que la sauvegarde de leur vie.   ➤ *féodalisme*

Pour Parsons (1959 ; 1969), enfin, le pouvoir est l'équivalent fonctionnel de la monnaie, mais dans un secteur différent ; il est à la politique ce que la monnaie est à l'économie, c'est-à-dire le medium à travers lequel les acteurs interagissent (cf. chapitre Système politique). Cette analogie est instructive, mais il ne faut pas en exagérer la portée. La monnaie est une institution dont la signification varie au gré de l'accord entre les parties ; elle est quantifiable. Tout indique que le pouvoir est une caractéristique inhérente aux rapports sociaux, et il est difficile, voire impossible à quantifier, ce qui peut précisément faire la force d'un acteur qui a du pouvoir, mais aussi, paradoxalement, la force d'un acteur qui ne possède pas ou peu de pouvoir mais qui parvient à se présenter comme puissant.

Au fond, le problème de ces caractérisations est de ne pas suffisamment tenir compte des contraintes auxquelles doivent faire face les acteurs. Car l'exercice du pouvoir ne se déploie pas dans un espace social vide de toute contrainte. Les règles, les coutumes, les positions institutionnelles, la répartition inégale des ressources matérielles ou symboliques, tout cela affecte, à des degrés divers, l'exercice du pouvoir. De quoi on peut tirer deux leçons.

Primo, le contrôle ou l'influence de l'action d'un acteur B par un acteur A requiert, en première instance, que A soit libre d'agir autrement. La liberté et le pouvoir sont des concepts liés, même si chacun a sa logique propre. En tout cas, la liberté permet à un acteur de mobiliser les ressources qu'il souhaite, au moment de son choix, ou à tout le moins le plus opportun, pour influencer un autre. Ce qui veut dire que l'expression du pouvoir empêche ou, le plus souvent, limite l'expression de la liberté d'action d'un autre. En corollaire, cette relation négative entre pouvoir et liberté nécessite l'existence de mécanismes permettant de rendre l'usage du pouvoir acceptable dans certaines circonstances. C'est le domaine de ce que l'on appelle la légitimité (cf. *infra*).

Secundo, la coexistence de plusieurs acteurs disposant de ressources inégales confère à certains une plus grande marge de manœuvre et, dans certains cas, un potentiel d'influence supérieur. Le langage ordinaire déduit de cette distribution relative des ressources entre acteurs, une vision substantialiste du pouvoir, au sens où « certains *ont* plus de pouvoir que d'autres » ; ils peuvent en gagner ou en perdre ; le jeu est toujours, en quelque sorte, à sommes nulles.

ENCADRÉ N° 2.3 : LA THÉORIE DE L'ÉCHANGE

Des auteurs comme Peter Blau (1964) mettent en évidence, dans une perspective interactionniste, que le pouvoir résulte d'un déséquilibre dans l'échange auquel participent des acteurs qui disposent de ressources inégales. Ce qui veut dire, dans le même temps, que chaque participant dispose d'une marge d'action susceptible d'influencer l'autre. En d'autres termes, le pouvoir d'un acteur se mesure surtout à la taille de l'avantage qu'il obtient d'un autre acteur. Nous y reviendrons ci-dessous avec un exemple spécifique, celui de la corruption en politique.

Le pouvoir, de ce point de vue, se confond avec ce qui en conditionne l'impact : les ressources de différentes natures (économiques, culturelles, symboliques, etc.). À côté des ressources, les fonctions assurées par les acteurs peuvent aussi servir à caractériser le pouvoir. Or la prise en charge des différents pouvoirs se trouve organisée verticalement et horizontalement. Ainsi, les régimes démocratiques sont-ils structurés autour d'un équilibre horizontal à partir de trois branches de pouvoir – exécutif, judiciaire et législatif ; de là toutes les institutions mises en place pour établir, contrôler et sauvegarder une distribution singulière du pouvoir. De plus, les régimes fédéraux, par exemple, parient leur stabilité et leur efficacité, sur une distribution verticale du pouvoir, laquelle délimite les attributs et les responsabilités des entités fédérées. On reconnaît, non pas en substance mais dans l'esprit, une préoccupation importante d'Aristote (1993/environ 330 av. J.-C.), pour qui la répartition du pouvoir (combien d'acteurs exercent ce pouvoir : un ? plusieurs ? la multitude ?) était déjà un critère permettant de différencier les types de régimes politiques (cf. chapitre Régimes politiques). Dans cette perspective, le mot « pouvoir » revêt un caractère institutionnel, dans la mesure où il renvoie aux principaux organes qui assurent le fonctionnement de l'État, en vue de réaliser des objectifs d'intérêt général. Enfin, il n'est pas rare que l'acception institution-nelle se retrouve dans des expressions telles que « le pouvoir Belge est intervenu au Rwanda », « le pouvoir Indien est impuissant face aux inondations », où le mot pouvoir devient synonyme de gouvernement, en somme, la majorité qui exerce les responsabilités au moment des faits, par contraste à l'opposition.

ENCADRÉ N° 2.4 : LES TROIS CONCEPTIONS MAJEURES DU POUVOIR : INSTITUTIONNALISTE, SUBSTANTIALISTE, INTERACTIONNISTE

Dans la conception institutionnaliste, le pouvoir est synonyme de « gouvernants » au sens large, notamment par les branches étatiques qui l'incarnent. C'est cette approche qui se trouve révélée, dans le langage courant ou en science politique, lorsqu'on parle, par exemple, de la « théorie de la séparation des pouvoirs » ou encore des « pouvoirs publics ». Dans cette perspective, on désigne en effet les organes de l'État. Le chapitre « Qu'est-ce que la science politique ? » a développé le paradigme (néo-)institutionnaliste.

Dans une conception substantialiste, le pouvoir est considéré comme une essence ou comme un capital au sens économique ou sociologique du terme. L'existence d'un pou-voir passe alors par un détenteur du pouvoir, qui peut en tirer des bénéfices ou du pro-fit, qui peut l'accroître, etc. C'est ce que désignent, par exemple, les expressions « avoir du pouvoir » ou le « goût du pouvoir ». Le pouvoir apparaît ici comme une énergie, une force à canaliser. C'est le pouvoir « de » faire quelque chose sur lequel nous reviendrons plus loin dans ce chapitre.

Dans une conception interactionniste, le pouvoir renvoie à une relation entre au moins deux personnes. C'est un pouvoir « sur » quelqu'un. Dans l'approche interactionniste, il est possible de distinguer trois grandes catégories de théories : les théories comportementa-listes (Robert Dahl), les théories de l'échange (Peter Blau) et les théories de la mobilisation des ressources (Charles Tilly).

Ces différentes acceptions ne sont évidemment pas exclusives les unes des autres ; au contraire, il n'est pas rare qu'elles s'entrecroisent. Par exemple, en tant que parlemen-taire, l'action d'un député s'exprime essentiellement sous la forme d'un pouvoir de type législatif (approche institutionnaliste), puisqu'il peut voter des lois. Mais elle/il « a » du pou-voir en vertu d'une élection (vision substantialiste). Enfin, le parlementaire peut exercer du pouvoir sur ses collègues en les persuadant de voter un texte de loi favorable à ses inté-rêts, ses idées ou ses valeurs (vision interactionniste).

---

2 | Trois dimensions du pouvoir

Cette section ne vise pas à dresser un inventaire exhaustif des types de pouvoir. Cette tâche serait vouée à l'échec parce qu'elle présupposerait une définition unique du pouvoir à laquelle toutes les autres souscriraient. Ce qui, au regard de l'état de la littérature scientifique, est loin d'être réaliste (Clegg et Haugaard, 2009 ; Beetham, 1991). Ici, il s'agit donc plutôt de distinguer les différentes *dimensions* de la relation de pouvoir. En d'autres termes, nous essayons de répondre à la question : quelles sont les modalités qui produisent sur les acteurs un changement de sentiment ou de comportement ? En réponse, trois dimensions de la relation de pouvoir peuvent être isolées : rationaliste, discursive et structurelle. Notons que ces trois dimensions ne sont pas exclusives mais plutôt complémentaires.

2.1. La dimension rationaliste

Pourquoi est-il question ici de « dimension rationaliste » ? Essentiellement parce que dans cette approche, dit-on, les interactions sociales mettent en présence des acteurs qualifiés de rationnels, autonomes et individualistes. Les acteurs sont des stratèges qui mobilisent instrumentalement leur rationalité pour atteindre des objectifs susceptibles de maximiser leurs intérêts au détriment de ceux des autres. Dans cette perspective, les rapports de pouvoir sont nécessairement asymétriques ; ils ordonnent hiérarchiquement les acteurs.

Weber est souvent considéré comme le précurseur des recherches relevant de la dimension rationaliste du pouvoir (Scott, 2001 : 6). En effet, selon Weber (1995/1922 : 95), le pouvoir [*Macht*] « (…) signifie toute chance [pour un acteur] de faire triompher au sein d'une relation sociale sa propre volonté, même contre des résistances, peu importe sur quoi repose cette chance ». Le pouvoir est donc cette capacité de A à obtenir de B qu'il réalise quelque chose qu'il n'aurait pas accompli, en l'absence du pouvoir déployé par A ou qu'il ne fasse pas quelque chose qu'il n'aurait pas fait en l'absence du pouvoir déployé ; peu importe que cette action soit contraire à ses propres intérêts. Bref, le pouvoir cause un comportement en faisant plier les résistances de l'acteur qui en est la cible. C'est pourquoi Dahl (1968) considère que la relation causale, grâce notamment à ses concepts de variables dépendante et indépendante, est absolument typique de la relation de pouvoir.

ENCADRÉ N° 2.5 : ROBERT DAHL

Politologue américain, Robert Dahl (1915-2014) était professeur émérite de l'Université Yale. Dans la discipline des sciences politiques, son nom est notamment associé à son livre *Who Governs ?* publié en 1961 (version française, 1971), lequel visait à identifier les qualités qui prédisposent certains acteurs, plutôt que d'autres, à occuper des positions prédominantes dans la société. Mais, en réalité, l'essentiel du travail de Dahl porte sur la nature de la démocratie américaine et sur les effets des relations de pouvoir sur sa configuration et son évolution. D'ailleurs, le sous-titre de son livre de 1961 était : *Democracy and Power in an American City*. Et l'un de ses derniers textes parus en 2006 (*On Political Equality*) s'intéresse à la question de l'égalité politique, dont la démocratie est censée être le moteur et le réceptacle.

ENCADRÉ N° 2.6 : DÉFINITION DU POUVOIR SELON DAHL

Un acteur (A) *a* du pouvoir sur un autre (B) pour autant qu'il peut amener B à faire quelque chose que ce dernier n'aurait pas effectué autrement.

Dans cette définition, il faut noter que, pour Dahl (1957 : 202-203), *avoir* du et *exercer* le pouvoir ne sont pas synonymes. L'erreur classique est de substituer l'un à l'autre, ce qui a pour conséquence de subvertir la conception que Dahl se faisait du pouvoir. L'exercice du pouvoir est intentionnel. Mais il faut retenir qu'avoir du pouvoir est susceptible d'entraîner des effets qui, eux, peuvent être non-intentionnels. Il s'agit du pouvoir d'influence. En d'autres termes, selon Dahl, le pouvoir est une sous-catégorie de l'influence. Philippe Braud (2011 : 103-106) s'inspire de cette position pour caractériser de manière plus précise ce qui sépare le pouvoir d'influence du pouvoir d'injonction. Dans le premier cas, celui qui exerce son pouvoir sur un autre ne recourt à aucune sanction contre l'acteur qui refuse de se soumettre à sa volonté ; tout au plus peut-il faire appel à une gratification (matérielle ou psychologique) en cas d'action conforme à ses attentes. En revanche, le pouvoir d'injonction prend la forme d'une contrainte, accompagnée éventuellement d'une sanction (physique ou morale) en cas de non-exécution de la volonté de l'acteur qui exerce le pouvoir sur un autre.

En ce sens, le pouvoir politique relève, sans en épuiser le contenu, du pouvoir d'injonction, dans la mesure où il « suppose le monopole tendanciel de la coercition légitime » (Braud, 1996 : 16). Par ailleurs, les conséquences du pouvoir ne dépendent pas nécessairement de l'intention de l'acteur qui a, ou qui est réputé avoir, du pouvoir. De même, celui qui a du pouvoir ne l'exerce pas toujours, mais il est libre de l'activer. Au sens strict, cette *capacité*, c'est que ce l'on appelle en français la *puissance*, alors que le pouvoir est l'actualisation de celle-ci (Aron, 1964). La nuance qui sépare pouvoir et puissance en français ne se retrouve ni dans le concept anglais de *power*, ni dans l'acception allemande de *Macht*.

Il faut noter, enfin, que Dahl lui-même, tout en insistant sur la distinction entre *avoir* et *exercer* du pouvoir, s'est surtout concentré sur le second, excluant ainsi, de fait, toutes les autres situations, notamment celles dans lesquelles aucune contrainte directe n'est exercée sur l'individu qui subit la relation de pouvoir.

Cela dit, la dimension rationaliste a été marquée par deux grands débats. D'une part, la fracture entre l'école élitiste et l'école pluraliste du pouvoir à laquelle s'est superposé, dans un second temps, sans entièrement s'y substituer, le désaccord entre les tenants d'une analyse méticuleuse de la décision politique concrète et ceux pour lesquels l'étude des mécanismes qui favorisent la non-décision est tout aussi essentielle, sinon, en certaines circonstances, davantage fondamentale. Bachrach et Baratz (1963) disent que cette seconde opposition est caractéristique, respectivement, de la première et de la seconde face du pouvoir.

2.1.1. *L'école élitiste*

Mills est le principal représentant de l'école élitiste du pouvoir. Le pouvoir est détenu, dit-il, par ceux qui occupent les positions les plus importantes au sein des hiérarchies institutionnelles dont les mailles structurent la société. En analysant le cas des États-Unis dans les années 1950, Mills (2002/1956) en vient à identifier trois hiérarchies institutionnelles : économique, militaire et politique. Les individus qui tiennent les positions supérieures développent des affinités avec ceux qui jouissent de positions similaires dans d'autres hiérarchies organisationnelles. Cet entrelacs de hiérarchies institutionnelles forme une élite. Mais l'approche de Mills se heurtait à plusieurs obstacles pratiques. Par exemple, elle était dénuée de critères suffisamment convaincants permettant de délimiter les positions dites « importantes » dans un groupe. En fait, le problème rencontré par Mills avait déjà été soulevé par les travaux de Hunter (1953), et ce dernier lui avait trouvé une solution originale, mais tout aussi critiquée.

Hunter, comme Mills, est élitiste. Il adhère, en outre, à la vision positionnelle du pouvoir, puisque le pouvoir découle de la position sociale de l'acteur. Et l'analyse du pouvoir est tout orientée vers l'identification des individus qui occupent les positions éminentes au sein de différents groupes. Contrairement à Mills qui avait procédé de manière moins systématique, Hunter administre un questionnaire à des personnes-clés au sein des ensembles collectifs examinés. Une seconde étape consiste à soumettre la première liste obtenue à un panel de « juges », censés représenter toute la société, dont la tâche est de composer une liste restreinte des personnes qu'ils considèrent les plus influentes. Une telle approche est cependant discutable notamment parce qu'elle ne peut, tout au plus, que dévoiler une image du pouvoir, basée sur une réputation. D'où le qualificatif d'approche réputationnelle (Scott, 2004 : 85).

2.1.2. *L'école pluraliste*

En voulant critiquer les tenants d'une approche élitiste, Dahl (1971/1961) déplace, dans la foulée, la discussion sur un autre terrain. La principale réserve de Dahl à l'égard de l'école élitiste est d'ordre méthodologique. Pour lui, en effet, une démarche d'analyse qui prend le parti d'accorder la préférence aux positions hiérarchiques supérieures ne peut déboucher que sur un résultat qui valorise l'importance desdites positions. En un mot, l'école élitiste est tautologique. La correction de Dahl (1971/1961) est donc la suivante : au lieu de vouloir trouver « qui a du pouvoir ? », il faut plutôt se demander « quelqu'un a-t-il du pouvoir » ? Dahl propose, ensuite, que le meilleur indice du pouvoir est l'identification d'un impact concret sur les décisions les plus importantes. C'est pourquoi il faut analyser les décisions pour tracer le ou les groupes qui détiennent le pouvoir dans un contexte donné. Le travail empirique, réalisé à New Haven (États-Unis) dans les années 1950, conduit Dahl à conclure que le pouvoir est moins centralisé que ne le prétend l'approche élitiste. Dans le cas de l'étude de New Haven justement, les décisions semblent ne pas exprimer les intérêts ou les préférences d'un groupe en particulier. Le pouvoir est plus diffus, plus éclaté entre les groupes, et sa concentration varie d'un problème à un autre. De plus, il est pluriel ; Dahl en veut pour preuve que les personnes qui occupaient des positions *a priori* influentes n'ont pas toujours réussi à imposer la décision qui répondait le mieux à leurs préférences. Cela conduit à une approche dite « pluraliste » du pouvoir.

2.1.3. *De la décision à la non-décision*

C'est sur ce fond décisionniste qu'émerge une objection : si un individu ou un groupe, avec suffisamment de détermination, réussit à exclure une question de l'agenda, doit-on en conclure qu'il ne dispose d'aucun pouvoir ? La réponse est négative. L'objet de l'analyse du pouvoir doit inclure autant la décision que la non-décision (par exemple : ne pas discuter des questions « sensibles », renvoyer une réforme à la prochaine législature, « égarer » un dossier). En d'autres termes, la décision, c'est la première face du pouvoir, alors que la non-décision, en constitue la seconde (Bachrach, Baratz, 1963). Pour Bachrach et Baratz, l'approche décisionniste oublie que les décisions peuvent parfois se focaliser sur des thèmes moins sensibles pour éviter des discussions et des décisions sur des questions plus urgentes, mais ayant un potentiel plus clivant. De plus, Dahl ne fournit pas de critère permettant de déterminer objectivement ce qui confère à un problème son caractère « important » et commande, à ce titre, une décision. Il en résulte l'impossibilité de distinguer la décision clé d'une décision relevant de la routine politique. L'argument en faveur de la seconde face du pouvoir vise cependant un renversement plus profond. Il consiste à attirer l'attention sur l'ensemble des luttes qui empêchent la politisation de certains problèmes. L'analyse doit partir des biais, des règles et des valeurs qui imprègnent les arènes de pouvoir pour mettre au jour les dynamiques quotidiennes de pouvoir les plus redoutables, mais les moins visibles dans le schéma décisionniste. Par le fait même, les acteurs aptes à mobiliser les biais institutionnels, au sein d'interactions sociales, déploieront plus de pouvoir que les autres (cf. chapitre Partis politiques et groupes d'intérêt).

La seconde face du pouvoir va de pair avec un réquisit méthodologique : identifier les modalités qui sous-tendent la mobilisation des biais dans l'institution que l'on analyse. Pour ce faire, on procédera en trois étapes. D'abord, il faut cartographier les sources potentielles de biais organisationnels (valeurs, coutumes et règles du jeu politique) et identifier les groupes qui sont favorisés ou défavorisés par ces biais. Ensuite, il faut examiner les processus qui gouvernent la fabrique de la non-décision. Autrement dit, comment les acteurs mobilisent les biais pour imposer leurs idées et, corrélativement, bloquer celles des autres. Enfin, on peut analyser la participation aux décisions concrètes. En somme, en partant des biais, on comprend mieux ce qui se passe dans les relations de pouvoir. On peut, en effet, constater que la mobilisation des biais est une ressource majeure du pouvoir, puisqu'elle donne à certains la capacité de délimiter ce qui est faisable.

ENCADRÉ N° 2.7 : UNE SYNTHÈSE SUR LES AUTEURS « RATIONALISTES » ET LEURS MÉTHODES DE RECHERCHES

Auteurs	Méthodes de recherche		
	Collecte de données	Analyse des données	Objet d'analyse
Hunter	Jugement des experts, interviews	Votes, classements, scores des évaluations	Images du pouvoir
Mills	Documents	Fréquence des distributions, analyse des réseaux	Positions de pouvoir
Dahl	Observations, interviews	Résultats politiques	Instances du pouvoir
Bachrach et Baratz	Observations	Règles du jeu politique, valeurs	Participation aux décisions

Source : adaptation des auteurs à partir de Scott, 2004 : 83.

2.2. La dimension structurelle

La dimension structurelle du pouvoir se loge, en fait, dans les recherches qui font écho à l'approche élitiste du pouvoir. Certes, elle n'en retient pas le déterminisme sous-jacent, dans la mesure où les acteurs peuvent toujours choisir d'agir autrement ; mais elle amplifie l'idée que la position sociale d'un acteur est un sérieux indicateur du pouvoir qu'il peut mobiliser. Il ne faut pas oublier que pour étudier la population disposant de plus de pouvoir, Hunter avait simplement sélectionné les individus qui étaient au sommet de la pyramide sociale. Le contenu de l'échantillon était donc prédéterminé par son *a priori* élitiste. De même, alors que l'approche élitiste présupposait une influence directe de A sur B, la dimension structurelle décale le regard ; elle avance que le pouvoir peut manifester ses effets en l'absence d'une relation directe entre A et B. Le pouvoir des acteurs est indissociable, dans cette perspective, de leur position structurelle. Et la structure est une relation constitutive entre A et B ; la position de l'un est fonction de celle de l'autre.

Deux conséquences à cela, une au niveau de la subjectivité de l'acteur (c'est-à-dire du point de vue de ce qui participe du fait d'être acteur), l'autre au niveau de son action. Au registre de la subjectivité, la structure participe à la constitution de l'identité et des intérêts des acteurs. C'est elle qui fait d'eux des acteurs d'un type particulier, dans la mesure où leur position sociale les incline à se voir d'une certaine façon et à suivre telle ou telle préférence, parfois au détriment de leurs intérêts (Lukes, 1974). Au rayon de l'action, les avantages des uns et des autres dépendent des positions structurelles qu'ils occupent, ce qui veut dire aussi qu'ils auront des capacités d'action différenciées (Barnett, Duvall, 2005 : 53).

ENCADRÉ N° 2.8 : LUKES ET L'APPROCHE RADICALE DU POUVOIR

A exerce du pouvoir sur B lorsqu'il influence ce dernier à agir dans un sens contraire à ses intérêts réels. Le pouvoir opère grâce à une sorte de « fausse conscience » qui empêche les dominés d'avoir une connaissance juste de leur situation et de leurs « vrais » intérêts. Ainsi, le pouvoir noue avec la connaissance une relation négative, dans la mesure où il corrompt, chez les dominés, la connaissance objective de ce qui leur est réellement favorable. Lukes (1974 : 34, 36-45) élève sa vision au rang de troisième face du pouvoir (ou « dimension » dans son vocabulaire). Contrairement aux deux autres faces du pouvoir, en effet, la troisième face soutient que les biais qui affectent la relation de pouvoir ne sont pas à rechercher exclusivement du côté de stratégies délibérées de décision ou de non-décision, mais résultent d'expériences historiques, structurellement sédimentées, entretenues par des schèmes récurrents d'action. Par exemple, le fait que, dans de nombreux pays, les femmes soient encore minoritaires dans l'exercice de certaines responsabilités est le résultat tant de décisions et de non-décisions que le produit de pratiques héritées de structures sociales anciennes, lesquelles cantonnaient les femmes à l'espace domestique.

On connaît deux interprétations majeures de la dimension structurelle du pouvoir : celle, de tradition marxienne, qui considère que ce sont les attributs matériels d'une structure sociale qui prescrivent les positions sociales, politiques, et économiques des acteurs (Marx et Engels ; Poulantzas, 1978) ; celle qui retrace la constitution du pouvoir symbolique et les privilèges qu'il établit (Bourdieu, 1989). Mais ces deux conceptions ont leur unité dans l'idée que c'est au sein de la structure que les acteurs trouvent les conditions de possibilité de leur action. Et, par là, l'aspect contraignant de la structure se double d'une fonction d'habilitation (Giddens, 1987/1984). Certes la structure limite ce que les acteurs peuvent accomplir, mais elle leur fournit simultanément les conditions nécessaires à la réalisation de leurs actions. Plus spécifiquement, dans la première interprétation, le pouvoir politique est défini comme « le pouvoir organisé d'une classe en vue de l'oppression d'une autre classe » (Marx et Engels, 1966/1848 : 69). Pour Engels (1954/1884) le pouvoir politique se confond avec l'État, lequel est au service des classes les plus puissantes. Le pouvoir relève d'une relation entre classes sociales (cf. chapitre Idéologies). Ces interactions sont principalement des rapports de forces. La capacité d'une classe à imposer ses intérêts aux autres dépend de la position objective qu'elle occupe dans le champ du pouvoir. Cette position est, en retour, le reflet de son capital économique. Ainsi entendu, le pouvoir découle d'un « système relationnel de positions matérielles occupées par des acteurs particuliers » (Poulantzas, 1978 : 147). Ce qui veut dire que c'est le pouvoir économique qui dicte sa loi aux autres types de pouvoir, notamment politique. Un tel pouvoir n'est pas une essence ou une quantité mesurable ; son expression découle de la position relative des acteurs. Bref, ce qu'un individu peut réaliser dans une société dépend de son appartenance à un groupe donné.

Les théories ouvertement marxiennes sont désormais tombées en désuétude, et leurs idées sur le pouvoir n'apparaissent plus que très sommairement dans les cours de science politique. Mais on en trouve trace dans la seconde interprétation, à quelques exceptions près : le déterminisme matérialiste (*id est*, les conditions matérielles déterminent la vie des acteurs) y a cédé la place à une approche plus équilibrée du rapport entre acteur et structure ; l'approche téléologique de l'histoire y a été supplantée par une conscience accrue en faveur de la contingence ; et le capital économique est devenu une source de pouvoir parmi d'autres. Mais la continuité avec la tradition marxienne est bien illustrée par la reprise bourdieusienne de la notion de « champ de forces », si importante chez Poulantzas. À ce niveau, donc, rien de radicalement différent. La rupture vient en revanche de la reconnaissance, par Bourdieu, de plusieurs champs d'action, chacun gouverné par des règles du jeu propres, que les acteurs doivent maîtriser s'ils veulent en tirer des bénéfices ou exercer une quelconque influence sur les autres acteurs. L'intériorisation de ces règles, qui sont en même temps des contraintes, alimente (forme) ce que Bourdieu nomme l'*habitus*.

ENCADRÉ N° 2.9 : PIERRE BOURDIEU

Pierre Bourdieu (1930-2002) est un intellectuel français dont les travaux ont considérablement influencé la sociologie, non sans susciter de nombreux débats. Ancien étudiant de l'École Normale Supérieure (ENS) de Paris, il a accompli une grande partie de sa carrière à l'École des hautes études en sciences sociales (EHESS) et au Collège de France à Paris. Intellectuel engagé, surtout à la fin de sa vie, les politologues recourent généralement à ses travaux sur les concepts de « capital », de « champ » et d'« *habitus* » pour mieux appréhender la vie sociale, en ce compris le maintien des privilèges, les processus de hiérarchisation des groupes et les luttes entre positions au sein de l'appareil d'État. Contrairement au marxisme qui avait tendance à insister sur les facteurs économiques, Bourdieu postule que la domination découle d'abord des mécanismes symboliques et culturels à travers lesquels les dominés assurent le primat de leur position et la reproduction des rapports sociaux en leur faveur. Sa production scientifique est très abondante. On citera, par exemple, *Les héritiers* (1964), *Esquisse d'une théorie de la pratique* (1972), *La Distinction* (1979) et *Ce que parler veut dire* (1982).

ENCADRÉ N° 2.10 : BOURDIEU : DÉFINITION DE L'*HABITUS*

« L'*habitus* est un système de dispositions, durables et transposables, intégrant toutes les expériences passées (et qui fonctionne) comme une matrice de perceptions, d'appréciations et d'actions » (1972 : 178).

Bourdieu a, en réalité, adopté le concept d'*habitus* pour dépasser à la fois les contraintes structurelles et la subjectivité des individus. Il est vrai, *a priori*, que l'*habitus* peut être lu comme la manifestation d'une reproduction permanente, le siège d'un éternel recommencement. En d'autres termes, il peut apparaître comme une contrainte mécanique à laquelle les individus, les sujets, ne peuvent échapper. Au vrai, cependant, l'*habitus* n'est pas un concept déterministe. En effet, Bourdieu le conçoit aussi comme une force créatrice. Car c'est grâce à l'*habitus* que les sujets, riches des expériences passées, peuvent non seulement identifier les problèmes les plus intéressants qui se posent à eux, mais aussi formuler des réponses innovantes.

La force de la pratique aidant, l'*habitus* en vient à constituer une « seconde nature », un *savoir-faire* autant qu'un *savoir-être*. Il est réactualisé chaque fois que l'acteur exécute une action conforme aux attentes ou aux prescriptions du champ social dans lequel il évolue. La tendance – propre – de l'*habitus* est sa reproduction et son renforcement. Ainsi, ce qui est un processus généré historiquement, soutenu par les pratiques des acteurs, se transforme en source d'action, sinon de domination, consciente ou inconsciente, de certains individus sur d'autres. Le choc peut être violent quand les individus dotés d'un *habitus* distinct veulent s'insérer dans un champ dont les logiques et les enjeux sont étrangers à celui qui structure leurs pratiques et leurs représentations du monde.

ENCADRÉ N° 2.11 : BOURDIEU : DÉFINITION DU CHAMP

« Les champs sont des espaces structurés de positions (ou postes) dont les propriétés dépendent de leur position dans ces espaces et qui peuvent être analysés indépendamment des caractéristiques de leurs occupants (en partie déterminées par elles) » (1981 : 113). Le champ est le ressort d'un type de pensée bien précis chez Bourdieu : le relationnisme, c'est-à-dire le fait que le pivot de l'analyse ce sont les relations dans et à travers lesquelles les agents accomplissent un certain nombre de tâches, qu'ils en aient conscience ou non. Comme l'*habitus*, le champ est le produit de l'histoire des agents. Et sa structure découle des luttes pour l'accumulation du capital autour duquel il s'organise. Par exemple, dans la plupart des pays, les forces de défense et de sécurité constituent un champ. Son capital principal, c'est-à-dire celui qui peut faire la différence, c'est la maîtrise de l'information. En Belgique, lors de l'affaire Dutroux, on s'est rendu compte des effets néfastes de ces luttes de champ sur la qualité des enquêtes, puisque les informations circulaient peu, voire nullement, entre les différentes forces de sécurité. L'accord « Octopus » relatif à la réforme des services de police du 23 mai 1998, lequel a entraîné l'intégration de la gendarmerie et de la police visait, en partie, à dépasser cet effet de champ.

Dans la syntaxe du champ social, les groupes ou les classes, avec leur *habitus* propre, qui les différencie des autres, luttent pour l'accès à des ressources rares. Cette compétition est alimentée par plusieurs types de capitaux (économique, culturel, social et symbolique). Ces différents capitaux sont autant d'enjeux de pouvoir. La question qui s'impose est : qu'est-ce qui permet à un groupe d'occuper une position privilégiée par rapport à un autre ? La réponse n'est pas définitive, mais on peut la formuler de la manière suivante : c'est tant le *volume* global du capital que la *structure* du capital, c'est-à-dire l'importance relative des différents capitaux, au sein de ce volume.

Il existe cependant une lutte de pouvoir dont les mouvements ont des effets tectoniques sur la configuration des autres relations de pouvoir (notamment économiques) : la compétition autour du pouvoir symbolique. La raison en est que le pouvoir symbolique pénètre profondément le tissu social, puisqu'il est constitutif de la structure de la société. Le pouvoir symbolique, c'est « le pouvoir par excellence. C'est le pouvoir de construire les groupes, de manipuler (sic) la structure objective de la société » (Bourdieu, 1989 : 15). C'est un pouvoir performatif ; il donne naissance à des phénomènes par la force des mots, selon la formule d'Austin (1962), « dire c'est faire ». De plus, la lutte symbolique est la plus redoutable car c'est elle qui, en imposant une vision du monde, permet à un groupe de s'arroger le monopole de définir les problèmes et de catégoriser les groupes sociaux. Dans ce contexte, l'État n'est pas le dépositaire du monopole du pouvoir symbolique, mais l'arbitre des différentes aspirations à un tel monopole. Par exemple, durant les campagnes électorales, les différents partis politiques tentent, chacun, de définir ce que sont les « vrais » problèmes. Qui dit problèmes dit aussi solutions pour y remédier. Il en va de même, en dehors des périodes électorales, de la confrontation autour de grands enjeux de société. Par exemple, en 2012, il y a eu un affrontement politique entre les tenants du mariage homosexuel et ses opposants en France. En plus de disposer d'une majorité au Parlement, les défenseurs du mariage pour les homosexuels ont réussi à faire accepter leur position, notamment, en posant la situation au niveau de la question de l'égalité entre citoyens (d'où l'expression « mariage pour tous »). À l'inverse, les opposants ne pouvaient compter sur une majorité parlementaire. Leurs récits étaient organisés autour du caractère « contre nature » de l'union entre deux personnes du même sexe. L'efficacité symbolique dépend, en somme, de trois conditions : premièrement, et c'est le critère le plus évident, il faut posséder du capital symbolique. Deuxièmement, il faut que la vision proposée soit, d'une manière ou d'une autre, corroborée par la réalité. La réalité donne ainsi au pouvoir symbolique des appuis dont il se sert pour donner corps à sa vision (Champagne, Christin, 2004). Enfin, il faut disposer de relais institutionnels suffisamment forts capables, le cas échéant, de traduire une vision de la réalité en norme.

Cette importance de la construction du monde par un groupe, aux fins de domination, peut apparaître comme un retour à des idées développées par Gramsci (1975/1916-35). Mais si Bourdieu renversait le rapport entre l'économie et les structures sociales en faveur des secondes, Gramsci insistait, lui, en continuité directe avec le marxisme, que c'est la distribution des moyens de production qui détermine le contenu des relations sociales. Mais son concept d'hégémonie présente des traits théoriques qui partagent avec l'approche de Bourdieu une ressemblance intéressante à explorer, du strict point de vue des relations de pouvoir. L'hégémonie, comme le pouvoir symbolique, bride, ou canalise, les contradictions du champ social. C'est qu'il est de la nature de l'hégémonie d'être fabriquée par un groupe dominant, lequel, en combinant bases matérielles et idéelles, crée un ordre social. En fait l'hégémonie n'a pour toute fonction, toute direction et toute justification que ce qu'elle commande : la conduite morale et intellectuelle des groupes dominés. Comme chez Bourdieu, où les institutions culturelles assuraient l'infiltration du pouvoir symbolique dans le corps social, l'efficacité de l'hégémonie procède, elle aussi, d'un réseau dense d'institutions culturelles (écoles, églises, presses, etc.). Ces institutions sont ce que Gramsci nomme l'appareil privé de l'hégémonie. Grâce à leur position déterminante dans le champ social, ces institutions favorisent le consensus autour d'une conception du monde que les classes dominées acceptent et servent, parfois avec enthousiasme. La création de ce consensus doit beaucoup à l'activité des intellectuels. Ils forment une sorte de maillon entre la classe hégémonique dominante et les autres. Plus, encore, ce sont eux qui développent les institutions et les technologies matérielles ou idéelles qui assurent l'intégrité de l'ordre social hégémonique.

ENCADRÉ N° 2.12 : ANTONIO GRAMSCI

En dépit d'un cursus universitaire (à Turin) interrompu pour des raisons matérielles, Gramsci (1891-1937) a connu une carrière riche (intellectuel, journaliste et politicien). Théoricien d'une société régulée par le consensus et non par la coercition étatique, Gramsci est le fondateur du parti communiste italien dont il a été le leader entre 1924 et 1926, avant d'être emprisonné par Mussolini, pendant plus de dix ans (1926-1937). La pensée de Gramsci est de nature marxienne, si ce n'est marxiste. Mais il s'écarte de l'orthodoxie marxienne en rejetant, surtout, la thèse du déterminisme économique, selon laquelle les phénomènes sociaux ont leur racine dans les relations de production. Gramsci était convaincu qu'il fallait construire une nouvelle hégémonie basée sur une démocratisation de toutes les institutions sociales et une implication des citoyens dans tous les aspects de leur existence. Gramsci doit sa popularité, en grande partie, à ses *Lettres de Prison* (Gramsci, 1975/1916-35). L'influence de ses travaux se retrouve chez de nombreux auteurs d'inspiration marxienne, par exemple Nico Poulantzas (cf. *supra*).

2.3. La dimension discursive

Les auteurs qui s'intéressent à la dimension discursive du pouvoir ont une filiation unique : Michel Foucault. Pour les politologues qui s'inscrivent dans la veine de Foucault, le discours est « une *série de représentations et de pratiques*, à travers lesquelles les significations sont produites, les identités constituées, les relations sociales établies, et les résultats politiques et éthiques rendus plus ou moins possibles » (Campbell, 2006 : 216). En d'autres termes, c'est à travers le discours que se trament les relations de pouvoir. Or ces relations de pouvoir culminent en l'établissement d'un *régime de vérité*. Jenny Edkins (2007 : 92) le souligne, les régimes de vérité, ce sont des « systèmes de relations de pouvoir qui déterminent les mécanismes utilisés à une époque particulière afin de fixer ce qui est accepté comme vrai ». Autrement dit, le régime de vérité détermine ce qui est, ou ce qui doit être considéré en tout cas, naturel, normal ou déviant.

ENCADRÉ N° 2.13 : MICHEL FOUCAULT

Auteur d'une œuvre monumentale, Foucault (1926-1984) a organisé son travail autour de l'hypothèse que les croyances, concepts et pratiques de chaque période de l'histoire expriment une *épistémè* particulière, c'est-à-dire : une structure de connaissance. Et à toute épistémè correspond un *régime de vérité*, au service d'une classe dominante (cf. chapitre Idéologies). Dans cette perspective, les institutions, elles aussi, sont la manifestation d'un régime de vérité particulier, au sein duquel se jouent les relations de pouvoir. Son étude des changements intervenus dans les systèmes pénaux (Foucault, 1975) permet de voir comment l'on est passé d'un pouvoir souverain, puis à un pouvoir disciplinaire avant d'arriver au gouvernement. Tout d'abord, le pouvoir souverain s'exerce sur un territoire donné et, corrélativement, sur ceux qui y vivent. Ce principe juridique, Foucault le localise entre le Moyen-Âge et le XVIe siècle. La finalité de la souveraineté se trouve dans le respect de la loi édictée par le souverain. Quant au pouvoir disciplinaire, qui se développe entre les 17e et le XVIIIe siècles, c'est le corps ou plus exactement l'homme-corps qui en est la cible. Enfin, durant la deuxième moitié du XVIIIe siècle, s'impose progressivement la gestion gouvernementale, cautionnée par un État de gouvernement. Avec cet État de gouvernement (Foucault, 1998b/1974), le territoire, qui en reste une des dimensions, est relégué au second plan. Le fondement de l'État de gouvernement, lui aussi, se déplace ; c'est maintenant la population. D'où les pratiques contemporaines de surveillance généralisée à travers des technologies de plus en plus performantes.

Foucault s'intéresse beaucoup au volet répressif du pouvoir. Selon lui, le pouvoir que peut exercer le politique sur les individus ne passe pas forcément par le recours explicite à la force. Le pouvoir politique peut amener les individus à s'autogouverner. Comment ? Par un ensemble de connaissances et de normes que les individus intègrent et auxquelles ils se soumettent pour se conformer spontanément « à la normale ». Afin que les individus intègrent de telles connaissances et normes, le pouvoir politique recourt notamment au discours. Ce qui assure la complicité entre le pouvoir et la connaissance, c'est donc, fondamentalement, le discours. C'est ainsi que sont fabriqués des individus-objets du pouvoir ; et, la figure devenue classique de cette opératoire du pouvoir, c'est le panoptique de Bentham, que Foucault discute dans une de ses œuvres les plus connues : *Surveiller et punir* (1975).

ENCADRÉ N° 2.14 : DESCRIPTION DU PANOPTIQUE PAR FOUCAULT

Le terme « panoptique » désigne une architecture spécifique utilisée dans la construction de prisons à la fin du XVIIIe siècle. Voici ses principaux traits : « à la périphérie un bâtiment en anneau ; au centre, une tour ; celle-ci est percée de larges fenêtres qui ouvrent sur la face intérieure de l'anneau ; le bâtiment périphérique est divisé en cellules, dont chacune traverse toute l'épaisseur du bâtiment ; elles ont deux fenêtres, l'une vers l'intérieur, correspondant aux fenêtres de la tour ; l'autre, donnant sur l'extérieur, permet à la lumière de traverser la cellule de part en part. Il suffit alors de placer un surveillant dans la tour centrale, et dans chaque cellule d'enfermer un fou, un malade, un condamné, un ouvrier ou un écolier. Par l'effet du contre-jour, on peut saisir de la tour, se découpant exactement sur la lumière, les petites silhouettes captives dans les cellules de la périphérie. Autant de cages, autant de petits théâtres, où chaque acteur est seul, parfaitement individualisé et constamment visible. (…)

Source : Cour intérieure de la prison de Kilmainham, Irlande (2006).
© Rémi Jouan, CC-BY-SA, GNU Free Documentation License, Wikimedia Commons.

En résumé, de là, l'effet majeur du Panoptique : la contrainte la plus intéressante du panoptique tient à l'intériorisation de ses mécanismes par les sujets qui en sont les cibles, puisque, conscients, de fait, qu'ils sont incessamment visibles, les sujets modulent leurs comportements conformément aux attentes de l'observateur. Faire que la surveillance soit permanente dans ses effets, même si elle est discontinue dans son action ; (…) que cet appareil architectural soit une machine à créer et à soutenir un rapport de pouvoir indépendant de celui qui l'exerce ; bref, que les détenus soient pris dans une situation de pouvoir dont ils sont eux-mêmes les porteurs. En ce sens, le panoptique perfectionne l'exercice du pouvoir ; c'est un activateur de pouvoir » (Foucault, 1975 : 233-235).

Ce type de pouvoir matérialisé par le Panoptique est, en sa structure et en ses effets, principalement d'ordre disciplinaire. La mise en œuvre du pouvoir disciplinaire sert à « attribuer aux sujets individuels une place dans des systèmes et des lieux régentés/régulés, où ils sont contrôlés (…), autorisés de se mouvoir, sondés, mesurés, classifiés, et maintenus actifs » (Debrix, 2003 : 16). Ce qu'il est important de comprendre ici, c'est que le pouvoir disciplinaire ne se réduit pas à prendre les individus pour objets ; il produit les individus et l'ensemble de leurs attributs : leur identité, leurs capacités sociales, leurs droits et devoirs.

Norbert Elias développe une conception relativement similaire du pouvoir disciplinaire lorsqu'il évoque les phénomènes d'autocontrôle générés par l'intériorisation des
contraintes externes ou étatiques. C'est ce qu'il appelle le processus de civilisation à
travers lequel les conduites ont été progressivement gouvernées (Elias, 2011a/1939a ;
2011b/1939b). La conduite des autres, notamment de la population, c'est ce que
Foucault nomme, pour sa part, la « gouvernementalité ». Mais que ce soit à travers les
phénomènes de normalisation des comportements (Foucault) ou l'acquisition de civili-
tés (Elias), il s'agit de canaliser ou d'apprivoiser les forces centrifuges de la société. Et,
dans ce mouvement de contrôle, l'accroissement du monopole étatique a joué un rôle
fondamental.

Mais, un pouvoir disciplinaire comporte encore une rare caractéristique : celle de
changer la manière dont le sujet se perçoit et de déplacer le centre de ses intérêts.
En somme, le pouvoir formate les individus, établit un système de significations et,
de ce fait, encadre ce qui est envisageable et faisable. À titre d'illustrations, « immi-
gré », « monde civilisé », « Tiers-Monde », sont autant de catégories discursives qui
se répercutent sur ce qu'est le sujet ainsi désigné, et sur le type d'interactions qu'il
peut escompter entretenir avec les autres acteurs.

Ce qui est intéressant, c'est que Foucault rompt avec une vision du pouvoir comme
émanant d'un centre identifiable (le souverain), à la faveur d'une conception du
pouvoir plus fluide, moins substantielle et plus interactionniste, capable de se glis-
ser dans tous les interstices des relations sociales. En ce sens, « il n'y a pas de pouvoir, mais des rapports de pouvoir, qui naissent nécessairement, comme effets et
conditions d'autres processus » (Foucault, 1994 : 631). Le pouvoir circule dans les
réseaux de forces sociales qui s'influencent mutuellement ; ce n'est pas une position structurelle qui capte le pouvoir, mais un système de significations qui est le
socle d'où procède un régime de vérité donné : en gros, une texture particulière de
l'articulation pouvoir-connaissance (Foucault, 1994).

Foucault ouvre ainsi les réflexions sur le pouvoir à de nouvelles approches ; il le décrit
moins centralisé et plus diffus. Pour lui, en outre, le pouvoir doit se concevoir en
termes relationnels et non en termes substantiels. De ces relations de pouvoir émergent, en gros, les sujets et la connaissance y afférente. Deux conséquences en découlent. Première conséquence : le pouvoir produit des sujets qui peuvent devenir ses
objets. Deuxième conséquence : pouvoir et connaissance s'impliquent réciproquement.
Ainsi, l'évolution du pouvoir carcéral serait liée à celle des sciences humaines.

Aujourd'hui, au-delà du panoptique, en quoi la conception foucaldienne du pouvoir
est-elle toujours utile pour décoder les relations de pouvoir ? Pour des politologues
contemporains qui s'intéressent à Foucault, la surveillance a changé d'échelle, ses
ressorts politiques ont évolué et ses surfaces portantes sont désormais, non pas la
géométrie d'un espace ou une configuration architecturale particulière mais la technologie. Kevin Haggerty et Richard Ericsson (2000) abondent dans ce sens ; pour eux,
en effet, le panoptique est un modèle de pouvoir pensé pour contrôler des masses
regroupées dans des espaces clos, prisons, écoles, hôpitaux, bref, toute institution
qui a pour objet et fin la discipline et dont les contours sont géographiquement
circonscrits. En somme, le panoptique serait disqualifié à deux niveaux au moins ;
d'une part, au niveau de sa cible qui n'est plus un corps spatialement contingenté
mais en mouvement. Et, d'autre part, les modalités techniques du panoptique sont

rendues désuètes par le développement de nouveaux instruments techniques adaptés à la nature et aux circuits des nouveaux objets de la surveillance. Tout cela, disent Haggerty et Ericsson, doit conduire à une vision post-panoptique de la surveillance.

En lisant différemment Foucault, il y aurait là erreur d'analyse. Erreur parce que, pour Foucault, le panoptisme est une allégorie des modalités du pouvoir disciplinaire. Autrement dit, il faut davantage concevoir le panoptique comme une métaphore du pouvoir disciplinaire que comme une structure matérielle indépassable. Ses effets découlent moins de sa structure géométrique que des mécanismes dans lesquels s'incarne sa logique. Il s'agit donc de saisir l'esprit du panoptique, car c'est lui qui suscite le dressage des conduites, et non tenter de reconstituer – matériellement – sa forme architecturale. Beaucoup plus largement donc, c'est la société, dans sa totalité, qui est l'objet de la discipline ; le panoptique en est « seulement » une trame. Comme l'énonce Foucault (1975 : 243), le panoptique « programme, au niveau d'un mécanisme élémentaire et facilement transférable, le fonctionnement de base d'une société toute traversée (…) par des mécanismes disciplinaires ». « (L')essaimage des mécanismes disciplinaires » préfigure donc l'avènement d'une surveillance tentaculaire » (Foucault, 1975 : 251). Ainsi, avec ou à travers le panoptique, ce sont les conditions essentielles d'une société de surveillance, qui rend tout visible, qui sont réunies.

3 | Les ressources du pouvoir

Pour libérer ses effets, la relation de pouvoir peut activer plusieurs types d'instruments (notion employée notamment en analyse des politiques publiques) ou plusieurs ressources (pour reprendre le terme largement diffusé par la théorie de la mobilisation des ressources dont Charles Tilly est une figure majeure).

ENCADRÉ N° 2.15 : CHARLES TILLY, LES RESSOURCES ET LES RÉPERTOIRES D'ACTION (COLLECTIVE)

Charles Tilly (1929-2008) forge le concept de « répertoire d'action » pour désigner l'ensemble des ressources susceptibles d'être effectivement mises en œuvre par les acteurs lorsqu'ils se mobilisent dans le cadre de luttes de pouvoir (Tilly, 1984 : 99 ; cf. chapitre Citoyens). Inscrits dans une démarche historique, les travaux de Tilly montrent que, selon les périodes, ces ressources et leur emploi peuvent varier. Il est ainsi possible de distinguer un répertoire ancien (où les révoltes paysannes sont un moyen pour des classes dominées de lutter contre le pouvoir établi), un répertoire moderne (où les syndicats vont organiser la grève) et un répertoire contemporain (où une pétition circulera via les réseaux sociaux).

En science politique, trois grandes catégories de ressources ont généralement été prises en compte : le recours à la force (par exemple, la force policière employée pour garantir l'ordre public ou une intervention militaire décidée par la communauté internationale pour rétablir la paix) ; la capacité de produire et d'échanger des marchandises, en relation avec le droit de propriété (liée au pouvoir économique) ; la possibilité de mobiliser des valeurs, des convictions, voire des émotions permettant de créer, de stabiliser ou de rétablir le « vivre ensemble » (connecté au pouvoir politique). Nous allons entrer plus finement, ci-dessous, dans l'analyse des ressources mobilisées par le pouvoir politique.

Mais précisons d'abord que mobiliser des ressources, et bien les choisir, n'est pas un choix dénué de risque. En effet, un instrument efficace dans une situation particulière peut se révéler absolument contre-productif dans une autre. Par ailleurs, il arrive que les acteurs recourent à une combinaison d'instruments de différentes natures, soit simultanément, soit l'un à la suite de l'autre. Là aussi, le danger est grand de faire appel à des instruments qui se neutralisent. Aboutir au statu quo quand on visait le changement (ou inversement), c'est un échec de la relation de pouvoir. La solution la plus appropriée, pour celui qui veut exercer du pouvoir sur une autre partie, c'est de mobiliser l'instrument idoine au moment le mieux indiqué ou, quand les circonstances l'exigent ou s'y prêtent, plusieurs instruments qui se renforcent mutuellement.

On le comprend, l'exercice du pouvoir est multiforme. Par exemple, lorsque Weber relativise, dans sa définition du pouvoir (cf. *supra*), les bases sur lesquelles repose la probabilité de faire céder un autre acteur, il semble aussi privilégier une conception ouverte des ressources du pouvoir. En effet, les leviers qu'un acteur active pour exercer du pouvoir sur un autre peuvent varier en fonction des éléments matériels ou idéels disponibles, des attributs des acteurs concernés, de l'objet qui suscite la relation de pouvoir et des conditions dans lesquelles se déroulent les interactions. La leçon de ceci est qu'il ne faut pas réduire le pouvoir à ses ressources ; ces dernières sont les « médias » qui rendent la relation de pouvoir possible, la structurent et la revêtent d'une tonalité particulière (Giddens, 1987/1984). Les propriétés d'une relation de pouvoir sont tributaires, en ce sens, du type de ressources qui circule entre les acteurs. Cependant, le pouvoir qui s'accomplit dans cette circulation des ressources n'implique pas nécessairement une coprésence physique des acteurs. Il n'est pas contingent des contraintes relatives aux distances matérielles. Ce qui compte, en revanche, c'est le contact entre la ressource activée et la cible du pouvoir.

Dans la littérature scientifique, la force et la contrainte, d'une part, et la persuasion et la propagande, d'autre part, constituent les principales ressources que les acteurs utilisent pour exercer du pouvoir (Clegg, Hauggard, 2009 ; Braud, 2011). Les sections suivantes examinent chacune des ressources, en veillant à montrer ce qui les distingue les unes des autres. En réalité, elles sont liées entre elles. Par exemple, la propagande repose sur une mystification des enjeux et des intérêts de celui qui succombe à l'exercice du pouvoir, alors que la persuasion fait le pari de la transparence des intérêts des parties concernées.

3.1. La contrainte et la force

La contrainte et la force peuvent être présentées comme deux formes distinctes de la coercition dont nous avons parlé ci-dessus. La force s'applique directement au corps ou à l'esprit de l'autre pour l'amener à agir dans un sens conforme à la volonté de celui qui s'en sert. La contrainte, quant à elle, s'appuie sur la menace d'une sanction pour obtenir d'un acteur un alignement sur les intérêts d'un autre. Elle active un mécanisme d'ordre essentiellement psychologique. Pour qu'elle soit efficace, il faut qu'un acteur A juge crédible tant la capacité que la détermination de B à lui infliger une sanction ou un dommage, en cas de non-soumission à sa volonté. La force revêt une fonction dissuasive *ex post*, alors que la fonction dissuasive de la contrainte se manifeste *ex ante*. Non seulement la force vise-t-elle à punir le contrevenant, elle a pour second objectif d'avertir les autres des conséquences d'une non-conformité à la volonté de celui qui exerce le pouvoir. Elle fixe, en quelque sorte, la réputation des acteurs, ce qui permet, en cas de succès, de faire l'économie de l'usage de la force dans les futures interactions. Bref, l'usage de la force a une double fonction : instrumentale et expressive.

Dans le chapitre sur l'État, concernant l'usage de la force, nous avons abordé le fait que l'État dispose du monopole de la coercition (légitime). Nous pouvons ici prolonger la réflexion en déclinant la coercition en force et contrainte. La réflexion de Weber sur la question de l'État part de l'ordonnancement hiérarchique de la violence qu'accomplit l'institution étatique. L'État assure sa continuité et la coordination contraignante des rapports entre les individus, en vertu du monopole dont il jouit dans l'exercice de la violence légitime. Hors du cadre étatique, la violence est illégitime, c'est-à-dire dénuée de fondement qui en garantit l'acceptation par les individus. Plus encore, l'établissement du monopole de la violence légitime s'incarne dans la double conception de la souveraineté, interne et externe. Dans le premier cas, il s'agit de l'autorité exclusive de l'État sur ses citoyens. Dans le second, la souveraineté externe, c'est le principe de non-ingérence dans les affaires intérieures d'un autre État qui organise les rapports internationaux. Au plan normatif, la double souveraineté présuppose la bienveillance des États vis-à-vis de leurs citoyens. Mais elle a derechef, pour double négatif, le principe de l'égoïsme moral des États : le sort des citoyens « des autres États » (États B) ne constitue pas une préoccupation impérative de l'État A.

ENCADRÉ N° 2.16 : JEAN BODIN ET LA SOUVERAINETÉ

Jean Bodin (1525-1596) a longtemps caressé l'idée de devenir religieux avant de se libérer de ses vœux en 1549 pour se consacrer à l'étude et à l'enseignement du droit. Il a côtoyé et/ou conseillé plusieurs rois, notamment Henri III et Henri IV. En science politique, la théorie de la souveraineté développée par Bodin (1993/1576) est intéressante pour comprendre un certain nombre d'articulations entre le pouvoir et le gouvernement suprême d'une société. Pour Bodin, la souveraineté est cette aptitude à faire agir quiconque dans le sens désiré. Dans ce contexte, le souverain c'est celui qui dispose de cette capacité à imposer, de manière asymétrique, sa loi à un autre. Afin de comprendre davantage l'étendue de cette capacité, il faut distinguer deux visions de la souveraineté, l'une absolutiste, l'autre relativiste. Dans le premier cas, privilégié par Bodin, le souverain c'est celui qui est au-dessus des lois (humaines). Les seules lois auxquelles un tel souverain est soumis sont divines. C'est dans ce sens qu'il faut comprendre l'idée de « monarchie absolue » appliquée, par exemple, à l'exercice du pouvoir par Louis XIV et Louis XV. Au sens relativiste, la notion de souveraineté implique l'idée d'une limitation du pouvoir exercé par le souverain. L'exercice du pouvoir est borné par un corpus de normes supérieures qui précèdent, dépassent et encadrent les actions du souverain. Ainsi, ce que l'on appelle « l'État de droit » renvoie, en réalité, à une conception relativiste de la souveraineté dans la mesure où ce type d'État n'exerce son pouvoir que dans les limites prescrites par sa constitution ou, de plus en plus, des engagements internationaux.

L'usage de la force n'est pas le moyen le plus fréquent des relations de pouvoir, mais il n'en demeure pas moins une possibilité réelle. Il peut prendre plusieurs formes dont on isole généralement deux types : la violence physique et la violence psychique (appelée aussi, en fonction des auteurs, violence morale ou symbolique). Un exemple extrême de la violence physique est le génocide. C'est le cas notamment du massacre de Srebrenica (juillet 1995) commis par des unités serbes contre des Bosniaques lors de la guerre en Bosnie-Herzégovine. L'humiliation illustre la violence morale qui peut être infligée à un groupe ou à un individu. Par exemple, les Allemands ont jugé humiliantes les mesures accompagnant les clauses contenues dans le Traité de Versailles (28 juin 1919), lequel mettait un terme à la Première Guerre mondiale. Enfin, un exemple qui combine, en des proportions variées, violences physique et morale, est la torture. Selon *Human Rights Watch*, une organisation non gouvernementale de défense des droits de l'homme, certaines pratiques courantes au sein de la prison de Guantanamo, après les attentats du 11 septembre 2001, relevaient de la torture.

ENCADRÉ N° 2.17 : GUANTANAMO ET LE POUVOIR PAR LA FORCE

Guantanamo est une île cubaine de 121 kilomètres carrés louée par les États-Unis d'Amérique, depuis 1903. Elle est devenue notoirement célèbre durant les guerres d'Afghanistan et d'Irak, consécutives aux attentats du 11 septembre 2001. Soucieux de ne pas accorder aux prisonniers soupçonnés d'appartenir à des réseaux terroristes les garanties propres au système judiciaire fédéral américain, le gouvernement de George W. Bush (2001-2009) a décidé d'y interner ceux qu'il nommait les « combattants illégaux ». Les traitements dégradants infligés aux prisonniers ont été dénoncés par plusieurs acteurs, notamment Amnesty International et la Commission des Droits de l'Homme des Nations Unies. Le 22 janvier 2009, Barak Obama a signé un ordre de fermeture du camp, mais de nombreuses résistances internes (notamment du Congrès américain) et le peu de volonté de nombreux États notamment européens, à accueillir certains des prisonniers, compliquent la mise en pratique de cette décision.

En général, un acteur A recourt à la force physique quand les autres moyens de conduire un acteur B à agir ou ne pas agir conformément à sa volonté ont échoué. La force vise à briser la volonté de l'insoumis quitte, et c'est sa faiblesse ultime, à l'éliminer. Un acteur qui est tué, par exemple, ne peut plus juger du pouvoir d'un autre sur son action. La force n'établit donc pas forcément de communication entre les acteurs en présence. Elle ignore la liberté de faire ou de ne pas faire, de l'agent sur lequel elle s'applique. De fait, le point d'origine de l'exercice de la force c'est un échec de la relation de pouvoir, laquelle présuppose autonomie et marge de manœuvre des acteurs impliqués, donc une faculté d'échapper à l'emprise du pouvoir d'un autre.

Tout ce que la force disqualifie, la contrainte le réhabilite. Et surtout le resitue dans une configuration relationnelle : la menace d'une sanction, en ce compris l'usage de la violence, sollicite les capacités cognitives d'un acteur à même de juger de ce qu'il est convenu de faire, dans une situation donnée. Le sujet qui est, en l'espèce, l'objet de la contrainte, peut choisir d'agir autrement que ne lui dicte l'acteur qui voudrait obtenir de lui une action précise ; mais il s'expose, dans ce cas, à une sanction (Dowding, 1996). Autrement dit, ce qui doit être entendu dans le cas de la force comme suppression du consentement doit être lu, ici, comme reconnaissance du rôle que tient l'accord, quelle qu'en soit la motivation, de s'ajuster à la volonté d'un autre. De sorte que la contrainte n'est possible que s'il existe une compréhension partagée des enjeux et des règles d'interaction entre celui qui exerce le pouvoir et celui qui en est l'objet. Par exemple, la décision syrienne de soumettre ses armes chimiques à un contrôle international (septembre 2013) est le fruit d'une interprétation, de la part de Bachar el-Assad, des risques qui pesaient sur son régime en cas d'établissement d'un lien direct entre les attaques des civils à l'arme chimique (interdite par les conventions internationales) et son armée. En s'ouvrant au regard de la communauté internationale, el-Assad pensait aussi écarter la possibilité d'une intervention militaire en Syrie.

Arendt (1970 : 44 ; traduction des auteurs) en déduit que le pouvoir, qu'elle oppose radicalement à la violence, n'est pas dissociable du consentement : « le *pouvoir* correspond à la capacité humaine non seulement à agir, mais à agir de concert. Le pouvoir n'est jamais la propriété d'un individu ; il appartient au groupe (...). » Il faut néanmoins être prudent avec cette lecture du pouvoir telle qu'amenée par Hannah Arendt. Le principal mérite de sa théorie du pouvoir, qui rappelle à certains égards des idées avancées par Étienne de la Boétie, est d'en renouveler la conception relationnelle et d'insister sur le consentement de ceux qui, à travers l'exercice du pouvoir, sont appelés à interagir. Mais cette approche ne tient pas suffisamment compte des manipulations dont le consentement apparent peut être le produit. De plus, cette caractérisation du pouvoir est moins apte à appréhender la différence entre le « pouvoir *de* » faire quelque chose et le « pouvoir *sur* » quelqu'un ou quelque chose (Boulding, 1989). Quelle que soit par ailleurs son utilité dans certains cas, le consentement ne peut donc épuiser les différentes expressions de la relation de pouvoir.

ENCADRÉ N° 2.18 : LE MYSTÈRE DE LA SERVITUDE VOLONTAIRE

Étienne de la Boétie (1530-1563) est célèbre pour une œuvre intitulée *Contr'un ou Discours sur la servitude volontaire* (1997/1549) dans laquelle il explique que la tyrannie n'est possible qu'avec le consentement des citoyens. À l'inverse, il suffirait que les citoyens refusent de se soumettre à la tyrannie pour que cette dernière cesse. Sans verser dans l'anachronisme, ceci rejoint l'appel prononcé lancé au XXIᵉ siècle par Stéphane Hessel (1917-2013) : « Indignez-vous ». Avec six siècles d'écart, Étienne de la Boétie et Stéphane Hessel invitent à l'engagement plutôt qu'à l'indifférence.

3.2. La persuasion et la propagande

Traiter de la persuasion et de la manipulation dans un chapitre sur le pouvoir peut se heurter au scepticisme de certains auteurs (Bierstedt, 1974). Mais si le pouvoir a pour objectif principal de susciter chez un agent une action ou une inaction, alors la persuasion et la propagande en relèvent. Dans certains ouvrages, par exemple celui de Wrong (1979), on contraste volontiers la persuasion avec la manipulation. Ce faisant, il tend à confondre le mécanisme social (ce qui sous-tend un effet donné) et sa finalité (convaincre ou manipuler). La persuasion recèle une réciprocité qui fait défaut à la propagande. Elle suppose une dépendance mutuelle des acteurs en présence, leur ouverture au dialogue, un échange sans contrainte des idées, une évaluation transparente des arguments et une disponibilité d'un acteur aux contre-arguments d'un autre. Le résultat de ce processus interactif, c'est une réalité partagée, puisque les attentes des uns et des autres, si ce ne sont les intérêts des parties concernées, ont été pris en compte. Et du même coup on aperçoit pourquoi cela suggère que le persuadé, notre acteur B, agit en « toute connaissance de cause ». Mais il ne faut pas croire que la persuasion ait pour unique conséquence le changement d'attitude ou de comportement d'un acteur. À n'en pas douter, la persuasion peut venir renforcer une attitude ou un comportement, notamment quand le persuadé avait déjà quelques dispositions sensibles à l'égard de l'objet de la persuasion.

Prise en général, la persuasion repose sur un aspect de ce que Joseph Nye (2004) appelle le *soft power* (puissance douce), c'est-à-dire un pouvoir de cooptation et d'attraction, plus qu'un pouvoir tributaire d'éléments purement matériels (*hard power*). Dans le modèle de Nye, le *hard power* est essentiellement de type militaire. Le *soft power* se mesure, quant à lui, à la capacité d'un acteur à changer le contenu des préférences d'un autre, sans faire usage ni de la contrainte ni de la force. L'objectif de A est d'amener les autres acteurs à désirer ce qu'il veut, bref, à susciter une convergence des aspirations autour d'un objet donné. En relations internationales, le *soft power* d'un État repose sur trois éléments : sa culture, ses valeurs politiques et de sa politique étrangère. Le *soft power* d'un acteur relève, pour les deux premiers éléments, de l'attrait que génèrent sa culture (littérature, art, cinéma, système éducatif, etc.) et ses valeurs (tolérance, démocratie, etc.). Quant à la politique étrangère, elle peut être une source de *soft power* quand son contenu est jugé légitime ou « juste » (Nye, 2004 : 11-15). En politique intérieure, le *soft power* dépendra des médias assez proches : personnalité, valeurs défendues, actions politiques jugées légitimes ou investies d'une autorité morale. Mais quel que soit le niveau de son expression, le *soft power* permet aux acteurs de réduire les coûts associés à l'exercice du *leadership*.

ENCADRÉ N° 2.19 : PERSUADER ET NÉGOCIER, EST-CE LA MÊME CHOSE ?

La persuasion, pour un acteur A, consiste à convaincre l'acteur B par des arguments dont la justesse importe peu, à la limite. Que les arguments soient justes ou pas, l'essentiel, pour l'acteur A, est de convaincre B. La persuasion inclut le plus typique des faits politiques : le discours. « C'est un processus complexe, continu et interactif, à travers lequel l'auteur et le récepteur sont liés par des symboles, verbaux et non verbaux, à travers lesquels l'auteur essaie d'influencer le récepteur à adopter un changement d'attitude ou de comportement, en réponse à un élargissement ou à une transformation de ses perceptions » (O'Donnell, Kable, 1982 : 9).

La négociation entre A et B implique que A accepte de tenir compte de la position de B de sorte que chacun obtienne des concessions réciproques. Les ressources mobilisées influencent la capacité de négociation de l'un et de l'autre. Nous sommes donc bien aussi dans une relation d'échange et, potentiellement, de pouvoir.

Le politique implique persuasion et/ou négociation en vue de la prise de décision. Persuasion, négociation et décision sont trois éléments constitutifs du politique.

Il faut noter enfin que chez Nye, le *hard* et le *soft power* sont complétés par le pouvoir économique. Ces différents pouvoirs se distinguent le long de trois axes : le comportement qu'ils déclenchent, les médias dont ils dépendent et le type de politiques gouvernementales qui leur sert de support. Le tableau ci-dessous, repris de son ouvrage intitulé *Soft Power*, en synthétise le contenu.

ENCADRÉ N° 2.20 : LES TROIS TYPES DE POUVOIR SELON NYE

	Comportements	**Médias**	**Politiques gouvernementales**
Pouvoir militaire	Coercition Dissuasion Protection	Menaces Force	Diplomatie coercitive Guerre Alliance
Pouvoir économique	Incitation Coercition	Paiements Sanctions	Aide Corruption Sanctions
Soft power	Attraction Mise à l'agenda	Valeurs Culture Politiques Institutions	Diplomatie publique Diplomatie bilatérale et multilatérale

Source : Nye, 2004 : 31.

Attardons-nous ici sur la corruption, conçue comme une relation de pouvoir spécifique, investiguée notamment par la théorie de l'échange qui, on s'en souvient, met en évidence le déséquilibre dans les ressources mobilisées par les acteurs. La corruption politique soulève un problème bien particulier pour l'analyse du pouvoir. David Easton (1953), par exemple, disqualifie la corruption des jeux de pouvoir. La raison en est que le pouvoir est généralement lié à la menace d'une privation et non pas à l'octroi d'une récompense ou d'un bénéfice. Ce qui confirme l'association du pouvoir à une relation dans laquelle l'un des acteurs est nécessairement perdant. Or si, tel que ce chapitre a tenté de le montrer, l'identité de la relation de pouvoir découle du fait qu'un individu se soumet à la volonté d'un autre, alors la corruption en devient un média qu'il est utile de considérer. De plus, la corruption vient renforcer le fait que ce sont les ressources inégales entre les acteurs qui sous-tendent souvent la relation de pouvoir ; en ce sens, la corruption est le média d'un échange inégal entre les parties (Rose-Ackerman, 1978). De plus, la corruption invite aussi à relativiser les images statiques du pouvoir comme relation exclusivement asymétrique. Prenons deux exemples : (i) un leader politique offre des bénéfices à ses administrés en échange de suffrages. (ii) Un entrepreneur qui devrait se soumettre à des lois strictes du cadastre obtient une dérogation à la faveur de pots-de-vin versés aux autorités chargées d'assurer le respect des règles urbanistiques. Dans les deux cas, la corruption institue une réciprocité, une symétrie entre les parties impliquées dans une relation de pouvoir. Autrement dit, affirmer que « l'interdépendance et l'influence mutuelle dénotent une absence de pouvoir » (Blau, 1964 : 14-15) est probablement exagérée. Le pouvoir est une relation d'influence, et cette dernière peut consacrer un échange symétrique ou asymétrique. Le fait que cette relation se déroule dans le cadre d'une interaction illégale et/ou illégitime ne change pas fondamentalement la donne.

ENCADRÉ N° 2.21 : DÉFINITION ET ILLUSTRATION DE LA CORRUPTION

La corruption politique est un comportement contraire à la loi et à la morale publique. En termes simples, il y a corruption quand un agent investi d'une responsabilité publique d'intérêt général, encadrée par la loi, reçoit des bénéfices personnels en échange de services privés rendus à une personne ou un groupe.

En Belgique, l'affaire Agusta-Dassault a éclaté en janvier 1993. Elle concerne le versement de pots-de-vin à des responsables politiques lors de l'achat, par la Belgique, d'une flotte d'hélicoptères de combat à la firme italienne Agusta. Elle a conduit à une série de démissions en 1995, avant de déboucher sur des peines de prison avec sursis trois ans plus tard : celle de Willy Claes, Guy Spitaels, Guy Coëme et Serge Dassault.

Au Québec, c'est l'affaire des contrats dans l'industrie du bâtiment qui a défrayé la chronique, à la fin des années 2000. À la suite d'une enquête menée par des journalistes, une série de collusions entre le secteur de la construction et certains politiques de la ville de Montréal a été révélée. Sous la pression conjointe de la presse et de l'opinion publique, Jean Charest, le Chef du gouvernement au moment des faits, a lancé une Commission d'enquête sur l'octroi et la gestion des contrats publics dans l'industrie de la construction (CEIC), le 19 octobre 2011. On appelle communément cette Commission la Commission Charbonneau, du nom de la juge qui a été chargée d'en assurer la présidence.

La propagande présente deux traits majeurs : d'une part, l'intention du propagandiste n'est pas transparente ; d'autre part, le propagandiste cherche à contrôler le flux de l'information. En général, le contrôle de l'information se concrétise à la faveur de deux techniques qui se renforcent mutuellement : la mise sous tutelle des médias, d'une part, et le « cadrage » de l'information, d'autre part (Jowett, O'Donnell, 2006 : 44-45). La capacité d'action du propagandiste est proportionnelle à son aptitude à contrôler l'information. Le contrôle de l'information est une conséquence d'un trait récurrent de la relation de propagande : la finalité de la propagande n'est pas clairement exposée. Or un des stratagèmes du propagandiste est, justement, de dissimuler son intention réelle au récepteur. À la limite, le propagandiste ne dialogue pas avec le récepteur, dont le sort et l'intérêt lui importent peu. En tant que principale source d'influence, l'information peut subir un cadrage, c'est-à-dire un travail d'édition substantiel : elle peut être exagérée, minorée, noyée, ou purement exclue de la circulation, en fonction des intérêts du propagandiste.

ENCADRÉ N° 2.22 : DÉFINIR PRÉCISÉMENT LA PROPAGANDE

« Il s'agit d'une tentative délibérée et systématique de façonner les perceptions, manipuler les capacités cognitives et contrôler le comportement (du récepteur) afin de s'assurer une réponse qui sert l'intention souhaitée par le propagandiste » (Jowett, O'Donnell, 2006 : 7).

ENCADRÉ N° 2.23 : UNE ILLUSTRATION DE LA PROPAGANDE PAR L'AFFAIRE PLAME

Rappelons-nous d'abord que la guerre des États-Unis contre l'Irak (2003) a été déclenchée au motif que Saddam Hussein disposait d'armes de destruction massive. Une des thèses à l'appui de cette théorie était que Saddam Hussein avait acquis de l'uranium au Niger. Entrons maintenant de plain-pied dans l'illustration relative à la propagande. Joseph Wilson, ambassadeur américain, avait été mandaté par le gouvernement de George W. Bush afin d'enquêter sur cette thèse (dès février 2002). De retour du Niger, il déclara qu'il n'y avait aucun indice étayant cette acquisition. Mais le gouvernement Bush décida néanmoins de construire sa promotion de la guerre contre l'Irak sur cette thèse. Surpris, Wilson se confia anonymement à un journaliste du *New York Times*. Sur pression de la Cour Suprême des États-Unis, le nom de Wilson fut divulgué. Beaucoup ont considéré que c'était une violation du principe du secret des sources journalistiques. Mais il y a plus. Joseph Wilson était l'époux de Valérie Plame, une espionne travaillant pour la CIA (*Central Intelligence Agency*). Dans la foulée des événements, le nom de son épouse a également été dévoilé, mettant la vie de cette dernière en danger. C'est pourquoi il est plus précis de parler de l'affaire Plame-Wilson. Elle a éclaté en 2003 et s'est achevée en 2006 avec la mise hors de cause de l'un des principaux suspects pour insuffisance de preuves matérielles, Karl Rove, ancien conseiller de George W. Bush.

La Russie de Vladimir Poutine (au début du XXIᵉ siècle) et l'Italie de Silvio Berlusconi (1993-2011) illustrent la censure de l'information par la mise sous tutelle d'une partie importante du champ médiatique. Mais le contrôle des médias peut emprunter des chemins plus subtils, tels que l'insertion des journalistes dans les bataillons militaires. Rassurés par la protection ainsi offerte, ou de peur de froisser l'hôte, les journalistes adoptent une attitude plus réservée, proche de la rétention des données, dans la transmission de l'information. Cette technique, théorisée par Victoria Clarke, une spécialiste des relations publiques, a été expérimentée avec un certain succès par l'armée américaine durant la guerre d'Afghanistan. Elle a été reproduite en Irak en 2003. Enfin, le propagandiste peut tenter de contrôler la circulation de l'information en s'attaquant à la réputation du porteur d'une information susceptible de le gêner ou en essayant de l'intimider. De ceci, on a un exemple dans l'affaire Plame (cf. *supra*, encadré n° 2.23). À partir de cette situation-limite, on voit que l'ensemble des subterfuges utilisés par le propagandiste compromet la résistance du récepteur qui, souvent, est inconscient des enjeux réels de la relation dont il est l'objet et de l'identité précise des autres acteurs.

4 | La légitimité

Il est coûteux, et moralement difficile sur le plan public, de ne fonder un pouvoir que sur la force brute. C'est pourquoi tous les pouvoirs politiques aspirent à être reconnus et acceptés. À cet effet, ceux qui exercent le pouvoir ont besoin d'un assentiment de ceux qui en sont les sujets pour obtenir d'eux une obéissance volontaire. De là, l'importance capitale de la légitimité. De fait, la légitimité est le ciment des rapports de pouvoir ; dit autrement, elle confère au pouvoir sa justification. Dans la Grèce antique, on avait coutume de distinguer le pouvoir légitime (*nomos*), régulé par le droit, et le pouvoir illégitime (*hubris*), obnubilé par des préoccupations personnelles (cf. chapitre Régimes politiques, section 1, la typologie d'Aristote).

Le concept de légitimité possède beaucoup d'implications en (science) politique. Nous allons plus particulièrement investiguer deux aspects importants. D'abord, la question relative à son contenu et à ses limites ; ensuite, celle, bien plus difficile à apprivoiser, de ses effets sur les relations de pouvoir.

4.1. Comment définir un concept aussi riche que celui de légitimité ?

Un auteur que nous rencontrons également dans le chapitre sur les clivages, Lipset (1960 : 86) affirme que la légitimité d'un système politique découle de sa capacité à « engendrer et à maintenir la croyance que les institutions politiques actuelles sont les plus appropriées pour la société ». Un autre auteur majeur en science politique, que nous citons dans le chapitre sur les systèmes politiques, David Easton (1974 : 262), définit la légitimité comme la « conviction qu'il est juste et convenable d'accepter les autorités, de leur obéir et de se soumettre aux prescriptions du régime politique ». Dans son analyse du système politique, Easton différencie en réalité trois objets de légitimité, selon que celle-ci concerne la communauté politique dans son ensemble (*polity*, cf. chapitre Qu'est-ce que la science politique ?, section 1.2), le régime politique (c'est-à-dire à l'agencement des règles et procédures qui organisent le système politique) ou les personnes qui exercent le pouvoir.

Sur base de ces définitions, il est important de percevoir que la légitimité ne renvoie pas au régime ou au système politique en tant que tel. Elle a pour assise la croyance des individus, telle que perçue par celui qui observe les rapports de pouvoir. Il faut clarifier ce point, car il est susceptible de lectures contradictoires. Le point d'appui est épistémologique : comment sait-on qu'un pouvoir donné est légitime ? Au lieu d'examiner la nature des rapports de pouvoir, leurs attributs internes, Weber préconise que l'on détermine plutôt si les individus engagés dans la relation considèrent, plus exactement croient, qu'elle est légitime. C'est donc de cette croyance qu'émane la légitimité d'une relation de pouvoir, et non pas de ses traits propres.

ENCADRÉ N° 2.24 : L'EXPÉRIMENTATION DE MILGRAM

Stanley Milgram (1933-1984) est un psychologue états-unisien devenu célèbre par l'expérimentation qu'il a mise en place sur le fait qu'un individu accepte de se soumettre à une figure d'autorité lui imposant des actes qui sont en contradiction avec ce que lui dicte sa conscience ou sa morale. Largement employée et médiatisée depuis le xxe siècle, que ce soit dans des films (« I comme Icare » par Henri Verneuil en 1979), dans des jeux télévisés (« le jeu de la mort »), l'expérimentation de Milgram (1963) nous informe plus sérieusement, en science politique, sur les mécanismes par lesquels des individus en viennent à considérer des décideurs, des actions, voire un système (politique, concentrationnaire) comme légitimes, en perdant leur sens critique, en se déresponsabilisant de la portée de leurs propres décisions ou actions.

En bref, l'expérimentation se déroule de la façon suivante. Un acteur-comédien est censé apprendre une combinaison entre des mots et leurs qualificatifs (par exemple, associer « ciel » avec « bleu »). Il reçoit une décharge électrique, de plus en plus forte, en cas d'erreur. Cette sanction est infligée par le véritable sujet de l'expérimentation : celui qui énonce les associations et envoie la décharge électrique en ignorant qu'elle est factice. Le sujet de l'expérimentation croit donc faire souffrir l'autre si ce dernier répond mal aux questions. Un examinateur « docteur ou scientifique » est censé chapeauter l'expérience ; dans certaines versions de l'expérimentation, il porte une blouse blanche. Il intime au sujet de l'expérimentation l'ordre de continuer l'expérience lorsque ce dernier hésite à le faire. Les résultats de l'expérimentation, dans différents pays et à plusieurs moments, ont montré qu'environ deux tiers des sujets de l'expérimentation infligent des décharges électriques pouvant potentiellement donner la mort sous couvert de l'argument : « j'ai obéi aux ordres ». Environ 10 % des sujets de l'expérimentation se montrent, quant à eux, réfractaires à toute forme de pression psychologique et, ne considérant pas les ordres de l'examinateur comme légitimes, refusent de s'y soumettre et d'infliger les décharges électriques.

Procès d'Adolf Eichmann en 1961
Source : http://perspective.usherbrooke.ca/voute/bm/sousvoute1/proces_nazi_Eichmann_1961.jpg

En tant que lieutenant-colonel des SS, Adolf Eichmann était responsable de la logistique de la « solution finale » (« *Endlösung* »). Il organisa notamment l'identification des victimes de la solution finale et leur déportation vers les camps de concentration. L'argument : « j'ai obéi aux ordres » fut mobilisé à l'occasion de son procès.

Pour aller encore plus loin, relevons que la légitimité est doublement nécessaire : pour les gouvernants de façon à ce que leur pouvoir semble bien-fondé aux yeux des gouvernés, et s'en trouve donc conforté. Mais également pour les gouvernés, car ces derniers ont besoin de croire que leur soumission a un sens et qu'à ce titre ils ne la subissent pas ou la subissent pour des raisons qui ont du sens. Ceci nous permet d'entrer encore dans les mécanismes de la soumission : pourquoi les individus croient en des décideurs, pourquoi ils leur obéissent et comment les décideurs « font croire ». Machiavel estimait que gouverner, c'est faire croire. En ex-URSS, Staline organisait des déportations massives dans les goulags ; une majorité de la population soviétique a continué pendant un temps à le considérer comme le « Petit Père du Peuple » et à lui conserver sa confiance. Le peuple préfère croire à une « Juste Cause » plutôt qu'à l'organisation d'une absurdité criminelle. Du point de vue empirique, l'expérience menée par Stanley Milgram dans les années 1960 (cf. encadré précédent) et connectée notamment à la mise en œuvre de la « solution finale » par le régime nazi, aide à comprendre ceci.

4.2. Les effets d'un concept comme celui de légitimité

Deux difficultés prennent corps. Premièrement, si la légitimité est réductible à la croyance qu'en ont les individus, quels sont les fondements de cette croyance ? Deuxièmement, comment ces fondements affectent-ils la nature même d'une relation de pouvoir ? Ce qui rend la légitimité vitale pour un système politique, ce n'est pas tant la croyance qui la sous-tend que la justification qui la rend nécessaire. Et cette justification s'alimente de plusieurs éléments, dont le degré de présence affecte la légitimité. Un pouvoir sera dit légitime pour autant : (i) qu'il fonctionne selon les règles prescrites par un système politique ; (ii) que ces règles sont justifiées eu égard aux croyances tenues par les diverses parties à la relation de pouvoir ; (iii) qu'il existe des preuves, en actes, d'un consentement suffisant des dominés à la relation de pouvoir (Beetham, 1991 : 16). La légitimité opère donc à trois niveaux, qui sont aussi des critères, intimement liés : celui des règles, celui de la justification et celui de l'action. Parce qu'elle se déploie à trois niveaux, la légitimité n'est pas un concept absolu, mais relatif : un pouvoir est plus ou moins légitime.

Si on regarde d'un peu plus près ces trois niveaux, on note que le premier est immédiatement saisissable. En revanche, le second et troisième incitent à un examen supplémentaire. La justification des règles commande que ceux qui exercent le pouvoir jouissent de qualités particulières et conduisent leurs tâches de manière conforme à l'intérêt général. Or chaque société a une idée distincte de ce qu'est une source d'autorité acceptable, autrement dit de ce qui justifie l'obéissance à une personne. La préférence n'est évidemment pas exclusive. Certaines privilégient la compétence ou l'expertise de celui qui exerce le pouvoir ; d'autres valorisent les qualités de séduction du dominant ; d'autres, enfin, peuvent davantage accorder de l'importance aux règles en vertu desquelles s'exerce le pouvoir. C'est dans cette dernière situation que l'on parle souvent d'autorité légitime. Toute autorité n'est donc pas légitime. La confrontation avec le troisième critère met au jour une exigence de preuve ; il faut que les actes de A expriment une obéissance à B. Entre autres choses, payer ses impôts est une marque d'allégeance, ou de consentement, à l'autorité de l'État. Le consentement est toutefois rarement absolu ; il est une question de degré.

4.3. La célèbre typologie de Max Weber relative à la légitimité

L'accent mis sur la croyance comme marqueur de la légitimité a des répercussions directes sur la typologie de la légitimité proposée par Weber. Celle-ci réduit en effet le statut de chacune des formes à une croyance des dominés en le caractère bien-fondé du rapport général de domination auquel ils sont soumis. Du fait de cette croyance, les dominés sont enclins à se plier aux injonctions qui leur sont adressées par les dominants, par le biais de leurs relais administratifs, et ce, quelle que soit leur opinion sur la pertinence intrinsèque du contenu de ces ordres. Simplement, parce qu'ils considèrent que les dirigeants et leurs relais administratifs sont bien-fondés à être ce qu'ils sont, à être à leur égard dans une position de « donneurs/relais d'ordre ». Concrètement, Weber (1995/1922 : ch. 3) isole trois idéaux-types de légitimité des rapports de domination dans l'histoire humaine, chacune articulée autour d'un ressort particulier d'obéissance : (i) la légitimité rationnelle-légale, dont l'État est l'incarnation la plus aboutie ; (ii) la légitimité traditionnelle ; (iii) la légitimité charismatique.

ENCADRÉ N° 2.25 : DISTINGUER PLUSIEURS TYPES DE LÉGITIMITÉ À LA SUITE DE WEBER

La légitimité rationnelle-légale (cf. chapitre État) repose avant tout sur des règles juridiques clairement identifiables auxquelles dominés et dominants sont formellement soumis (volet « légal »). L'exercice du pouvoir est accepté car il est censé s'effectuer conformément aux normes codifiées en vigueur mais aussi reposer sur une organisation spécialisée de type bureaucratique (volet « rationnel »). Celle-ci implique une institution spécifique (l'administration publique), dotée d'un objet social propre (les postes et les moyens étant censés n'être utilisés que dans l'intérêt de la fonction, et non à des fins personnelles ou privées) et qui repose sur des personnes sélectionnées et promues en raison de compétences techniques particulières (attestées par des indicateurs objectifs : diplômes, classements à l'issue de concours ouverts...)

La légitimité traditionnelle s'inscrit dans l'ordre de la répétition des cycles de vie. Le pouvoir exercé dans cet esprit doit sa légitimité d'une pratique consolidée au cours de l'histoire : « on a toujours fait ainsi ». Sa simple existence suffit à lui conférer une prééminence dans l'ordre des rapports sociaux. Ce qui fonde l'autorité des agents qui exercent le pouvoir est défini par la coutume et/ou les valeurs traditionnellement reproduites par un groupe. Le pouvoir est ressenti comme naturel.

La légitimité charismatique tient essentiellement à la personnalité de celui qui prétend incarner le pouvoir. Les dominés obéissent aux injonctions du pouvoir grâce à l'attraction psychologique et/ou émotionnelle que celui qu'il considère comme un leader, un guide, exerce sur eux, à la manière d'un gourou sur ses adeptes. Les qualités extraordinaires qui lui sont prêtées sont le plus souvent en lien avec un vaste projet de transformation sociale, une « grande cause ». On se plie aux ordres « pour les besoins de la cause ».

Règles et savoir-faire, tradition ou charisme sont les trois ressorts de la croyance qui sous-tendent chacun des types de légitimité. Mais, s'agissant d'*idéaux*-types, dans la réalité, ces formes de légitimité ne sont pas exclusives les unes des autres. Par exemple, dans une monarchie parlementaire comme la Belgique, le pouvoir du roi tire sa légitimité autant de la loi que de la tradition et, dans certains cas, du charisme de celui qui exerce la fonction. Par conséquent, parce qu'elles se logent les unes dans les autres, au lieu de constituer trois *types* de légitimité, il est probablement plus utile de parler de trois *composantes* de la légitimité, toutes entrecroisées les unes avec les autres et toutes définies par leur contribution à l'efficacité du pouvoir et au degré de coopération que le dominant peut escompter des dominés (Beetham, 1991 : 25).

En proposant une étude du pouvoir irriguée par les principales écoles qui ont tenté d'en saisir les composantes essentielles, ce chapitre a essayé de faire ressortir les différentes facettes du pouvoir, tant au niveau théorique qu'au niveau empirique. Il s'agissait d'établir le statut du pouvoir en politique, dans son sens le plus général et dans ses acceptions particulières. On verra, dans le chapitre suivant, comment une forme singulière de pouvoir, le pouvoir souverain de l'État, pouvoir institutionnel par excellence, a émergé dans l'histoire, son fonctionnement et ses mutations contemporaines. Mais si l'État est un type de pouvoir institutionnel, sa forme et son existence dépendent de luttes de pouvoir, entre acteurs mobilisant différentes ressources. Plus loin, le chapitre sur les clivages viendra montrer, *in concreto*, comment et pourquoi de telles relations de pouvoir se cristallisent et dans quelles mesures elles structurent, plus ou moins durablement, la société dans son ensemble.

Questions

1) En quoi consistent les approches élitiste et pluraliste du pouvoir ?
2) Quelles sont les limites de la force en tant qu'instrument du pouvoir ?
3) Comparez la propagande, la négociation et la persuasion.
4) Quels sont les problèmes que soulève le concept de légitimité ?
5) Qu'est-ce que le pouvoir symbolique ? En quoi se rapproche-t-il du *soft power* ?

Bibliographie

RÉFÉRENCES DE BASE

- Beetham D. (1991), *The Legitimation of Power*, London, Palgrave.
- Braud Ph. (1996), *La vie politique*, Paris, PUF.
- Clegg S., Haugaard M. (dir.) (2009), *The Sage Handbook of Power*, London, Sage.
- Dowding K. (1996), *Power*, Buckingham, Open University Press.
- Goddard J.-C., Mabille B., Castillo M. (dir.) (1994), *Le pouvoir*, Paris, Vrin.

POUR ALLER PLUS LOIN

- Dahl R. A. (1971/1961), *Qui gouverne ?*, Paris, Armand Colin.
- de Jouvenel B. (1945), *Du pouvoir : histoire naturelle de sa croissance*, Paris, Hachette.
- Hindness B. (1996), *Discourses of Power : From Hobbes to Foucault*, Oxford, Basil Blackwell.
- Nye J. S. (2004), *Soft Power : The Means to Success in World Politics*, New York, Public Affairs.
- Wrong D. H. (1979), *Power : Its Forms, Bases and Uses*, Oxford, Basil Blackwell.

CHAPITRE 3
L'ÉTAT

Sommaire

Résumé

Ce chapitre met sur la sellette un des objets préférentiels de la science politique : l'État, forme d'organisation institutionnelle primordiale du pouvoir. Certes, un double mouvement d'aspiration pourrait laisser penser que l'État est défié. Mouvement vers le haut, vers les organisations internationales, mouvement vers le bas, vers les entités locales. Pourtant, si les citoyens montrent des identités politiques multiples et diversifiées, s'identifier à un État fait toujours sens pour eux. Du reste, des groupes humains luttent pour avoir « leur » État. Alors... à quoi renvoie encore l'État aujourd'hui ? Quelles sont ses formes ? À quoi sert-il ?

Au XXIe siècle, l'État se trouve dans une situation paradoxale : il apparaît, à la fois, incontournable et évanescent. Incontournable, car il demeure le cadre premier d'organisation du pouvoir dans les relations politiques[1]. Évanescent, car il serait, à en croire certains analystes, concurrencé par des cadres d'organisation, d'une part, internationaux et, d'autre part, locaux. Nous reviendrons sur ce dilemme dans la dernière section de ce chapitre. Mais soulignons d'emblée que plusieurs indicateurs attestent du fait que l'État contemporain reste le cadre institutionnel premier d'organisation du pouvoir dans la société contemporaine, même s'il cohabite avec d'autres formes d'organisation politique qui peuvent concurrencer son rôle central dans le cadrage des conduites sociales et politiques.

Premier indicateur : l'ensemble du monde terrestre habité est aujourd'hui, sur le plan juridique, d'abord et avant tout structuré en États. Les seules zones terrestres qui ne font pas l'objet d'une appropriation étatique sont des zones inhabitées comme la haute mer ou l'Antarctique (quoique ce continent soit divisé en « secteurs » revendiqués par différents États). Même ces espaces inhabités que sont la mer ou les airs sont intégrés pour partie au ressort territorial des États (mer territoriale, espace aérien...) comme des « annexes » à leur base terrestre (cf. section 2.2).

Deuxième indicateur : le principe de la souveraineté étatique (cf. chapitre Pouvoir) et son extension, l'égalité souveraine des États, constituent la pierre angulaire du droit international. Juridiquement, c'est l'État qui est à la fois le dépositaire et l'opérateur principal du pouvoir dans le monde contemporain. Sur le plan interne, il est le détenteur exclusif du pouvoir suprême à l'échelle d'un territoire, sur la population qui s'y trouve. Seul l'État peut édicter des normes juridiques internes (lois, arrêtés...) à l'égard des personnes sur son territoire. Sur le plan international, seul l'État – ou des organisations internationales constituées par des États, qui en sont membres – est habilité à participer à l'édiction de normes juridiques internationales, par le biais d'accords internationaux, le plus souvent sous la forme de conventions internationales appelées communément des traités. Seuls les États sont à ce titre membres de l'Organisation des Nations Unies (ONU).

Troisième indicateur : quand l'autorité de l'État est contestée, en paroles ou par des actes violents, c'est rarement au profit d'un autre mode d'organisation politique, mais bien au bénéfice d'une « mutation étatique ». Il peut s'agir d'abord d'un « simple » changement de régime politique (cf. chapitre Régimes politiques), sans modification de l'assise territoriale et de la population de référence d'un État. Par exemple, à la suite de la révolution menée par l'Ayatollah Khomeiny, l'Iran, qui était auparavant une monarchie, est devenu, depuis 1979, une république islamique. De même, à la suite de la chute du Mur de Berlin en 1989, plusieurs États devenus communistes au sortir de la Deuxième Guerre mondiale, tels que la Pologne ou la Hongrie, ont modifié leur appellation officielle « république populaire » en « république ». Il peut s'agir ensuite de créer un nouvel État, en détachant une partie du territoire d'un autre État, le plus souvent à la suite d'un mouvement nationaliste. Par exemple, l'État du Bangladesh (dont les habitants parlent le bengali) fut

---

[1]   Comme expliqué dans l'avant-propos, le chapitre sur l'État se situe dans une partie du manuel relative aux cadres de l'action politique. L'État est donc ici présenté avant tout comme une structure de pouvoir. Nous aborderons les « acteurs étatiques » que sont les gouvernements et parlements plus loin, là où le manuel se concentre sur les acteurs.

créé en 1971, à la suite d'une guerre de sécession menée contre l'État du Pakistan (qui avait imposé l'ourdou comme langue officielle) duquel il faisait originellement partie (en tant que « Pakistan oriental »). Ce fut le cas aussi de la Belgique, qui fit sécession des Pays-Bas, lors de la révolution de 1830. La création de nouveaux États à partir de la sécession d'un autre État s'est amplifiée à l'occasion du mouvement de décolonisation amorcé à partir des années 1950. Par exemple, l'État du Congo – dénommé aujourd'hui République démocratique du Congo (RDC) – s'est affranchi de la Belgique en 1960. Enfin, il peut aussi s'agir d'élargir l'assise territoriale d'un État préexistant. Par exemple, le Maroc considère, depuis 1976, le Sahara occidental, qui était auparavant une colonie espagnole, comme faisant partie de son territoire, ce que conteste le Front Polisario, qui revendique la création d'un État indépendant dans le cadre d'une lutte d'autodétermination nationale. Dans tous ces cas, ce n'est pas la forme « État » en tant que cadre premier d'organisation du pouvoir qui est contestée. C'est soit son régime politique (autrement dit, la forme de son gouvernement), soit son échelle territoriale et sa population de référence.

Quatrième indicateur : depuis la fin de la Guerre froide, quand l'autorité d'un État sur un territoire est effectivement mise à mal – que ce soit par une occupation étrangère ou un conflit armé interne –, la tendance générale de la communauté internationale (et notamment de l'ONU) est de privilégier l'option du maintien de l'État, au besoin via une intervention étrangère, le temps que les conditions jugées nécessaires au rétablissement de la souveraineté étatique soient rencontrées. Par exemple, lors de l'invasion du Koweït par l'Irak en 1990, la souveraineté de l'État du Koweït a été rétablie par l'intervention armée d'une coalition internationale menée par les États-Unis, approuvée par le Conseil de sécurité de l'ONU. Autre exemple, bien que depuis 1991, l'autorité du gouvernement officiel de la Somalie – quel qu'il soit – ne s'étende plus à l'ensemble du territoire somalien, parfois même pas à l'ensemble de sa capitale, Mogadiscio, les autres États ont toujours refusé de reconnaître tout autre État que la Somalie sur le territoire qui lui est officiellement reconnu. Ainsi, le Somaliland, situé dans le nord de la Somalie, qui existe dans les faits comme « État » au sens *politologique* du terme (cf. section suivante) depuis 1991 n'est reconnu par aucun État. Cette tendance générale de la communauté internationale à vouloir conserver « à tout prix » les États existants connaît cependant une exception générale : quand il s'agit de « luttes de libération nationale » reconnues légitimes par la communauté internationale (en vertu du « droit des peuples à disposer d'eux-mêmes », dit aussi droit à l'auto-détermination), par exemple dans le cas du Timor-Est qui obtint son indépendance en se détachant de l'Indonésie en 2002. Dans ces cas-là, la création d'un nouvel État, nécessairement par sécession d'un État existant, est largement acceptée et même soutenue par la communauté internationale.

1 | Le concept wébérien d'État

Déjà en 1931, dans une des plus grandes revues de référence en science politique, l'*American Political Science Review*, Charles Titus (1931a et b) indiquait qu'une rapide recension conduisait à dégager pas moins de 145 définitions différentes de l'État, dont à peine la moitié d'entre elles étaient convergentes. Même si, dans les années 1980, Pierre Birnbaum (1985) appelait les politologues à redévelopper des travaux sur l'État, beaucoup d'analyses sur l'État ont été menées depuis 1931. Pourtant, c'est une définition forgée au début du XXᵉ siècle par le sociologue allemand Max

Weber (cf. chapitre Qu'est-ce que la science politique ?) qui continue aujourd'hui de s'imposer comme définition de référence.

Dans une première œuvre intitulée *Le savant et le politique* (1919), Max Weber estime que « (...) l'État est cette communauté humaine qui, à l'intérieur d'un territoire déterminé (le "territoire" appartient à sa caractérisation), revendique pour elle-même et parvient à imposer le monopole de la *violence physique légitime* » (Weber, 2003/1919 : 118 ; souligné par l'auteur). Dans l'œuvre que son épouse et son éditeur ont publiée peu après sa mort, et titrée *Économie et société*, Weber écrit aussi : « Nous entendons par État, une entreprise politique de type institutionnel lorsque et tant que sa direction administrative revendique avec succès, dans l'application des règlements, le monopole de la contrainte physique légitime » (Weber, 1922/1995 : 97). Les caractéristiques de base de l'État que la définition de Weber met en exergue restant résolument reconnues comme les spécificités principales de l'État contemporain, nous les abordons plus en détail.

1.1. Les éléments matériels de la définition

Le « monopole de la violence physique » est une caractéristique majeure de l'État. Weber (2003/1919 : 118-119) précise : « (...) ce qui est spécifique à l'époque présente est que tous les autres groupements ou toutes les autres personnes individuelles ne se voient accorder le droit à la violence physique que dans la mesure où l'État la tolère de leur part : il passe pour la source du "droit" à la violence ». L'État se caractérise par la centralisation du recours légitime à la force. Toute personne ou tout groupe se voit ainsi dénier le droit de se faire justice lui-même (à moins que l'État n'y ait consenti). Ce monopole de la violence physique légitime s'accompagne d'une certaine concentration de moyens de coercition (forces armées et policières, armes, prisons, employés de prison...) pour permettre à l'État de rendre justice et de maintenir l'ordre, préventivement, en dissuadant les individus de commettre des actes illégaux, ou rétroactivement, en sanctionnant les auteurs d'actes illégaux. Pour Weber (2003/1919 : 118), reprenant une formule de Trotski : « Tout État se fonde sur la violence ». C'est là la spécificité première de l'État comme groupement humain.

Deuxième caractéristique : le monopole de la violence physique légitime est exercé sur une population déterminable par sa localisation sur un territoire géographique également déterminé, ce qui implique la notion de « frontières » au sens de délimitations externes d'un État. Ceci distingue le « dedans » de l'État (le territoire sur lequel un État exerce le monopole de la violence physique légitime), et un « dehors » (les territoires sur lesquels l'État n'exerce plus ce monopole – le plus souvent, c'est un autre État qui l'exerce).

Troisièmement, pour Weber, l'État est un groupement de domination de grande taille. La première définition wébérienne de l'État que nous avons citée évoque « une communauté humaine ». La deuxième définition parle d'une « entreprise politique de type institutionnel » et d'une « direction administrative ». Ces deux définitions illustrent les deux appréhensions générales classiques de l'État dont nous avons parlé à propos de la science politique dans le premier chapitre : l'État-institution et l'État-communauté. Weber privilégie la première approche. En effet, il y a groupement de domination « (...) lorsque le maintien de l'ordre [y] est garanti par le comportement de personnes déterminées, instituées spécialement pour en assurer l'exécution, sous l'aspect d'un dirigeant ou éventuellement d'une direction administrative qui, le cas échéant, a normalement en même temps un pouvoir représentatif » (Weber, 1995/1922 : 88). C'est bien le cas de l'État moderne (et démocratique, pour ce qui est du cas échéant évoqué). Qui plus est, ce groupement est de grande taille. Ceci explique l'importance qu'accorde Weber à l'administration. Il faut une direction administrative pour mettre en œuvre les décisions générales des dirigeants suprêmes, pour organiser l'action de l'État conformément aux volontés exprimées par ces dirigeants. Comme le dit Weber (1995/1922 : 294), dans les groupements de domination de grande taille, « avant tout dans la vie quotidienne la domination est administration ». Pour le citoyen, au quotidien, l'État devient tangible au travers de rapports directs avec des agents de première ligne de l'administration publique tels qu'un policier, un contrôleur des contributions, un inspecteur du travail, un préposé à l'inscription sur le registre de la population au sein d'une administration communale.

1.2. La dimension de légitimité

Dernier élément de la définition wébérienne de l'État, la légitimité de la structure de domination – et en particulier de l'emploi de la violence physique ou de la menace du recours à celle-ci par l'administration publique – doit éveiller, chez au moins une partie des gouvernés, le sentiment que le pouvoir politique a un bien-fondé (cf. chapitre Pouvoir). Même si les destinataires de ces injonctions ne sont pas nécessairement d'accord avec leur contenu – une taxe jugée trop élevée, par exemple –, s'ils reconnaissent que leurs donneurs d'ordre assument effectivement leur rôle à cet égard, ils admettent dès lors le bien-fondé qu'il y a à obéir (même s'ils peuvent éventuellement choisir d'y contrevenir). La domination d'un État ainsi basée sur la reconnaissance de sa légitimité par sa population est bien moins coûteuse pour lui que s'il devait, à chaque fois, employer ou menacer d'employer la contrainte physique pour obtenir de cette population qu'elle obéisse à ses injonctions.

Weber (1995/1922 : ch. 3) a dégagé trois idéaux-types de sources de légitimité du pouvoir (cf. chapitre Pouvoir). C'est la source *rationnelle-légale* qu'il rapproche le plus de l'État. D'une part, la légitimité de la domination étatique ne se fonde pas principalement sur la *tradition* (sur des règles ancestrales non écrites, des usages immémoriaux, des coutumes, ou encore sur une hiérarchie sociale établie « une fois pour toutes »). D'autre part, la légitimité de la domination étatique ne se fonde pas non plus sur le *charisme* (sur les nécessités impliquées par la réalisation d'une cause, d'un projet de profonde transformation sociale, sur les vertus exceptionnelles des membres de la structure de domination, en particulier le dirigeant suprême). La sorte de légitimité particulière qui est véhiculée par l'État comme forme spécifique de groupement de domination politique s'appuie d'abord sur le droit, renvoyant dans le vocabulaire wébérien à la notion d'« autorité constituée » (cf. *infra*), puis sur la technique administrative, sur la spécialisation de l'activité de l'appareil de domination politique, ce que Weber nomme la « bureaucratie » (littéralement, pouvoir du bureau, logique professionnelle spécifique).

Les actions d'un État se veulent légitimes avant tout car ceux qui en décident et les mettent en œuvre sont présumés agir dans le cadre des règles juridiques en vigueur, y être juridiquement habilités, en avoir la compétence au sens légal, ce qui correspond à la face *légale* de l'idéal-type rationnel-légal. Ensuite, ils sont censés aussi posséder les compétences techniques pour exercer ces compétences légales, résidant dans des savoir-faire suffisants, qui peuvent être attestés par des diplômes, la réussite d'un concours d'entrée ou de promotion, une expérience professionnelle, etc. Ceci correspond à la face *rationnelle* de l'idéal-type rationnel-légal.

1.3. Autorité constituée, État de droit et démocratie

L'« autorité constituée » est, selon Weber (1995/1922 : 291-292), celle qui s'exerce dans un cadre formel et hiérarchisé de règles générales et impersonnelles, permettant d'attribuer des compétences et des responsabilités à des organes qu'elles établissent. Pour les États, ce cadre est la Constitution. De ce fait, les postes et les moyens associés à ces fonctions n'appartiennent pas à ceux qui les exercent (les « fonctionnaires », au sens littéral de personnes exerçant une activité de fonction). Appartenant à l'État (entité impersonnelle), ces postes et moyens ne peuvent être utilisés que pour des finalités liées à leur fonction (publique), et non à des fins autres, personnelles, par exemple. À la violation de ces principes correspondent les incriminations juridiques telles que « détournement de fonds publics », « abus de biens sociaux », « prise d'intérêts » ou « corruption ».

La notion wébérienne d'« autorité constituée » renvoie au concept plus général d'« État de droit ». Selon le juriste allemand Hans Kelsen (1962/1934), les normes juridiques qu'édicte l'État ayant sur son territoire une portée générale s'appliquent à l'État lui-même, qui doit donc lui aussi s'y conformer. Tout en dictant la loi – au sens spécifiquement juridique de ce terme, mais aussi au sens ordinaire, plus général – aux personnes se trouvant sur son territoire, l'État, et ses différents organes, est tenu par cette loi. Nul n'est « au-dessus » des lois, en ce compris les décideurs publics. Une expression comme « l'État, c'est moi », prêtée à Louis XIV (sous-entendu que le[s] dirigeant[s] suprême[s] d'un État décide[nt] en toute discrétion, sans limite d'aucune sorte à leur pouvoir de décision), ne s'accorde pas avec le principe de l'État de droit. Ce dernier représente l'une des dimensions essentielles de la démocratie portées par les régimes politiques occidentaux contemporains. C'est là le sens premier de la notion d'État de droit : les décideurs publics ne peuvent produire du droit que si celui-ci est produit conformément aux règles en vigueur (quitte à en modifier le contenu à l'avenir, mais alors dans le respect des procédures établies pour ce faire).

Ce sens premier – formel – de l'État de droit ne dote les règles d'aucun contenu particulier à respecter. Un régime despotique (cf. chapitre Régimes politiques) pourrait ainsi fonctionner comme un État de droit, s'il respecte les procédures légales en vigueur (notamment pour transformer le contenu des règles juridiques dans un sens bien plus limitatif pour les libertés individuelles). Aussi, dans les régimes politiques occidentaux se revendiquant de la démocratie, la notion d'État de droit revêt un deuxième sens, substantiel celui-là. Il considère certaines règles juridiques comme « indérogeables », ce qui limite la marge de manœuvre des gouvernants. Au premier rang de ces règles « indérogeables » figurent les droits de l'Homme. Par exemple, le principe « pas de peine sans loi » (issu de l'adage latin « nulla poena sine lege ») figure à l'article 7 de la Convention de sauvegarde des droits de l'homme et des libertés fondamentales du Conseil de l'Europe. En conséquence, si le droit pénal d'un État n'a pas prévu la peine de mort en cas de meurtre au moment où un meurtrier le commet, ce dernier ne peut être condamné à mort pour l'acte qu'il a perpétré.

Pour accroître la portée effective du principe d'État de droit, l'expression s'est vue dotée d'un troisième sens, opérationnel. Il consiste à permettre aux cours et tribunaux de contrôler la légalité des actes posés par les organes de l'État (gouvernements et parlements). Si au travers du contrôle de légalité, un organe juridictionnel peut constater la non-conformité d'un acte d'un organe étatique avec une règle juridique en vigueur, voire annuler l'acte en question qui s'en trouve alors dépourvu de valeur juridique, il ne peut se substituer à un organe législatif ou exécutif en matière d'adoption de nouvelles règles juridiques. Seuls les organes législatifs et exécutifs restent compétents à cet égard.

1.4. Autorité bureaucratique, technocratie et démocratie

Corollaire de l'« autorité constituée », l'autorité bureaucratique s'articule selon Weber autour d'une organisation spécialisée des fonctions dans le cadre de laquelle la responsabilité générale de l'action étatique des dirigeants suprêmes (parlementaires, ministres) est désagrégée en une série de chaînons de fonctions de plus en plus spécialisées, s'exerçant sur un périmètre thématique de plus en plus resserré, mais avec des responsabilités de moins en moins larges. La logique bureaucratique requiert le recrutement et la promotion des plus compétents, au sens technique du terme, c'est-à-dire des personnes dotées des meilleurs savoir-faire.

ENCADRÉ N° 3.1 : L'IDÉAL-TYPE DU FONCTIONNAIRE SELON WEBER

- (personnellement libre), n'obéissant qu'aux devoirs « objectifs » de la fonction,
- agissant au sein d'une hiérarchie,
- doté de compétences précisément définies,
- enrôlé à la suite d'une sélection ouverte,
- sur la base de ses qualifications professionnelles (idéalement, attestées par un diplôme),
- touchant des appointements fixes gradués selon le rang hiérarchique lui-même lié à l'étendue des responsabilités,
- traitant sa fonction comme unique ou au moins principale,
- bénéficiant de perspectives de carrière, c'est-à-dire d'avancement selon son ancienneté ou ses prestations de service, appréciées « objectivement » par ses supérieurs,
- soumis à une discipline collective et à un contrôle de la part de ses supérieurs.

Source : Weber, 1995/1922 : 294-295.

Soyons attentif au fait que, prise au pied de la lettre, la légitimité bureaucratique conduirait tout État à représenter une pure technocratie – le pouvoir aux experts, aux spécialistes de la chose publique –, ce qui serait en contradiction avec la démocratie – le pouvoir à la communauté des citoyens (cf. le dialogue entre Socrate et Protagoras par Platon dans le chapitre Qu'est-ce que la science politique ?, encadré n° 1.5). Dans une démocratie, c'est le peuple qui est censé exercer le pouvoir, et élire à intervalles réguliers les candidats aux fonctions de direction de la société. Si la légitimité des élus peut être conforme à la face *légale* de l'idéal-type rationnel-légal, elle peut ne pas l'être par rapport à sa face *rationnelle*. Les citoyens élisent les candidats en toute discrétion, pas forcément « les plus compétents ».

Des États démocratiques ont d'ailleurs mis sur pied des dispositifs pour réduire le risque de voir accéder au pouvoir des dirigeants « peu compétents » car désignés par des citoyens considérés, partiellement ou totalement, comme insuffisamment rationnels sur le plan politique. Par exemple, le dispositif du suffrage capacitaire – en vigueur en Belgique de 1883 à 1918 – n'accordait le droit de vote, et aussi d'éligibilité, qu'aux citoyens titulaires d'un diplôme d'un certain niveau. Aujourd'hui encore, la plupart des États occidentaux refusent d'accorder le droit de vote et d'éligibilité aux mineurs d'âge (censés ne pas encore avoir atteint l'« âge de raison ») ou aliénés (censés avoir perdu la raison). Le recours à la cooptation pour désigner certains parlementaires, comme au Sénat en Belgique, ou à un vote par de « grands électeurs » (cf. les systèmes électoraux dans le chapitre Parlements et gouvernements) pour désigner le président de la République, comme aux États-Unis, peuvent poursuivre le même objectif.

1.5. Légitimité démocratique et légitimité internationale d'un État

Même si Weber ne l'a pas évoqué en tant que tel, il est utile d'aborder ces deux types de légitimité.

La première renvoie au fait qu'une domination politique est considérée comme bien fondée parce qu'elle est exercée par une majorité de la communauté sur laquelle elle s'exerce. La majorité a souvent été considérée comme le moyen opérationnel de faire prendre une décision par un groupe. On ne requiert plus l'unanimité des membres, mais seulement une majorité de voix (simple/absolue ou renforcée/qualifiée). Ceci peut s'effectuer directement – démocratie directe –, ou bien indirectement par le biais de représentants élus (cf. chapitre Régimes politiques).

Par ailleurs, comme l'a montré Bertrand Badie (2000) par exemple, la légitimité comporte aussi une dimension internationale : l'acceptation d'un nouvel État par les États préexistants, formant entre eux la communauté internationale. Nous touchons ici à la question de la reconnaissance internationale d'État, enjeu important pour l'existence même d'un État et de sa pérennité. La reconnaissance d'un État par les autres États augmente son potentiel de stabilité : en diminuant les risques de voir les autres États remettre en cause son existence ou ses frontières, éventuellement par des moyens de contrainte, armée ou non ; en permettant au nouvel État de participer aux cadres internationaux de coopération entre États et d'en retirer ainsi les bénéfices qui y sont liés (prêts de la Banque mondiale, application des règles de libre-échange de l'OMC, protection armée de la part d'autres États dans le cadre d'une alliance militaire comme l'OTAN, par exemple...). Cette reconnaissance internationale dépend de l'appréciation par chaque État existant que le nouvel État remplit bien les critères pour être un « vrai » État (cf. section 2), mais aussi éventuellement d'autres critères « plus politiques », liés à la légitimité de son régime politique (régime de démocratie représentative, application du principe de l'État de droit, protection des groupes minoritaires, etc.) ou à des motivations d'opportunités en termes d'intérêt national (à ce que tel ou tel État voie le jour).

2 | La théorie des trois critères ou les composantes de l'État

Thomas Fleiner-Gester définit l'État comme « une entité constituée par un peuple et un territoire, au sein de laquelle le pouvoir politique s'exerce de façon rationnelle et organisée sous forme de souveraineté à l'intérieur et d'indépendance à l'extérieur » (1986 : 151). Cette définition reprend des éléments que nous venons de développer. On y retrouve aussi les trois critères habituellement requis pour qu'une organisation politique puisse être considérée comme un État (au sens matériel du terme), peu importe qu'il soit reconnu ou non par les autres États. Ces trois critères sont : une population, un territoire et un gouvernement. Examinons une à une ces composantes.

2.1. La population de l'État : citoyenneté, nation, minorités

Le premier critère par lequel un État s'incarne est la population soumise à l'activité gouvernementale. Elle forme le cadre démographique sur lequel s'exerce le pouvoir étatique. Plus concrètement, sont ici visés tous les individus qui sont juridiquement liés aux décisions et règles adoptées par l'État parce qu'ils se situent à l'intérieur de ses frontières ou parce qu'ils en possèdent la nationalité. Sur le plan juridique, la population assujettie à l'État se distingue en deux catégories. La première catégorie comprend les nationaux qui détiennent la nationalité de l'État, par la filiation ou l'acquisition de cette nationalité, et conservent celle-ci même s'ils quittent le territoire étatique. La seconde catégorie comprend les étrangers qui séjournent sur le territoire de l'État sans en posséder la nationalité.

Au-delà de cette délimitation juridique de la population d'un État, il est possible de la considérer, en démocratie et sur un plan politique, comme l'ensemble des citoyens qui participent à la gestion de la *res publica* (la « chose publique ») en tant qu'électeurs, membres d'associations ou de partis politiques, animateurs de médias, mandataires politiques, fonctionnaires, entrepreneurs et travailleurs actifs dans différents secteurs de politiques publiques, etc. L'identité citoyenne peut être un moyen politique pour dépasser les disparités économiques, culturelles, sociales, idéologiques, etc. qui peuvent cliver un État (cf. chapitre Clivages) : elle peut stimuler l'attachement, voire le sentiment d'appartenance à un État. Elle se rapproche du concept de nation qui est intrinsèquement lié à celui d'État, particulièrement depuis le « mouvement des nationalités » qui s'est développé au XIXe siècle.

ENCADRÉ N° 3.2 : CITOYENNETÉ

La notion de citoyenneté (cf. aussi chapitre Citoyens) est habituellement saisie selon trois dimensions : juridique, politique, symbolique. Dans sa dimension *juridique*, la citoyenneté désigne un ensemble de droits et de devoirs réservés aux membres de la communauté humaine de référence d'un État. La dimension *politique* de la citoyenneté concerne spécifiquement les droits et obligations politiques : droit de vote – qui peut équivaloir aussi, comme en Belgique, à une obligation de vote –, et droit d'éligibilité, mais aussi droit d'accès aux emplois publics. Ces droits et obligations concrétisent l'idée démocratique que l'État appartient au peuple et que donc tout qui est citoyen peut accéder aux fonctions de son État (dans le cadre de procédures sélectives identiques pour tous), contribuer à la désignation d'au moins une partie des dirigeants, participer à la vie politique.

Dans sa dimension *symbolique*, la citoyenneté rattache une personne à une communauté politique de référence, lui conférant une identité collective spécifique (« être français », « allemand », « italien »…) qui éveille des sentiments et des attentes particulières.

Remarquons que la citoyenneté peut s'exprimer au sein d'un État. Mais elle peut aussi être vécue à plusieurs échelons de pouvoir. Ainsi, un citoyen pourra être actif au niveau local (dans sa ville) ; il pourra s'identifier à son État (par exemple, Américain) ; il pourra s'identifier à une région supranationale (par exemple, se sentir Européen) ; voire participer à une logique de mondialisation ou d'altermondialisation (militer pour des enjeux globaux en tant que « citoyen du monde »).

C'est au nom d'une ou de plusieurs nation(s) (cf. *infra*) qu'un État est appelé à exercer son gouvernement sur un territoire et la population qui s'y trouve. Apparue à l'époque moderne, la nation entend constituer la communauté politique de base. Elle représente cet ensemble de personnes que l'on considère comme étant ou devant être unies dans une destinée politique commune. Dans un contexte démocratique, de souveraineté populaire (cf. chapitre Régimes politiques), ce destin commun est appelé à se traduire par un droit à l'autodétermination collective, c'est-à-dire à ce que ce collectif humain particulier érigé en nation décide seul de ses institutions politiques. Comme aucun critère ne ferait nécessairement, indiscutablement, de tel groupe humain une nation, de nombreux conflits, parfois sanglants, ont trait soit à la reconnaissance de la qualité de nation à tel groupe humain plutôt que tel autre (les Britanniques plutôt que les Irlandais en Irlande du Nord, les Marocains plutôt que les Sahraouis au Sahara Occidental…), soit aux conséquences politiques liées à cette reconnaissance. Nous pouvons en fournir exemple et contre-exemple : l'acceptation d'un référendum d'autodétermination pour les Sud-Soudanais, lequel a mené en 2011 à l'indépendance d'un État du Sud-Soudan, détaché de l'État du Soudan ; mais le refus d'un tel référendum pour les Catalans, avec pour conséquence le maintien de la Catalogne au sein de l'Espagne. Dans les faits, à une nation peut donc correspondre un État et son territoire, comme les États-Unis pour la nation (nord-américaine), depuis la guerre d'indépendance remportée contre la Métropole britannique à la fin du XVIIIᵉ siècle. Mais une nation peut aussi dépasser les frontières d'un seul État, comme la nation kurde, dont la base territoriale est répartie principalement entre quatre États différents : la Turquie, l'Iran, l'Irak et la Syrie.

Il existe une grande variété de manières de définir ce qu'est une nation, et de critères à partir desquels un groupe humain peut en arriver à être érigé en nation. On peut toutefois mettre en évidence deux « écoles », deux grandes façons, de concevoir la nation.

La première conception, d'origine allemande (développée par exemple par Johann Herder au XVIIIᵉ siècle), ethnoculturelle, organiciste, prétendument objective, développe en pratique une vision fermée de la nation. La seconde conception, d'origine française (développée par exemple par Ernest Renan, 1993/1882), sociopolitique, volontariste, plutôt subjectiviste, développe une vision ouverte de la nation.

Selon la première conception, la nation est liée à des critères ethniques, linguistiques, religieux, culturels, qu'il serait possible d'objectiver (pratiquer une religion, développer des caractéristiques physiques spécifiques attestant de l'appartenance à une ethnie, etc.) et feraient « naturellement » appartenir les individus à la nation, tels les organes à un corps. Cette conception a donné lieu, à l'origine dans des pays comme l'Allemagne ou le Japon, au droit du sang, c'est-à-dire au principe juridique en vertu duquel un enfant, à sa naissance, possède la nationalité du pays par filiation : parce que ses parents possèdent eux-mêmes ladite nationalité. Aujourd'hui, ce principe vaut quasiment dans tous les pays.

ENCADRÉ N° 3.3 : NATION ET NATIONALISME

Le nationalisme désigne, de façon générique, tout mouvement (animé par des groupes et des individus) qui entend qu'un État soit institué à partir de, et en référence à, une nation particulière, censée avoir vocation à l'autodétermination. Si à l'origine, les usages courants investissaient plutôt le mot « nationalisme » d'une charge positive, liée au mouvement démocratique, aujourd'hui ce même mot est souvent chargé de connotations péjoratives rabattant le nationalisme soit sur le nationalisme de sécession, qui entend obtenir la scission d'un État existant – avec une connotation d'instabilité, de désordre, voire d'irresponsabilité –, soit sur le nationalisme ethnique qui définit « sa » nation à partir d'une ethnie, développant une conception relativement organiciste et fermée de celle-ci (cf. *supra*) – avec une connotation d'intolérance, de supériorité de groupe, voire de racisme.

En vertu de la seconde conception, la nation est fondamentalement liée à la volonté et au désir qu'exprime un groupe d'individus de vivre ensemble au sein d'une même collectivité. La race, la langue, la religion, les intérêts économiques, etc. ne sont pas, dans cette perspective, les principaux déterminants de la nation. Cette conception a donné lieu, à l'origine dans des pays comme les États-Unis ou le Canada, au droit du sol, c'est-à-dire au principe juridique en vertu duquel la nationalité est acquise à l'enfant, à sa naissance, dès lors que celle-ci se produit sur le territoire de l'État, même si ses parents sont étrangers. La Belgique, comme d'autres pays tels les Pays-Bas ou la France, combine « *ius sanguinis* » (le droit du sang évoqué plus haut, selon la première conception de la Nation) et « *ius solis* » (le droit du sol) selon des critères fixés par la loi.

En réalité, chaque État intègre différemment les divers groupes qui constituent la population assujettie à ses règles à l'intérieur de son territoire. Cette intégration se fait selon deux grands idéaux-types d'articulation : soit l'État-Nation soit l'État plurinational, auxquels s'ajoute un type intermédiaire, l'État multiculturel.

Le concept d'État-Nation peut se résumer à une simple équation : 1 État = 1 nation. Littéralement, cela implique que l'interface collective entre l'État et les citoyens qu'il représente est « une et homogène » : c'est la nation. C'est dans cette perspective que les Révolutionnaires français indiquaient à l'article 3 de la Déclaration française des droits de l'homme et du citoyen en 1789 : « Le principe de toute souveraineté réside essentiellement dans la nation. Nul corps, nul individu ne peut exercer d'autorité qui n'en émane expressément ». En 2002, le Conseil constitutionnel français a invalidé une disposition d'une loi de décentralisation concernant la Corse, qui évoquait le « peuple corse, composante du peuple français » ; le Conseil constitutionnel a motivé sa décision par le fait que la Constitution française « ne connaît que le peuple français sans distinction d'origine, de race ou de religion ». Dans le même ordre d'idées, la Constitution belge établit que : « Tous les pouvoirs émanent de la

Nation ». Le Roi, les fonctionnaires et les mandataires politiques siégeant dans des assemblées, à tout le moins aux niveaux fédéral et communal, prêtent serment en jurant notamment d'observer la Constitution et les lois du peuple belge. Dans ce serment, le « peuple » renvoie à l'idée de nation définie ci-dessus.

Dans le modèle de l'État plurinational, la nation n'est plus nécessairement considérée comme cette interface collective exclusive entre un État et les citoyens qu'il représente. Deux cas possibles. Soit le peuple d'un État se compose de plusieurs nations constitutives, comme dans la Bosnie-Herzégovine actuelle dont les nations constitutives sont les Bosniaques (musulmans), les (Bosno-)Croates, et les (Bosno-)Serbes. Soit, comme dans la Slovaquie actuelle, il se compose d'une nation constitutive (la nation slovaque) et d'autres sous-groupes officiellement reconnus, souvent qualifiés de « minorités » (les minorités hongroise ou ruthène en Slovaquie). Il y a une citoyenneté à deux niveaux : (1) la nationalité accorde les mêmes droits et devoirs à tout citoyen comme dans le modèle de l'État-nation, et (2) la sous-nationalité accorde des droits, voire plus rarement des devoirs, spécifiques à un citoyen en tant que membre d'un groupe d'appartenance particulier : droit de pratiquer sa langue dans ses contacts avec l'administration, droit de pratiquer sa religion, subventionnement spécifique d'écoles diffusant l'apprentissage de cette langue ou religion, institutions politiques autonomes sur la portion du territoire étatique où ce groupe est majoritaire, etc. En Belgique, un nombre de sièges peut être garanti – quel que soit le nombre de voix récoltées – en assemblée parlementaire : ainsi dix-sept sièges sur les 89 que compte le Parlement de la Région de Bruxelles-Capitale sont acquis à des députés élus sur des listes néerlandophones.

La notion d'État multiculturel désigne un État qui accepte la coexistence de plusieurs communautés (ethniques, linguistiques, religieuses, etc.) et donc dépasse l'idée d'une nation homogène, mais sans en institutionnaliser les différences dans le cadre d'une reconnaissance de citoyenneté de deuxième niveau (contrairement à l'État plurinational). Comme l'État-Nation, l'État multiculturel conserve le principe de la correspondance d'un État à une nation unique – la nation suédoise, par exemple, alors que, depuis 1975, la Suède a mis en œuvre une politique « pluriculturaliste » à l'égard de ses populations immigrées. Mais à la différence de l'État-Nation idéal-typique, l'État multiculturel se départit de l'idée d'une nation homogène, « monoculturelle » à laquelle devrait « s'assimiler » tout citoyen. Au Royaume-Uni, par exemple, aucune loi n'interdit, pour les minorités indo-pakistanaises (hindoues, sikhes, musulmanes…), l'affichage de signes et des pratiques d'appartenance, y compris dans l'espace public. L'État peut aller jusqu'à moduler la loi générale à cet effet (par exemple, au Royaume-Uni, l'exemption de l'obligation du port du casque à moto pour les Sikhs qui portent le turban), ou soutenir financièrement le libre développement de dynamiques collectives communautaires (par exemple, en subventionnant l'édification et le fonctionnement de lieux de culte ou d'écoles propres à une sous-communauté).

On le voit, nos trois idéaux-types se situent donc sur un continuum dont il n'est pas simple de délimiter les bornes. La Belgique, mais aussi les États-Unis d'Amérique en fonction des États qui les composent, en fournissent une illustration.

2.2. Le territoire de l'État : un espace pour le définir

Le territoire représente le cadre géographique de déploiement de l'exercice du pouvoir politique institué par l'État. Il n'existe pas d'État – au sens de la science politique – sans base territoriale, aussi restreinte soit-elle. Comme évoqué plus haut, le territoire est un espace en 3D dans la mesure où il comprend le sol, mais aussi le sous-sol et l'espace aérien au-dessus de la surface territoriale. Pour les États qui ont une façade maritime, ce territoire se prolonge dans la mer, par des « eaux territoriales ». C'est dans ce périmètre géographique que s'appliquent avant tout les règles juridiques adoptées par l'État.

Le territoire ainsi défini est fondamental parce qu'il singularise un État par rapport à d'autres États, le concrétise, permet sa reconnaissance à la surface du globe, grâce à ses limites extérieures – ce que l'on appelle communément les frontières – qui sont précises, visibles si elles sont bornées sur le terrain et en tout cas tracées au millimètre près sur une carte géographique, par exemple. Comme pour la population, la taille du territoire est extrêmement variable. Elle peut se limiter à quelques kilomètres carrés, comme la Principauté de Monaco avec ses 2,02 km^2, voire moins, comme l'État de la Cité du Vatican, qui s'étend sur à peine 44 hectares.

Aborder la question du territoire étatique implique fondamentalement de se pencher sur deux types d'enjeux : territorial et frontalier. L'enjeu territorial implique la question de la délimitation géographique de l'État, mais aussi de son rapport à la population (y compris les minorités). L'enjeu des frontières est lié au fait que celles-ci sont des marqueurs dont le tracé peut évoluer, affaiblissant ou renforçant l'État.

Envisageons d'abord l'enjeu territorial. La question de la délimitation du territoire d'un État est cruciale puisqu'elle détermine la population qui lui est assujettie, ainsi que le type et l'ampleur de ses ressources (minières, forestières, aquatiques, etc.). La question territoriale explique en partie bon nombre de conflits internationaux, par exemple, entre l'Irak et le Koweït en 1990-91, la Chine et le Royaume-Uni vis-à-vis de Hong-Kong, redevenu chinois en 1997, le Rwanda et la RDC à propos de l'Est-Congo depuis la fin des années 1990. Certains conflits armés peuvent se terminer par des cessions de portions de territoire des États vaincus vers les États vainqueurs, parfois au titre de « réparations de guerre » (comme ce fut le cas, par exemple, à l'issue de la Première Guerre mondiale, au détriment de l'Allemagne, de l'Alsace-Lorraine rattachée à la France, ou des « cantons rédimés » – Eupen, Saint-Vith et Malmedy – rattachés à l'Est de la Belgique).

Parfois les questions de population et de territoire sont mêlées comme dans le conflit israélo-palestinien ou lors de l'implosion violente de la Yougoslavie dans les années 1990-2000. Voulue par la majorité de leurs habitants, la création des nouveaux États de Croatie, de Bosnie-Herzégovine et du Kosovo se heurtait à la volonté des populations serbes locales, minoritaires à l'échelle des nouveaux États, mais majoritaires dans certaines portions de ces territoires dont elles revendiquaient le rattachement à un État dans lequel les Serbes forment la nation constitutive (à savoir l'ex-Yougoslavie, puis la Serbie). Parfois cependant, la question territoriale a peu de lien avec la question de la population (comme, par exemple, dans les disputes pour la possession de petites îles : les îles Kouriles, entre le Japon et la Russie, les îles Falkland/Malouines entre l'Argentine et le Royaume-Uni, ou le rocher de Gibraltar entre le Royaume-Uni et l'Espagne). Dans ce type de cas, le conflit peut être motivé par des facteurs de politique intérieure ou d'ordre géopolitique/géostratégique, en rapport, par exemple, avec le contrôle de points de passage importants pour la circulation maritime.

ENCADRÉ N° 3.4 : LA FRONTIÈRE LINGUISTIQUE EN BELGIQUE

Dans le vocabulaire politique belge, l'expression « frontière linguistique » – qui reçoit même une consécration légale dans la loi du 14 juillet 1932 concernant le régime linguistique de l'enseignement primaire et de l'enseignement moyen – désigne la délimitation interne du territoire belge entre 4 « régions linguistiques », dont les régimes linguistiques officiels sont distincts : la Flandre, néerlandophone, la Wallonie, francophone, Bruxelles, bilingue, et la région germanophone englobant les communes regroupées dans les cantons d'Eupen et de Saint-Vith (Rillaerts, 2010). Consacrée dans les « lois linguistiques » de 1962-63, cette délimitation interne vaudra également pour la délimitation des Régions (flamande, wallonne et bruxelloise) et des Communautés (flamande, française et germanophone) qui seront créées dans le cadre du processus de fédéralisation de l'État belge entamé en 1970. Dans l'esprit du mouvement nationaliste flamand, l'intangibilité de cette frontière est une condition de la « paix communautaire ». Elle représente de plus une « frontière d'État » en cas de dissolution de l'État belge, ce que contestent certains partis francophones (comme le FDF, pour lequel elle ne constitue qu'une délimitation administrative interne, qui peut être remise en cause et qui n'a pas vocation à représenter une « frontière » au sens habituel du terme).

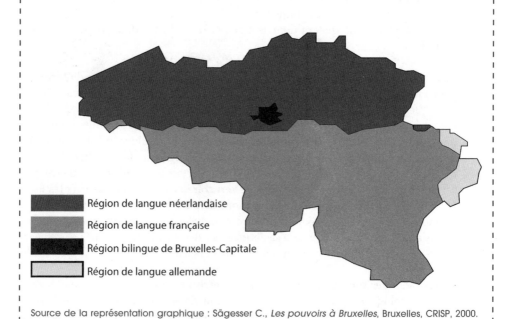

Région de langue néerlandaise

Région de langue française

Région bilingue de Bruxelles-Capitale

Région de langue allemande

Source de la représentation graphique : Sägesser C., *Les pouvoirs à Bruxelles*, Bruxelles, CRISP, 2000.

L'enjeu des frontières, quant à lui, vient du fait que leur tracé peut faire l'objet d'investissements à la fois matériels et symboliques visant à affirmer, ou au contraire à relativiser, leur caractère séparateur. L'abolition de principe des contrôles aux frontières intérieures de Schengen a entraîné, dans les faits, un désinvestissement des marqueurs de délimitation des territoires étatiques concernés (réduction du nombre de douaniers et de postes de douane, par exemple). En revanche, cela a coïncidé avec un renforcement des contrôles aux frontières des États membres de l'UE avec le monde extérieur et la mise sur pied de dispositifs renforcés (par exemple à l'égard des personnes ne possédant pas un titre de séjour régulièrement délivré par un État membre).

Certaines frontières font l'objet d'une matérialisation renforcée, comme dans le cas de la construction de « murs ». Ainsi, en 1961, Berlin a été divisée par un mur, à l'initiative de Nikita Khrouchtchev (Premier Secrétaire du Parti communiste de l'Union soviétique), pour séparer clairement le bloc de l'Est de l'Europe de l'Ouest dans le contexte de la Guerre froide. De façon symptomatique, clichant les positions des uns et des autres, cette séparation a été appelée « mur de la paix » à l'Est et « mur de la honte » à l'Ouest. La chute du Mur en 1989, abattu à coups de pioche par les contestataires est-allemands du régime communiste en place, a symbolisé la chute de l'« empire soviétique », alors que l'URSS elle-même n'implosera que deux ans plus tard, en 1991. Afin de protéger ses civils contre des attaques menées par des Palestiniens, Israël a entamé la construction d'un « mur de sécurité » en 2002. Ce mur fait passer du côté israélien des territoires palestiniens en englobant toute une série de colonies juives établies dans ces territoires occupés ainsi que Jérusalem-Est, où se trouvent les Lieux saints. Cette clôture est trois fois plus haute et deux fois plus large que le Mur de Berlin, à laquelle s'ajoutent en certains endroits des parois de béton. Ce dispositif complète un premier mur (barrière électrifiée), qui avait été érigé autour de la bande de Gaza durant la première Intifada (1987-1993).

Enfin, certaines délimitations administratives internes peuvent être investies à la manière de véritables frontières – qui, en droit international, correspondent exclusivement aux délimitations externes d'un État –, acquérant un statut de « frontières internes » pour les acteurs politiques en présence ou pour certains d'entre eux. La « frontière linguistique » en Belgique offre un bon exemple de ce déplacement de l'enjeu des frontières de l'extérieur vers l'intérieur d'un État.

2.3. Le gouvernement : l'exercice d'un pouvoir de coercition effectif

L'État se caractérise fondamentalement par le fait que, par la structure administrative qui le constitue, il peut soumettre la population qui se trouve sur son territoire à un ensemble de règles juridiques qui s'imposent à elle automatiquement, sans même qu'elle doive y consentir. Le pouvoir d'injonction et de coercition juridiquement réglé de l'État renvoie à la capacité de ses instances dirigeantes d'imposer à la population des normes *unilatérales* – en ce qu'elles sont adoptées et sanctionnées par ces instances elles-mêmes – dont la validité ne dépend pas de l'acquiescement unanime des personnes qui sont assujetties au droit national. Concrètement, ce pouvoir d'injonction s'exprime au travers de dispositions constitutionnelles et législatives, d'arrêtés et de règlements d'exécution de ces dispositions, d'arrêts des cours et tribunaux à propos de la violation éventuelle de ces normes juridiques. Pour garantir le respect de ces normes, l'État met sur pied et entretient un appareil policier, carcéral et militaire qui incarne, par excellence, la capacité coercitive de l'État.

Le plus souvent, l'effectivité du recours à la violence, à la contrainte physique, n'est cependant pas nécessaire pour l'application du pouvoir d'injonction étatique. La simple menace de sanction (principalement sous forme d'amendes et de peines de prison) suffit pour que la grande majorité de la population se plie aux normes juridiques collectives, même si ces dernières ne correspondent pas à leurs intérêts personnels. Qui plus est, comme le montrent des auteurs comme Norbert Elias (2011a/1939a ; 2011b/1939b) ou Michel Foucault (2004/1977-78), les sociétés occidentales ont progressivement formé les individus à s'auto-contraindre ou à s'autogouverner (cf. chapitre Pouvoir). La majorité des individus intègrent comme étant une nécessité le fait de se conformer aux comportements qui sont attendus d'eux par l'État et par la collectivité, en maîtrisant leur corps et leurs émotions.

Bien sûr, pour une part, et comme nous l'avons développé dans la section 1, la pérennité de l'État suppose d'articuler cette capacité de coercition à la légitimité du pouvoir politique, qui fonde le consentement des gouvernés au pouvoir. Ainsi, en démocratie représentative, l'ordre juridique est réglé par des élus, sanctionné par des cours et tribunaux indépendants. C'est parce que la population estime que le pouvoir étatique est bien fondé qu'elle accepte de s'y soumettre. Elle le fera d'autant plus que tous au sein de l'État, en ce compris les dirigeants, respectent eux-mêmes les normes qui s'imposent à l'ensemble de la société (cf. *supra* le concept d'État de droit).

Il est vrai, par ailleurs, que certains mouvements irrédentistes peuvent contester la légitimité du gouvernement de tel État d'avoir autorité sur une partie du territoire majoritairement peuplé de personnes censées appartenir à un groupe ethnique ou national spécifique (par exemple, au nord du Sri Lanka, majoritairement peuplé de populations tamoules ou, au nord du Kosovo, majoritairement peuplé de populations serbes). Leur contestation peut être armée et avoir pour effet que l'appareil administratif d'un État ne contrôle plus le territoire en question, mettant en cause la réalité de l'État dans ces régions-là, faute pour le gouvernement d'y démontrer sa souveraineté sur le plan intérieur, pour reprendre les mots de la définition précitée de l'État de Fleiner-Gester. Remarquons que l'incapacité des instances gouvernementales et administratives d'imposer leur pouvoir peut s'observer aussi à l'échelle de villes (comme au Brésil ou au Mexique, par exemple), les agents de l'État (policiers, conducteurs de transports en commun, ambulanciers, pompiers) ne pénétrant plus dans ces zones – des zones « de non-droit » –, abandonnées à des organisations mafieuses. Notons encore qu'il arrive que des États étrangers aident militairement des mouvements irrédentistes à faire sécession d'un État. L'intervention militaire turque en 1974 a permis ainsi à la région de Chypre-Nord, majoritairement peuplée de Chypriotes turcs, de faire sécession du reste de la République de Chypre, majoritairement composée de Chypriotes grecs. La réalité de tels États peut être mise en cause dans la mesure où, sans l'appui militaire d'une puissance étrangère, ils ne peuvent assurer leur indépendance, dont la réalité est donc artificielle.

La contestation de l'autorité gouvernementale d'un État sur un territoire et la population qui s'y trouve peut aussi provenir de l'étranger et se traduire par une occupation étrangère de tout ou partie du territoire. Ce fut le cas, par exemple, de l'occupation allemande de la Belgique pendant la Deuxième Guerre mondiale ou, dans un autre contexte, de l'occupation de l'Irak par les coalitions de volontaires sous commandement des États-Unis d'Amérique entre 2003 et 2011, sur les ruines du régime de Saddam Hussein. De telles occupations, mettant sous tutelle étrangère les instances administratives ou gouvernementales de l'État envahi, privent celui-ci de réalité propre, faute pour son gouvernement de démontrer, non seulement sa souveraineté sur le plan intérieur, mais aussi son indépendance vis-à-vis de l'extérieur (en vertu de la définition précitée de l'État par Fleiner-Gester).

3 | Les formes historiques de l'État

Globalement, il est possible de retracer l'évolution de l'État dans les sociétés occidentales en soulignant trois processus liés entre eux : chronologique, institutionnel et socio-économique. Le premier processus renvoie aux événements qui ont progressivement permis l'avènement de l'État (en bref, le passage de territoires morcelés au Moyen-Âge à une centralisation du pouvoir politique achevée au XIXᵉ siècle). Le deuxième processus désigne la mise en place d'institutions qui ont permis l'extension du pouvoir étatique (en bref, la mise en place d'une administration et d'une domination rationnelle-légale, pour reprendre les termes de Weber). Le troisième processus manifeste les évolutions que l'État a connues dans les relations entre politique et économie, amenant une prise en charge sociale différenciée des individus (en bref, l'évolution d'un État-gendarme vers un État social, puis un État social actif).

3.1. L'évolution historique : de sociétés sans État vers des sociétés étatiques

Schématiquement, il est possible de synthétiser la construction historique de l'État en Occident de la façon reprise dans l'encadré suivant. Outre le centralisme monarchique ou impérial déjà bien visible aux XVIIᵉ et XVIIIᵉ siècles en France ou au Royaume-Uni (cf. chapitre Régimes politiques), il synthétise le processus d'achèvement de centralisation étatique (cf. *infra* pour les développements).

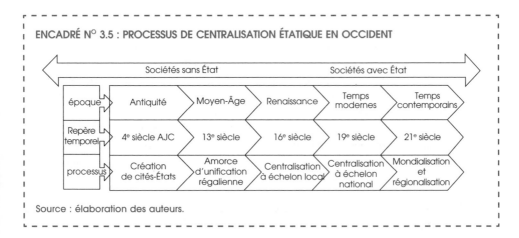

ENCADRÉ N° 3.5 : PROCESSUS DE CENTRALISATION ÉTATIQUE EN OCCIDENT

	Sociétés sans État			Sociétés avec État	
époque	Antiquité	Moyen-Âge	Renaissance	Temps modernes	Temps contemporains
Repère temporel	4ᵉ siècle AJC	13ᵉ siècle	16ᵉ siècle	19ᵉ siècle	21ᵉ siècle
processus	Création de cités-États	Amorce d'unification régalienne	Centralisation à échelon local	Centralisation à échelon national	Mondialisation et régionalisation

Source : élaboration des auteurs.

Le schéma permet de prendre conscience que l'État est une construction organisationnelle relativement récente, fruit d'une longue genèse historique. À l'origine, l'État n'existe pas. De nombreuses sociétés humaines se sont organisées sans État. Certaines, rares et de petite taille, existent encore de nos jours dans des contrées incluses désormais dans le territoire d'États qui les laissent plus ou moins s'organiser selon leurs modes de vie ancestraux.

Les anthropologues et les ethnologues, davantage que les politologues, ont étudié des sociétés sans État. Ces sociétés dites « primitives » se distinguent classiquement des sociétés modernes, caractérisées par l'institutionnalisation de l'État, c'est-à-dire l'instauration d'un pouvoir coercitif centralisé (monopole). On peut distinguer des sociétés *avec* chef *sans* coercition centralisée et des sociétés *sans* chef *avec* coercition centralisée (cf. encadré suivant).

ENCADRÉ N° 3.6 : DES SOCIÉTÉS SANS ÉTAT – LES NAMBIKWARA ET LES INUITS

L'anthropologue et ethnologue Claude Lévi-Strauss analyse dans un de ses ouvrages célèbres, intitulé *Tristes Tropiques* (2001/1955), une société d'Amérindiens brésiliens, les Nambikwara, qui vivent en communauté autour de chefs exerçant le pouvoir sur la base du strict consentement des gouvernés, sans coercition. Le chef et les membres de la communauté s'organisent autour d'échanges constants fondés sur la réciprocité : le chef tient son pouvoir du fait qu'il rend des services (trouver un bon campement, bien mener la guerre, bien diriger la chasse...), ce pour quoi les gouvernés sont prêts à consentir des sacrifices : le chef a le privilège exclusif de la polygamie, ce qui réduit le nombre de femmes disponibles pour les gouvernés mâles, dont certains doivent donc se passer d'épouse. Notons également qu'une des femmes a la préséance sur les autres, celles-ci formant une petite administration autour du chef. En cas de crise du pouvoir, le chef procède à un « vote de confiance ». S'il ne l'obtient pas, il est chargé de se trouver un successeur par consultation des gouvernés et choix final consensuel.

La société inuit (nord du Canada) est une société sans chef, mais avec coercition. Aucun membre du groupe n'est spécialisé dans la tâche politique : la politique est exercée par l'ensemble du groupe, qui s'autorégule notamment via de longues discussions. La coercition s'opère par des procédures engageant l'ensemble du groupe, parfois par délégation non spécialisée : ainsi, le groupe peut abandonner un perturbateur en déménageant de nuit ; s'il faut exécuter un châtiment pénal, le groupe recourt à un justicier occasionnel.

Dans l'Antiquité, principalement en Grèce, des villes ont organisé une centralisation des fonctions politiques qui leur a valu, plus tard, la dénomination de « cités-États ». À l'échelon local, par exemple à Athènes, elles organisent une division des tâches de gouvernement, avec les prémices d'une distinction des fonctions législatives, exécutives et judiciaires et la désignation de personnes spécifiques pour en assurer certaines, même si, dans la majorité des cas, il s'agissait de « simples citoyens », le plus souvent tirés au sort (cf. chapitre Régimes politiques). Les cités-États restent tournées vers la levée de troupes militaires pour assurer leur sécurité vis-à-vis d'agresseurs extérieurs. Il en va, peu ou prou, de même au sein des cités de la Renaissance, telle Florence.

La centralisation du pouvoir, caractéristique de l'émergence de l'État sous sa forme contemporaine, apparaît progressivement, à partir du Moyen-Âge, en Europe occidentale. Les territoires morcelés entre plusieurs fiefs vont progressivement être regroupés dans un processus d'unification dite régalienne, car lié à une centralisation du pouvoir en la personne du Roi. Ainsi, en France, en Angleterre et en Allemagne par exemple, les rois successifs affirment leur pouvoir sur les seigneurs locaux et étendent la taille des territoires sur lesquels ils imposent leur pouvoir. Ce processus implique l'adoption de textes fédérateurs, comme, par exemple, la *Magna Carta* de 1215 et le *Bill of Rights* de 1689 en Angleterre (cf. chapitre Régimes politiques) ainsi que le développement de forces de l'ordre et d'une bureaucratie aux ramifications locales à partir d'un centre.

Dès la fin du XVIIIe siècle et au XIXe siècle, à la faveur des grandes révolutions nationales, le parachèvement du processus peut être constaté en Occident. En Amérique du Nord, la guerre entamée par les Britanniques qui y ont fait souche contre la domination de leur propre métropole d'origine débouche en 1776 sur la « Déclaration d'indépendance » des États-Unis d'Amérique. Leur indépendance sera complètement effective en 1783 : les États-Unis ne sont alors plus des colonies britanniques, mais l'État constitutif des descendants de colons (et non pas celui des peuples autochtones amérindiens qui auront subi la colonisation européenne et dont les survivants seront confinés dans des réserves).

3.2. La centralisation institutionnelle : caractéristiques des sociétés avec État

Ce qui consacre l'avènement des États modernes au XIXe siècle, c'est la mise en place d'institutions politiques et d'une administration centralisée, maîtrisant notamment les deniers publics et l'art de faire la guerre, sur base d'une dissociation des sphères privée et publique, rendant impersonnelle et donc générale la détention du pouvoir politique et la fabrique de l'action publique, grâce à une légitimité rationnelle-légale guidant cette détention et cette fabrique (cf. *supra*, le concept wébérien d'État).

Le terme même d'« État » révèle ainsi une ambition de constituer une forme particulière de pouvoir politique qui se caractérise par sa stabilité, sa permanence, sa continuité. La vocation première de l'État est donc de constituer une organisation capable d'assurer une pérennité du pouvoir politique, et en particulier à faire en sorte que celui-ci continue de s'exercer au-delà de ceux qui l'exercent, pour éviter tout « vide de pouvoir » qui serait consécutif à la disparition de ceux qui l'exercent ou à l'alternance entre ceux qui l'exercent.

De ce fait, l'avènement de l'État comme forme particulière d'institutionnalisation du pouvoir politique est indissociable d'une volonté de dépersonnalisation dudit pouvoir. Weber avait déjà mis le doigt sur cette vocation de l'État en soulignant le lien entre les revendications de légitimité de la domination politique exercée dans le cadre d'un État et la source la moins personnalisante de légitimation de toute domination, à savoir la source rationnelle-légale (cf. *supra*). Avec l'avènement de l'État, le pouvoir politique est exercé dans une sphère publique, distincte de la sphère privée, et occupé – mais non possédé – par ceux qui l'exercent.

Ce processus s'accompagne d'une expansion de la réglementation et de l'administration. En même temps que le nombre de textes législatifs et réglementaires augmente pour organiser la vie collective au sein de l'État, la taille et la densité de la bureaucratie chargée de les exécuter s'accroissent dans des proportions considérables. À titre d'illustration, la proportion de la population française recrutée comme fonctionnaires est passée de 0,0006 % au XVIe siècle, à 1,25 % en 1905 (Zürn, 1999), à environ 10 % aujourd'hui. Comme l'a étudié Weber, le fonctionnement de l'État à partir du XIXᵉ siècle (et jusqu'à nos jours) repose sur des fonctionnaires (cf. *supra*, notamment encadré n° 3.1).

Nous pouvons investiguer plus avant ce processus à l'aide des concepts de différenciation et dédifférenciation (partielle) du politique – et de l'État – à l'égard de la société. En effet, les sociologues Émile Durkheim (*La division du travail social*, 1973/1893) et Max Weber (*Économie et société*, 1995/1922) distinguent les sociétés peu diversifiées des sociétés diversifiées ou complexes. Dans les premières, le politique se confond avec d'autres domaines de réalités (notamment, le religieux – le chef politique tirant la légitimité de son pouvoir, par exemple, de sa capacité à assurer une intermédiation avec les ancêtres ou des puissances dans l'au-delà pour dégager les grandes orientations à prendre pour le groupe). Dans les secondes, le pouvoir politique s'autonomise et se spécialise : le propre du politique est dès lors de remplir une fonction intégrative de l'ensemble des domaines de réalités, d'assurer la cohésion sociale via l'édiction de règles communes de droit.

ENCADRÉ N° 3.7 : ÉTAT FORT ET ÉTAT FAIBLE SELON BADIE ET BIRNBAUM

Si tout État se base sur une certaine différenciation institutionnelle et fonctionnelle au sein de la société dans laquelle il est institué – sinon il ne s'agit pas d'un État –, en revanche, les États peuvent être distingués entre eux selon le degré, plus ou moins grand, atteint dans chaque cas par ce processus de différenciation (étant entendu que « le mieux » pour un État n'est pas nécessairement d'atteindre le degré le plus élevé de différenciation). L'une des typologies parmi les plus connues dans la littérature francophone, celle proposée par Bertrand Badie et Pierre Birnbaum (1983), distingue ainsi deux profils d'État : les États forts – qui ne sont pas nécessairement des États despotiques –, et les États faibles. Les États forts se singularisent par une intervention relativement importante de l'État dans la société – que ce soit comme opérateur d'activités, redistributeur de ressources ou régulateur de comportements –, une structure étatique centralisée (cf. *infra*), des prélèvements fiscaux élevés, un corps de fonctionnaires étendu, une logique de fonctionnement revendiquée comme relativement propre : une raison d'État censée incarner un intérêt général transcendant de la société et être mieux définie par des techniciens, formés dans des cursus spécifiques et déconnectés des pressions des intérêts sociaux particuliers. La France et l'Allemagne (dans une mesure moindre depuis qu'elle est devenue fédérale) en sont des exemples-types. Les États faibles partagent les caractéristiques opposées. Les États-Unis et, dans une mesure moindre, le Royaume-Uni, en sont des exemples-types. La Suisse et la Belgique représentent aussi des cas d'États faibles – qui ne sont pourtant pas des États fragiles (au sens de l'encadré n° 3.14), puisque stables et pleinement capables d'assurer leurs missions de base (cf. *infra*, section 5).

Le premier type de société est caractérisé par une division du travail social faible et renvoie au concept durkheimien de solidarité *mécanique* : les membres de ces sociétés sont « interchangeables » (comme des « pièces de rechange »). Le deuxième type de société est caractérisé par une division du travail forte et renvoie au concept durkheimien de solidarité *organique* entre ses membres : les membres de ces sociétés sont conçus comme les organes d'un corps assurant des fonctions spécifiques et donc ne sont plus, ou sont plus difficilement, « interchangeables ». Pour ce qui concerne plus spécifiquement l'État sous sa forme occidentale moderne ou contemporaine, Durkheim et Weber ont été parmi les premiers à analyser le processus par lequel l'État, dès la fin du XIXᵉ siècle, se distingue institutionnellement du reste de la société, se professionnalise, se dote d'un corps « impersonnel » de fonctionnaires et met en œuvre un pouvoir de coercition suprême légitime.

C'est ce que désigne la notion de différenciation. Plus la société moderne se développe, plus l'État lui-même se développe, exerce des fonctions qu'il centralise, et impose son pouvoir à tous. Il procède d'une division du travail dans une société qui se complexifie.

À l'époque contemporaine, Charles Tilly (1992/1990) insiste sur le fait que cette différenciation repose sur une logique d'État prédateur. Par « État prédateur », Tilly entend que, si effectivement l'État se différencie, devient autonome, centralisé et pratique une division du travail (cf. les trois critères de l'État), c'est par la guerre. L'État mène la guerre contre les ennemis extérieurs, et prélève pour ce faire des ressources à la population (de l'argent, des hommes pour ses troupes) en échange de sa protection. Par la guerre, et donc la centralisation du pouvoir fiscal et militaire qui en découle, l'État s'impose à ses ennemis, aux autres configurations politiques et économiques, à sa population (Elias, 2011b/1939b, soutient également cette thèse).

Comme nous l'avons vu, un tel processus s'est historiquement manifesté à l'échelle de villes (les cités-États comme Athènes ou Florence, par exemple) ou de communautés (les sociétés dites sans État, dont le chef exerce le pouvoir sur la population en échange de services). Pour désigner une gradation dans le processus d'institutionnalisation du pouvoir politique, et donc pour représenter plus finement le continuum entre sociétés sans État et sociétés avec État, les politologues recourent donc au concept de différenciation partielle.

Enfin, le concept de *dé*-différenciation a été récemment mobilisé pour mettre en lumière une transformation actuelle de l'État dans lequel le corps de fonctionnaires mus par une rationalité légale, impersonnelle et abstraite serait remplacé par des élites représentant spécifiquement des partis politiques, des groupes de pression, des catégories socio-économiques (qu'elles soient favorisées ou défavorisées) et dont elles seraient le relais. Ce processus peut s'accompagner d'une politisation de l'État, connue dans le monde anglo-saxon sous le nom de « *spoil system* » (officiellement abandonné par les États-Unis d'Amérique en 1939, le système permettait, à chaque législature, de remplacer des fonctionnaires par de nouveaux plus en phase avec la nouvelle tendance politique au pouvoir), au contraire d'un « *merit system* ».

3.3. L'évolution des rapports socio-économiques et politiques : État-gendarme, État social, État social actif

Dans les sociétés occidentales, et particulièrement européennes, l'État a connu une succession de formes historiques, différentes quant au type de relations établies entre le pouvoir politique, le pouvoir économique et les implications sociales de ces relations sur la population. La façon dont le risque est appréhendé et (non) pris en charge par des mécanismes collectifs est un des éléments constitutifs de cette différenciation. Ses formes peuvent être expliquées grâce aux notions d'État-gendarme, État social et État social actif (au sein des États occidentaux).

L'État-gendarme est la dénomination employée pour caractériser l'État sous sa forme contemporaine à ses prémices, du XVIIe au XIXe siècle. Cet idéal type repose sur une dynamique d'échanges relativement paternalistes entre les détenteurs du pouvoir (politique et économique) et la population. C'est principalement la responsabilité individuelle des individus qui est mise en avant, sans que l'État ou les « possédants » – pour reprendre le terme de Stein Rokkan (cf. chapitre Clivages) – estiment devoir intervenir, de façon institutionnalisée, pour leur prêter assistance. L'État exerce surtout les missions visant à assurer, par la police et la Justice – d'où sa dénomination de « gendarme » – l'ordre public basé sur la propriété et l'héritage privés, la liberté/responsabilité de chacun, le libre accord des volontés individuelles. Les accidents du travail, par exemple, sont davantage conçus comme des dangers dont les causes seraient exogènes aux individus et aux décideurs, des menaces et fatalités sur lesquelles l'État n'aurait pas de prise. Ils ne sont donc pas pris en charge collectivement et, si un accident ou un décès survient, les membres du foyer à charge du travailleur défaillant se retrouvent sans ressources.

À partir du XIXe siècle, une des conséquences de la Révolution industrielle est le paupérisme qui touche principalement les travailleurs. Des mouvements ouvriers se mobilisent contre ce qui est de plus en plus perçu comme des injustices socio-économiques et comme une « question sociale ». Dans la plupart des pays européens, les décideurs publics se lancent alors dans une série de réformes sociales, par l'adoption de lois régulant par exemple le travail des enfants, la reconnaissance de caisses de solidarité, la possibilité d'acquérir des habitations ouvrières, l'extension du droit de vote, etc.

À partir du XXe siècle, et surtout après la Deuxième Guerre mondiale, cette dynamique conduit à l'instauration d'un État dit protecteur, appelé également État-Providence (en anglais, *Welfare State*) ou encore État social. Ces notions désignent la machinerie institutionnelle garantissant à tout un chacun, et aux travailleurs en particulier, une intervention financière de l'État, sous la forme d'allocations sociales accordées en cas de besoin ou lorsqu'adviennent certaines situations de vie, comme la perte involontaire d'un emploi, une maladie ou un handicap, la venue d'un enfant, le fait d'arriver à un certain âge (arrêt du travail et perception d'une pension de retraite), etc.

À cette phase d'évolution de l'État, les relations socio-économiques reposent sur une logique de solidarité collective. Le risque est défini comme un fait statistique extérieur à la responsabilité individuelle. Il peut être probabilisé et scientifiquement fondé. Les sphères politique et économique sont liées par des mécanismes juridiques qui visent à soutenir les individus et éviter qu'une partie de la société ne tombe dans des conditions de vie jugées indignes ou précaires. Les services publics sont ainsi développés : instruction publique, soins de santé, transports en commun, etc. Cela implique le recours à une grande quantité de ressources, qu'elles soient humaines (accroissement de l'administration, par exemple), patrimoniales (développement des infrastructures publiques) ou financières (augmentation de l'assiette fiscale).

À partir des années 1970, le modèle de l'État-Providence est mis à mal. Les crises économiques à répétition qui succèdent au premier choc pétrolier de 1973 alimentent un chômage de masse qui entrave la capacité de l'État à assurer, à la fois, un niveau élevé de protection sociale et un environnement économique suffisamment attractif pour ne pas voir délocaliser capital et investissements, avec les pertes d'emplois qui en découlent. Dans les années 1980, le libéralisme économique, incarné politiquement par des figures comme Margaret Thatcher (Premier ministre du Royaume-Uni de 1979 à 1990, parti conservateur) ou Ronald Reagan (Président des États-Unis de 1981 à 1989, parti républicain) conduit à une réduction structurelle du périmètre de l'intervention étatique (cf. chapitre Idéologies).

Depuis les années 1990, l'intervention étatique repose ainsi davantage sur un retour à la logique de responsabilisation individuelle. L'idée d'un État social actif, avancée par des penseurs tels que le sociologue britannique Anthony Giddens (2002/1998) ou l'historien français Pierre Rosanvallon (1995), est promue par des leaders de partis politiques sociaux-démocrates tels que Tony Blair (Premier ministre du Royaume-Uni de 1997 à 2007, Parti travailliste) ou Gerhard Schröder (Chancelier allemand de 1998 à 2005, SPD), tous deux soucieux de bâtir une troisième voie « social-libérale » entre la social-démocratie traditionnelle (dont ils contestent les recettes) et le libéralisme pur et dur (excluant l'intervention sociale de l'État, et qu'ils refusent).

Tout en restant « social » (c'est-à-dire en définissant et mettant en œuvre des lois et des politiques publiques en matière de santé et de sécurité sociale, d'emploi, etc.), l'État « active » des individus identifiés comme des groupes-cibles ou des groupes à risque, sur la base d'une appréhension du risque social qui se veut beaucoup plus profilée individuellement qu'auparavant. D'une part, les allocataires sociaux sont incités à chercher davantage à assurer « par eux-mêmes » leurs moyens d'existence. De l'autre, l'État met à leur disposition non seulement des allocations financières, mais aussi des dispositifs pratiques (formations, conseillers...) censés renforcer leur capacité à s'en sortir davantage « par eux-mêmes ». Le risque (social) est moins défini comme une situation que comme un processus : il s'agit d'aider une personne à gérer ses accidents de parcours. La politique d'égalité des chances passe au premier plan, devant une politique assurantielle, dans une société postmoderne où il peut y avoir responsabilisation collective sans mutualisation, et où l'incertitude ouvre la porte aux controverses, les connaissances scientifiques n'apportant pas de réponse unanime et monolithique à l'évaluation des risques.

4 | Les formes d'organisation interne de l'État

Il existe, à l'échelle de la planète, et dans le temps, une grande variété de formes selon lesquelles les États organisent leurs institutions, indépendamment des régimes politiques (cf. chapitre Régimes politiques). Cette variété est due au degré plus ou moins élevé de centralisation que l'État organise en son sein. La science politique a réduit cette complexité en une typologie à trois branches permettant de classer les États selon qu'ils sont plus ou moins centralisés, décentralisés, voire fédéralisés. Il est utile de souligner qu'un même État, par exemple la Belgique (comme nous l'illustrons ci-dessous), peut être pris comme exemple de chaque catégorie, en fonction de l'époque prise en considération dans son évolution institutionnelle. En effet, l'État peut connaître des restructurations internes dans le temps.

4.1. L'État unitaire centralisé

Un État est dit unitaire centralisé – c'est la première branche de notre typologie – lorsqu'un seul niveau de pouvoir – en l'occurrence national – définit et met en œuvre les décisions publiques. En principe, les mêmes règles s'appliquent donc à toute la population sur l'ensemble du territoire étatique. En réalité, ce principe est difficilement applicable dans les faits et, historiquement, rares sont les cas d'États purement centralisés. Le risque principal que court un État unitaire centralisé est une paralysie du gouvernement : le pouvoir national centralisant tous les pouvoirs, il peut rapidement être soumis à une surcharge qui le menace d'implosion (cf. le stress dans le modèle systémique de David Easton dans le chapitre Système politique, section 4).

Pratiquement, tout État recourt au moins à une *déconcentration* de son administration, pour ajuster son action à des cadres territoriaux plus réduits. Il désigne ainsi des relais exécutifs chargés d'exercer en son nom certains pouvoirs de décision ou de mettre en œuvre certaines politiques dans des ressorts territoriaux de portée restreinte, pouvant ou non correspondre aux ressorts territoriaux de collectivités locales. Les titulaires de ces charges déconcentrées ne doivent pas rendre de comptes à une quelconque assemblée locale d'élus. Ils exercent leurs mandats dans le cadre de normes établies au plan national, et non au plan local. Pour cette double raison, la déconcentration se distingue de la *décentralisation* (cf. *infra*), et reste conceptuellement dans l'orbite de la centralisation.

Si les exemples contemporains sont rares en dehors de quelques micro-États, on peut néanmoins faire référence ici à l'idéologie jacobine qui, sous la Révolution française, prônait une vision centralisatrice de l'État, et l'organisation du système napoléonien, dans lequel l'empereur plaçait un gouverneur au sein du département, un sous-préfet au niveau de l'arrondissement et un maire au niveau de la commune. En Belgique, à son indépendance en 1830, les rapports établis entre l'État, les provinces et les communes répondaient à une logique assez comparable (Mabille, 2011). Même si on ne peut pas parler d'État unitaire centralisé « pur », les provinces et les communes étaient alors soumises à une forte tutelle de l'État et ne disposaient que de peu de compétences.

4.2. L'État unitaire décentralisé

La catégorie d'État unitaire décentralisé désigne les États qui comprennent, outre le niveau institutionnel central, un niveau de pouvoir local disposant d'organes de décision et d'une administration propres, qui n'en font plus de simples agents du pouvoir central (niveau national). De nos jours, la France, organisée en départements et en régions, correspond à cette catégorie d'États unitaires décentralisés, majoritaires à échelle de la planète.

Dans l'État unitaire décentralisé, les collectivités locales disposent, dans les limites de leur ressort territorial et des compétences qui leur sont dévolues, d'une marge de manœuvre, mais celle-ci est limitée par plusieurs facteurs. D'abord, la validité juridique de leurs initiatives est conditionnée à une approbation – ne fût-ce que tacite – d'un pouvoir de tutelle exercé sur elle par un niveau institutionnel supérieur. Cette tutelle peut être de *légalité* – vérifier que les normes ou arrêtés pris l'ont été conformément au droit en vigueur. Mais elle peut aussi être d'*opportunité*, au nom d'une contradiction entre l'intérêt local tel que traduit dans une norme ou une décision locale et un « intérêt général » défini à l'échelle du ressort territorial du niveau institutionnel qui exerce la tutelle. Ensuite, l'autonomie des collectivités locales est aussi limitée parce que celles-ci ne peuvent pas se doter elles-mêmes de compétences, de moyens financiers, ni de capacités d'en prélever. Ils sont définis dans des normes adoptées par un pouvoir supérieur, conformément aux dispositions de la Constitution nationale.

Un État unitaire peut être plus ou moins décentralisé, selon le nombre de niveaux institutionnels de collectivités locales qu'il comprend. Ainsi, la France a connu une étape supplémentaire de décentralisation lorsque le statut de collectivités territoriales a été reconnu en 1982 aux régions, dont le ressort territorial est plus large que celui des collectivités territoriales préexistantes (les municipalités et départements, le ressort territorial d'un département étant lui-même plus grand que celui d'une municipalité). La France connaît donc aujourd'hui un triple niveau de décentralisation.

Mais le nombre de niveaux de décentralisation n'est pas le seul critère de mesure du caractère plus ou moins décentralisé d'un État unitaire. Interviennent également des éléments comme l'ampleur des domaines de compétences et des ressources financières dévolus aux collectivités locales, les capacités qui leur sont reconnues de se procurer leurs propres ressources financières, l'ampleur du pouvoir de tutelle, la densité des décisions d'invalidation des normes et décisions prises par les autorités locales, etc. En ce qui concerne la Belgique, aujourd'hui, la Constitution établit que les provinces et les communes sont compétentes pour toutes les questions respectivement d'intérêt provincial ou communal. Ces collectivités territoriales disposent donc d'un éventail de compétences relativement large.

Quel que soit son degré de décentralisation, un État décentralisé restera un État unitaire tant qu'il ne devient pas un État fédéral, la fédéralisation de l'État marquant un cran de décentralisation d'une ampleur telle que l'État en question ne peut plus être qualifié d'unitaire. La question de savoir à partir de quel moment une décentralisation de l'État peut être assimilée à une fédéralisation est donc cruciale, puisqu'elle change sinon la nature d'un État, du moins sa catégorie générale de rattachement : État unitaire (décentralisé) ou État fédéral.

4.3. L'État décentralisé ou fédéral

La troisième et dernière catégorie de notre typologie est donc celle de l'État décentralisé, plus couramment appelé fédéral. Notons d'emblée que, si le fédéralisme a le vent en poupe depuis une trentaine d'années en Europe, notamment en Belgique, il reste un mode interne d'organisation de l'État relativement minoritaire à l'échelle du globe. En effet, sur les 193 États membres de l'ONU, seuls une quarantaine peuvent être considérés comme des États fédéraux. Mais quelques « géants » en sont, par exemple, l'Inde, les États-Unis d'Amérique, la Fédération de Russie, ou, à l'échelle de l'Europe, l'Allemagne.

Le fédéralisme marque un degré de fragmentation supplémentaire du pouvoir politique exercé au sein d'un État, en ce que les normes et décisions adoptées par les assemblées et gouvernements des entités fédérées acquièrent d'emblée une valeur juridique sans plus devoir être soumises pour ce faire à un pouvoir de tutelle.

Leur degré d'autonomie est donc bien plus élevé que celui des collectivités locales. Néanmoins, plusieurs facteurs sont susceptibles de limiter également leur marge de manœuvre.

Premièrement, la reconnaissance même de ces entités, le cadre juridique général de leur fonctionnement, les compétences qui leur sont attribuées, leur ressort territorial dépendent de la Constitution nationale, dont l'adoption se produit au niveau fédéral. Certes, comme en Suisse, les entités fédérées peuvent être impliquées dans la procédure de modification de la Constitution nationale, mais ce n'est pas le cas dans tous les pays fédéraux. Deuxièmement, dans la plupart des États fédéraux (mais pas en Belgique), le Fédéral se voit juridiquement reconnaître un rôle de coordination, afin que l'exercice autonome du pouvoir par les entités fédérées n'ait pas de retombées générales négatives à l'échelle de la Fédération (par exemple, lorsque des États des États-Unis d'Amérique adoptent des politiques de régulation de l'immigration par trop différentes, et donc contradictoires). Enfin, même si de rares États fédéraux (comme la Belgique) accordent à leurs entités fédérées la capacité de conduire de manière autonome des relations internationales dans leurs domaines de compétences, rares sont les États et les organisations internationales qui acceptent ce principe (préférant tenir les autorités fédérales pour seules responsables d'un État sur la scène internationale).

ENCADRÉ N° 3.8 : LES SPÉCIFICITÉS DU FÉDÉRALISME BELGE

Comparé au fédéralisme en vigueur dans les autres États fédéraux contemporains, le fédéralisme « *made in Belgium* » se caractérise par :

1) la dualité des institutions fédérées : alors que les États fédéraux, en général, ne connaissent qu'un seul type d'entités fédérées (les États aux USA, les provinces au Canada, les cantons en Suisse ou les régions – *Länder* – en Allemagne), la Belgique en connaît deux : les Régions (au départ compétentes dans des matières socio-économiques) et les Communautés (au départ compétentes dans des matières sociales et culturelles). Ces entités peuvent, en toute autonomie, retransférer entre elles des compétences qui leur ont été attribuées par une loi fédérale ou décider de les exercer de façon intégrée. Ainsi, sur le ressort territorial correspondant à la région linguistique flamande, Région flamande et Communauté flamande ne forment dans les faits plus qu'une seule entité.

2) l'horizontalité des relations entre entités fédérales et fédérées : non seulement il y a stricte équipollence des normes juridiques (textes législatifs, arrêtés…) adoptées par les autorités fédérales et fédérées, mais surtout aucun pouvoir de coordination particulier n'est dévolu au Fédéral. Dans leur domaine de compétences, les autorités fédérées sont souveraines. Tout problème de compatibilité des normes et décisions ne peut être politiquement résolu que par un consensus, au sein d'un « comité de concertation » ou de « conférences interministérielles », où chaque entité a un droit de veto, comme dans une confédération. Libres de coopérer entre elles, les entités peuvent conclure pour ce faire des « accords de coopération », dont les procédures de conclusion et d'assentiment parlementaire sont semblables à celles prévalant dans les traités internationaux.

3) l'extension internationale des compétences internes des entités fédérées : cela leur permet de conclure avec les États étrangers des traités de coopération spécifiques, voire de siéger de façon distincte de la représentation de l'État belge dans certaines organisations internationales, par exemple l'Organisation internationale de la Francophonie (OIF), dans laquelle la Communauté française de Belgique (CFB) siège aux côtés de l'État fédéral belge.

La logique de fédéralisation d'un État peut obéir à deux grandes dynamiques opposées : d'agrégation (forces centripètes) ou de différenciation (forces centrifuges). Un fédéralisme d'agrégation ou d'association repose sur des entités fédérées au départ indépendantes et qui développent un sentiment de communauté et une volonté politique d'harmoniser une partie de leurs décisions publiques. Un cas historique exemplaire est fourni par les 13 colonies américaines qui s'affranchissent du pouvoir britannique à partir de 1776 (date de la Déclaration d'indépendance) pour former dès 1777 les « États-Unis d'Amérique ». Aujourd'hui, si l'Union européenne ne correspond pas à un État fédéral en tant que tel, elle en présente néanmoins certains principes caractéristiques, tels que la primauté du droit communautaire sur le droit national, des institutions politiques (y compris un parlement composé d'élus directs et un Exécutif à la tête d'une administration propre, la Commission) et juridictionnelles communes, la compétence principale en matière de « politiques communes », commerciale, agricole, ou monétaire, pour les pays membres de la zone euro.

À l'inverse, un fédéralisme de différenciation ou de dissociation repose sur la mise en exergue, voire sur l'accentuation, de spécificités locales, qu'elles soient religieuses, linguistiques, ethniques, etc. Dans une telle dynamique, un État peut parvenir à établir un équilibre relativement pérenne entre le « centre » et les « périphéries », dans lequel la répartition des pouvoirs entre les deux niveaux institutionnels n'est plus fondamentalement mise en cause. Mais à l'inverse, il peut continuer à être soumis à des tendances autonomistes pouvant aller jusqu'au séparatisme, comme c'est actuellement le cas, par exemple, au Pays basque et en Catalogne (Espagne), en Écosse, en Flandre, au Kurdistan irakien ou au Bangsamoro (Philippines). Dans de tels cas, le fédéralisme (processus stable de décentralisation) n'est pas encore achevé et l'État semble toujours en cours de fédéralisation (processus de décentralisation en cours). C'est le cas en Belgique où six « réformes de l'État » ont été adoptées depuis 50 ans (1970, 1980, 1988-89, 1992-93, 2001, 2013). Toutes ont consisté à opérer davantage de transferts de compétences et de moyens financiers du Fédéral vers les entités fédérées. Dans une telle dynamique de fédéralisation de l'État, le point d'arrivée du processus reste indéterminé, en particulier, en ce qui concerne la consistance des compétences que l'on souhaite voir être conservées par le « centre ».

Un État formellement fédéral comme la Bosnie-Herzégovine actuelle montre que l'on peut laisser tellement peu de compétences et de moyens d'action au « centre » que le fédéralisme s'assimile en fait à un confédéralisme, une situation dans laquelle les entités fédérées agissent pour l'essentiel comme des États indépendants, ne partageant plus que l'exercice de quelques compétences dans un cadre commun où chacune possède un droit de veto.

4.4. Séparatisme et confédéralisme : éviter les pièges conceptuels

Le cas limite d'un processus de différenciation réside dans le fait qu'un État donné peut éclater lorsque les tendances séparatistes l'emportent. Le séparatisme peut être défini comme la disparition de tout lien institutionnel entre une ou toutes les (anciennes) « périphéries » et le « centre ». Autrement dit, la logique d'hétérogénéité s'impose à celle d'inclusion de périphéries différentes au sein d'une même structure étatique. Une telle dissociation poussée à son paroxysme a, par exemple, été vécue, de façon pacifique, en Tchécoslovaquie, séparée en 1992 en deux États – tchèque et slovaque –, et de façon violente, en ex-Yougoslavie, à partir de 1992, divisée à ce stade en sept États indépendants, si l'on comprend le Kosovo, qui n'est reconnu internationalement en 2013 que par un peu plus de la moitié des États existants.

Le séparatisme ne se confond pas avec le confédéralisme. Fédéralisme et confédéralisme, par exemple dans les contextes de la Belgique et de l'Union européenne, prêtent parfois à confusion pour le grand public (Arcq *et al.*, 2012). Dans le confédéralisme, des États indépendants maintiennent des liens institutionnels entre eux. Parler de confédéralisation (comme le font certains partis politiques en Belgique) consiste à dire que toutes ou certaines des entités fédérées se muent elles-mêmes en États indépendants, demeurant toutefois liés entre eux dans une structure commune qui n'est plus celle d'un État, mais bien d'une organisation internationale (cf. *infra*). Dans leur sens idéal-typique, les concepts de fédération et de confédération, de fédéralisme ou de confédéralisme, se distinguent sur au moins un point essentiel : la fédération correspond à *un* État dont le cadre institutionnel repose sur une Constitution nationale, alors que la confédération désigne un cadre institutionnel établi par un ou plusieurs traités internationaux, conclu(s) entre eux par plusieurs États. Ces États décident, en toute autonomie, de déléguer à une organisation internationale commune (qui peut porter éventuellement le nom de leur ancien État commun) l'exercice d'un certain nombre de compétences dans des domaines d'actions qui relèvent de leur souveraineté.

ENCADRÉ N° 3.9 : NE PAS SE FIER AVEUGLÉMENT AUX APPELLATIONS OFFICIELLES

Les appellations officielles utilisées dans les États pour qualifier leur organisation interne peuvent être trompeuses. Une collectivité territoriale appelée « Région », par exemple, constituera, selon les critères de définition de la science politique (cf. *infra*), une entité décentralisée en France, mais une entité fédérée en Allemagne ou en Belgique. Dans plusieurs États fédéraux – les États-Unis d'Amérique, mais aussi l'Inde, le Nigéria –, les entités fédérées sont dénommées « États », alors qu'il ne s'agit pas d'entité étatique au sens de la science politique. L'Italie utilise le terme de régionalisation, le Royaume-Uni, celui de dévolution, pour désigner officiellement, ce qui, selon les critères de définition politologique, s'apparente à un processus de fédéralisation de l'État. Enfin, la Confédération helvétique ou les États-Unis d'Amérique ne sont pas des confédérations (bien que le fonctionnement de leur État fédéral recèle des traits confédéraux). S'ils ont conservé les anciennes appellations officielles, c'est pour des raisons historiques. Suisse et États-Unis d'Amérique proviennent tous deux d'un processus d'association d'États (précédemment) indépendants. Autrement dit, ils ont d'abord été des confédérations avant d'être des fédérations. Le maintien de leurs appellations d'origine leur permet symboliquement d'insister sur la nécessité d'une large autonomie au profit des entités fédérées.

Une telle dynamique de dévolution de l'exercice de compétences par des États indépendants à une organisation internationale est au cœur du processus d'intégration européenne, par le biais de l'UE. Aussi étendu que soit le nombre de ses domaines de compétence, aussi communes que soient certaines de ses politiques, l'UE est une confédération dans la mesure où son cadre institutionnel repose sur des traités conclus entre les États membres. Tout État membre est libre de s'en retirer, en suivant certaines modalités de retrait, et, si un ou plusieurs États membres refusent de ratifier un traité donnant des compétences supplémentaires à l'UE, ce texte n'entre pas en vigueur, et l'UE ne peut exercer ces compétences supplémentaires. C'est ce qui s'est passé avec le Traité établissant une Constitution pour l'Europe conclu en 2004, mais rejeté l'année suivante par la France et les Pays-Bas.

4.5. Les modes de coordination internationale des États

Avant d'aborder les modes de coordination en tant que tels, soulignons que la vocation même de la création d'un État est d'être souverain. D'un point de vue interne, l'État exclut donc toute intervention provenant d'un autre État dans le gouvernement de « son » territoire et de la population qui y vit. D'un point de vue externe, l'État ne s'engage à adopter certaines conduites (par exemple, venir en aide à un autre État s'il est attaqué, ou traiter de façon identique, sur son marché intérieur, les produits fabriqués dans un État étranger et qui sont similaires aux produits fabriqués à l'intérieur de ses frontières, etc.) que sur une base volontaire, librement consentie, le plus souvent au travers de traités conclus avec d'autres États. C'est là le fondement de ce que l'on appelle, dans l'étude des relations internationales, l'ordre westphalien.

ENCADRÉ N° 3.10 : ORDRE WESTPHALIEN ET POST-WESTPHALIEN DES RELATIONS INTERNATIONALES

L'expression « ordre westphalien » signifie que l'international est principalement le fait des États et de leurs relations, et que les États sont donc les unités de base des relations internationales. Les États, et non les cités, les empires ou les chefferies traditionnelles – autres formes d'organisation du pouvoir proprement politique dans les sociétés humaines. Les États, et non les Églises, les sociétés multinationales ou des réseaux mafieux – exemples de formes de pouvoir non spécifiquement politiques mais qui peuvent être concurrentes des formes de pouvoir spécifiquement politiques. La notion d'ordre westphalien se réfère aux « traités de Westphalie » qui ont mis fin en 1648 à la Guerre de Trente ans, conflit essentiellement religieux qui déchira le Saint Empire romain germanique et marqua son affaiblissement durable. La « paix de Westphalie » est vue comme annonciatrice de l'avènement de relations internationales fondées principalement, non seulement sur les États, mais plus encore sur un équilibre entre États puissants. Bien que poursuivant des intérêts opposés, voire conflictuels, ceux-ci concluent régulièrement des pactes entre eux qui produisent un certain ordre mondial. À l'opposé, l'expression « ordre post-westphalien » est utilisée par les politologues qui considèrent que la dynamique contemporaine des relations internationales – que ce soit depuis la disparition de l'URSS en 1991, depuis la fin de la Deuxième Guerre mondiale, voire même avant (Badie, 2000) –, ne peut plus être lue selon le schéma westphalien. En cause, la multiplication du nombre d'États (cf. *supra*), et le différentiel accru de puissance entre États qui en résulte ; la multiplication des traités, organisations internationales et cadres de coopération multilatérale (cf. *infra*) ; la montée en puissance de « nouveaux acteurs globaux » : sociétés multinationales, organisations non gouvernementales internationales, réseaux internationaux de criminalité organisée...

Se voulant, au départ, indépendants les uns des autres, les États peuvent néanmoins coopérer pour réaliser leurs aspirations respectives plus efficacement que s'ils agissaient de façon unilatérale, isolément les uns des autres. On observe dans ce cas un exercice pour une part coordonné, voire partagé – dans le cas de politiques publiques communes – de leur souveraineté.

Ces politiques peuvent avoir *grosso modo* deux finalités intrinsèquement liées à la nature des relations internationales. Soit la coopération, créer des espaces économiques communs, établir des règles de circulation communes. Soit la confrontation, contraindre d'autres États par des moyens aussi divers que le boycott diplomatique, les pressions économiques, l'intervention armée. En outre, ces politiques peuvent être menées dans deux logiques distinctes : une logique inter-gouvernementale (qui affecte moins la souveraineté étatique) ou une logique supranationale (à laquelle correspond partiellement le fonctionnement de l'Union européenne et celui de l'ONU, mais uniquement dans le domaine de la paix et de la sécurité internationales). Enfin, les relations entre États peuvent être qualifiées de bilatérales (si elles se déroulent de façon directe d'État à État, comme, par exemple, entre la Belgique et la République Démocratique du Congo) ou multilatérales (si elles se déroulent de façon indirecte par l'entremise d'un cadre multiétatique de coopération, comme, par exemple, des conventions d'aide conclues entre la Banque mondiale et la République Démocratique du Congo).

Le degré d'institutionnalisation et de formalisation des relations de coopération multilatérale entre États varie. Il peut être faible et revêtir l'aspect d'un « simple » cadre de coopération entre États, disposant juste d'un secrétariat comme organe commun pour coordonner les activités de coopération entre États. C'est le cas, par exemple, du processus de coopération engagé dans le cadre de la Déclaration de Bologne de 1999 sur l'harmonisation des structures d'enseignement supérieur en Europe ou le G20 (groupe des 20 pays les plus industrialisés au monde) dans le domaine économique. Le degré d'institutionnalisation et de formalisation des relations de coopération multilatérale peut être plus élevé et prendre des formes plus solides et élaborées, en revêtant alors la forme d'une organisation internationale à part entière. Il faut être attentif à ne pas confondre une telle organisation internationale publique, interétatique, avec les organisations *non* gouvernementales internationales (par exemple, Médecins sans frontières ou Greenpeace).

Ces organisations internationales sont soit spécialisées (comme l'OMC ou la Banque mondiale), soit multi-thématiques comme le sont les organisations régionales (comme l'Union africaine, l'ASEAN ou l'OEA). Un pays comme la Belgique est membre de différentes organisations régionales (cf. encadré sur les organisations régionales en Europe dont les quatre dernières comportent aussi des États membres non européens, comme le Canada, le Japon ou les États-Unis d'Amérique et, dans le cas du Conseil de l'Europe, la Russie et la Turquie, par exemple).

ENCADRÉ N° 3.11 : LES ORGANISATIONS DE PORTÉE RÉGIONALE EN EUROPE

1) Conseil de l'Europe : créé en 1949, compétent dans le domaine des droits de l'Homme, dans le cadre duquel a été conclue, en 1950, la Convention européenne des droits de l'Homme qui établit notamment la Cour européenne des droits de l'Homme.

2) OTAN : alliance militaire créée en 1949, pour préserver les pays ouest-européens d'une attaque militaire soviétique.

3) Union européenne (et en son sein les pays membres de la zone euro qui ont adopté une monnaie et une politique monétaire communes) : bâtie à partir du Traité de Rome de 1957 instituant la Communauté européenne de l'énergie atomique (Euratom) d'une part, et la Communauté économique européenne (CEE) – élargissant lui-même

la portée du Traité sur la Communauté européenne du charbon et de l'acier (CECA) conclu en 1951 –, de l'autre. L'UE représente aujourd'hui l'organisation régionale dans laquelle l'intégration des politiques publiques des États membres est la plus poussée.

4) AELE : créée en 1959, l'Association européenne de Libre-Échange regroupait le Royaume-Uni, la Norvège, le Danemark, la Suisse, le Portugal, la Suède et l'Autriche. Notons que la Suisse, tout en faisant partie de l'AELE, ne s'est pas jointe à l'EEE et gère ses relations avec l'UE via les « accords bilatéraux ».

5) OCDE : dans le domaine du développement économique interne et de la coopération au développement, elle a pris le relais, en 1961, de l'OECE créée en 1947 pour administrer le « plan Marshall » d'aide des États-Unis d'Amérique pour le redressement de l'Europe, y compris des puissances vaincues (Allemagne, Italie…) afin de favoriser une plus grande unité des pays européens face au danger d'une éventuelle attaque militaire soviétique en Europe.

6) OSCE : créée en 1995, dans le domaine de la paix et de la sécurité en Europe, sur la base de la Conférence sur la sécurité et la coopération en Europe (CSCE), qui avait vu le jour suite aux accords d'Helsinki, en 1975, pour engager un dialogue entre les pays du « bloc de l'Ouest » et les pays du « bloc de l'Est ».

De la même façon que nous avons mis en évidence les éléments constitutifs de l'État, nous pouvons mettre en évidence les traits caractéristiques d'une organisation internationale publique, interétatique. Elle résulte d'un traité conclu entre États et définissant ses domaines d'action, ses organes et leur composition et compétences, ainsi que le plus souvent les moyens financiers que les États-membres mettent à sa disposition. L'organisation internationale publique possède une personnalité juridique propre, lui permettant de s'engager en tant que telle auprès de tiers, privés (des ONG par exemple) ou publics (des États en développement par exemple). Elle est pilotée par un organe de direction générale, composée de représentants des États-membres. Elle dispose aussi d'un secrétariat chargé d'exécuter les orientations arrêtées dans le cadre établi par le traité.

5 | Les missions historiques de l'État et la mutation de ses fonctions contemporaines

ENCADRÉ N° 3.12 : LES POUVOIRS RÉGALIENS DE L'ÉTAT

Les pouvoirs régaliens de l'État désignent les missions qu'il a héritées du Roi (au sens générique du terme, venant de « *rex, regis* » en latin, ce qui explicite le qualificatif « régalien ») par l'institutionnalisation centralisée, la bureaucratisation et la rationalisation du pouvoir politique. Traditionnellement, au Moyen-Âge notamment, le Roi avait le privilège de lever l'impôt et de faire la guerre. Récolter des deniers auprès de la population permettait principalement d'entretenir les armées. Ces actions pouvaient être vues comme légitimes par la population dans la mesure où elles garantissaient sa sécurité. Pour organiser ces actions, le Roi a créé une administration. Bien souvent, le Roi réalisait ces actions, profitant du fait que le pouvoir politique était son apanage, selon ses stratégies, ses intérêts, ses conseillers, son bon vouloir, etc., et le transmettait à sa descendance dans le cadre des lignées dynastiques (prince héritier).

1789 marque une étape charnière dans ce processus en transférant la souveraineté du Roi à la Nation, au peuple, dans la lignée de la Révolution anglaise. Principalement à partir du XIXe siècle, l'État moderne reprend l'exercice du monopole fiscal et militaire dévolu au Roi, tout en étendant la structure bureaucratique et en accroissant la portée des règles impersonnelles et abstraites (comme l'a montré l'historique que nous avons brossé ci-dessus). Les missions collectives n'étaient dès lors plus entre les mains d'un seul homme (le Roi détenteur de souveraineté), mais déposées par les citoyens-électeurs (souveraineté nationale ou populaire, cf. chapitre Régimes politiques) entre les mains de décideurs publics, le plus souvent élus, et de fonctionnaires, exerçant et mettant en œuvre le pouvoir exécutif, législatif et judiciaire, les trois branches du pouvoir étatique. Au Royaume-Uni, à partir de la *Magna Carta* en 1215, ce processus avait été développé de manière plus progressive.

Dans la perspective de la section 5.1. ci-dessous, notons que les « ministères régaliens » sont ceux de l'Intérieur, des Affaires étrangères, de la Défense, de la Justice et des Finances. C'était là les cinq seuls ministères composant l'administration publique de l'État belge de 1830.

5.1. Les principales missions étatiques

La première des missions d'origine régalienne consiste à assurer la sécurité. Cette sécurité est dite intérieure, via l'ordre public, et extérieure, via la protection contre les agresseurs potentiels situés en dehors des frontières étatiques. Assurer des missions de protection de la population sur son territoire est une prérogative de l'État. Elle implique de parer à toutes les menaces militaires et non militaires qui peuvent remettre en cause à la fois les valeurs centrales de la collectivité et son intégrité (physique). Cela suppose de prendre en considération : l'absence de conflit (armé) et de manière plus générale l'absence de guerre(s), l'éloignement des menaces (sanitaires comme une pandémie, alimentaires comme des pénuries, terroristes, etc.), la résistance à l'agression (défense militaire)...

Une deuxième mission traditionnelle de l'État est de garantir la Justice et de maintenir la cohésion sociale. L'État doit faire en sorte que la population, un de ses principaux éléments constitutifs, soit unie par le « vivre ensemble » et le « mieux vivre », qui constituent l'essence même du politique selon une des deux faces du dieu Janus (cf. chapitres Qu'est-ce que la science politique ? / Pouvoir). Il ne s'agit donc pas ici de garantir l'ordre public, au sens coercitif du terme, mais de créer et d'entretenir les liens entre les nationaux et les étrangers qui résident à l'intérieur des frontières étatiques, de préserver les liens avec les citoyens possédant la nationalité de l'État, mais vivant en-dehors de ses frontières, de façon à garantir la permanence et la vivacité de l'identité étatique et de la citoyenneté. Rendre Justice sur son territoire permet à l'État de contribuer à cette mission.

Depuis le XXe siècle, une troisième mission de l'État est de garantir les grands équilibres macro-économiques. On ne la qualifie pas de régalienne au sens historique du terme. De tout temps, le pouvoir politique a tenté d'exercer un monopole fiscal (lever l'impôt), de gérer les ressources de – et sur – son territoire, d'organiser les échanges de biens (et de services). Aujourd'hui, il s'agit plutôt de déterminer quelle doit/peut être l'intervention de l'État dans l'économie, au sens général. Selon les écoles de pensée, les décideurs et les groupes sociaux prôneront, accepteront, refuseront un rôle plus ou moins interventionniste de l'État. Schématiquement, donc incontestablement de façon réductrice, il est possible de résumer l'opposition des opinions sur les interventions étatiques de la façon suivante (cf. en outre chapitre Idéologies). Le *libéralisme* soutient une intervention faible de l'État dans l'économie. Dans ce contexte, les politiques publiques tendent à la libéralisation des secteurs économiques (par exemple, dans le secteur de l'énergie dans les années 2000 en Europe ou le secteur des transports ferroviaires dans certains pays comme le Royaume-Uni à l'époque contemporaine). Au contraire, le *socialisme* recommande un contrôle important de l'économie par l'État. Les politiques publiques de nationalisation, telles qu'expérimentées en France dans les années 1980, relèvent de cette logique. Le *communisme*, tel qu'appliqué dans l'Union soviétique après la Deuxième Guerre mondiale, mettait en œuvre un contrôle absolu de l'État sur l'économie (qualifiée de « planifiée »).

Il faut noter que ces trois grandes missions sont liées entre elles. Ainsi, une crise économique peut saper la cohésion sociale et menacer la sécurité intérieure. En effet, dans un contexte de récession économique ou d'inflation, de chômage accru, de pénurie, etc., la tentation peut être grande, au sein de la population, de s'en prendre à certains groupes (« boucs émissaires ») – telle ou telle communauté sur la base de différents marqueurs – géographiques, communautaires, sociaux, religieux... – comme, par exemple, les Italiens du Nord vs Italiens du Sud ou les Flamands vs Wallons en Belgique, les musulmans dans les pays majoritairement chrétiens, les catholiques en Irlande du Nord, les immigrés... – déclenchant des vagues de violence ou à tout le moins de contestation sapant la cohésion sociale, le bien-être des groupes stigmatisés, ainsi que la légitimité et l'efficacité de la gestion publique.

5.2. Les fonctions de l'État dans un contexte de mutation

L'État demeure le cadre premier d'organisation du pouvoir, mais il subit aujourd'hui de profondes mutations, notamment dans l'exercice de ses missions, que certains analystes qualifient même d'érosion. Si la notion même d'érosion de l'État peut prêter à controverse dans la littérature scientifique, retenons que la mutation du rôle étatique se réalise en tout cas dans trois directions : par le bas, par le haut et latéralement. La mise au défi de l'État par le bas s'exerce dans un contexte de compétences partagées avec des entités décentralisées, surtout si l'État est fédéralisé, car il perd alors une partie de ses attributs. Le changement par le haut s'inscrit dans une logique de constitution d'espaces transnationaux (comme, par exemple, l'Union européenne) et de mondialisation (principalement des flux économiques), par laquelle l'État perd aussi une partie de ses compétences. Enfin, latéralement, l'État se désengage parfois de secteurs d'intervention particuliers (par exemple la production économique, désormais largement du ressort du marché) ou d'autres secteurs de politique publique dans lesquels l'initiative est laissée à « la société civile », entraînant un processus de privatisation de l'action publique (nous y reviendrons ci-dessous).

ENCADRÉ N° 3.13 : L'INSTITUTIONNALISATION D'UN MONDE ÉTATIQUE ET GLOBALISÉ

Quelques chiffres permettent de cerner l'ampleur du phénomène étatique et de sa mutation au niveau international. Le nombre des États membres de l'ONU a ainsi quasiment quadruplé en 55 ans, passant de 51 États en 1945 à 193 États en 2014. Par ailleurs, le nombre d'organisations internationales est estimé à 350. Citons notamment l'OMC, la Banque mondiale et le FMI car ils comptent chacun quasiment autant d'États membres que l'ONU.

Nous passons en revue une série de fonctions étatiques, et leur évolution, afin d'en attester. Ainsi, la fonction de « battre monnaie » a historiquement symbolisé la centralisation étatique et dénote, aujourd'hui, son évolution. Au sein de l'Union européenne, 17 États membres – dits les États de la « zone euro » – ont abandonné leur monnaie nationale au profit de l'euro (€) mis en circulation le 1er janvier 2001. Ils remettent ainsi leur politique monétaire entièrement à une institution supra-étatique : la Banque centrale européenne (BCE). Mais d'autres États membres, comme le Royaume-Uni, refusent précisément de renoncer à l'exercice de leur souveraineté en la matière. Par ailleurs, sans nécessairement adopter une monnaie commune, des États peuvent lier le cours de leur monnaie nationale à celui d'une autre monnaie nationale, comme le dollar américain, et dès lors s'en remettre à la politique monétaire décidée dans un autre État. Par exemple, en 2000, l'Équateur est confronté à une inflation excessive (25 000 « sucres », nom donné à la monnaie nationale en hommage au héros des indépendances issues des guerres hispano-américaines Antonio José de Sucre, pour un dollar américain). Le Congrès équatorien décide alors la « dollarisation » de l'économie : le « sucre » est abandonné au profit du dollar comme monnaie officielle. En janvier 2007, le nouveau président Rafael Correa – malgré qu'il s'inscrive dans une politique ouvertement de gauche – ne remet pas en question la dollarisation de l'économie équatorienne par crainte de soubresauts négatifs. Le Salvador a adopté la même politique monétaire en 2001.

Deuxième illustration : si l'État conserve la fonction de lever l'impôt sur son territoire, dans le cadre d'un marché de plus en plus global, ce levier d'action relève de moins en moins de sa seule discrétion. Désormais, tout État est pris entre deux feux : s'il alourdit la charge fiscale des entreprises localisées sur son territoire, il réduit leur compétitivité à l'échelle mondiale et risque que celles-ci se délocalisent, entraînant des pertes d'emplois et des baisses de rentrées fiscales pour l'État ; s'il ne lève pas assez d'impôts, il peut manquer de ressources pour accomplir les missions qu'il peut juger importantes (sécurité intérieure et extérieure, protection sociale, développement d'infrastructures et de services collectifs comme les routes ou les transports en commun, etc.).

Troisième exemple : Entretenir l'armée apparaît également comme une fonction étatique qui a tendance à se modifier aujourd'hui. Au sortir de la Deuxième Guerre mondiale, dans un contexte de Guerre froide, les États occidentaux ont fait le choix d'intégrer leurs forces de défense dans une alliance qui a pris la forme de l'Organisation du Traité de l'Atlantique Nord (OTAN). Au sein de l'ONU, des « forces de maintien de la paix » – les « Casques bleus » – sont régulièrement déployées pour s'interposer entre les belligérants de certains conflits armés ou garantir un cessez-le-feu ou la mise en œuvre des dispositions d'un accord de paix. Ces forces armées sont composées à chaque fois, de façon ponctuelle, par des contingents militaires nationaux mis à disposition de l'ONU par les États qui acceptent de répondre aux sollicitations du Secrétaire général de l'ONU. Des exemples sont fournis par la MONUC (Mission de l'ONU en RD Congo) – devenue en 2010 MONUSCO (Mission de l'ONU pour la stabilisation de la RD Congo – déployée depuis 1999, ou de la FINUL (Force intérimaire des Nations unies au Liban), déployée depuis 1978 à la frontière entre le Liban et Israël. Depuis la deuxième moitié du XXe siècle, le rôle même de l'armée a évolué, incluant de plus en plus des missions à buts humanitaires, que ce soit à l'étranger, pour garantir l'acheminement de l'aide internationale dans un contexte de conflit armé, par exemple, ou sur le territoire national, par l'aide à la population en cas de catastrophe naturelle, par exemple.

Quatrièmement, la mission régalienne de l'État qui consiste à rendre la Justice sur son territoire connaît également des transformations. Une mutation de la souveraineté étatique se marque ici de plusieurs manières. Tout d'abord, les États souscrivent à des textes internationaux qui les lient : par exemple, au plan mondial, la Déclaration universelle des droits de l'Homme (proclamée par l'Assemblée générale des Nations Unies le 10 décembre 1948) ou les conventions de Genève relatives à la protection des victimes de conflits armés conclues en 1949 et au statut des réfugiés en 1951. Dans certains cas, ces règles ont vocation à être intégrées en droit interne et à déterminer la façon dont la Justice est rendue sur le territoire national. De plus, les États ont mis sur pied des cours et tribunaux européens et internationaux. Sous l'égide de l'ONU, une justice internationale est rendue par la Cour internationale de Justice (CIJ), à laquelle toutefois tout État est libre d'adhérer (par une déclaration de reconnaissance de sa compétence pour trancher les différends juridiques qui l'opposeraient à d'autres États). Par exemple, le Tribunal Pénal International (TPI) pour l'ex-Yougoslavie à La Haye a été chargé de rendre la Justice pour les crimes de guerre qui y furent commis entre 1991 et 1995. À l'échelle européenne, la Cour européenne des Droits de l'Homme (CEDH) peut être saisie, après épuisement des voies de recours juridictionnels internes, par toute personne qui se dit victime d'une violation d'une disposition de la Convention européenne des droits de l'Homme par un État membre du Conseil de l'Europe (organisation internationale dans l'orbite de laquelle la convention a été conclue, et la cour établie). Enfin, des États se dotent d'instruments pour rendre la Justice pour des crimes commis en dehors de leur territoire, même pour ceux ne concernant pas leurs propres ressortissants. Par exemple, la Belgique s'est dotée de la « loi de compétence universelle » (16 juin 1993 – modifiée le 10 février 1999) pour juger des crimes de guerre, des crimes contre l'humanité et des crimes de génocide. Cette loi a conduit, en 2001 et en 2005, aux procès de personnes complices du génocide au Rwanda en 1994. D'autres pays disposent d'une telle loi : l'Allemagne, le Canada et l'Espagne, par exemple.

Cinquièmement, mener une politique étrangère reste une fonction fondamentale de l'État s'il veut, soit jouer un rôle moteur sur l'échiquier international, soit bénéficier de la coopération d'autres États pour réaliser ses propres objectifs de politique publique, soit tout simplement pour éviter que d'autres États attaquent sa population ou envahissent son territoire. Aujourd'hui, il est difficile pour un État d'ignorer les résolutions d'instances mondiales comme le G8 dont les pays membres – les États-Unis, le Japon, l'Allemagne, le Royaume-Uni, la France, l'Italie, le Canada et la Russie – ou le G20 qui représente 85 % de l'économie mondiale et 66 % de la population mondiale, l'ONU, l'UE, l'OTAN, l'OMC sont des cadres institutionnels importants dans lesquels se définit en partie la politique étrangère d'un État. Au sein de l'Union européenne (UE), par le Traité de Maastricht de 1991, les États-membres ont accepté le principe d'une « politique étrangère et de sécurité commune » (PESC). Les États sont ainsi de plus en plus contraints de définir et de mettre en œuvre une politique étrangère concertée avec celle d'autres États. Toutefois, il est symptomatique de noter les difficultés d'une politique étrangère cohérente au niveau européen : c'est un domaine dans lequel les États, surtout les « grands États », ont tendance à préserver leur souveraineté.

ENCADRÉ N° 3.14 : ÉTATS « FAILLIS » OU « FRAGILES »

Depuis les années 1990, la littérature scientifique a eu recours à ces concepts pour désigner des pays où l'État échoue à assumer quotidiennement ses fonctions pour le bien-être de la population qui vit sur son territoire. Ne parvenant plus à garantir la sécurité et l'intégrité de ses citoyens, l'État place ces derniers dans une situation d'insécurité chronique et de sous-développement, par exemple en Somalie. Cet échec étatique est rarement imputable à une conjoncture très spécifique (par exemple, des élections truquées ou la crise financière mondiale en 2008). Il ne se limite pas à une question de ressources (cf. *infra* à propos de Tilly). Mais il est principalement lié à des problèmes structurels : par exemple, une décolonisation et un partage territorial bâclés comme en Afrique subsaharienne, l'effondrement de régimes autoritaires à la fin du xxᵉ siècle comme en RDC, la géographie du pays facilitant la militarisation et le repli de groupes terroristes (notamment après les attentats du 11 septembre 2001), comme en Afghanistan. À partir de ce dernier exemple, notons que le décodage de la réalité politique n'est pas exempt de subjectivité, voire d'idéologisation (cf. chapitre Idéologies). Ainsi, les notions d'État faible (« *weak State* », à ne pas confondre avec la notion d'État faible de Badie et Birnbaum (cf. encadré n° 3.7) – ou d'État effondré (« *collapsed State* »), telle qu'employée par des auteurs comme I. W. Zartman (1995), sont plus analytiques que celle d'État voyou (« *rogue State* ») qui a été utilisée par l'administration de Bill Clinton (président des États-Unis de 1993 à 2001), puis de George W. Bush (président des États-Unis de 2001 à 2009) pour désigner les activités de certains États jugées hostiles aux États-Unis et à l'Occident, de manière plus générale.

Concernant le thème spécifique des ressources nécessaires à l'exercice des fonctions étatiques, nous pouvons retenir, à la suite d'auteurs comme Charles Tilly (2007 ; 2008, avec Tarrow), que la science politique retient le concept de « capacités » pour désigner les ressources que l'État est capable de mobiliser (efficacement) au service de la définition et de la mise en œuvre des politiques publiques. Il n'existe pas de lien automatique entre État, démocratie et efficacité. Un État historiquement ancien peut posséder une longue tradition démocratique et se révéler néanmoins, au cours de son évolution, moins efficace à atteindre les objectifs de ses politiques publiques.

Enfin, la globalisation économique renvoie au fait que le marché, l'échange de biens et de capitaux, mais aussi de services et de personnes, puisse s'étendre à l'ensemble du globe et que « tout » soit susceptible d'être « marchandisé ». Les limites entre « public » et « privé », entre ce qui doit relever ou non de l'État, fluctuent. La période contemporaine est marquée par une tendance croissante à la délégation (« sous-traitance »/« décharge ») par l'État de missions/services « classiquement » assuré(e)s par les pouvoirs publics à des acteurs privés : il en est ainsi de la privatisation de missions militaires (cf. les compagnies privées américaines en Irak). Mais comme l'expose Béatrice Hibou (1999 : 41), « le processus de délégation de l'État au privé est un phénomène très ancien, qui n'apparaît aujourd'hui comme nouveau qu'en raison de l'adoption, dans les décennies récentes, de représentations normées (l'État légal-rationnel ; l'État-providence ; l'État développementaliste) (...) » et il faudrait voir correspondre le phénomène actuel de privatisation de l'État « moins à une baisse du public au profit du privé qu'à une nouvelle combinaison entre public et privé » (1999 : 67). Si l'on observe bien une désinstitutionnalisation de l'État, on n'assiste donc pas forcément à un affaiblissement de l'État, à moins de présupposer une substance propre à l'État qui l'assimilerait de manière univoque aux expériences modernes et contemporaines des xixᵉ et xxᵉ siècles.

Comme nous l'abordons dans le chapitre Idéologies (cf. encadré 6.5), la *mondialisation* renvoie, d'une part, à un processus objectif, matériel, historique, d'accroissement des capacités technologiques d'échanges, d'interconnexions... au niveau mondial ; mais cette mondialisation, entendue au sens anglo-saxon de *globalisation*, relève également d'une terminologie idéologique (néo-libérale) présentant comme inéluctables les choix (pourtant subjectifs) d'économie néo-libérale (notamment le libre-échange) en raison de l'opportunité objective fournie par la mondialisation en termes matériels et technologiques.

6 | Les jeux d'échelles

Au vrai, la réalité politique s'exprime, et le jeu politique entre les acteurs se noue, à plusieurs échelons de pouvoir qui interagissent. La notion de jeux d'échelles permet de rendre compte d'une évolution dans la perception des problèmes publics dont l'espace légitime de résolution ne semble plus adapté à leur envergure. En conséquence, il faut recomposer les niveaux d'action publique (Négrier, 2007). Il peut s'agir d'un changement d'échelon : une compétence est exercée à un niveau de pouvoir (par exemple, régional) plutôt qu'à un autre (par exemple, national). Plus fondamentalement, il peut s'agir d'un changement d'échelle en tant que tel, impliquant un changement paradigmatique (cf. chapitre Qu'est-ce que la science politique ?) de la politique publique concernée, c'est-à-dire une redéfinition du problème public lui-même et des objectifs de celle-ci. Par exemple, dans le secteur de la téléphonie mobile, un changement d'échelle implique le basculement de la définition du problème qui passe de l'établissement d'une norme de produit de télécommunications, à une protection en matière de santé publique, voire à la lutte plus générale contre une atteinte à l'environnement.

David Held (2007), dans sa réflexion sur le pouvoir politique du temps présent, s'est penché sur la recomposition de l'action étatique observable en cours. Ainsi, il étudie les défis que doit relever l'État à l'heure de la mondialisation. À l'époque de gloire des États-Nations (que nous avons défini au début de ce chapitre), il paraissait évident qu'il y avait un lien étroit entre la géographie d'un pays, le pouvoir politique qui y développe sa souveraineté, la reconnaissance d'une citoyenneté pour la population qui y réside, voire le développement de la démocratie (cf. le processus historique d'institutionnalisation de l'État et l'instauration progressive de la démocratie en Occident).

Avec la mondialisation, les liens entre ces éléments ne sont plus automatiques. La mouvance des frontières que nous avons décrite précédemment a une conséquence majeure : la relation entre pouvoir politique et citoyens n'est plus limitée à un territoire clairement circonscrit. Qui plus est, des problèmes majeurs pour l'avenir de l'Humanité ne sont plus gérables à l'échelle d'un seul État : le réchauffement climatique, la gestion de la diffusion de la technologie nucléaire civile et ses possibles implications en termes de prolifération nucléaire militaire (en Corée du Nord ou en Iran, par exemple), etc.

Pour faire face à de tels défis, Held propose d'établir un « programme de sécurité humaine » ou un « nouveau contrat mondial » reposant sur une « conception cosmopolite de la citoyenneté ». Cela ne signifie pas pour lui qu'il faut diminuer le pouvoir et les moyens des États. Il faut les rendre complémentaires avec des niveaux de pouvoir politique régional et mondial. Les États-Nations conservent donc leur sens, mais les politiques doivent être définies – et les décisions adoptées – à plusieurs niveaux : villes, nations, régions et réseaux mondiaux.

Questions

1) Quels sont les principaux éléments de la définition de l'État selon Max Weber ? Pouvez-vous la comparer à celle de Fleiner-Gester ? Pouvez-vous préciser les qualificatifs employés en fonction de la caractéristique étatique mise en évidence (par exemple État « failli » ou État « de droit ») ?

2) Pouvez-vous expliquer de façon précise en quoi consistent les critères constitutifs de l'État ?

3) Comment, chronologiquement et institutionnellement, caractériser l'évolution de l'État ?

4) Quelles relations existent entre la guerre et l'émergence de l'État ?

5) En quoi consistent les pressions par le bas et par le haut auxquelles est soumis l'État contemporain ?

Bibliographie

RÉFÉRENCES DE BASE

- Badie B., Birnbaum P. (1983), *Sociologie de l'État*, Paris, Hachette.
- Braud Ph. (2004), *Penser l'État*, Paris, Seuil.
- Fleiner-Gester Th. (1986), *Théorie générale de l'État*, Paris, PUF.
- Tilly Ch. (1992/1990), *Contrainte et capital dans la formation de l'Europe. 990-1990*, Paris, Aubier Montaigne.
- Weber M. (1995/1922), *Économie et Société, Tome 1 : Les catégories de la sociologie*, Paris, Pocket, coll. « Agora ».

POUR ALLER PLUS LOIN

- Birnbaum P. (1985), « L'action de l'État, différenciation et dédifférenciation », *in* Grawitz, M., Leca J. (1985), *Traité de science politique, Tome 3 : L'action politique* Paris, PUF, pp. 643-682.
- Chevallier J. (2008), *L'État post-moderne*, Paris, LGDJ.
- Gaulme Fr. (2011), « "États faillis", "États fragiles" : concepts jumelés d'une nouvelle réflexion mondiale », *Politique étrangère*, Printemps, vol. 76, n° 1, pp. 17-29.
- Held D. (2007), « De l'urgente nécessité de réformer la gouvernance globale », *Recherches sociologiques et anthropologiques*, vol. 38, n° 1, pp. 65-88.
- Paye O. (2004), *Que reste-t-il de l'État ? Érosion ou renaissance*, Louvain-la-Neuve, Academia-Bruylant.

LE SYSTÈME POLITIQUE

Sommaire

Résumé

Plusieurs concepts de base de la science politique ont connu leur expression la plus aboutie dans le cadre de l'étude des systèmes : fonctions d'entrées et de sorties (inputs, outputs), feed-back (boucle de rétroaction), adaptation et intégration, fonctions manifestes et latentes, agrégation et articulation des intérêts, etc. Une vision systémique de la politique réfère à une manière précise de saisir la vie politique dans sa globalité. Une telle approche procède de deux postulats simples : 1° l'univers politique est constitué de différents systèmes. Par exemple, le Parlement, l'État ou l'Union européenne sont, en vertu de la façon dont ils fonctionnent, des systèmes ; 2° l'existence et le fonctionnement de chaque système dépendent des interactions entre ses composantes, d'une part, et des rapports qu'il entretient avec son environnement, d'autre part.

L'objet de l'analyse des systèmes est de proposer une grille de lecture abstraite qui se concentre tant sur les fonctions des systèmes que sur les mécanismes qui en assurent à la fois la stabilité et le changement. Bien qu'utilisé de manière variée, le concept de « système » est maintenant entré dans le langage courant. Parce que les outils développés par l'étude des systèmes impactent encore notre manière d'appréhender certains phénomènes politiques majeurs (exemples : intégration politique, crises et révolutions, évolution des relations internationales, etc.), ce chapitre s'attache à en comprendre la signification et la portée analytique, en parcourant les auteurs classiques qui ont tenté d'en comprendre les composantes, fonctions et usages.

Ce chapitre situera, dans un premier temps, le système politique par rapport à l'une de ses expressions les plus discutées, c'est-à-dire le fonctionnalisme. Dans un deuxième temps, il présentera quatre modèles d'analyse du système politique : ceux d'Almond et Coleman, d'Easton, de Parsons et de Lapierre. Enfin, le chapitre se termine par la crise du système politique, en lien, parfois, avec le phénomène révolutionnaire.

1 | Le soubassement des modèles fonctionnalistes

Cette section présente l'évolution du fonctionnalisme comme arrière-fond de l'analyse systémique. En particulier, elle commence par situer le fonctionnalisme dans les travaux ethnographiques du XIXᵉ siècle (1.1.), avant de présenter les deux grandes « écoles » qui en ont influencé le développement (1.2.). C'est aussi à ce niveau que sera étudiée la manière dont les concepts propres au fonctionnalisme ont percolé dans l'analyse du système politique.

1.1. Évolution du fonctionnalisme et concepts clés

L'approche fonctionnaliste interroge en son cœur la fonctionnalité du pouvoir politique. À son niveau le plus général, la fonction du politique est la survie d'un groupe humain formant une communauté politique (distincte d'autres communautés politiques) (Baechler, 1996). « L'exercice de la fonction politique », écrit Burdeau (1966 : 119), « est la condition fondamentale de la survie de la société. » Il peut s'agir de survie contre des menaces externes au groupe et/ou de menaces internes à celui-ci. Dans ce dernier cas, le politique a pour fonction de réguler les tensions et l'instabilité (cf. chapitre Clivages) afin d'éviter le désordre au sein du groupe, voire la dissolution du groupe. On verra plus loin, avec Durkheim, qu'à ce titre, le politique exerce une fonction de cohésion sociale. On peut, dans un deuxième temps, distinguer des fonctions plus « opérationnelles », c'est-à-dire exprimant de manière plus précise comment cette fonction générale de survie opère. Comme on le verra, pour Talcott Parsons, le politique a pour fonction spécifique la réalisation de buts collectifs. David Easton est encore plus précis en y voyant l'instance de transformations des demandes émanant de la société en décisions collectives/politiques. On peut également faire le lien avec Marx (cf. chapitre Idéologies), pour qui le politique (la superstructure) a pour fonction de maintenir et de reproduire l'infrastructure économique de domination d'une classe sociale (la bourgeoisie capitaliste) sur une autre (le prolétariat) via un appareil idéologique de justification de l'ordre social existant véhiculé par l'éducation, la religion…

Au cœur de l'approche du système politique figurent ainsi les notions de fonction et de fonctionnalité, reposant sur le paradigme qui en tire son nom : le fonctionnalisme.

Bien qu'il ait été supplanté depuis par le néo-fonctionnalisme, ce qui est aujourd'hui analysé sous le terme général de « système politique » doit, en réalité, être compris dans le cadre général du fonctionnalisme développé dans les années 1950 (Alexander et Colomy, 1990). Les ramifications historiques sont nombreuses et les auteurs ne sont pas tous d'accord sur le parcours exact du fonctionnalisme avant qu'il ne devienne une composante de la science politique (Buckley, 1968). Mais il existe un relatif consensus sur le fait que le fonctionnalisme est devenu une approche centrale des sciences sociales à partir du milieu des années 1940. Au point que, selon Martindale (1965 : IX), « la plupart des débats théoriques et méthodologiques des sciences sociales après la Seconde Guerre mondiale avait pour centre de gravité le fonctionnalisme et la quête d'alternatives au fonctionnalisme ». Si Talcott Parsons (1951, 1961) a joué un rôle exemplaire de courroie de transmission entre la sociologie et la science politique, on peut localiser les premiers travaux de nature véritablement fonctionnaliste chez les anthropologues Bronislaw Malinowski (1922) et A. R. Radcliffe-Brown (1922). L'objet de leurs recherches, durant les années 1920, consistait à analyser la vie menée par des tribus vivant dans deux îles du Pacifique, Trobriand et Andaman. Au lieu d'examiner l'origine et l'évolution des normes, institutions et pratiques sociales de ces tribus, Malinowski et Radcliffe-Brown se sont intéressés à leurs fonctions au sein de l'ensemble social. Car pour les deux anthropologues, comprendre une société, c'est débusquer d'abord les interactions entre différents éléments d'un ensemble et, dans un second temps, mettre en exergue les mécanismes à travers lesquels les finalités sociales que se fixe un groupe sont accomplies (Sztompka, 1974 : 35). On voit donc que le fonctionnalisme s'est développé contre un certain type d'études historiques des sociétés.

On peut dire d'une manière plus précise que, au cours du XIXᵉ siècle en particulier, les anthropologues avaient tendance à examiner les sociétés, sur le mode ethnographique, sous le seul prisme historique. Deux récits ont dominé les discussions : d'une part, le modèle évolutionniste et, d'autre part, le modèle diffusionniste (cf. les encadrés ci-dessous). Or comprendre les sociétés sans tradition écrite à travers la narration qu'ils font de leur histoire pose de nombreux problèmes de validité scientifique. Par conséquent, au lieu de chercher à comprendre d'où viennent les coutumes, les rites et les pratiques d'une société, par exemple, il vaut mieux se demander à quoi celles-ci servent précisément. Le point décisif de cette approche est la constatation selon laquelle « le concept de fonction (...) est une "hypothèse de travail" à travers laquelle un certain nombre de problèmes sont formulés aux fins d'analyse (...). L'hypothèse ne requiert pas une affirmation dogmatique que chaque chose dans la vie de chaque communauté a une fonction. Elle exige simplement la présupposition qu'elle pourrait en avoir, et qu'il est justifié de chercher à la découvrir » (Radcliffe-Brown, 1952 : 154 ; traduction des auteurs). Il en résulte une méthode particulière commandée par la recherche de ces fonctions. On rejoint ici le cadre d'étude fonctionnaliste proposé par Carl Hempel (1959 : 301), aux termes duquel, pour comprendre un phénomène social, il s'agit de suivre les règles suivantes : (i) le situer dans son contexte social ou culturel ; (ii) privilégier les conséquences objectives aux raisons données par les acteurs ; (iii) de la même façon, donner autant d'importance aux conséquences positives et négatives d'une institution sur l'ensemble social ; (iv) chercher les composantes structurelles susceptibles de remplir des fonctions similaires dans un milieu social ou culturel ; (v) identifier la configuration sociale qui garantit la survie du système social.

Sans doute, une insatisfaction sous-tend également l'adoption du fonctionnalisme par la science politique. Pendant longtemps, en effet, la science politique s'est essentiellement attelée à l'étude des institutions formelles (surtout l'État) et l'évaluation, souvent sous l'angle éthique, des buts poursuivis par ces dernières. L'appareil conceptuel développé par le fonctionnalisme a ainsi présenté pour la science politique un triple avantage. Primo, il lui permettait de décentrer les considérations d'ordre éthique (« ce qui devrait être ») et d'accorder davantage d'importance à ce qui se passe « réellement ». Secundo, le fonctionnalisme, en insistant autant sur les institutions formelles qu'informelles, encourageait la science politique à prêter une plus grande attention à ce qui fait qu'un ensemble fonctionne, quel que soit par ailleurs son degré d'institutionnalisation. Tertio, après les indépendances des anciennes colonies, l'existence de nouveaux États rendait la comparaison entre les sociétés nécessaire – tâche qui supposait des instruments transcendant les trajectoires singulières des sociétés mises en comparaison – ce que le fonctionnalisme, au fond, se proposait de livrer (Almond, Coleman, 1960).

Le fonctionnalisme repose sur une conception holiste de la société. En d'autres termes, le système social est un tout, dont l'existence et la survie dépendent des relations entre le tout et les parties, d'une part, et, d'autre part, de la manière dont les éléments internes interagissent (fonctionnent entre eux). Un système social comprend généralement plusieurs sous-systèmes qui en forment les parties. Et chaque sous-système assure l'existence du système dans sa globalité, le déficit de l'un étant compensé immédiatement par l'activité de l'autre. En ce sens, le système parvient à se maintenir en dépit des mouvements qui le traversent. Pour qualifier cette aptitude du système à préserver son état, on utilise deux notions : l'équilibre et l'homéostasie (Bailey, 2001 : 390) (cf. *infra*). Le rapport à l'environnement permet quant à lui de distinguer deux types de système : ouvert et fermé. Un système social sera dit ouvert s'il est en dialogue constant avec son environnement ; *a contrario*, il est dit fermé, s'il est imperméable aux influences qui émanent de son environnement. Ce qui veut aussi dire qu'il n'affecte pas non plus son environnement externe. Au vrai, les chercheurs fonctionnalistes souscrivent à une conception ouverte du système social.

1.2. Les courants fonctionnalistes et l'analyse des systèmes

Les notions d'équilibre et d'homéostasie renvoient, respectivement, à deux courants qui ont influencé, à des degrés divers certes, la tradition fonctionnaliste : la vision organiciste et l'approche mécanique des systèmes (Buckley, 1967).

Le *modèle mécanique*. C'est chez Vilfredo Pareto (1916) que l'on retrouve, pour la première fois, l'idée que la société peut être analysée comme un système mécanique, doté de propriétés d'auto-régulation qui en favorisent l'équilibre interne. Plus tard, cette idée sera reprise par Talcott Parsons. Au vrai, cependant, le modèle mécanique est tributaire de plusieurs changements convergents dans les domaines des sciences physiques, mathématiques et mécaniques, au cours des XVIIe et XVIIIe siècles. L'idée, en gros, était de passer d'une conception mystique des individus et de la société à une approche scientifique. Le modèle le plus abouti de cette période est celui de la « physique sociale » : les individus, comme la société, sont organisés et fonctionnent suivant des principes similaires, en leur logique, de ceux qui gouvernent les machines. Les lois de la mécanique et de la physique peuvent donc permettre de mieux comprendre comment les membres d'une société sont reliés les uns aux autres et la manière dont, en somme, la société évolue au quotidien. La société a pu ainsi être conçue comme un « système astronomique », les interactions entre individus obéissant, à ce titre, à des lois d'attraction et de répulsion, celles-là mêmes qui dominent la vie de l'univers. Il en résulte, en sciences sociales, une recherche des lois qui déterminent la cohésion et la désintégration sociales (Sorokin, 1928).

ENCADRÉ N° 4.1 : VILFREDO PARETO

Né à Paris, Pareto (1848-1923) était à la fois économiste et sociologue. Mais on oublie souvent qu'il a aussi été ingénieur pour une compagnie ferroviaire italienne et que c'est grâce à un héritage qu'il a pu se consacrer à ses travaux. Il a enseigné à Lausanne. Pareto a été le premier à employer le concept d'« élite » pour désigner la minorité qui gouverne la majorité. Ce terme a ensuite été repris par Mills (cf. chapitre Pouvoir). De plus, on lui fait crédit d'avoir influencé l'analyse des systèmes politiques faite par Talcott Parsons, notamment à travers le concept d'équilibre.

Le *modèle organiciste*. L'interdépendance entre les parties d'un ensemble social donné rapproche ce modèle de la vision mécanique. Mais les deux approches utilisent des supports disciplinaires distincts, lesquels influencent également leur vision de la société. En effet, alors que, on l'a évoqué, le modèle mécanique dépendait des développements théoriques des mathématiques et de la physique essentiellement, l'approche organiciste procède des travaux menés en biologie. De plus, la conception mécaniciste aborde la société comme le produit d'une activité humaine, une machine complexe créée par les individus en vue de réaliser certains objectifs. En revanche, selon l'approche organiciste, la société est un phénomène naturel dont les éléments doivent leur structuration aux principes de l'évolution. Si Ludwig von Bertalanffy est bien le précurseur de l'approche organiciste, c'est à Herbert Spencer (1897) que l'on doit les travaux les plus représentatifs de cette école en sociologie. Les composantes sociales sont articulées les unes aux autres à l'image de ce qui se passe dans l'organisme. Mais derrière la description organiciste de la vie sociale, on décèle une approche normative de la société. Car, excepté le cas de cellules malades, il est généralement admis que les parties de l'organisme coopèrent les unes avec les autres et contribuent, ainsi, à sa vie. Et Spencer (1897 : 592 ; traduction des auteurs) de déclarer : « toutes les créatures sociales sont semblables dans la mesure où chacune exprime une coopération entre ses éléments constitutifs pour le bénéfice du tout ; et cette caractéristique, commune à toutes, est un trait des sociétés. De plus, entre les organismes individuels, le degré de coopération mesure le degré d'évolution ; et cette vérité générale est aussi valable pour les organismes sociaux ». En ce sens, les parties de la société concourent à assurer sa pérennité.

Durkheim (1973/1893) distingue mécanicisme et organicisme en distinguant les sociétés « peu diversifiées » des sociétés « diversifiées » ou « complexes ». Dans les premières, la division du travail social est faible, c'est-à-dire que les individus sont « interchangeables » (chaque membre du groupe est à la fois chasseur-cueilleur, soldat...) et peuvent être « remplacés » comme des pièces de rechange (d'où la notion de solidarité *mécanique*). Dans ces sociétés, le politique tend à se confondre avec les autres domaines (le religieux...). À l'inverse, dans les sociétés « complexes », la division du travail social est forte, c'est-à-dire que chaque individu exerce une fonction spécifique (les membres du groupe exercent différents métiers – agriculteurs, militaires... – de manière non interchangeable), tel un organe dans un corps, d'où la notion de solidarité *organique*. Ici, le politique a pour fonction spécifique de faire fonctionner les différentes « parties » pour assurer la survie du tout – une fonction de cohésion sociale.

ENCADRÉ N° 4.2 : COMPARAISON ENTRE SOCIÉTÉS COMPLEXES/DIVERSIFIÉES ET SOCIÉTÉS PEU DIVERSIFIÉES SELON ÉMILE DURKHEIM

Sociétés peu diversifiées	Sociétés diversifiées / complexes
division du travail sociale *faible*	division du travail sociale *forte*
solidarité *mécanique*	solidarité *organique*
le politique se confond avec d'autres domaines (le militaire, l'économique, le religieux ...)	autonomisation / spécialisation du politique : celui-ci remplit une fonction intégrative de l'ensemble des autres domaines en vue d'assurer la cohésion sociale, notamment via l'édiction de règles communes régissant le vivre ensemble

Source : élaboration des auteurs.

Le lien entre organicisme et système social est établi par Parsons, qui utilise l'analogie organiciste pour mettre en place le principe d'équilibre du système social, lequel dépend de la capacité de ce dernier à amortir les pressions internes et externes. De là le concept d'homéostasie (cf. *infra*), emprunté à la biologie animale. Si cette fonction d'homéostasie devait faire défaut, le système se désintégrerait immanquablement. De son côté, David Easton (1965 : 15 ; traduction des auteurs) s'inspire de l'analogie organiciste pour formuler ses questions de recherche : « comment un système politique peut-il persévérer, en dépit du fait que le monde (extérieur) soit marqué par le changement ou la stabilité ? Ce qui est comparable aux questions que l'on peut se poser dans le domaine de la vie biologique : comment les êtres humains arrivent-ils à vivre ? Ou, en l'espèce, quels processus faut-il sauvegarder pour qu'une vie perdure, surtout dans des circonstances extrêmement hostiles secrétées par l'environnement ? ».

ENCADRÉ N° 4.3 : ÉQUILIBRE ET HOMÉOSTASIE

Équilibre

Dans le fonctionnalisme, l'équilibre renvoie à un état du système caractérisé par une neutralisation des tendances perturbatrices émanant soit de l'environnement soit de l'intérieur. Toutefois, cette notion a une valeur d'ordre heuristique, c'est-à-dire qu'elle permet de comprendre les conditions dans lesquelles un système peut survivre, en dépit de différentes sources de stress. Enfin, l'équilibre est aussi une manière pour les fonctionnalistes de dire « ordre » ou « stabilité ». Parsons en a fait un concept central de son modèle d'analyse.

Homéostasie

Au sens strict, c'est une capacité propre aux êtres vivants. Par ce mécanisme, les organismes vivants ajustent automatiquement leur température interne afin de répondre aux changements extérieurs. La connotation biologique suppose une capacité d'autorégulation des systèmes sociaux, lesquels tendraient naturellement vers la stabilité. Or les sociétés, on le sait, sont loin de toujours répondre au principe d'homéostasie, ce qui explique le discrédit qui a désormais enveloppé cette notion.

Les éléments essentiels de l'analyse du système social sont donc à présent posés : système, structure, relations entre les parties, environnement, équilibre et/ou homéostasie. De manière synthétique, un système social consiste en :

- une totalité sociale en interaction avec son environnement,
- des éléments constitutifs reliés les uns aux autres,
- des structures qui assurent des fonctions.

ENCADRÉ N° 4.4 : LUDWIG VON BERTALANFFY

Pour Bertalanffy (1901-1972), Autrichien de naissance, les systèmes sont des phénomènes présents partout, dans la vie sociale ou naturelle, les objets animés ou inanimés. De là découle la nécessité de développer des outils susceptibles d'en comprendre les rouages, quel que soit le domaine dans lequel ils se manifestent. En 1954, Bertalanffy a co-fondé (avec Kenneth Boulding et Anatol Rapoport) la Société pour l'étude des systèmes généraux – écho à son propre livre phare : *Théorie générale des systèmes* (1968). Question toujours sujette à controverse, Bertalanffy prétendait que sa théorie était, même sur un mode mineur, antérieure à la cybernétique de Norbert Wiener, une théorie de nature systémique selon laquelle ce qui circule entre les acteurs, d'une part, et les systèmes, d'autre part, c'est l'information.

Cette définition, qu'il faut avant tout considérer comme une base de travail, sera enrichie et subira diverses inflexions, à mesure que nous progresserons dans ce chapitre. Dans les sections suivantes, quatre modèles classiques d'analyse des systèmes politiques seront présentés. L'ordre des sections 2 à 5 est chronologique. Une telle progression est censée permettre de tracer les emprunts, les continuités et les ruptures dans l'étude des systèmes politiques. En fin de parcours, un résumé général viendra synthétiser les acquis ainsi engrangés.

ENCADRÉ N° 4.5 : L'UNION EUROPÉENNE COMME SYSTÈME POLITIQUE

Selon Simon Hix (2005 : 2-13), l'Union européenne peut être analysée comme un système politique pour au moins quatre raisons. Premièrement, il existe en son sein des institutions en interaction qui en assurent le fonctionnement quotidien. Deuxièmement, les citoyens peuvent formuler des demandes à l'adresse de ces institutions, à travers notamment les partis politiques et différents groupes d'intérêt. Troisièmement, les décisions prises par ces institutions ont un impact sur l'ensemble du système européen. Enfin, il y a des phénomènes de rétroaction (*feed-back*) entre les décisions émises et les nouvelles demandes adressées au système.

---

2 | Identifier les fonctions des structures : Talcott Parsons

Le modèle de Talcott Parsons est dit « structuro-fonctionnaliste » parce qu'il combine l'importance des références structurelles et fonctionnelles dans l'analyse des systèmes politiques (1961). En sus de cette première exigence méthodologique, Parsons en propose deux autres : un modèle d'analyse dynamique et la prise en compte des relations de contrôle hiérarchique. Cette section commencera donc par la présentation de ces trois postulats méthodologiques. Ensuite, il s'agira d'insister sur le premier, sans perdre de vue les deux autres, puisque c'est autour de lui que se développe, pour l'essentiel, le modèle de Parsons. On y discutera des fonctions que remplit un système politique (2.1.). Après quoi, il sera possible de s'interroger sur la spécificité du système politique par rapport aux autres (notamment le système économique) (2.2.). La dernière partie de cette section sera consacrée à une esquisse des conditions du changement systémique chez Parsons (2.3.).

ENCADRÉ N° 4.6 : TALCOTT PARSONS

Parsons (1902-1979) était un sociologue, chef de file du fonctionnalisme américain. Il a étudié à Amherst College, à la *London School of Economics* et à Heidelberg. Sa vision des systèmes politiques insiste sur le fait que l'ordre social dépend du consensus autour de certaines valeurs. Cette manière de concevoir l'ordre social l'a poussé à proposer deux types de pouvoir : distributif et collectif. Le premier étant à sommes nulles, le second à gains relatifs. Il a été impliqué dans une controverse avec Mills qui, disait-il, privilégiait l'approche distributive du pouvoir au détriment d'une vision collective, consensuelle. On se souvient que cette approche consensuelle avait également été adoptée par Arendt (cf. chapitre Pouvoir).

Commençons donc par les postulats méthodologiques. Il ne faut pas confondre, dit Parsons, intuition théorique et réalité empirique. En théorie, en effet, on peut imaginer un système fermé ; dans la réalité, cependant, le système politique est ouvert, en interaction avec son environnement, lequel est constitué d'autres systèmes qui, eux-mêmes, sont ouverts. Mais la notion de système implique aussi, simultanément, que l'on puisse distinguer un système des autres ; autrement dit, qu'il y ait des limites externes qui le marquent en tant que système. Au vrai, ce sont les structures et les processus internes, suffisamment stabilisés, qui donnent au système sa configuration et le distinguent des autres systèmes. De plus, Parsons suggère que l'examen des systèmes politiques doit se fonder sur trois bases interdépendantes, qui sont chacune un modèle d'analyse particulier : un modèle d'analyse structurel et fonctionnel, un modèle d'investigation dynamique et un modèle d'étude des relations de contrôle hiérarchique – les systèmes variant eu égard à ces trois axes.

Le modèle d'analyse structurel et fonctionnel. Lorsque l'on a affaire à un ensemble d'éléments interdépendants qui forment un schème relativement stable à travers le temps, il est possible de parler d'une structure. La structure renvoie à ces éléments du système qui, mieux que d'autres, résistent aux variations impulsées par l'environnement. Contrairement à la composante structurelle du système qui tend vers la stabilité, la référence fonctionnelle a un caractère plus dynamique : elle assure la médiation entre les contraintes structurelles et les demandes venant de l'environnement. En ce sens, la référence fonctionnelle vise à circonscrire les mécanismes qui assurent une réponse plus ou moins ordonnée aux conditions de l'environnement (Parsons, 1961 : 37).

Le modèle d'analyse dynamique. Comme on l'a pressenti avec les références structurelles et fonctionnelles, le système politique est tiraillé en permanence entre le maintien et le changement. C'est pourquoi l'analyse doit s'attacher à élucider les performances relatives des systèmes politiques sous l'effet de deux forces opposées : la tendance à l'équilibre et la pression de la transformation. L'équilibre est « un point de référence fondamental pour analyser les processus à travers lesquels soit le système surmonte les demandes imposées par un environnement changeant, sans altérer de manière essentielle sa structure, soit le système échoue à venir à bout des exigences environnementales et subit d'autres processus, tels que le changement structurel, la dissolution (...) ou la consolidation de certaines déviations menant à l'établissement de structures secondaires à caractère "pathologique" » (Parsons, 1961 : 36-37 ; traduction des auteurs). Ici, le risque est de traiter l'équilibre comme l'état optimal, normativement désirable du système politique, ce qui serait erroné. Car Parsons suggère également que le déséquilibre peut conduire à des transformations vertueuses du système politique. L'équilibre est donc ici un point de référence abstrait. C'est peut-être pourquoi, Parsons, contrairement aux économistes, n'a jamais traduit son modèle en formulations mathématiques visant à déterminer très précisément les conditions d'équilibre du système. En sens inverse, en quelque sorte, les processus de changement du système réfèrent, surtout, aux relations entre le système politique et le système culturel, bien qu'il y ait des répercussions sur les relations entre le système politique et les autres systèmes constitutifs de son environnement.

Le modèle d'étude des relations de contrôle hiérarchique. La société est constituée de plusieurs sous-systèmes, sur lesquels elle exerce un contrôle hiérarchique. Plus spécifiquement, le système social contrôle, par exemple, la personnalité des individus, notamment par le filtrage de l'accès aux ressources ou des processus de socialisation. On se trouve alors proche de l'*habitus* bourdieusien (cf. chapitre Pouvoir), puisque le système produit une contrainte sur les individus à la faveur de l'intériorisation des « systèmes d'objets sociaux et des schèmes institutionnalisés de cultures » (Parsons, 1961 : 38 ; traduction des auteurs).

2.1. Les fonctions du système politique

C'est sur ce fond méthodologique que Parsons dégage les fonctions des systèmes politiques. Si les bases méthodologiques permettent de comparer la vie des systèmes, les fonctions ouvrent l'analyse aux traits communs des systèmes politiques. Ainsi, tout système d'action assure les quatre fonctions suivantes : le maintien du modèle (*Latent pattern-maintenance*), la réalisation de buts (*Goal-attainment*), l'adaptation (*Adaptation*) et l'intégration (*Integration*), formant le système « AGIL » (sur la base de la première lettre de la dénomination de chaque fonction). Pour le fonctionnalisme, chaque fonction est prise en charge par une structure, laquelle constitue la maille d'un système particulier : culturel, politique, économique et intégratif. Enfin, à chaque système correspond un médium, autrement dit un intermédiaire qui assure les échanges entre les composantes du système, d'une part, et, d'autre part, entre le système et son environnement.

On verra dans le chapitre clivages comment ce modèle (AGIL) opère et permet de comprendre les dynamiques qui sous-tendent une société donnée. Ici, il s'agit d'examiner les contenus des différents « impératifs fonctionnels » et la manière dont les structures qui en ont la charge et la sauvegarde en assurent le déploiement (Parsons, 1961 : 38-40).

Le maintien du modèle (Latent pattern-maintenance). Cette fonction renvoie à la capacité à assurer la stabilité des schèmes culturels institutionnalisés. En d'autres termes, il s'agit de « la fonction essentielle du maintien, au niveau culturel, de la stabilité des valeurs institutionnalisées à travers des processus qui articulent ces dernières au système de croyances, c'est-à-dire aux croyances religieuses, à l'idéologie, et à d'autres éléments de nature similaire » (Parsons, 1961 : 38 ; traduction des auteurs). Elle relève des structures culturelles. Et pour comprendre la vie d'un système culturel, il faut identifier les mécanismes qui protègent les valeurs institutionnalisées, face aux attaques de l'environnement. Un des mécanismes sociaux qui permet le maintien du modèle est la socialisation des individus. Entendue comme le processus à travers lequel l'individu assimile les valeurs de la société, la socialisation apparaît ainsi comme un « engagement motivé » à s'ajuster aux valeurs du système culturel et à éviter d'y introduire de la tension (Parsons, 1961 : 40).

La réalisation des buts (Goal-attainment). Littéralement, elle consiste, pour le système, à produire les objectifs qui sont les siens, c'est-à-dire les objectifs vers lesquels il est censé tendre. Il y a une relation vitale entre cette fonction et le système dans la mesure où un système qui ne réalise pas ses objectifs voit son utilité se déliter. De plus, la réalisation des objectifs réduit la tension entre les exigences de l'environnement et les besoins du système, grâce, sinon au maintien, à un retour à l'équilibre du système. Mais le système est rarement centré autour de la réalisation d'un objectif unique. Au vrai, les systèmes sont appelés à remplir plusieurs buts. Par conséquent, ils doivent filtrer et hiérarchiser les demandes et les objectifs. D'où l'émergence d'acteurs et de structures au service d'objectifs spécialisés. De là sans doute la nécessité de penser la réalisation des buts comme une fonction généralement assurée par la structure politique.

L'adaptation (Adaptation). Elle se situe relativement à la réalisation des objectifs. Plus qu'une fonction, c'est un problème. En effet, pour réaliser des objectifs, le système développe des structures. Mais de nombreuses structures peuvent être porteuses de plusieurs fonctions. La conséquence de ce multi-usage c'est qu'une structure ne sera plus jugée uniquement sur sa capacité à réaliser un objectif déterminé ; bien plutôt, elle sera simplement appréciée à sa qualité d'adaptation au service de différents usages. En ce sens, la fonction d'adaptation du système consiste à libérer de telles structures dotées de la capacité à répondre à des usages diversifiés, en fonction des demandes adressées au système. Si elle peut s'adapter, c'est qu'elle est apte à ajuster les moyens en vue d'une fin. L'efficacité de la fonction d'adaptation se mesure tout particulièrement dans le domaine économique.

L'intégration (Integration). La diversité des systèmes ou, si l'on se place du point de vue de la totalité sociale, des sous-systèmes, est indissociable de la question de son intégration. Mais le bénéfice de l'intégration n'est pas réservé aux sous-systèmes ; de fait, l'intégration concerne d'abord la manière dont la mise en harmonie des sous-systèmes peut contribuer à l'opération maximale du système total. Dans les sociétés différenciées, la fonction intégrative est souvent logée dans les règles formelles, lesquelles distribuent les rôles et les responsabilités. Pour Parsons, cette fonction relève du système intégratif.

2.2. Le système politique et son rapport aux autres

On sait que Parsons épousait l'analogie organiciste. La société est donc, pour lui, un tout vivant, autrement dit un « corps » qui se transforme et s'adapte. On est confronté, ici, au double problème des rapports entre les systèmes, d'une part, et du changement, d'autre part (Morse, 1961). Tout système entre en interaction avec les autres ; en l'absence de telles relations, il n'y aurait pas de société. Cette évidence cache une difficulté ; les relations se nouent à travers des médias qui relèvent, chacun, d'un système en particulier. De plus, les relations entre systèmes peuvent être conçues sous le mode entrées-sorties. Ce qui veut dire que chaque système reçoit des influences des autres et produit des sorties pour les autres. Les rapports sont donc à aborder sur un double plancher : à l'intérieur du système (on portera attention au médium des échanges) et entre systèmes (on insistera davantage sur la nature des entrées et des sorties).

Le système *économique* est régulé par la monnaie, laquelle permet aux acteurs d'échanger des biens et des services. Mais pour Parsons, elle a une signification qui transcende sa pure valeur matérielle ; elle a un caractère symbolique, dans la mesure où elle est un code, à l'instar du langage. Le coût d'un bien ou d'un service en exprime souvent la rareté. La monnaie manifeste la valeur du bien. Parsons traduit cette logique à d'autres systèmes. En d'autres termes, il faut rechercher dans d'autres systèmes, ce qui tient lieu de code symbolique ; au fond, ce que s'échangent les structures du système. Le médium des échanges dans le système politique est le pouvoir. Il est le carburant du système politique en même temps qu'il permet d'en localiser les structures-clés. Mais on a exposé ailleurs (cf. chapitre Pouvoir) que la corruption entraînait une confusion des genres : la monnaie, pour s'en tenir à ce médium, devient porteuse de la relation de pouvoir dans un échange inégal. Dans le système *culturel*, les structures véhiculent des « engagements » à l'égard des valeurs et des normes partagées. Enfin, dans le système *intégratif*, c'est l'influence qui lie les structures, les unes aux autres.

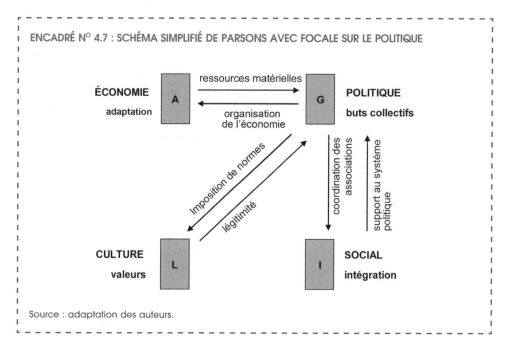

ENCADRÉ N° 4.7 : SCHÉMA SIMPLIFIÉ DE PARSONS AVEC FOCALE SUR LE POLITIQUE

Source : adaptation des auteurs.

Illustrons les rapports entre les différents systèmes en présence par quelques exemples. Prenons le cas de la relation entre le système politique et le système économique. Ce dernier reçoit du premier des cadres d'organisation collective ; en retour, l'économie offre au politique des ressources matérielles pour la réalisation des buts collectifs. Un autre exemple : le produit du système intégratif à destination du système politique, c'est le soutien. En sens inverse, le système intégratif reçoit du système politique la coordination des institutions. Enfin, dans sa relation avec le système culturel, le système politique produit des normes qui étançonnent les modèles de valeurs dont le système culturel est responsable ; en retour, le système culturel transmet au système politique de la légitimité.

2.3. La question du changement systémique

Malgré ces différences, le changement est inscrit dans la vie du système. Chez Parsons, le changement peut prendre une double forme : changement structurel (immédiat) et évolution structurelle, dans le long terme. Cependant, le changement structurel ou l'évolution structurelle ne sont pas réductibles à des changements *de* structure. Parfois, en effet, le changement peut ne toucher que certaines composantes ou fonctions du système, sans que la nature de ce dernier soit fondamentalement transformée. La fonction d'adaptation en rend compte. Cela dit, le changement structurel découle de deux sources principales, endogène (interne à la société) et exogène (externe à la société). Les facteurs exogènes proviennent des autres systèmes qui forment l'environnement du système sous pression. Ainsi, la modification dans les conditions climatiques peut-elle être considérée comme un facteur exogène de changement structurel. Et la croissance démographique des régions moins riches du globe peut aussi être vue comme un facteur externe de pression sur les systèmes politiques des régions aux ressources matérielles plus importantes, notamment quand elle produit de l'immigration clandestine. De manière métaphorique, les facteurs endogènes sont un stress interne à l'organisme social. Au registre de ces facteurs de stress, il y a des contradictions systémiques, les frictions internes et les difficultés d'adaptation du système (Mitchell, 1967 : 58-65). Le stress généré par des perturbations internes complique le fonctionnement du système.

Il n'est pas toujours aisé de délimiter de manière nette la nature de certains facteurs. Par exemple, le stress endogène au système peut être l'expression d'une tension externe. Par exemple, une série de revendications sociales particulièrement intenses peut provoquer un stress endogène, notamment quand ces demandes requièrent des actions majeures que le système, pour une raison ou autre, a du mal à accomplir. Mais il y a plus : la présence des facteurs de changement ne conduit pas nécessairement à une transformation structurelle. Il faut que soient remplies cinq conditions essentielles (Rocher, 1974 : 69). Premièrement, la tension générée par les facteurs de changement doit être suffisamment forte pour maintenir le désir de transformation à un niveau élevé. Deuxièmement, des appareils symboliques ou matériels doivent être mis en place pour affaiblir, voire « casser », ceux qui seraient tentés de maintenir le système en l'état. Troisièmement, il est indispensable de faire surgir un modèle alternatif, à défaut duquel les individus ne pourraient se projeter dans un autre système. Quatrièmement, un mécanisme de sanction pour les récalcitrants et de récompenses pour les soutiens au nouveau système doit être appliqué de manière rigoureuse et cohérente. Cinquièmement, enfin, les forces du changement doivent pénétrer le niveau des valeurs de la société et s'y appuyer, même *a minima*, pour court-circuiter ou vider toute tentative de résistance à sa légitimité.

L'évolution est en réalité une forme de changement structurel. Elle prend en revanche un appui plus marqué dans l'évolutionnisme fonctionnaliste. Deux processus en sous-tendent la dynamique : la différenciation et l'intégration (Parsons, 1961). La multiplication des fonctions à réaliser appelle, en corollaire, le développement de nouvelles structures. Ce qui entraîne une accentuation de la différenciation de la société. Conséquence : une société de plus en plus différenciée dépend, pour sa survie et son fonctionnement, d'une intégration réussie de ses différentes structures. Mais encore n'est-ce pas là le changement le plus important pour la structure. De fait, selon Parsons, ce sont les évolutions culturelles qui ont les effets les plus décisifs sur le système politique, puisque la culture exerce, de manière hiérarchique, un contrôle sur les autres aspects de la société (le politique ou l'économique, par exemple).

3 | Distinguer les fonctions pour comparer : Gabriel A. Almond et James S. Coleman

Il y a chez Almond et Coleman l'idée que pour obtenir une meilleure connaissance de l'évolution des systèmes politiques, il faut se poser des questions de nature fonctionnelle : quelle est la fonction de tel ou tel élément, à différents moments de l'Histoire et dans différents contextes ? De là l'appellation « modèle fonctionnaliste », qui s'attache à leur approche. Le concept de « fonction » a pour objectif de montrer le décalage, dans leur mode de vie, des différents systèmes politiques. Un système politique est « un système d'interactions propre aux sociétés indépendantes, chargé des fonctions d'intégration et d'adaptation, notamment à travers l'usage, ou la menace de l'usage, d'une coercition physique plus ou moins légitime » (Almond, Coleman, 1960 : 7 ; traduction des auteurs). En d'autres termes, le système politique se distingue des autres par sa fonction légitime de maintien de l'ordre dans la société. Cette section présentera les différentes fonctions assumées par le système politique (3.1), grâce à un examen des idées développées par Almond et Coleman. Il situera ensuite ce modèle par rapport à son concurrent, en l'espèce celui de Robert K. Merton (3.2.).

ENCADRÉ N° 4.8 : GABRIEL A. ALMOND

Politologue, Almond (1911-2002) a été formé à l'Université de Chicago. Il a enseigné notamment à New York, Tokyo, Princeton et Stanford. Comme Easton, il a été président de l'*American Political Science Association* (APSA), entre 1965 et 1966. Sa contribution porte sur trois champs qui se sont souvent chevauchés : la politique comparée, la culture politique et l'étude du développement politique. Son œuvre majeure est *The Civic Culture* (1963), co-écrit avec Sydney Verba, un politologue de Harvard spécialiste de la politique comparée. Almond s'est aussi intéressé au développement de la science politique comme discipline. Ses travaux ont toujours essayé d'articuler la science politique à d'autres disciplines, notamment l'anthropologie, la sociologie et la psychologie.

ENCADRÉ N° 4.9 : JAMES S. COLEMAN

Titulaire d'un baccalauréat d'ingénieur en chimie, Coleman (1926-1995) s'est orienté ensuite vers des études de sociologie, domaine dans lequel il obtient un doctorat à Columbia en 1955. Même s'il apparaît dans ce chapitre sous le registre des systèmes politiques, Coleman doit surtout sa réputation à ses travaux relatifs aux effets du système éducatif sur la mobilité sociale et l'égalité entre citoyens, notamment dans le contexte des États-Unis, alors organisés sur la base de la ségrégation raciale. Un des premiers à théoriser le concept de « capital social », que l'on trouvera plus tard chez des sociologues tels que Pierre Bourdieu (cf. chapitre Pouvoir), Coleman a aussi œuvré très largement à la constitution d'une sociologie nourrie par des modèles mathématiques. Il se situe, à cet égard, dans le courant des choix rationnels *(rational choice)* en sciences sociales.

3.1. Les caractéristiques du système politique et ses structures

Selon Coleman, les systèmes politiques partagent en général quatre traits communs. (i) ils ont une structure politique, c'est-à-dire une structure explicitement responsable de la coercition physique légitime. (ii) Les mêmes fonctions sont réalisées dans différents systèmes. Ce qui ne veut pas dire (loin de là) que ces fonctions sont présentes, en même temps partout ou que ces fonctions sont véhiculées par les mêmes structures, d'un système à l'autre. (iii) Toute structure politique est multi-fonctionnelle, mais il existe évidemment des cas de spécialisation fonctionnelle. D'ailleurs une telle spécialisation fonctionnelle n'est-elle pas caractéristique des sociétés occidentales modernes ? Par exemple, en Belgique, on peut illustrer ceci par l'évolution du nombre de ministères au cours du temps, ce qui permet de prendre la mesure des effets de la spécialisation fonctionnelle sur l'architecture des missions de l'État. (iv) Les systèmes politiques sont dits mixtes, en ce sens qu'ils combinent, en des degrés divers, des éléments de modernité et de tradition (Almond, Coleman, 1960 : 11). En d'autres termes, quand on compare les systèmes politiques, il est utile de les concevoir comme des ensembles se situant sur un continuum, et non pas comme des totalités absolument singulières.

ENCADRÉ N° 4.10 : ILLUSTRATION DE LA SPÉCIALISATION FONCTIONNELLE

Le problème fondamental de l'État, à sa création, est de réguler la violence au sein de la société et de prémunir celle-ci d'attaques externes (cf. chapitre État). À ces fins, l'État développe des ministères dont la fonction est d'assurer la sécurité aux plans interne et externe : Justice, Intérieur, Défense, Affaires étrangères et Finances. Les nouvelles demandes consécutives au développement de l'État-providence après la Seconde Guerre mondiale, vont se manifester par un élargissement des missions de l'État dans trois directions : services publics, politique sociale et politique économique. De nouveaux ministères (nouvelles structures au sein de l'État) sont mis en place pour remplir les missions jusqu'alors inédites découlant de cet élargissement des demandes : santé, éducation, affaires sociales, etc.

Deux catégories de fonctions permettent de comparer les systèmes entre eux : les fonctions d'entrées (*inputs*), d'un côté, et, de l'autre, les fonctions de sortie (*outputs*). Mais, en réalité, les fonctions de sorties reçoivent moins d'attention de la part d'Aldmond et Coleman (1960 : 17), parce que, avancent-ils, elles ont souvent été abondamment examinées par la littérature qui s'intéresse aux fonctions gouvernementales. Il y a quatre fonctions d'entrées (la socialisation et le recrutement politiques, l'articulation des intérêts, l'agrégation des intérêts et la communication politique) et trois fonctions de sortie (*rule-making, rule application, rule adjudication*). Disons quelques mots de chacune de ces fonctions pour mieux évaluer leur statut dans le raisonnement des auteurs. La discussion part des fonctions d'entrées aux fonctions de sorties, dans l'ordre indiqué dans ce paragraphe.

La socialisation et le recrutement politiques. Les systèmes politiques ont tendance à reproduire leur culture et leur structure. Ils le font essentiellement à travers la socialisation et le recrutement. De manière assez synthétique, la socialisation est le processus par lequel les individus intériorisent les valeurs, les normes et la culture qui sous-tendent les modes d'être et de faire d'une société. La socialisation peut être manifeste ou latente. Elle sera dite manifeste quand on a affaire à une « transmission explicite d'informations, de valeurs, de sentiments concernant les rôles, les entrées et les sorties du système politique » ; en revanche on dira qu'une socialisation est latente lorsqu'elle « prend la forme d'une transmission d'informations, de valeurs ou de sentiments concernant les rôles, les entrées et les sorties des autres systèmes sociaux tels que la famille, lesquels affectent les attitudes à l'égard des rôles, des entrées et des sorties analogues du système politique » (Almond, Coleman, 1960 : 28 ; traduction des auteurs). Dans le premier cas, il peut être davantage instructif de parler de socialisation directe et, dans le second, de socialisation indirecte, vis-à-vis du système politique. On peut également cerner la nature de la socialisation en se concentrant sur le degré de différenciation des structures politiques. La socialisation est diffuse si les structures sont perméables les unes par rapport aux autres et si le système social est essentiellement constitué de structures multifonctionnelles. Elle est précise si le degré de différenciation et de spécialisation des structures est plus marqué. Au vrai, il est question ici de degré plutôt que de types « purs » de socialisation. Enfin, le recrutement politique intervient généralement au terme de la socialisation, même s'il peut aussi la prolonger et l'amplifier. Il consiste à sélectionner et à former certains membres de la société, auxquels on attribue des rôles spécialisés.

L'articulation des intérêts. Le système reçoit de l'environnement de nombreuses demandes, de complexité variée. Mais pour que ces demandes soient traitées par le système politique, elles doivent être articulées, mises en forme et exprimées par des structures, généralement à la lisière du système politique. L'articulation des intérêts peut être : manifeste ou latente, spécifique ou diffuse, générale ou particulière, instrumentale ou affective (Almond, Coleman, 1960 : 34). On parle d'articulation manifeste quand elle est exprimée de manière ouverte et d'articulation latente quand elle prend la forme de signaux à interpréter. De même, l'articulation est spécifique quand elle porte sur un point bien précis (« il faut voter une loi contre l'évasion fiscale ») et diffuse quand son contenu n'est pas clairement quadrillé (« il faudrait plus de sécurité »). Par ailleurs, l'articulation est générale quand elle est exprimée en termes de catégories, de groupes ou de classes (« les entreprises doivent bénéficier d'un allègement de charges sociales ») ; elle est particulière lorsqu'elle concerne un individu (« il faut voter pour Marie-Paule parce qu'elle a convaincu de nouveaux investisseurs »). Enfin, l'articulation peut être soit instrumentale (notamment sous la forme d'une promesse « si vous faites X nous ferons Y »), soit affective (notamment quand elle prend la forme d'une satisfaction, d'une colère ou d'une déception).

Quelles sont les structures chargées de l'articulation des intérêts ? Elles peuvent être plus ou moins institutionnalisées. Plus elles sont formalisées, mieux elles sont reconnues en tant que structures d'articulation d'intérêts par le système politique. On peut dire que le système leur doit son existence et sa santé, puisque ce sont ces structures qui filtrent, organisent et canalisent les demandes en vue de leur traitement par le système politique. À ce titre, elles jouissent d'une attention particulière de la part du système politique. Ce sont, dans les démocraties surtout, les partis politiques et les groupes de pression (cf. chapitre Système politique). D'autres structures ont une existence davantage conjoncturelle (par exemple : des groupes manifestant pour protester contre une loi en discussion au sein du Parlement). L'efficacité de leur articulation dépend, en grande partie, de leur aptitude à se positionner comme porteurs audibles d'intérêts.

L'agrégation des intérêts. Les chevauchements entre les fonctions d'articulation, d'agrégation et de *rule-making* (cf. *infra*) sont fréquents, parce que certaines structures sont porteuses de ces trois fonctions. Mais la fonction d'agrégation doit être entendue au sens de processus de production, à partir du matériau articulé, de politiques ciblées.

La communication politique. Cette fonction a une double face : d'une part, elle est le véhicule des trois autres fonctions ; d'autre part, la manière dont elle est assurée permet de caractériser la performance d'un système politique donné. Il serait vain de concevoir la spécialisation fonctionnelle sans structures de communication autonomes. Ou plutôt, c'est dans les sociétés démocratiques que l'on peut voir se développer des structures de communication neutres et autonomes. En plus du contrôle des différents acteurs (notamment : législatifs, exécutifs et judiciaires) et de la transparence qu'ils rendent possible, les médias permettent à l'information de circuler de l'environnement au système politique, et *vice versa*. De plus, c'est grâce aux médias que les structures du système s'échangent le résultat de leurs activités. Almond et Coleman (1960 : 47) font appel à une analogie organiciste pour illustrer leurs propos : « on peut rapprocher la fonction de communication à la circulation du sang. Ce n'est pas le sang, mais ce qu'il contient qui nourrit le système. Le sang est le médium neutre qui transporte les idées, les protestations et les demandes, à travers les veines, jusqu'au cœur ; et du cœur, à travers les artères, circulent les sorties (règles, régulations et adjudications), en réponse aux idées et aux demandes ».

On a parlé des *inputs* et du rôle central qu'y tient la fonction de communication. On n'a pas encore évoqué les fonctions de sorties, même si on a souligné plus haut qu'Almond et Coleman ne s'y attardent pas beaucoup. Ou plutôt, il faut les présenter de manière succincte, puisque le principe général est déjà connu : chaque structure est porteuse d'une ou plusieurs fonctions, de même qu'une fonction peut être véhiculée par une ou plusieurs structures. Almond et Coleman distinguent trois fonctions de sortie : *rule-making* (construction de la norme, au sens général) ; *rule-application* (application de la norme) ; *rule-adjudication* (contrôle de la norme, soit au niveau de sa légalité – par exemple, contrôle, en Belgique, par la Cour constitutionnelle de la constitutionnalité d'une loi adoptée par le Parlement) soit au niveau de son application sur le terrain, à des cas concrets (ce qui renvoie aux notions d'État de droit et d'effectivité du droit). On voit qu'il est difficile d'attribuer de manière exclusive l'une de ces fonctions à une seule structure parce que cela dépend de plusieurs facteurs, par exemple, le régime politique ou la forme d'organisation de l'État. À titre d'illustration, dans un régime démocratique fédéral, la construction de la norme peut se retrouver, en fonction de la répartition des politiques, éclatée entre plusieurs structures. De même, la création de la norme peut-elle être exercée, au niveau européen, par plusieurs instances (exemples : le parlement européen et la commission européenne), ce qui n'exclut pas un organe suprême dont l'adjudication s'impose aux autres (exemple : la cour de justice de l'Union européenne).

3.2. Fonctions latentes et fonctions manifestes

Dans la pensée fonctionnaliste, le modèle d'Almond et Coleman et celui de Robert Merton se font face. En effet, Merton, insatisfait par les analyses fonctionnalistes, propose d'en codifier la démarche, à partir d'une relecture de la notion de fonction, qu'il dissocie en deux ensembles : fonctions manifestes, d'un côté, fonctions latentes, de l'autre. « Reconnues et recherchées par les acteurs du système, les fonctions manifestes sont les conséquences objectives qui contribuent à l'ajustement ou à l'adaptation du système » (Almond, Coleman, 2006 : 259). En sens inverse, les fonctions latentes sont les conséquences indirectes, non reconnues par les acteurs du système. Il instaure ainsi une distinction, basée sur l'idée de fonction comme « conséquence », qu'il escompte mettre au service de travaux empiriques.

ENCADRÉ N° 4.11 : ROBERT KING MERTON

Les sciences sociales doivent à Merton (1910-2003) une série de concepts vivants, notamment : rôle, *focus group*, effets inattendus, prophétie auto-réalisatrice, fonctions manifestes et latentes, structure d'opportunité, etc. Après avoir étudié à Temple, Merton a ensuite été formé par Talcott Parsons, à Harvard. Outre ses travaux sur la déviance, Merton s'est attelé à faire reconnaître la sociologie comme une science à part entière. Il a reçu, en 1994, la *National Medal of Science*. On lui attribue le lancement d'un courant intellectuel connu sous le nom de « sociologie des sciences ».

Et précisément, en accordant autant d'importance aux fonctions latentes qu'aux fonctions manifestes, Merton insiste sur la valeur heuristique de sa démarche. En effet, la distinction sert quatre objectifs : (i) clarifier l'analyse des schèmes sociaux qui apparaissent *a priori* irrationnels ; (ii) diriger l'attention vers des champs de recherche fructueux ; (iii) améliorer la connaissance sociologique des phénomènes de manière substantielle ; (iv) éviter que l'on ne substitue un jugement moral naïf à un véritable examen sociologique. Premièrement, de nombreux fonctionnalistes considèrent que certains comportements, certaines structures, véhiculent des fonctions précises, connues d'avance. Et si un comportement ou une structure ne produit pas l'effet prévu, programmé, elle est considérée comme inutile. Or Merton montre qu'un tel raisonnement est erroné. Un comportement peut en effet remplir d'autres fonctions que celles qui lui sont associées *a priori*. Merton développe l'exemple de la danse de la pluie. Il est fort peu probable qu'elle débouche sur une pluie ; mais doit-on en déduire qu'elle est inutile ? On observe qu'elle sert à renforcer les mythes qui assurent la cohésion du groupe. Deuxièmement, en s'ouvrant à la prise en compte des fonctions latentes, on peut découvrir de nouveaux champs de recherche. En effet, ne suivre que la trace des effets manifestes peut aveugler le chercheur. C'est en prenant au sérieux les fonctions latentes que l'on peut éventuellement faire des découvertes très originales, ou du moins inattendues. Troisièmement, en se focalisant sur les fonctions manifestes, il est souvent aisé d'émettre des jugements moraux sur les pratiques en question (« ils sont bêtes parce qu'ils dansent pour déclencher une pluie »). Or, la possible existence de fonctions latentes invite à la prudence et à une compréhension moins simpliste des phénomènes ou des rapports de causalité entre les événements. Enfin, conséquence du point précédent, l'examen sociologique doit se demander non pas si un comportement est moral, mais pourquoi, en dépit de son caractère paradoxal, il perdure et continue de susciter de l'adhésion. En résumé, loin d'être des dysfonctionnements susceptibles de provoquer un changement structurel, les fonctions latentes sont pertinentes pour comprendre la vie sociale.

4 | Transformer les demandes sociétales en décisions politiques : David Easton

L'analyse d'Easton se situe dans un rapport particulier au fonctionnalisme. Pour lui, en effet, il faut se départir de l'idée que le fonctionnalisme serait une théorie et lui substituer une approche plus modeste, consistant à y voir un concept central de toute étude sociale. Par conséquent, au lieu de tenter de construire un cadre d'analyse, Easton se propose de mettre au jour les processus et activités essentielles de la vie politique sans lesquels celle-ci serait intenable ou tout simplement impossible. En un mot, il ne vise pas à se limiter aux formes particulières et contingentes des systèmes, mais cherche à en extirper les « processus vitaux » (Easton, 1965 : 17). C'est pourquoi, à l'instar d'Almond et Coleman, on peut détecter chez Easton la volonté d'examiner les systèmes politiques à un niveau d'abstraction suffisamment élevé, visant à favoriser la comparaison entre différentes formes de vie politique, en dépit de leurs contextes temporels, culturels et politiques spécifiques (Easton, 1965 : 14).

ENCADRÉ N° 4.12 : DAVID EASTON

David Easton (1917-2014) était un politologue de nationalité canadienne, professeur de recherche à Irvine (un des campus de l'Université de Californie), aux États-Unis. Il a également enseigné à Harvard (où il a obtenu son doctorat) et à Chicago. Il est un des pionniers de l'analyse des systèmes politiques. Le projet constant de ses travaux était de construire une théorie générale afin d'aider les chercheurs à apprivoiser la masse de données à laquelle ils sont confrontés. Pour cela, il a proposé de générer, de manière déductive, un corpus de connaissances universelles sur la vie politique en général, et les systèmes politiques en particulier. Easton a été président, en 1968-69, de l'*American Political Science Association* (APSA).

Un système politique est, selon Easton (1965 : 21 ; traduction des auteurs), « l'ensemble des interactions à travers lesquelles s'opère l'allocation autoritaire des valeurs pour la société ». Mais cette définition ne doit pas conduire à croire que son auteur s'intéresse à la manière (par qui et par quels mécanismes, par exemple) dont ces valeurs sont allouées en termes empiriques. Ce qui se passe à l'intérieur du système, qui occupe quelle place et avec quels effets, tout cela sort du rayon de recherche d'Easton. En somme, le système politique est, au niveau méthodologique (et non pas au niveau empirique), une « boîte noire ». Le centre de gravité de l'analyse, c'est le rapport entre le système et son environnement, à travers une attention particulière accordée à la forme des interactions qui se nouent entre les deux. La figure ci-dessous (Easton, 1965 : 30) illustre de manière globale la vie du système politique.

ENCADRÉ N° 4.13 : REPRÉSENTATION SCHÉMATIQUE DU SYSTÈME POLITIQUE SELON EASTON

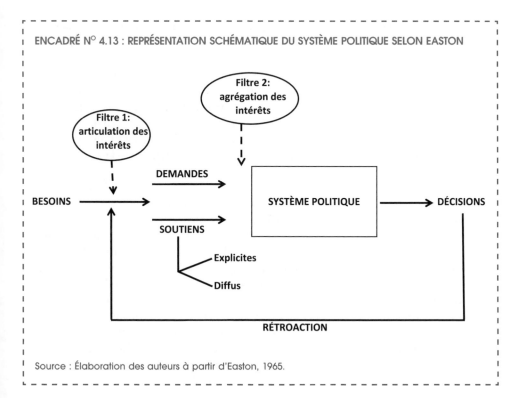

Source : Élaboration des auteurs à partir d'Easton, 1965.

L'environnement total du système politique comporte, à vrai dire, une double épaisseur : l'une, intra-sociétale, et, l'autre, extra-sociétale. Le niveau intra-sociétal est composé de segments fonctionnels de la société : économie, culture, structure sociale et personnalité. Le niveau extra-sociétal embrasse tout ce qui se situe dans un rapport d'extériorité, ou de recouvrement, par rapport au système politique. Le système politique international, le système écologique international et le système social international constituent le tissu du niveau extra-sociétal. L'environnement total n'est pas sans effet sur le système politique. Car chaque niveau est à l'origine de plusieurs types d'influences, lesquels obligent le système politique à se position-ner. En d'autres termes, l'existence du système politique et la direction qu'il prend et sa configuration à un moment donné dépendent des conditions créées par la double épaisseur constitutive de son environnement total. En conséquence, la pré-occupation principale du système politique est d'assurer sa continuité. Or celle-ci, dit Easton, découle de l'aptitude du système politique à allouer les valeurs pour la société et à inciter les individus à souscrire à leur caractère contraignant. C'est pourquoi l'allocation des valeurs et l'acceptation de celle-ci par la société peuvent être considérées comme l'essence même de la vie sociale. De manière symétrique, les variables qui font l'essence de la vie sociale indiquent les points de vulnéra-bilité du système politique. En effet, certaines perturbations peuvent enrayer la capacité du système à allouer les valeurs dans la société ou éroder la soumission de la société aux décisions du système politique. Combinés, ces impacts sont sus-ceptibles de provoquer un stress systémique aigu. La résilience d'un système poli-tique se mesure donc à son aptitude à garantir le fonctionnement des variables essentielles conditionnant son maintien en dépit des différents stress qui éma-nent de l'environnement.

Tous les changements créés par l'environnement ne conduisent pas nécessairement à une modification de l'état du système ni, *a fortiori*, à son effondrement. En d'autres termes, c'est le degré de stress associé à l'incapacité du système politique d'y répondre qui présentent la plus grande menace à sa survie. Ce qui veut dire encore que l'ana-lyse du système politique gagne d'autant plus en qualité qu'elle peut aider à mieux comprendre les sources de perturbation de la vie politique et la manière dont elles se transmettent à celui-ci. Ce qui est isomorphe aux relations entre l'environnement et le système : pour qu'il y ait perturbation du système, il faut qu'il y ait un stress venant de l'extérieur qui affecte son fonctionnement. La distinction entre *inputs* (entrées) et *outputs* (sorties) synthétise les termes de la relation.

Les *inputs* désignent tout ce qui, « extérieur au système, l'altère, le modifie ou l'af-fecte d'une manière quelconque » (Easton, 1965 : 27 ; traduction des auteurs). Concrètement, il y a une série illimitée d'entrées possibles dans le système, et beau-coup sont susceptibles de le modifier. Analytiquement, néanmoins, Easton pro-pose de les organiser en deux grandes classes : les *demandes* (traduites parfois aussi par *exigences*) et les *soutiens*. Easton mentionne aussi l'existence d'entrées venant de l'intérieur même du système (*withinputs*). Toutefois, puisqu'il a choisi d'exami-ner, en priorité, les rapports entre le système et son environnement total, Easton se concentre sur les demandes et les soutiens extérieurs au système politique. Or c'est « à travers les fluctuations dans les entrées des demandes et des supports que l'on trouve les effets de l'environnement tels qu'ils sont transmis au système poli-tique » (Easton, 1965 : 27 ; traduction des auteurs).

Les demandes sont l'ensemble des requêtes adressées au système politique, c'est-à-dire, à ceux qui sont dotés de la responsabilité de procéder à l'allocation autoritaire des valeurs. Évidemment, les demandes peuvent être formulées par plusieurs sources, ce qui pose la question de leur gestion – de leur sélection et de leur hiérarchisation – en vue d'un traitement efficace sans que la vie du système n'en soit altérée de manière décisive. Le système peut atteindre ses limites dans deux cas : d'une part, lorsque les demandes formulées sont trop nombreuses ; c'est ce que Easton appelle le stress *quantitatif* du système. D'autre part, le système peut être confronté à des demandes de haute complexité, difficiles à traiter, en vertu soit de leur nature propre, soit du contexte de la demande. Par exemple, réduire le chômage dans une période de crise économique. Cette situation est appelée, par Easton, stress *qualitatif* du système.

La vie du système politique est régulée par deux filtres, dont la tâche est de contrôler la nature et le contenu des demandes afin d'en réduire la complexité et/ou la quantité. Ces filtres relèvent de deux catégories : certains sont structurels et d'autres sont davantage culturels. Les premiers sont assumés par des individus ou des groupes, explicitement investis de la fonction de sélectionner et, souvent, d'articuler les demandes qui entrent dans le système politique en vue d'une réception et d'un traitement favorables. Les régulateurs ou les filtres d'ordre structurel sont aussi connus sous le nom de « portiers » (*gatekeepers*). Les portiers ne sont pas des régulateurs passifs ; ils ne font pas que vérifier, mais sélectionnent et réorganisent les problèmes, avant de les laisser pénétrer dans le système politique. Ils ont donc un rôle pleinement actif. Dans les régimes démocratiques, les partis politiques sont les filtres structurels les plus communément répandus. La régulation culturelle s'applique, quant à elle, à l'adéquation entre une demande et les valeurs et normes culturelles en vigueur dans une société. En ce sens, dira-t-on, les chances d'aboutissement d'une demande seront proportionnelles à leur degré d'adéquation aux normes ou valeurs du système politique. Formulée autrement, plus une demande s'écarte de ces normes, moins elle est susceptible d'être prise en charge par les portiers.

On entend par « supports » l'ensemble des soutiens dont bénéficie un système politique, lui apportant un appui actif ou passif face aux différentes sources de stress. Un exemple de soutien actif sera la manifestation ouverte en faveur du système politique ou la promotion de son action (exemple : manifester en faveur de l'unité du pays et du maintien de l'État face à une menace de sécession). Un exemple d'appui passif est, par exemple, une adhésion tacite aux actions menées par le système politique. En tout cas, l'existence du système dépend de l'équilibre entre les soutiens et les exigences. Easton distingue, à l'intérieur de la classe des soutiens, les supports diffus des supports explicites. Les premiers ont pour objet le tout systémique. Les seconds, explicites, ont précisément trois cibles : l'appui à la communauté politique, l'appui au régime et l'appui aux autorités politiques. Le soutien à la communauté politique porte sur les idées qui sous-tendent le désir de vouloir vivre ensemble. Souvent, ces idées se trouvent condensées dans la devise d'un pays. Par exemple « l'union fait la force », pour la Belgique. Le soutien au régime concerne l'acceptation des règles du jeu politique, lesquels sont généralement inscrites dans la loi. Mais cela peut aussi être des règles non écrites, des coutumes, auxquelles adhère la société. Enfin, l'appui aux autorités politiques en place, c'est-à-dire en réalité la légitimité, laquelle permet aussi de garantir que les décisions seront acceptées par la société nonobstant leur caractère contraignant.

Les *outputs* sont moins théorisés par Easton. Ils prennent deux expressions typiques : les décisions et les actions. Mais, au-delà de leur nature, c'est leur effet sur les soutiens et les exigences qui retiennent l'attention d'Easton. Car les sorties n'arrêtent pas le flux des demandes. Bien qu'elles puissent satisfaire des demandes, les sorties mettent le système politique dans une nouvelle situation. En effet, les sorties peuvent créer de nouvelles demandes parce que les populations bénéficiaires d'une sortie ont une nouvelle idée pour améliorer leur sort ; soit d'autres acteurs, non pris en compte par la précédente sortie, décident d'adresser au système des exigences pour réparer l'inégalité ou l'omission commise par le système (Easton, 1965 : 29). En résumé, les sorties débouchent généralement sur des effets en retour sur le système (d'où la flèche – boucle de rétroaction – qui va des *outputs* aux *inputs* dans le schéma ci-dessus tiré d'Easton 1965 : 32). Un tel processus prend le nom de « feed-back » (effet en retour/rétroaction). Les sorties assument la double fonction de point d'arrivée (provisoire) et de nouveau point de départ. Le système maintient ainsi en boucle son activité de conversion des demandes en sorties.

5 | Examiner la « boîte noire » du système politique : Jean-William Lapierre

Le modèle de Lapierre est redevable, à mains égards, à celui de Easton, dont il a révisé ou affiné certains éléments, tout en faisant des incursions dans le système, un pas qu'Easton s'était gardé de franchir. De plus, à l'instar de celui d'Almond et Coleman, le systémisme de Lapierre est tout orienté vers la faisabilité de l'analyse comparée. Chez les auteurs précédents, on a relevé par ailleurs que les structures étaient porteuses de fonctions. Lapierre souligne en revanche que les fonctions sont le fait de rôles sociaux, c'est-à-dire d'« unités conçues et définies par rapport à une catégorie d'activité elle-même déterminée » (Lapierre, 1973 : 28). La différenciation relative des rôles et leur agencement, les uns par rapport aux autres, composent un régime (Lapierre, 1973 : 179). Et l'ensemble des processus qui organisent une catégorie d'activité forme un système social. Ce n'est donc pas la nature du domaine qui fait que l'on parle de système social, mais l'existence d'un entrelacs de processus, lequel se retrouve dans plusieurs systèmes définis, cette fois, de manière substantielle, c'est-à-dire en fonction du domaine d'activité : système biosocial, système écologique, système économique, système culturel et système politique. L'intégration de ces différents systèmes dans un ensemble conduit à une « société globale ». Dans une société globale, en outre, les systèmes cohabitent généralement dans un état d'asynchronisme, c'est-à-dire qu'ils évoluent à des rythmes différents. Ce qui n'exclut pas que certains systèmes imposent leur rythme à d'autres. Un système est dominant quand les contraintes qu'ils imposent aux autres sont supérieures à celles qu'il subit en retour et quand le nombre d'états qu'il peut adopter est égal ou supérieur à celui des systèmes commandés (principe de « variété nécessaire »). Quand un système social (par exemple, le système économique) bénéficie d'une position dominante au sein d'une société globale, cela peut avoir pour effet de réduire drastiquement l'asynchronisme entre les systèmes (Lapierre, 1973 : 31).

ENCADRÉ N° 4.14 : JEAN-WILLIAM LAPIERRE

Lapierre (1921-2007) a étudié la philosophie et la sociologie et c'est dans ce second champ qu'il a obtenu sa thèse à la Sorbonne. Son travail est surtout orienté vers la question de l'État et de la responsabilité citoyenne. En effet, pour lui, l'organisation politique ne prend pas nécessairement la forme de l'État. Par conséquent, ce qu'il faut essayer de tracer, ce sont les différents types de structuration de la société, dans des espaces culturels différents, en fonction de la distribution et de la circulation du pouvoir, et comprendre comment et pourquoi l'État s'est finalement imposé comme modèle. Dans d'autres textes, il cherche surtout à éveiller la conscience des générations futures. Son travail sur les systèmes politiques dérive de son souci de mieux cerner l'organisation des sociétés.

ENCADRÉ N° 4.15 : SCHÉMA SYSTÉMIQUE DE LAPIERRE

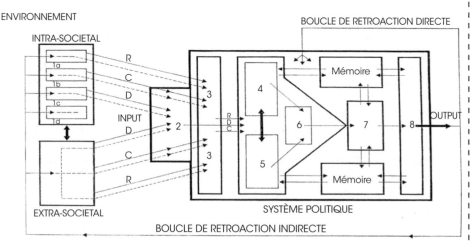

la, lb, lc, ld, Systèmes intra-sociétaux (biosocial, écologique, économique, culturel)
2, Filtrage des demandes
3, Mobilisation des ressources
4, Compétition des demandes
5, Réduction des demandes
6, Détermination des problèmes critiques et élaboration des solutions
7, Prise de décision
8, Exécution des décisions
R, Ressources
C, Contraintes
D, Demandes
------------------- Information rétroactive sur les modifications de l'*imput* résultant de l'*output*.

Un graphique à deux dimensions est nécessairement inadéquat pour schématiser toutes les interactions. Ainsi ne figurent pas ici les interactions entre les systèmes de l'environnement intra-sociétal, ni les interactions entre le système culturel intra-sociétal et la mémoire politique. En revanche, on a fortement marqué l'interaction entre l'environnement intra-sociétal et l'environnement extra-sociétal ainsi que l'interaction

Source : Lapierre, 1973 : 44-45.

Un système politique se démarque des autres systèmes sociaux, par ses traits fondamentaux : les processus de décision et les relations de pouvoir. Le pouvoir politique, dit Lapierre (1973 : 35), est « la combinaison variable d'autorité légitime (recours au consensus) et de puissance publique (recours à la coercition) qui rend certaines personnes ou certains groupes capables de décider pour (et au nom de) la société globale toute entière et de commander à celle-ci afin de faire exécuter les décisions prises ». La vie du système politique est cadencée par la dynamique créée par la transformation des entrées (*inputs*) en sorties (*outputs*). Le processus est accompli à travers les interactions entre les différents rôles constitutifs du système politique. Il existe, comme chez Easton, des mouvements de rétroaction entre les *outputs* et les *inputs*.

Étant donné qu'une grande partie du processus décrit par Lapierre reprend des éléments déjà rencontrés chez les autres auteurs, il faut s'en tenir, ici, à des éléments saillants qui font l'originalité de son modèle. Deux semblent se dégager : d'une part, les catégories d'entrées qu'il étudie et, d'autre part, l'ouverture de la « boîte noire », en d'autres termes l'analyse de ce qui se passe dans le système, à travers un examen de la prise décision ou, pour être plus précis, la *préparation* de la prise de décision (Lapierre, 1973 : 190).

Trois sortes d'*inputs* entrent dans le système : les demandes, les ressources et les contraintes. Alors que les ressources désignent tout ce qui favorise l'action du système, les contraintes sont relatives à tout ce qui en réduit la marge de manœuvre. En d'autres termes, si les demandes relèvent de ce qui est souhaitable, en ce compris les rêves d'une société globale, les ressources et les contraintes réintroduisent le principe de réalité dans le système, puisqu'elles rappellent aux rôles ce qui est possible et ce qui l'est moins (Lapierre, 1973 : 64). Les demandes résultent du fait qu'il existe des tensions au sein de la société globale, d'une part, et entre la société globale et les systèmes qui la composent, d'autre part. De plus, elles peuvent être activées par les carences ou les « conséquences latentes » des *outputs* précédents. Les demandes proviennent donc de quatre sortes de décalage : incapacité, insatisfaction, innovation et agression.

Premièrement, il y a demande quand la réalisation des processus sociaux qui animent le système dépasse, en capacités, ce que les rôles actuels peuvent porter. Par exemple, dans de nombreux pays, la création du ministère de l'environnement vise à répondre aux défis écologiques, avec des moyens et des ressources (finances et expertise) qui, pour l'essentiel, faisaient défaut aux autres ministères. Mais une innovation peut aussi créer un décalage entre les systèmes d'une société globale, ce qui exige, en réponse, un certain rééquilibrage. Deuxièmement, une demande politique peut prendre forme quand l'*output* d'un autre système social (par exemple, l'économie) provoque une insatisfaction. Troisièmement, il peut y avoir demande quand des *outputs* d'un système, notamment sous forme d'innovation (ce terme n'a pas une connotation exclusivement positive), entraînent des tensions au sein du système ou avec d'autres systèmes. Quatrièmement, enfin, quand les interactions entre la société globale et son environnement provoquent des perturbations dans la première. Cela peut être une menace, une intervention ou une agression d'un système par un autre.

Toutes les demandes ne parviennent pas au cœur du système. Il s'opère une sélection, une hiérarchisation et parfois une combinaison des demandes (ce qu'Almond et Coleman nomment l'agrégation des intérêts). Ces trois mécanismes permettent de réduire la demande, autrement dit, de la maintenir à un niveau gérable par le système politique. Le sort des demandes n'est toutefois pas exclusivement tributaire de la nature de celles-ci. En général, le parcours d'une demande dépend « de la puissance sociale et politique de ceux qui la formulent et la soutiennent » (Lapierre, 1973 : 133). En Belgique, par exemple, les permanences organisées par les parlementaires permettent aux citoyens de confier leurs demandes à un élu qui se fera, s'il l'accepte, le porteur de leurs demandes vis-à-vis du système politique.

Quand une demande fait l'objet d'un traitement par le système politique, elle suscite une décision. Lapierre en distingue trois catégories, au niveau de la société globale : les décisions stratégiques, les décisions tactiques et les décisions pragmatiques. Les premières ont pour référence les objectifs collectifs et les valeurs importantes relatives à la régulation de la vie sociale ; les secondes ont pour point de fixation le choix des moyens et des étapes pour réaliser des objectifs ; quant aux troisièmes, enfin, elles ont pour but de gérer le quotidien. Si on compare cette classification aux *outputs* retenus par Almond et Coleman, on peut sans doute identifier des similitudes entre les trois familles de décision et, respectivement : *rule-making, rule-application et rule-adjudication*. En lisant le modèle de Lapierre, ce sont ces similitudes et les bifurcations qui fondent son travail qu'il faut garder en mémoire.

6 | Crise du système politique

Selon Dahl (1961 : 148-149), le pouvoir politique a un « réservoir de légitimité » qui peut se remplir ou se vider. S'il descend en deçà d'un certain niveau, il entre en crise. Un ensemble d'événements peuvent progressivement « vider le réservoir » sans que l'on s'en rende compte. Dans ce cas, un événement déclencheur d'apparence mineure peut faire éclater la crise, telle « la goutte d'eau qui fait déborder le vase » : le pouvoir entre alors en crise de légitimité « ouverte ». Ainsi, l'éditorial du journal « Le Monde » du 15 mars 1968 titrait « Quand la France s'ennuie ! »... quelque temps avant l'éclatement de « Mai 68'. De même, les révoltes qui ont secoué les pays arabes à partir de décembre 2010/janvier 2011 – certaines menant à un renversement de régime – ont surpris les observateurs les plus avertis de cette région par leur soudaineté et leur intensité. Certains systèmes politiques en question ont subi un stress quantitatif (ampleur du mouvement social) et qualitatif (profondeur de la crise de légitimité du pouvoir) intenable et se sont effondrés. On peut parler dans certains cas de révolution – ou, à tout le moins – de processus révolutionnaire. Plusieurs auteurs ont tenté de théoriser le phénomène révolutionnaire. Il en est ainsi de James C. Davies et de sa fameuse "courbe en J" (cf. encadré n° 10.11). En effet, Davies (1962) explique l'occurrence d'une révolution par le fossé croissant – ressenti comme intolérable – entre les attentes de la population (par exemple, au plan économique et social) et les capacités d'un système politique à les rencontrer. Notamment, si les capacités de l'État sont en baisse, alors que les attentes de la population sont en hausse (notamment dans le contexte de récession succédant à une période de progrès ayant donné lieu à des attentes accrues). »

Le système politique n'est pas une construction descriptive, mais analytique. Les différents auteurs examinés dans ce chapitre indiquent que les « structures » ou les « rôles » ont pour fonction de convertir les *inputs* en *outputs*. Les systèmes politiques sont des ensembles ouverts, en interaction constante avec leurs environnements (interne et externe). Les composantes internes du système se situent dans des relations d'interdépendance serrées, ce qui permet, justement, de penser en termes systémiques. En principe, l'existence du système politique est garantie à condition qu'il soit apte à s'adapter aux perturbations internes et externes, soit à travers des mécanismes de régulation, soit par une mobilisation adéquate des ressources en vue de produire des décisions efficaces, soit encore par des processus de socialisation et de recrutement susceptibles de lui assurer la loyauté des soutiens. Dans le chapitre concernant le pouvoir, on a exposé qu'un seul concept permettait de rendre compte, en dernière analyse, de la pérennité d'un pouvoir politique – la légitimité – qui fonde donc le sous-bassement premier de la viabilité du système politique. Dès lors, le système politique doit son existence à une sorte de consentement – la légitimité ; il reçoit d'elle, en réalité, ses principes d'interaction, de cohérence et d'action.

Questions

1) Pourquoi est-il important de comprendre le fonctionnalisme pour étudier les systèmes politiques ?
2) Pour Parsons, le changement structurel doit obéir à certaines modalités. Lesquelles ?
3) Quel est le rôle des filtres dans le schéma d'analyse d'Easton ?
4) En vous inspirant des travaux d'Almond et Coleman, en quoi la communication est-elle la fonction centrale du système politique ?
5) Par quels processus émergent les demandes dans le modèle de Lapierre ?
6) Quel lien y a-t-il entre crise du système politique et révolution ?

Bibliographie

RÉFÉRENCES DE BASE

- Almond G. A., Coleman J. S. (1960), *The Politics of Developing Areas*, Princeton, Princeton University Press.
- Easton D. (1965), *A System Analysis of Political Life*, New York, John Wiley & Sons.
- Lapierre J.-W. (1973), *L'analyse des systèmes politiques*, Paris, PUF.
- Parsons T. (1951), *The Social System*, London, Routledge and Kegan Paul.
- Von Bertalanffy L. (1968), *General System Theory : Foundations, Development, Applications*, New York, George Braziller.

POUR ALLER PLUS LOIN

- Bailey K. D. (2001), « Systems Theory », *in* Turner J. (dir.), *Handbook of Sociological Theory*, New York, Kluwer Academic/Plenum Publishers, pp. 309-401.
- Buckley W. (1967), *Sociology and Modern Systems Theory*, Englewood Cliffs, Prentice-Hall.
- Jones R. E. (1967), *The Functional Analysis of Politics : An Introductory Discussion*, London, Routledge and Kegan Paul.
- Lilienfeld R. (1978), *The Rise of Systems Theory: An Ideological Analysis*, New York, John Wiley & Sons.
- Radcliffe-Brown A. R. (1952), *Structure and Function in Primitive Society*, New York, Free Press.

CHAPITRE 5
LES CLIVAGES

Sommaire

Résumé

Les systèmes politiques sont constamment confrontés à des pressions sociales plus ou moins aiguës en vue de produire une certaine intervention – ou non – dans l'organisation des comportements sociaux. Ces pressions peuvent être divergentes et récurrentes, et s'alimenter auprès de sources stables et profondes d'opposition entre citoyens d'un même État. Ce sont ces facteurs structurels de division sociale que désigne la notion de clivage, en même temps que leurs effets de mobilisation collective, résidant dans la constitution de groupes d'influence et de partis politiques durables et dotés d'un poids significatif. Ces derniers tirent leur identité première du fait d'être perçus par les citoyens comme les représentants attitrés d'un « camp social » particulier, résultant du creusement d'un clivage dans un État donné : porte-parole des salariés et demandeurs d'emploi ou bien des rentiers et des entrepreneurs, des croyants (de telle conviction religieuse) ou bien des non-croyants, etc.

À travers son histoire, toute société se structure d'une certaine façon, s'agençant de façon durable autour de certains éléments spécifiques : valeurs, rôles, stratification sociale, rapports (entre groupes) sociaux... Parmi ces structures sociales peuvent figurer aussi les conflits, oppositions récurrentes entre groupes sociaux. Ces conflits peuvent être motivés par diverses raisons : culturelles, religieuses, économiques, ethniques, etc. Les clivages représentent un type particulier de conflits qui advient lorsque dans un État donné, un groupe social développe un sentiment d'appartenance et un projet de société en opposition à d'autres et qu'il souhaite les promouvoir, souvent parce qu'il se sent minorisé dans la société. Les clivages donnent lieu alors, entre les groupes sociaux concernés, à des luttes de pouvoir plus ou moins permanentes, qu'il appartient aux institutions politiques d'arbitrer, sous peine de voir la société imploser.

1 | Le concept de clivage

En science politique, les clivages ont fait l'objet d'une attention particulière et d'une investigation pointue dans le cadre de la théorie des clivages dont la présentation formera l'essentiel de ce chapitre. Pourtant ses pères fondateurs, Seymour Martin Lipset et Stein Rokkan, n'ont pas défini le mot « clivage ». Mais d'autres auteurs ont pallié cette lacune, en particulier Stefano Bartolini (2005) dont la conceptualisation fait autorité, en montrant précisément en quoi toute division sociale ou politique ne constitue pas un clivage.

ENCADRÉ N° 5.1 : DÉFINITION USUELLE DE LA NOTION DE CLIVAGE

« Celle-ci (la définition classique de clivage en science politique) ne comprend pas de simples oppositions qui pourraient apparaître à un moment donné dans l'opinion publique, mais de réelles divisions basées sur : a) une caractéristique de base de la vie en société comme le genre, la classe sociale, la croyance, la langue, la race, etc. ; b) un sentiment d'identité collective qui pousse les gens qui partagent cette caractéristique à agir en faveur de sa défense ; c) une caractéristique autour de laquelle se sont construites des organisations, comme des partis politiques, des Églises ou encore des groupes intermédiaires comme des syndicats, etc. » (Dumont, Dewinter, 2003 : 71-72, tiré de Bartolini, Mair, 1990 : 213-220).

Selon Bartolini, les conflits qui peuvent donner lieu à des clivages trouvent leur origine dans les lignes de démarcation qu'un groupe social établit pour se différencier des autres et construire une *identité* propre. Ces lignes de démarcation (« *boundaries* ») permettent ainsi de définir un « groupe d'appartenance » qui distingue le « nous » (« *us* » ; « *insiders* ») et le « eux » (« *them* » ; « *outsiders* »). À titre d'exemples, la race, l'ethnie, le clan, la langue, la religion... peuvent servir de lignes de démarcation. Enserré dans ces lignes de démarcation, un groupe peut tisser des relations sociales plus ou moins ouvertes ou fermées avec les autres groupes selon la perception des avantages ou des désavantages qu'il peut en tirer. Ainsi un groupe social dont le sentiment d'appartenance se base sur une religion peut adopter une attitude d'ouverture ou de fermeture vis-à-vis d'un autre groupe social dont l'identité est basée sur une autre religion. Mais plus son attitude sera fermée, plus forte sera la probabilité que s'érige un clivage sur la base de cette démarcation.

En tout état de cause, selon Bartolini, il y a « clivage » à partir du moment où l'établissement de telles lignes de démarcation entre groupes sociaux s'effectue sur une triple source de division. *Primo*, une « *division d'intérêts* », résidant dans le « *système de différenciation sociale* » qui a cours dans une société et dans les positions sociales qui y sont occupées. *Secundo*, une « *division culturelle* », enracinée dans les systèmes « *symbolique* » (pourvoyeur des identités collectives de base, fondées sur le genre, les liens de parenté, l'ethnie...) et surtout « *normatif* » (pourvoyeur de valeurs, croyances idéologiques et codes de conduite particuliers). *Tertio*, une « *division d'appartenances* », liée au « *système comportemental* » et qui s'exprime par la mise en place d'organisations collectives et l'action collective qui en découle.

Dans la filiation des travaux pionniers de Lipset et Rokkan (cf. *infra*, section 2), les clivages qui sont ainsi détectés servent surtout à expliquer la nature des divisions partisanes particulières qui s'instituent dans les différents États, leur système propre de partis (cf. chapitre Partis politiques et groupes d'influence, section 7) : pourquoi les partis principaux d'un État ne sont pas les mêmes que ceux d'un autre État ? Pourquoi sont-ce ces partis-là et pas d'autres qui parviennent à s'établir durablement ? Pourquoi tel parti établi adopte-t-il ces positions-là sur ces enjeux-là de réformes institutionnelles ou de politique publique ?

2 | Le texte fondateur de Lipset et Rokkan

Lipset et Rokkan (1967) ont posé les fondements de la théorie des clivages dans une introduction à un ouvrage collectif qu'ils codirigèrent, intitulée *Cleavages, Party Systems and Voter Alignments*, traduite en français par *Structures de clivages, systèmes de partis et alignement des électeurs* (Lipset et Rokkan, 2008/1967). Ce cadre d'origine ne sera que peu modulé par la suite, par le seul Rokkan (1970, 1995a et b), jusqu'à son décès en 1979.

ENCADRÉ N° 5.2 : MARTIN SEYMOUR LIPSET ET STEIN ROKKAN

Né en 1921, en Norvège, Stein Rokkan est le concepteur principal de la théorie des clivages. Philosophe de formation, il consacra l'essentiel de ses travaux à l'étude des processus historiques de constitution des États en Europe. Professeur en sociologie et politique comparée à l'Université de Bergen, de 1966 à sa mort en 1979, il présida notamment l'Association internationale de science politique (IPSA) (1970-73), le Consortium européen pour la recherche politique (ECPR) (1970-76) et le Conseil international des sciences sociales de l'UNESCO (ISSC ; 1973-77) (cf. chapitre Qu'est-ce que la science politique ?, section 9). Entre autres hommages à son œuvre, un prestigieux Prix Stein Rokkan pour la recherche comparée en sciences sociales est décerné depuis 1981 par l'ISSC.

Né en 1922 à New York, fils d'un immigrant russe juif, Martin Seymour Lipset s'est éteint en 2006. Spécialiste de la démocratie, il s'est énormément intéressé à la politique aux États-Unis et à ce qu'il considérait comme « l'exception américaine ». Après un doctorat en sociologie à Columbia, il fut professeur de sociologie et de science politique dans des universités américaines renommées : Berkeley (1956-65), Harvard (1965-75), Stanford (1975-92). Il fut le seul président à la fois de l'Association américaine de science politique (APSA) (1981-82) et de l'Association américaine de sociologie (ASA) (1993).

Pour l'essentiel, l'ouvrage édité par Lipset et Rokkan se composait de chapitres s'apparentant à des monographies : par pays, ils étaient consacrés à la genèse et à la configuration d'alors des systèmes de partis, essentiellement en Europe de l'Ouest. Leurs auteurs examinaient les racines des partis établis, c'est-à-dire disposant d'une représentation parlementaire significative et durable, ainsi que l'évolution des alignements électoraux (cf. chapitre Citoyens , section 3) en soutien à ces partis. Dans leur introduction, Lipset et Rokkan ont voulu faire œuvre comparatiste, en voulant rendre inter-compréhensibles les évolutions historiques par lesquelles les différents États en sont venus à receler le système de partis (cf. chapitre Partis politiques et groupes d'influence, section 7) qui était le leur à l'époque. Leur ambition était de monter une véritable théorie dont la force de généralisation était censée s'étendre, au-delà des pays d'Europe occidentale, à tous les systèmes compétitifs de partis.

En science politique francophone, la diffusion de la théorie des clivages doit beaucoup à un politologue belge, Daniel-Louis Seiler (1982, 2011). Fidèle à l'esprit d'origine, celui-ci a veillé à assurer à la théorie une application systématique et actualisée aux États de la « vieille Europe », tout en en élargissant l'assise empirique, notamment en la transposant aux systèmes de partis d'Europe centrale et orientale post-communiste.

3 | Cadrage général de la théorie d'origine

Dans sa formulation initiale, la théorie des clivages a entièrement été articulée à l'une des grandes théories de sociologie générale de l'époque, la théorie structuro-fonctionnaliste de Talcott Parsons (cf. *infra*, section 4 et chapitre Système politique, section 2). Ces fondations théoriques ont par la suite été largement, sinon complètement, oubliées des présentations synthétiques de la théorie comme de ses applications empiriques. Aussi ce qui fait habituellement la spécificité de cette théorie tient dans son pari d'expliquer les configurations partisanes contemporaines, et les alignements électoraux qui les soutiennent, à partir de processus historiques macro-sociaux ayant une double caractéristique. D'une part, ils se situent dans du temps long, susceptible de débuter à partir des XVIe-XVIIe siècles (cf. *infra*). D'autre part, il s'agit de processus de bouleversements majeurs des sociétés : des « *révolutions* », et le terme n'est pas anodin.

3.1. Les clivages, sources historiques des principaux partis établis

La grille d'analyse proposée par Lipset et Rokkan est axée autour de deux révolutions, chacune susceptible d'engendrer deux clivages, bien que selon des temporalités et des intensités différentes. La première est politique, la « révolution nationale », liée au processus d'édification d'États-Nations comme cadres d'exercice du pouvoir temporel, de façon relativement centralisée sur des territoires unifiés. La seconde est économique, la « révolution industrielle », qui consiste dans le remplacement d'une économie agricole de subsistance, ancrée dans les campagnes, par une économie industrielle propice à l'accumulation et ancrée dans ou à proximité des villes, qu'elle contribue à constituer. Lors de « moments critiques » (« *critical junctures* »), ces mouvements de long cours entraînent dans chaque État, de façon variée selon les forces et les élites en présence, des orientations de développement qui pèseront lourdement sur les sources structurelles de division sociale et leur traduction sous la forme de partis politiques.

La révolution nationale est susceptible d'entraîner d'abord un clivage « centre-périphérie », dès le moment critique de la Réforme et de la Contre-Réforme (XVIe-XVIIe siècles), avec pour enjeu premier le type de religion, nationale (protestante) ou supranationale (catholique romaine), à établir à l'échelle des États. Ensuite, des suites de la Révolution « démocratique » française de 1789, un clivage « Église-État » peut apparaître, avec pour enjeu le degré d'indépendance du pouvoir temporel (l'État) à l'égard du pouvoir spirituel (l'Église). S'enclenchant après la révolution nationale, la révolution industrielle est susceptible d'entraîner d'abord, au XIXe siècle, un clivage « rural-urbain », avec pour enjeu le type d'économie, primaire (agricole) ou secondaire (industrielle), porteuse du développement de la société, puis un clivage « capital-travail », sur la distribution des richesses et pouvoirs entre possédants et travailleurs, lequel s'avive en particulier au moment critique de la Révolution bolchevique de 1917.

Déstabilisant fortement les équilibres sociaux préexistants, les révolutions produisent des clivages, du fait que des groupes sociaux, se sentant menacés par la marche de l'Histoire, se mobilisent pour réorienter à leur profit les rapports sociaux et la façon dont le pouvoir est établi et exercé à cet égard. Par exemple, la bourgeoisie industrielle et marchande, portée par la révolution industrielle, peut en venir à exiger l'abolition des mesures de protection étatique dont bénéficiaient les produits agricoles nationaux, afin d'abaisser les coûts de production et prix de vente des produits industriels, mettant ainsi en péril la survie du monde agricole qui pourra en venir en réaction à se mobiliser pour préserver ses protections.

Trois étapes amènent à la création de nouveaux partis. Dans un premier temps, des macro-processus de transformation sociale (monétarisation des échanges, urbanisation...) offrent un contexte propice à la formation de clivages, en ce qu'ils sont porteurs de « contradictions sociales », de divisions sociales structurelles latentes. Dans un deuxième temps, de façon spécifique et à des rythmes différents selon les États, des clivages prennent forme et se traduisent dans des conflits, cette fois manifestes, entre groupes, portant notamment sur l'organisation du pouvoir politique et les politiques publiques : comment répartir le pouvoir entre État et Église ? Comment redistribuer les richesses produites par les progrès techniques ? Quelle(s) langue(s) officielle(s) instaurer sur le territoire national ? etc. Dans un troisième temps, des entrepreneurs politiques entrent en action et opèrent des choix stratégiques qui peuvent être différents les uns des autres. Quels canaux d'action favorisent-ils : la presse, la rue, les élections... ? Cherchent-ils à voir leurs revendications relayées par des partis existants – le cas échéant, lesquels ? – ou créent-ils de nouveaux partis ? Sont-ils vecteurs de radicalité ou de modération ? Comment les élites politiques en place – en particulier les élites dirigeantes de l'État qui ont la capacité légale de réformer les institutions et politiques publiques – réagissent-elles à ces stratégies ? Accueillent-elles les revendications avec plus ou moins de bienveillance ? Les rejettent-elles ?

Qu'un clivage engendre un nouveau parti dans un système national de partis dépend donc de la conjonction de trois types de facteurs, situés à des niveaux d'analyse différents (cf. avant-propos, encadré n° 0.3) et dont le contenu varie d'un État à l'autre, expliquant que les configurations partisanes ne sont pas identiques d'un pays à l'autre. *Primo*, à un niveau macro-social, cela va dépendre de la trajectoire historique suivie par chaque État au moment où les clivages sont susceptibles de se développer en son sein, profilant d'une certaine manière ces clivages, leurs enjeux et protagonistes (cf. encadré suivant).

ENCADRÉ N° 5.3 : LA CARTE CONCEPTUELLE DE L'EUROPE DES XVᵉ-XVIIIᵉ SIÈCLES SELON ROKKAN

Dimension « État Économie » : axe Ouest-Est

	Faible périphéries urbaines (Faible / Faible)		Puissant Nations impériales maritimes (Puissant / Puissant)		Puissant L'Europe des cités-États (Faible / Puissant)		Fragmentée jusqu'au XXᵉ	Faible Nations impériales continentales (Puissant / Faible)		Faible États tampons continentaux (Faible / Faible)
	Lointains	Proches	Lointains	Proches	Formation constitutionnelle	Intégrés dans un système plus grand		Proches	Lointains	
Église protestante d'État	Islande, Norvège, Écosse, Pays de Galles		Angleterre	Danemark					Suède	Finlande
Territoires mixtes					Pays-Bas, Suisse		Allemagne de la Hanse, Pays du Rhin	Prusse		Territoires baltes, Bohême
Catholicisme national		Irlande, Bretagne		France	Belgique	« Lotharangia » Bourgogne Arelatum		Bavière, Autriche		Pologne, Hongrie
Contre-réforme				Espagne, Portugal		Catalogne	Italie			

Dimension « État Culture » : axe Nord-Sud

Source : Seiler, 2004 : 72.

Secundo, à un niveau méso-social, la traduction d'un clivage sous forme de partis établis dépend des institutions politiques – en particulier des modes de scrutin (cf. chapitre Parlements et gouvernements, section 1.3.4) et des seuils de représentation qu'ils impliquent – et politiques publiques en place, et du degré d'ouverture des élites dirigeantes de l'État aux revendications des groupes sociaux mobilisés autour d'un clivage. *Tertio*, à un niveau micro-social, elle dépend des choix stratégiques qu'opèrent les porte-parole de ces groupes sociaux, au travers de groupes d'influence représentatifs et, le cas échéant, de partis politiques. L'advenue d'un clivage dans une société offre donc une opportunité de voir certains nouveaux partis s'établir dans un système politique, jamais une garantie. C'est une condition nécessaire, mais non suffisante.

3.2. Le rôle dual des partis à l'égard des clivages

Né pour exprimer les vues et revendications du camp social particulier qui s'est mobilisé autour d'un clivage (cf. *infra*, section 3.1), tout parti – à moins qu'il ne soit « anti-système » (cf. *infra*, section 9) – va être amené à jouer un double jeu d'aiguiseur *et* d'atténuateur du clivage qui l'a vu naître, agissant, dans des mesures variables selon les circonstances et les partis, à la fois comme « *agent du conflit et instrument d'intégration* » (Lipset, Rokkan, 2008/1967: 13).

D'un côté, créés à partir d'une dynamique d'opposition sociale structurelle, les partis renforcent les divisions et tensions sociales et déstabilisent le système politique, en exprimant de manière constante des revendications, d'action ou d'inaction, à son égard. Mais d'un autre côté, ils réduisent les tensions et divisions sociales et contribuent à stabiliser le système politique. Comment ? D'une part, les partis n'existant qu'en nombre limité, les citoyens sont contraints de s'aligner derrière les partis existants. L'alignement – souvenez-vous du titre de l'ouvrage édité par Lipset et Rokkan (cf. *supra*, section 2) –, derrière un même parti, d'individus, groupes sociaux et organisations collectives impliquent pour eux de dépasser leurs oppositions potentielles et de minorer leurs différences d'opinions en s'alliant dans le soutien à un même et unique parti. D'autre part, s'ils se veulent des partis de gouvernement (cf. chapitre Partis politiques et groupes d'influence, section 7.2), les partis se voient contraints de dépasser les/certains des clivages existants, en cherchant à élargir leur assise sociale pour accroître leur poids électoral ou en s'alliant avec d'autres partis dans la perspective de former une coalition gouvernementale.

3.3. Les effets durablement structurants des clivages sur le système de partis des États

Dans la plupart des cas, Lipset et Rokkan constatent que les systèmes de partis (cf. chapitre Partis politiques et groupes d'influence, section 7) qu'ils observent dans les années 1960 sont restés configurés selon les lignes de division héritées des clivages d'origine, celles qui prévalaient au moment de l'avènement de la démocratie de masse et de l'instauration du suffrage universel masculin. Ce, quelle que soit l'évolution des positions politiques, positionnements identitaires et formes organisationnelles des partis. Quelle que soit l'évolution des alignements et réalignements électoraux derrière ces partis. Quelle que soit enfin l'évolution de l'intensité des clivages et des relations entre les clivages dans une société. C'est ce constat qui nourrit leur thèse d'un gel des clivages.

Cette thèse insiste sur la force d'inertie des effets que les clivages engendrent dans les systèmes nationaux de partis. Dans nombre de pays occidentaux, les partis actuels sont les prolongements organisationnels directs de partis « historiques » constitués autour de clivages d'origine. Aux États-Unis, les deux principaux partis au plan fédéral, le Parti démocrate et le Parti républicain, ont été créés l'un dès la fin du XVIIIe siècle, l'autre à la moitié du XIXe siècle. En Belgique, les partis qui constituent aujourd'hui encore les trois principales familles politiques représentées dans les assemblées parlementaires nationale et régionales sont les descendants organisationnels directs de partis constitués dès le XIXe siècle. Le MR et l'Open VLD descendent du Parti libéral créé en 1846, le cdH et le CD&V, du Parti catholique fondé en 1884, et le PS et le SP.A, du Parti ouvrier belge (POB), qui naquit en 1885.

Et quand de nouveaux partis politiques sans lien organisationnel avec un prédécesseur parviennent à s'établir, ils peuvent continuer à s'identifier à titre principal en rapport avec l'un des clivages historiques. En Belgique, c'est le cas par exemple des partis « régionalistes » belges francophones, nés dans les années 1960, en relation avec le clivage « centre-périphérie » (cf. *infra*, section 5) : le RW (Rassemblement wallon) et le FDF (aujourd'hui Fédéralistes démocrates francophones). En Australie, si l'un des principaux partis actuels, le Parti libéral, n'a été créé « que » en 1945, son identité première découle du clivage « capital-travail », sa naissance trouvant sa justification dans une volonté de faire contrepoids au Parti travailliste fondé dès l'indépendance de l'Australie, en 1901.

Enfin, même lorsque des partis politiques contemporains tentent de fonder une identité politique en se démarquant des clivages historiques, certaines de leurs prises de position dans les arènes décisionnelles peuvent ne pas échapper à la logique d'opposition des clivages historiques. Par exemple, bien que les deux partis écologistes belges, Écolo le francophone et Groen le néerlandophone, ne forment qu'un seul groupe parlementaire à la chambre, leurs positions divergent régulièrement sur les questions institutionnelles, largement influencées par le clivage « centre-périphérie ».

4 | Approfondissements conceptuels de la théorie d'origine

Dans la formulation originelle de la théorie des clivages, chaque révolution, nationale et industrielle, est potentiellement porteuse de clivages de deux ordres, soit « *territoriaux* » (ou « *territoriaux-culturels* »), les clivages « centre/périphérie » et « rural/urbain », soit « *fonctionnels* », dans le cas des clivages « Église/État » et « capital/travail ». Cette spécification dérive de l'ancrage de la théorie des clivages dans la théorie sociologique structuro-fonctionnaliste de Talcott Parsons (cf. chapitre Système politique, section 2).

Les usagers « orthodoxes » de la théorie des clivages tiennent au maintien dans le cadre d'analyse de cette distinction entre les expressions territoriale et fonctionnelle du potentiel conflictuel véhiculé par une révolution. Dans leur souci d'actualisation de la théorie, ils considèrent ainsi, à l'instar de Daniel-Louis Seiler que, pour rester fidèle à l'esprit de Lipset et Rokkan, il faut concevoir que toute nouvelle révolution produit nécessairement des effets conflictuels sur un axe territorial *et* sur un axe fonctionnel (cf. *infra*, section 9). D'autres au contraire jugent cette sophistication conceptuelle peu pertinente et non nécessaire pour tirer parti de la théorie. Force est de constater que la théorie tient tout aussi bien sans cette médiation supplémentaire entre les révolutions et les clivages, pour autant qu'on ait compris la dynamique générale sur laquelle la théorie met l'accent.

4.1. Une spécification : les dimensions territoriale et fonctionnelle des clivages

Dans la conceptualisation de Lipset et Rokkan, pilotée par un même acteur principal, la bourgeoisie, chaque révolution, nationale et industrielle, engendre des effets potentiellement conflictuels le long de deux axes : l'axe territorial et l'axe fonctionnel. Le long de l'axe territorial, l'enjeu fondamental consiste à déterminer quel espace exercera le contrôle politique des groupes et des individus au sein de la société : le centre politique ou les périphéries, dans le cas de la révolution nationale ? Les villes ou la campagne, dans le cas de la révolution industrielle ? Le long de l'axe fonctionnel, l'enjeu majeur du clivage est de déterminer qui, au sein de la société, détiendra le pouvoir politique entendu comme centre de gravité du système politique : l'Église ou l'État, dans le cas de la révolution nationale ? Les possédants ou les travailleurs, pour la révolution industrielle ?

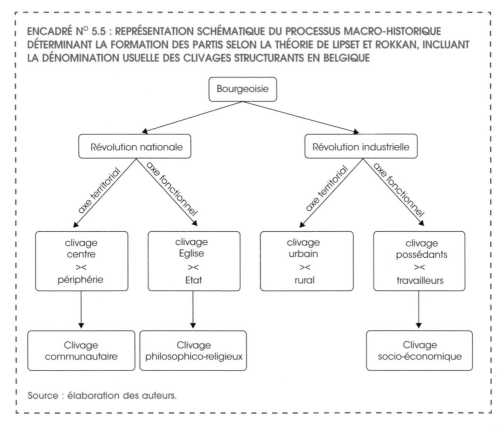

ENCADRÉ N° 5.5 : REPRÉSENTATION SCHÉMATIQUE DU PROCESSUS MACRO-HISTORIQUE DÉTERMINANT LA FORMATION DES PARTIS SELON LA THÉORIE DE LIPSET ET ROKKAN, INCLUANT LA DÉNOMINATION USUELLE DES CLIVAGES STRUCTURANTS EN BELGIQUE

Source : élaboration des auteurs.

Cette sophistication du cadre d'analyse en trois niveaux plutôt que deux – les révo-lutions, les clivages *et* les axes territorial et fonctionnel – est directement liée à l'ancrage par Lipset et Rokkan de leur théorie dans la fameuse carte conceptuelle « AGIL » de la théorie structuro-fonctionnaliste de Talcott Parsons.

4.2. L'arrière-fond théorique : le modèle « AGIL » de Parsons

Pour rappel (cf. chapitre Système politique, sp. section 2.1 et encadré n° 4.7), le modèle AGIL de Talcott Parsons (1959, 1969 ; Rocher, 1972) postule que, pour se perpétuer, tout système global – c'est-à-dire le système qui est établi à l'échelle d'une société – et tout sous-système remplit les quatre fonctions de base suivantes :

– A : l'adaptation à l'environnement et plus particulièrement l'exploitation de la nature
– G : la réalisation d'objectifs collectifs (« *goal attainment* »)
– I : l'intégration, impliquant la coordination des individus et des groupes
– L : le maintien des modèles de valeurs (« *latent pattern maintenance* »).

Dans la représentation parsonienne de la société, à chaque fonction correspond un sous-système, lequel entretient des relations avec chacun des autres sous-systèmes.

– le sous-système économique : l'adaptation à l'environnement (A)
– le sous-système politique : la poursuite de buts collectifs (G)
– le sous-système social : l'intégration des individus et des groupes (I)
– le sous-système culturel : le partage d'un socle de valeurs communes (L).

4.3. Le raccord entre la théorie des clivages et le modèle « AGIL » de Parsons

Comment la théorie des clivages élaborée par Lipset et Rokkan pour rendre compte de la genèse et de l'évolution d'un système national de partis s'est-elle connectée au modèle forgé par Parsons pour expliquer le fonctionnement d'ensemble de toute société ? Précisément (cf. encadré n° 5.6), par la médiation des dimensions territoriale et fonc-tionnelle qui structurent fondamentalement le cadre d'analyse de Lipset et Rokkan. La dimension territoriale correspond à un axe reliant les fonctions L et G du modèle « AGIL » de Parsons, tandis que la dimension fonctionnelle recoupe un axe reliant les fonctions A et I.

Dans ce schéma, les oppositions *sociales* qui vont donner corps aux clivages se situent soit sur l'axe territorial, du côté de la fonction L, dès lors que le centre politique – les élites nationales au pouvoir au sein du sous-système politique – s'articule autour de la fonc-tion G (définir et assigner les buts collectifs de la société), soit sur l'axe fonctionnel reliant les fonctions A et I (cf. encadré n° 5.7). Les oppositions dites territoriales proviennent de mobilisations sociales menées au nom d'une identité qui renvoie à l'appartenance à un groupe *territorialisé*, dont les membres sont *concentrés* sur une portion distincte du terri-toire national : dans les campagnes, pour le versant « rural » du clivage rural/urbain ; dans une ou plusieurs régions données, pour le versant « périphérie » du clivage centre/périphé-rie. En revanche, les oppositions dites fonctionnelles proviennent de mobilisations sociales menées au nom d'une identité qui renvoie à l'appartenance à un groupe dont les membres sont *éparpillés* sur le territoire national : selon un statut professionnel, pour le clivage capi-tal/travail ; selon une identité philosophico-religieuse, pour le clivage Église-État.

ENCADRÉ N° 5.6 : INSCRIPTION DU CADRE D'ANALYSE DES CLIVAGES DANS LE MODÈLE PARSONIEN « AGIL » : POSITIONNEMENT DES DIMENSIONS TERRITORIALE ET FONCTIONNELLE

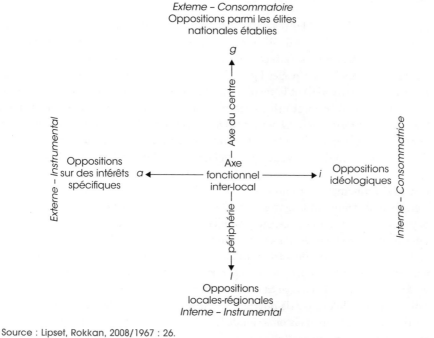

Externe – Consommatoire
Oppositions parmi les élites
nationales établies

g

Externe – Instrumental

Oppositions
sur des intérêts   *a*
spécifiques

Axe
fonctionnel
inter-local

i   Oppositions
idéologiques

Axe du centre

périphérie

Interne – Consommatrice

l

Oppositions
locales-régionales
Interne – Instrumental

Source : Lipset, Rokkan, 2008/1967 : 26.

ENCADRÉ N° 5.7 : INSCRIPTION DU CADRE D'ANALYSE DES CLIVAGES DANS LE MODÈLE PARSONIEN « AGIL » : POSITIONNEMENT DES CLIVAGES

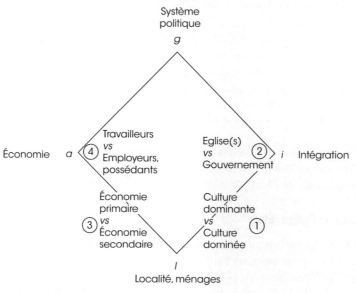

Système
politique
g

Économie   *a*   ④   Travailleurs
vs
Employeurs,
possédants

Eglise(s)
vs
Gouvernement   ②   *i*   Intégration

Économie
primaire
③ *vs*
Économie
secondaire

Culture
dominante
vs
Culture
dominée   ①

l

Localité, ménages

Source : Lipset, Rokkan, 2008/1967 : 33.

5 | Au cœur de la théorie d'origine : les quatre clivages historiques

Pour Lipset et Rokkan, les révolutions nationale et industrielle sont donc porteuses chacune de deux clivages qu'ils n'ont – à la différence de ce que nous proposons – pas toujours dénommés de façon uniforme (cf. encadré précédent). La révolution nationale engendre les clivages Église/État (sur l'axe fonctionnel) et centre/périphérie (sur l'axe territorial) et la révolution industrielle, les clivages capital-travail (sur l'axe fonctionnel), et rural/urbain, les villes étant historiquement associées à l'industrie (sur l'axe territorial). Chaque clivage est susceptible de donner naissance à des partis politiques dont l'identité première sera tirée de leur positionnement sur l'un des « pôles » – ou des « versants » – du clivage qui les a engendrés. Huit « familles (de partis) politiques » (Seiler, 1980) sont ainsi théoriquement envisagées, selon leur positionnement sur l'un des deux versants de ces quatre clivages historiques. Deux bémols viennent toutefois moduler cette représentation. D'une part, dans les pays occidentaux, l'une de ces huit familles n'a qu'une existence purement virtuelle, puisqu'aucun système de partis (cf. chapitre Partis politiques et groupes d'influence, section 7) n'a compté de parti « urbain » dont l'identité première se serait établie à partir de la seule défense du monde des villes et des industries. Second bémol, le versant « travail » du clivage capital/travail a lui régulièrement donné naissance au sein de la famille des partis ouvriers à deux sous-familles distinctes de partis : les partis socialistes, auxquels on assimile les partis sociaux-démocrates et travaillistes, et les partis communistes (cf. chapitre Idéologies, sections 7 et 8).

ENCADRÉ N° 5.8 : LES FAMILLES DE PARTIS POLITIQUES SELON LA THÉORIE DE LIPSET ET ROKKAN

Révolutions	Clivages	Familles de partis politiques
Nationale	Église/État	Confessionnels ⇔ laïcs
	Centre/périphérie	Unitaristes ⇔ régionalistes
Industrielle	Rural/urbain	Agrariens ⇔ urbains
	Capital/travail	Bourgeois ⇔ ouvriers (ouvriers : socialistes OU communistes)

Source : élaboration des auteurs.

Disséquons le contenu de chacun de ces quatre clivages et précisons la nature des différentes familles de partis qu'ils sont susceptibles d'avoir engendrés, selon l'histoire nationale de l'État considéré (cf. *supra*, section 3.1 et *infra*, section 6).

5.1. Le clivage Église/État

Le clivage Église-État, appelé aussi usuellement en Belgique « clivage philosophico-religieux », a pour enjeu les rapports entre l'État et l'Église, et plus précisément, le degré d'indépendance du pouvoir étatique par rapport au pouvoir religieux dans la prise des décisions publiques. Le processus de la révolution nationale a induit un mouvement d'affirmation de la suprématie des autorités étatiques dans le gouvernement des individus présents sur leur territoire. Les « élites bâtisseuses des États-Nations », comme les nomment Lipset et Rokkan – ou par la suite, ceux qui aspiraient à l'être –, ont ainsi été conduites à dissocier pouvoir civil/temporel et pouvoir religieux/spirituel. La primauté de l'État sur l'Église dans la gestion des affaires publiques passait par des décisions politiques concernant le financement de l'Église, la légitimité de ses possessions, la gestion de l'état civil des citoyens (célébration des mariages, inhumations...), de l'éducation (les écoles), de l'assistance sociale (les dispensaires, les hospices...)... Ce mouvement a pu susciter en retour l'opposition de l'Église – catholique, plus souvent que protestante – et des groupes sociaux qui la soutiennent.

Cette dynamique historique a ainsi engendré un clivage entre partisans et opposants à cette tendance à la laïcisation du pouvoir politique. D'un côté, sur le versant « État » du clivage, les forces laïques ou anticléricales, appuyant ce mouvement de sécularisation de la société mené dans des proportions plus ou moins grandes. De l'autre côté, sur le versant « Église », les forces religieuses ou cléricales, s'y opposant plus ou moins radicalement. Dans les pays où ce clivage s'est traduit en partis politiques, il a donné naissance sur le versant « État », à des partis dont l'identité première est laïque et sur le versant « Église », à des partis confessionnels, catholiques le plus souvent mais parfois aussi protestants.

ENCADRÉ N° 5.9 : LAÏCISATION ET SÉCULARISATION

« La sécularisation implique une relative et progressive (avec des zigzags) perte de pertinence sociale (et, en conséquence, individuelle) des univers religieux par rapport à la culture commune (...). La laïcisation, en revanche, concerne avant tout la place et le rôle social de la religion dans le champ institutionnel, la diversification et les mutations sociales de ce champ, en relation avec l'État et la société civile. » (Baubérot, 2004 : 53).

En Belgique, la création précoce des deux premiers partis politiques, à une époque où seul un à deux pour cents de la population adulte avait le droit de vote, fait directement écho au clivage Église-État. Avec la particularité que celui-ci a d'abord donné naissance à un parti laïque, le Parti libéral, dont le but principal était de laïciser l'État. La création du Parti libéral mit fin à l'unionisme (union au pouvoir) entre les forces politiques libérales et catholiques qui s'étaient alliées dans la révolution de 1830 qui déboucha sur l'indépendance de la Belgique, suite à sa sécession d'avec les Pays-Bas. L'unionisme avait été nécessaire à la reconnaissance de l'indépendance de la Belgique par ses États voisins. Il était aussi un facteur de stabilité sociale, empêchant que les oppositions entre groupes sociaux se manifestent au grand jour. Mais aux yeux des laïcs qui fondent le Parti libéral en 1846, l'unionisme apparaît comme un frein à la sécularisation de la société. Opposé au contraire à la sécularisation et à la laïcisation, un Parti catholique se crée en 1884, à partir d'un dense tissu associatif préexistant mobilisé à l'occasion de la première « guerre scolaire ».

En Autriche, c'est au nom d'une identité explicitement chrétienne qu'a été constitué en 1893 l'un des deux grands partis actuels, l'ÖVP, le Parti populaire autrichien, appelé initialement parti social-chrétien. Plus récemment, et dans un tout autre contexte géopolitique, les deux premiers partis à l'issue des premières élections législatives libres en Égypte en 2011-2012, le Parti de la liberté et de la justice, fondé par les Frères musulmans de tendance islamiste modérée, et le Parti de la lumière, fondé par le mouvement salafiste de tendance islamiste radicale (cf. chapitre Idéologies, section 13), puisent tous deux, bien que différemment, leur identité première, au versant « Église » – dans ce cas en lien avec la religion musulmane – du clivage Église/État.

5.2. Le clivage centre/périphérie

Le clivage centre-périphérie, auquel renvoie, en Belgique, l'expression « clivage communautaire », a pour enjeu la centralisation du pouvoir politique, et plus précisément, la capacité des autorités étatiques (centrales) à produire des modes communs d'organisation sociale sur tout le territoire de l'État. Le processus de révolution nationale a induit un mouvement d'intégration territoriale qui a pu conduire les « élites bâtisseuses de l'État-Nation », ou par la suite ceux qui aspiraient à le devenir, à vouloir soit homogénéiser le territoire, en gommant les particularismes locaux ou régionaux, d'ordre culturel ou économique, soit impulser un développement de l'État à partir de certaines zones privilégiées, la capitale de l'État notamment. Ce mouvement a pu susciter en retour l'opposition de groupes sociaux attachés à la conservation de ces particularités locales ou régionales mises à mal par la politique de l'État central. Ceux-ci revendiquèrent au minimum la reconnaissance et la protection de particularismes d'ordre culturel (linguistiques, religieux…), et au maximum, des institutions politiques propres, dans une perspective soit de décentralisation de l'État, soit de sécession de l'État (cf. chapitre État, section 4).

Cette dynamique historique a ainsi engendré un clivage entre les partisans et les opposants à cette tendance à la centralisation du pouvoir politique. D'un côté, sur le versant « centre » du clivage, on trouve les forces favorables à la centralisation du pouvoir, au sens du développement d'un pouvoir central consistant au sein d'un État. De l'autre, sur le versant « périphérie », se situent les forces qui s'y opposent au nom de la conservation de spécificités, culturelles ou économiques, ancrées dans une portion particulière du territoire de l'État. Dans les pays où ce clivage s'est traduit en partis politiques, il a donné naissance sur le versant « centre », à des partis dits unitaristes, et sur le versant « périphérie », à des partis appelés de façon générique régionalistes.

En Belgique, ce clivage s'est révélé politiquement actif dès 1840, avec la première pétition demandant la reconnaissance du néerlandais dans un espace public dominé par le français, langue promue par les élites, alors que le peuple utilisait des dialectes germaniques (patois flamands) et romans (patois wallons et picards). Un parti spécifiquement flamand, le Meetingpartij, fut représenté au parlement national dans les années 1860-70. Mais le clivage communautaire n'a débouché sur la création de partis spécifiques durablement représentés au parlement national que plus tardivement. D'abord, durant l'entre-deux-guerres, avec la création dès 1919 du Frontpartij (« Parti du front » en référence à la Première Guerre mondiale) qui fit place en 1933 au Vlaams Nationaal Verbond (VNV, Ligue nationale flamande), qui disparut à la Libération, en raison de sa collaboration avec l'occupant allemand durant la Deuxième Guerre mondiale. Puis avec la Volksunie (VU, Union du peuple), créée en 1954 et dont l'implosion en 2001 donna naissance en particulier à la Nieuw-Vlaamse Alliantie (N-VA, Nouvelle alliance flamande), premier parti belge en voix et en sièges à la chambre, à l'issue des élections législatives de 2010 et de 2014. Entre-temps, un deuxième parti politique issu de la « périphérie » flamande va prendre pied dans le système de partis belge : le Vlaams Belang (Intérêt flamand), originellement, Vlaams Blok (Bloc flamand), créé en 1979 et incarnant un nationalisme flamand plus radical, centré sur l'indépendance immédiate de la Flandre, alors que la VU était fédéraliste.

En plus de la création de partis régionalistes flamands significatifs, la mobilisation de la « périphérie » flamande entraîna deux autres effets dans le système de partis belge. Premièrement, la création « en miroir », à partir des années 1960, de partis régionalistes francophones, wallon (RW) ou bruxellois (FDF, dont la vocation s'étendra ensuite à la défense de l'ensemble des Belges francophones), qui prendront à leur tour pied dans le système de partis belge. Le RW en disparaîtra néanmoins dans les années 1980, alors que pour éviter d'y être marginalisé, le FDF choisira de s'allier en 1993 au Parti réformateur libéral (PRL), dans une fédération devenue MR en 2002, avant de reprendre son indépendance en 2011. Deuxièmement, l'implosion des trois partis politiques traditionnels (social-chrétien, socialiste et libéral) à l'origine unitaristes, en partis distincts, flamands et francophones. Avec pour conséquence qu'aujourd'hui dans le système de partis belge plus aucun parti significatif ne représente encore le versant « centre » du clivage centre/périphérie, même si les partis francophones actuels défendent davantage le pouvoir central, se montrant plus réticents que les partis flamands à poursuivre les transferts de compétences et de moyens financiers vers les entités fédérées (Régions et Communautés). Le seul parti contestant ouvertement le fédéralisme tel qu'il s'est développé en Belgique, le Front national (FN), n'a jamais réussi, depuis sa création en 1985, à devenir un parti établi, se révélant particulièrement instable, tant au plan organisationnel, donnant régulièrement naissance à des partis dissidents, que, du coup, au plan électoral, n'obtenant une représentation parlementaire que par éclipse.

Le clivage centre/périphérie a eu des effets structurants sur la composition des systèmes de partis de beaucoup d'États, à commencer par les États-Unis, où les deux premiers partis qui furent constitués, à la fin du XVIIIe siècle, s'identifièrent avant tout, pour le premier, le Parti fédéraliste, par une volonté d'accroissement des pouvoirs du « centre »/des autorités fédérales, et pour le second, créé en réaction, le Parti républicain-démocrate (dont est issu l'actuel Parti démocrate), par une volonté de préserver les pouvoirs des

États/des « périphéries ». En Italie, un parti comme la Ligue du Nord (pour l'indépendance de la Padanie, pour mentionner sa dénomination officielle complète), créée en 1989 à partir des Ligues lombarde et vénitienne, tire également son identité première du clivage centre/périphérie, endossant la défense des intérêts d'une « périphérie régionale », par rapport à un projet de développement national relatif à l'ensemble de l'Italie qu'elle estime être préjudiciable aux régions du Nord.

5.3. Le clivage rural/urbain

Conséquence de la révolution industrielle, le clivage rural/urbain a pour enjeu la place des activités relevant des secteurs économiques respectivement primaire (agriculture) et secondaire (industrie) dans le développement d'un État et, au-delà, la hiérarchie à établir par les autorités étatiques dans la protection des intérêts sociaux qui sont associés à ces secteurs. Mais la question n'est pas qu'économique : une forte composante culturelle y est aussi associée, en termes de conceptions de la vie, sociabilité, relations professionnelles très différentes entre le monde des villages et celui des villes. Les villes sont à entendre ici comme des agglomérations urbaines de moyenne ou grande taille, dont le développement est alimenté par l'implantation d'industries en leur sein ou à proximité.

La révolution industrielle a induit un mouvement de développement matériel des sociétés dans des mesures sans équivalent par le passé, qui a pu conduire les « élites bâtisseuses de l'État-Nation », ou par la suite ceux qui aspiraient à le devenir, à privilégier le développement des activités, valeurs et intérêts industriels au détriment des activités, valeurs et intérêts des campagnes. Ce mouvement a pu susciter en retour l'opposition de groupes sociaux soucieux de préserver les modes de production, et de vie, caractéristiques du milieu rural et villageois.

Dans plusieurs pays, dont la Belgique, même s'il a pu donner lieu à des débats sur les politiques publiques à mener, le clivage rural/urbain n'a pas engendré de partis politiques spécifiques, car il a été absorbé dans d'autres clivages, sans avoir de portée propre (cf. *infra*, section 6). En revanche, dans différents systèmes nationaux de partis – en Suisse, dans les pays scandinaves, en Australie… –, le versant « rural » du clivage a donné naissance à des partis qualifiés de façon générique d'agrariens, comme le Parti des paysans polonais (PSL) par exemple, créé à l'issue de la Première Guerre mondiale et qui est partie prenante à de nombreuses coalitions gouvernementales depuis la fin de l'ère communiste. Un parti politique comme Chasse, pêche, nature et traditions (CPNT), créé en France en 1989, peut aussi s'apparenter à un parti agrarien, dans la mesure où il vise à promouvoir des valeurs qu'il identifie comme spécifiques à la ruralité et à la tradition française. Par contre, on l'a dit, dans aucun pays occidental, on observe de parti établi dont l'identité première serait liée à la défense des villes. En revanche, tel peut être le cas dans certains pays en développement. En Thaïlande, l'un des deux grands partis actuels, le Parti démocrate, est présenté généralement comme le parti des « élites urbaines ».

5.4. Le clivage capital/travail

La révolution industrielle a engendré un deuxième clivage, capital/travail, ou possédants/travailleurs, pour reprendre la formule la plus souvent utilisée par Lipset et Rokkan. Appelé également « clivage socio-économique », en Belgique, ou clivage de classe, auquel certains réduisent parfois le clivage gauche/droite (cf. chapitre Idéologies, section 5), ce clivage porte sur la distribution des revenus dans la société, et au-delà, sur l'accès et les modalités d'accès des différentes catégories de la population aux biens et services consti-tutifs de conditions de vie dignes voire aisées. Issues des classes sociales supérieures, les « élites bâtisseuses de l'État-Nation » ont la plupart du temps engendré un système poli-tique peu ouvert à la protection des intérêts des classes populaires, ne fût-ce qu'en déniant longtemps à celles-ci le droit de vote et d'éligibilité. Il en est résulté en retour une mobi-lisation sociale qui, au travers du mouvement ouvrier, a exigé une plus grande participa-tion des non-possédants aux « fruits de la croissance » et au système politique. À son tour, la mobilisation ouvrière – les revendications dont elle était porteuse, l'accueil de celles-ci par l'establishment au pouvoir – a pu susciter une contre-mobilisation de groupes sociaux soucieux de ne pas ouvrir le système social et politique aux « non-possédants », ou en tout cas d'éviter qu'il ne s'ouvre trop largement à la protection des intérêts ouvriers.

À la différence des précédents, le clivage capital/travail s'est traduit en partis politiques dans presque tous les pays occidentaux, au moins sur son versant « travail », donnant naissance à des partis représentatifs du « monde du travail ». Ce fut par exemple le cas en Belgique, avec la création en 1885 du Parti ouvrier belge (POB) ou au Royaume-Uni avec la création par les syndicats du Parti travailliste (*Labour Party*) au début du XXᵉ siècle. Mais pas aux États-Unis, par exemple, sauf à l'échelle de quelques États comme le Vermont, dont le système de partis est tripartite, incluant un parti socia-liste (le *Vermont Progressive Party*). Dans certains pays, la montée en puissance de partis ouvriers a engendré en réaction, sur le versant « capital », la création de partis dénom-més alors de façon générique « bourgeois », le plus souvent conservateurs (cf. chapitre Idéologies, section 5), comme l'ancêtre de l'un des principaux partis suédois actuels, le Parti du rassemblement modéré (*Moderata*), créé en 1904, en réaction notamment à la montée en puissance du Parti social-démocrate des travailleurs suédois (SAP), fondé en 1889. Des partis plus spécifiquement « petits bourgeois », rassemblant surtout des travailleurs indépendants (petits commerçants, artisans, entrepreneurs, membres des professions libérales), ont pu également voir le jour sur ce versant « capital » du clivage capital/travail. Ce fut le cas, en France, dans les années 1950, avec l'Union de défense des commerçants et artisans, fondée par Pierre Poujade. Encore qu'à l'instar du parti poujadiste, ce genre de parti a une durée de vie plutôt éphémère qui l'empêche de s'éta-blir durablement dans un système de partis.

L'une des particularités du clivage capital/travail réside, on l'a dit, dans le fait que son versant « travail » a structurellement engendré, après la révolution bolchevique de 1917, l'éclatement des partis ouvriers en deux familles de partis : socialistes (ou travaillistes ou sociaux-démocrates) et communistes. Certes, il est fréquent que le versant d'un clivage n'engendre pas qu'un seul type de parti. Par exemple, historique-ment, deux partis protestants et un parti catholique pour le versant « Église » du cli-vage Église/État aux Pays-Bas. La relative systématicité de cette dichotomie socialiste/communiste au sein des partis ouvriers est telle cependant que Rokkan n'hésitera pas à y voir un véritable sous-clivage propre au versant « travail » du clivage capital/tra-vail (cf. *infra*, section 9.1). Rares sont en effet les États occidentaux dans lesquels les partis socialistes n'ont pas connu de dissidence communiste significative.

En Belgique, un Parti communiste belge (PCB), né en 1921, fut ainsi régulièrement représenté au parlement national de la fin des années 1920 à 1985, avec un pic électo-ral en 1946 de 12,5 % des voix. En France, le Parti communiste français (PCF) fut le pre-mier parti en voix lors des premières élections législatives de l'après-Deuxième Guerre mondiale et fit régulièrement entre 20 et 30 % des voix jusque dans les années 1970. Dans la plupart des pays occidentaux, singulièrement depuis la chute du Mur de Berlin en 1989, les partis communistes ont soit disparu du système de partis, comme le PCB, soit y sont réduits à une position marginale, comme le PCF, soit y occupent encore une place importante, mais en s'étant entre-temps reconvertis en partis sociaux-démocrates. Pensons, en Italie, au Parti communiste italien (PCI) devenu en 1991 Parti démocrate de la gauche (PDS), l'un des partis fondateurs de l'actuel Parti démocrate (PD), ou à certains partis communistes d'Europe centrale et orientale, comme, en Bulgarie, le Parti communiste bulgare devenu en 1990 Parti socialiste bulgare.

6 | Structure des clivages et système politique : précisions complémentaires

S'agissant de l'influence des clivages sur la configuration des systèmes de partis, on retient habituellement de la théorie de Lipset et Rokkan que tout parti établi est issu d'une mobilisation d'un « camp social » qui peut être située sur le versant d'un des quatre clivages historiques susceptibles d'avoir divisé les sociétés occidentales modernes, et qui confère à un parti son identité première, comme représentant politique privilégié d'un groupe social particulier et qui se vit comme tel (cf. *supra*, section 1). Mais en réalité, on l'a vu (cf. *supra*, section 3), le cadre d'analyse lipso-rokkanien est bien plus élaboré. Mettons ici l'accent sur une série de relations complémentaires entre clivages et partis établis, en épinglant quatre éléments : le positionnement des partis par rapport à l'ensemble des clivages actifs dans une société ; l'intensité relative des clivages ; leurs relations mutuelles ; et une perspective diachronique : l'évolution des clivages et des positionnements identitaires des partis à leur égard. Précisons chacun de ces éléments.

6.1. Le positionnement des partis sur les autres clivages que celui qui les a vus naître

Même si l'identité première de tout parti politique prend racine sur l'un des versants des quatre clivages, son identité globale se définit aussi par son positionnement vis-à-vis des autres clivages, ce qui peut la faire évoluer (cf. *infra*). Deux types de positionnement sur ces autres clivages sont possibles. D'un côté, le parti peut se ranger, de manière plus ou moins radicale ou modérée, au côté de l'un des camps opposés sur un clivage. En Belgique, ce fut le cas du Parti ouvrier belge (POB) qui, issu du versant « travail » du clivage capital/travail, a pris d'emblée le parti de l'anticléricalisme sur le clivage Église/État qui était déjà politiquement activé au moment de sa création. D'un autre côté, le parti peut vouloir « dépasser un clivage », en conciliant en son sein les camps opposés d'un clivage. En Belgique, ce fut le cas du Parti catholique qui, une fois le clivage capital/travail devenu politiquement actif, s'y est positionné de manière interclassiste, c'est-à-dire en cherchant à concilier en son sein les positions « bourgeoises » et « ouvrières », allant jusqu'à reconnaître dans ses structures internes une aile ouvrière appelée démocrate-chrétienne (cf. chapitre Idéologies, section 9) et une aile bourgeoise. Au Royaume-Uni, face au développement du Parti travailliste, issu du versant « travail » du clivage capital/travail, le Parti conservateur dont l'identité première a été initialement, dans un contexte de suffrage censitaire, associée à l'aristocratie foncière et donc au monde rural, en est venu à évoluer vers un parti des possédants, quelle que soit la source de leurs richesses, foncière ou commerçante/industrielle (cf. *infra*, section 6.4).

6.2. La saillance relative des clivages

Chaque clivage qui se développe dans une société ne le fait pas nécessairement avec la même intensité, la même « saillance ». Si l'on prend l'exemple de la Belgique, on constate que le clivage rural/urbain ne s'est pas exprimé avec autant d'âpreté que les trois autres et n'a pas eu d'incidence spécifique sur le système de partis. L'identité politique paysanne ou villageoise n'a pas donné lieu, comme en Suisse ou en Scandinavie, à l'établissement d'un parti spécifique dans le système politique. En Belgique, l'identité rurale a, pour une part (cf. *infra*, section 6.3) été englobée dans une identité politique plus structurante, l'identité catholique, le Parti catholique bénéficiant historiquement de beaucoup plus de soutiens électoraux dans le monde rural, traditionnellement plus catholique, que dans les grandes agglomérations urbaines, plus laïques. En revanche, les clivages entre laïques et catholiques d'une part, possédants et travailleurs, de l'autre, se sont aiguisés si profondément que les politologues en sont venus à parler de la Belgique comme d'une société segmentée ou pilarisée, à l'instar des Pays-Bas, de l'Autriche, de l'Irlande du Nord ou, plus récemment, du Liban.

ENCADRÉ N° 5.11 : DES CLIVAGES AUX PILIERS : LES SOCIÉTÉS PILARISÉES

Les termes « pilier » et « pilarisation » traduisent en français les mots « zuil » et « verzuiling » originellement utilisés par les politologues néerlandais, et plus particulièrement Arend Lijphart (1968), pour décrire le système politique des Pays-Bas qui s'est institué à partir de la fin du XIXᵉ siècle et au début du XXᵉ siècle. Une société « pilarisée » peut être pensée à l'image d'un temple grec : l'essentiel de la trajectoire de vie de ses membres se déroule dans des mondes sociaux cloisonnés qui correspondent aux piliers du temple. Gros de tout un tissu organisationnel (écoles, Église ou associations de libre pensée, mouvements de jeunesse, de femmes, syndicats, mutuelles, coopératives, clubs sportifs, journaux, banques, etc.), ces piliers ne sont connectés qu'à leur sommet par les élites politiques que l'on pourrait comparer au fronton du temple. Faisant office de chapiteau, il tient les piliers ensemble, autant qu'il se trouve soutenu par eux. Le rôle central de connexion s'opère donc par les élites (ce qu'Arend Lijphart appelle le « cartel des élites ») notamment par le biais d'un ou plusieurs partis politiques, relais politiques privilégiés du pilier, autour desquels gravitent ses membres et organisations. Les piliers forment donc en quelque sorte des murs invisibles entre des citoyens devenus mitoyens. Quand ces murs s'effritent, que les piliers perdent de leur puissance dans l'organisation sociale, on parle de « dépilarisation », processus à l'œuvre en Belgique depuis la fin des années 1960. En Belgique, cette « dépilarisation » n'est cependant pas totale, les piliers continuant de peser sur l'orientation de certaines décisions publiques ou sur le profil de certains acteurs politiques (cf. chapitre Partis politiques et groupes d'influence, section 5.3).

L'intensification d'un clivage offre plus de chances que celui-ci débouche sur l'établissement de partis spécifiques dans un système politique, mais aussi plus de risques de radicalisation – cf. la guerre civile de 1934 en Autriche entre catholiques et socialistes – et, par conséquent, aussi d'attitudes « anti-système » de leur part (cf. *infra*, section 9). Dans les sociétés pilarisées, la démocratie consociationnelle peut constituer comme ce fut le cas en Belgique, en Autriche ou aux Pays-Bas, une réponse institutionnelle particulière pour prévenir ces risques (cf. chapitre Régimes politiques, section 2.3.2).

6.3. Les relations entre les clivages

Dans certains pays, les clivages ont plus tendance à s'interpénétrer, à s'entrecroiser, et dans d'autres, à se superposer, se recouper, se cumuler, gagnant dans ce dernier cas en intensité, car subdivisant la communauté nationale en un nombre *restreint* de sous-groupes, fortement distincts les uns des autres. Bien avant sa collaboration avec Rokkan, Lipset (1963/1960) avait mis en lumière et démonté la mécanique et les effets politiques de ces phénomènes d'entrecroisement identitaire. À partir d'un raisonnement relevant de la psychologie sociale, il a souligné que lorsque les individus – qu'ils appartiennent aux élites ou aux classes populaires – appartiennent à plusieurs groupes dont les intérêts divergent, ces individus ont tendance à modérer leurs prises de position. Au niveau macro-social, le même raisonnement est appliqué par translation. Lorsqu'une société est fortement fragmentée, lorsque les clivages ne s'entremêlent pas, lorsque les groupes ne sont pas soumis à des identités plurielles, alors il y a une moindre tendance à la modération, au compromis, comme dans le cas précité de l'Autriche. L'Irlande du Nord a longtemps représenté l'exemple-type d'une telle société clivée en deux camps, entre d'un côté, des Britanniques, unionistes (pro-« centre »), protestants, plutôt aisés/entrepreneurs, et de l'autre, des Irlandais, séparatistes (pro-« périphérie »), catholiques, plutôt pauvres/ouvriers. À l'inverse, la multiplicité des appartenances favorise la stabilité politique. L'entrecroisement des clivages (« *cross-cutting* ») atténue le potentiel conflictuel de chaque clivage.

Même si Lipset et Rokkan mentionnent la Belgique des années 1960 plutôt comme un exemple de recoupement des clivages (cf. *infra*), la pilarisation de la société ne s'y est pas opérée à partir d'une superposition *intégrale* des clivages les uns aux autres. À l'identité philosophico-religieuse d'origine (catholique ou laïque) est venue s'ajouter une identité professionnelle (bourgeoise ou ouvrière) puis communautaire (flamande ou wallonne/francophone). Mais il n'y a jamais eu de recoupement complet, constant, entre les clivages. Par exemple, même si le monde paysan était majoritairement catholique, il ne l'a jamais été entièrement, comprenant par exemple des fédérations agricoles libérales, de tendance laïque. De même, l'organisation du monde ouvrier en syndicats, mutuelles, coopératives… ne s'est pas effectuée de façon unifiée, se fragmentant en organisations socialistes, chrétiennes et même libérales.

ENCADRÉ Nº 5.12 : LA QUESTION ROYALE EN BELGIQUE

Pendant l'occupation allemande de la Belgique lors de la Deuxième Guerre mondiale, le Roi Léopold III décide de rester sur le territoire belge alors que le gouvernement s'exile à Londres. Outre ce choix, plusieurs événements mobilisent une partie des citoyens contre le souverain, comme son mariage en temps de guerre, consacré d'abord religieusement, ou sa rencontre avec Hitler à Berchtesgaden en novembre 1940. Avant la fin du conflit, le Roi est emmené en Suisse par les Allemands. Au moment de son possible retour au pays, en 1945, la mobilisation est telle que son maintien au pouvoir est compromis. Bien plus, le conflit s'exprime dans les rues : manifestations, grèves, émeutes, etc. provoquant le décès, à Grâce-Berleur, de quatre personnes. Comme lors de la première guerre scolaire (cf. *supra*, encadré nº 5.10), ceci dénote le niveau élevé de crise politique et sociale, marquée par une forme de violence rare en Belgique. Autre fait remarquable, unique dans l'histoire politique belge, une consultation populaire est organisée, en 1950, pour interroger les Belges sur leur souhait de voir se terminer la Régence assurée par le Prince Charles par un retour de Léopold III sur le trône. 58 % des Belges se déclarent favorables à cette possibilité. Une première lecture fait apparaître une ligne de clivage : les Flamands se montrent plus favorables (72 % de oui) que les Wallons (58 % de non) au retour de Léopold III. En réalité, un entrecroisement des clivages peut être constaté. En effet, ce sont surtout les zones industrielles, plus implantées en Wallonie, qui s'opposent au Roi. L'opposition provient aussi du monde ouvrier : au sein du Parti social-chrétien, globalement favorable au retour de Léopold III sur le trône, la démocratie chrétienne s'y oppose. En 1951, après six années de conflits, le prince Baudouin succède à son père.

L'histoire politique de la Belgique ne se laisse ainsi pas lire au travers d'un seul super clivage qui opposerait d'un côté, des catholiques, ruraux, flamands et de l'autre, des laïques, urbains, francophones, ou bien, d'un côté, des travailleurs flamands et de l'autre, des possédants francophones. Des événements comme la question royale de 1945 à 1951 (cf. encadré précédent) ou les grandes grèves de l'hiver 1960-61 fournissent une illustration de « cross-cutting » en Belgique.

En Catalogne, le mouvement politique né du versant « périphérie » du clivage centre/périphérie n'a pu éviter d'être lui-même traversé par d'autres clivages, en particulier le clivage de classe, se distinguant historiquement entre partis nationalistes de gauche (ERC, Gauche républicaine de Catalogne) et de droite (la Ligue régionaliste) ou de centre-droit (comme l'actuelle fédération de partis CiU, Convergence et Union).

6.4. L'évolution des clivages et des positionnements identitaires des partis

Le contenu des liens entre clivages et partis n'est évidemment pas figé une fois pour toute. L'intensité et les relations mutuelles des clivages peuvent évoluer, tout comme le positionnement identitaire des partis par rapport aux clivages, modifiant ainsi les effets produits par les clivages sur le système politique.

Un clivage peut ainsi perdre de sa saillance du fait d'évolutions liées plus ou moins directement aux réponses apportées par le système politique face aux pressions sociales en rapport avec les enjeux fondamentaux de ce clivage. Ainsi, en Belgique, le clivage Église/État a eu tendance à s'atténuer fortement depuis les années 1960, non seulement sous l'effet du « pacte scolaire » mettant fin à la deuxième « guerre scolaire », mais aussi du fait d'une sécularisation accrue de la société belge, marquée par une proportion sans cesse moindre de catholiques croyants et, surtout, pratiquants.

ENCADRÉ N° 5.13 : LA SECONDE « GUERRE SCOLAIRE » ET LE « PACTE SCOLAIRE » EN BELGIQUE

Après avoir surgi une première fois à la fin du XIXe siècle (cf. *supra*, encadré n° 5.10), une deuxième « guerre scolaire » se déroule de 1952 à 1955. Le ministre de l'Enseignement Collard (socialiste, laïc) propose une loi qui affirme le devoir étatique de créer des écoles « où le besoin s'en fait sentir » (article 1er de la loi) et modifie le subventionnement des enseignements moyen, normal, et technique, en réduisant les subsides aux établissements catholiques. Bien que la majorité des catholiques ne conteste plus la légitimité de l'enseignement de l'État, la discussion sur le 1er article de la loi Collard soulève à nouveau la question du caractère supplétif de l'enseignement de l'État. Lors des débats parlementaires, les tenants de la loi Collard défendent l'idée qu'il y a « besoin » lorsque le libre choix du père de famille entre école libre et école officielle, entre enseignement confessionnel et enseignement non confessionnel, n'est pas garanti. Les catholiques y voient quant à eux un instrument de discrimination des écoles liées à l'Église.

En 1958, un accord politique entre les partis catholique, libéral et socialiste est conclu, puis formalisé dans la loi du 29 mai 1959, dans le but de mettre un terme aux guerres scolaires. Le contenu de cet accord, appelé de façon symptomatique « pacte scolaire », est double. Il démocratise l'enseignement en créant des écoles supplémentaires et en élargissant le financement des écoles. Chaque réseau reconnaît et accepte l'existence de l'autre. C'est un véritable « compromis à la belge » : il institutionnalise le pluralisme, anesthésie les effets les plus conflictuels du clivage Église/État, sans supprimer ce dernier.

Si, en Belgique, ses effets les plus conflictuels sont ainsi globalement anesthésiés, le clivage historique Église/État reste néanmoins toujours susceptible d'être politiquement réactivé. En témoignent les débats et positionnements récents en Belgique sur les « questions éthiques » (avortement, euthanasie, parentalité homosexuelle...), mais aussi, encore, dans le domaine de l'enseignement, à propos de la recomposition du paysage de l'enseignement supérieur (notamment le rapprochement entre établissements porteurs d'identités philosophico-religieuses différentes) ou de l'introduction d'un cours de philosophie dans l'enseignement secondaire qui serait commun à toutes les écoles, y compris celles du réseau libre catholique.

L'évolution de la saillance d'un clivage peut entraîner des repositionnements – des « réalignements » – identitaires de la part des partis établis. Ainsi, pour la Belgique, la conclusion du « pacte scolaire » en 1958 a conduit, en 1961, le Parti libéral, rebaptisé PLP (Parti de la liberté et du progrès), à abandonner son identité principale, laïque, d'origine, au profit d'une identité principale « bourgeoise », en visant à s'ouvrir à tous les citoyens aussi bien laïques que catholiques qui se reconnaissaient dans ses positions socio-économiques, libérales, (plus) favorables au capital et à l'entrepreneuriat. Cette « (re)conversion identitaire » du versant laïque du clivage Église/État vers le versant « capital » du clivage capital/travail lui fut électoralement profitable, à court terme – pic électoral historique aux élections législatives de 1965 – mais aussi à long terme.

En Belgique, si le clivage philosophico-religieux a eu tendance à s'affaiblir depuis les années 1960, dans le même temps, le clivage communautaire a lui suivi le mouvement inverse, gagnant en intensité. En témoigne le fait que les principaux partis établis (socialiste, social-chrétien et libéral) qui avaient jusqu'alors cherché à contourner le clivage communautaire en tentant de concilier en leur sein les camps francophone et flamand vont tous imploser, entre 1968 et 1978, donnant naissance à autant de partis distincts, flamands, d'une part, francophones, de l'autre.

7 | Limites de la théorie : la relativisation des effets structurants des clivages sur les partis

La théorie de Lipset et Rokkan a fait l'objet de critiques de différentes natures qui permettent de réfléchir à la pertinence de la théorie d'origine lorsqu'il s'agit de l'appliquer aux sociétés politiques occidentales d'aujourd'hui, ainsi qu'à d'autres contextes géopolitiques. La critique la plus profonde – la seule que nous allons développer ici – met en cause le postulat lipso-rokkanien selon lequel tout parti peut être principalement défini comme relais d'identités sociales stables et de projets de société correspondants. Pour rappel, la théorie des clivages postule que, dans toute société, le système de partis (cf. chapitre Partis politiques et groupes d'influence, section 7) serait fondamentalement structuré par les effets de la mobilisation de groupes sociaux qui, se sentant affectés par des bouleversements sociaux profonds – des révolutions –, donnent corps à des clivages. Selon des probabilités variables selon les circonstances, ces clivages donnent naissance à des partis qui deviendront les partis principaux du système politique en raison précisément de leurs positions par rapport aux enjeux fondamentaux liés à ces clivages historiques. Ce sont ces positions qui leur donnent l'identité qui leur permet de compter sur des alignements électoraux significatifs et durables.

Or, *primo*, plusieurs auteurs considèrent qu'en Amérique latine, en Asie ou en Afrique, par exemple, le système de partis qui est institué dans un pays répond bien plus souvent à une logique « clientéliste » ou « charismatique » plutôt que « programmatique » (Kitschelt, 2000). Ce sont d'autres logiques que la prise en charge par les partis politiques des intérêts et visions de groupes sociaux mobilisés sur des clivages qui permettent de comprendre pourquoi un système de partis s'est configuré autour des partis significatifs qui le composent : soit l'échange de services, dans le clientélisme, soit la confiance dans des personnalités sur le mode charismatique.

Secundo, en Occident, des auteurs doutent que l'on n'ait jamais pu réduire la structuration de l'espace politique à un tel lien structurel entre les partis politiques et les citoyens par le biais des clivages. Ils reprochent à la théorie des clivages de corréler les comportements politiques à un nombre très restreint d'identités sociales dotées d'une forte lourdeur historique. Or, à l'ombre d'une « marque » qui peut se référer à une identité sociale inchangée, des partis politiques peuvent prendre des positions et susciter des soutiens électoraux qui n'ont rien à voir avec cette identité (cf. *infra*).

Tertio, certains critiques qui reconnaissent le bien-fondé de la théorie des clivages pour les sociétés occidentales jusqu'aux années 1960 la considèrent comme étant désormais datée. En cause : une baisse généralisée de la saillance des quatre clivages historiques, centre/périphérie éventuellement excepté, qui entraînerait un affaiblissement du lien structurel entre les identités sociales et partisanes qui découlait de ces clivages. Singulièrement à partir des années 1960, les processus majeurs de transformation sociale à l'œuvre dans les États occidentaux connaissent de nouveaux développements. D'une part, un mouvement de sécularisation, marqué par une baisse continue de la proportion de croyants, et plus encore de pratiquants, catholiques et protestants, réduit le camp religieux au sein de la société. Ensuite, un mouvement d'urbanisation, marqué par une baisse continue de la proportion d'habitants dans les villages et de la contribution du secteur primaire à la production nationale des richesses, marginalise le camp rural au sein de la société. Enfin, un mouvement d'expansion d'une classe moyenne, entre « riches » et « pauvres », marqué par une répartition globale plus égalitaire des revenus – encore que ce mouvement d'égalisation connaisse une involution depuis les années 1980 –, relativise la coupure capital/travail, une partie des salariés ayant les moyens de se constituer un capital, et une partie des possédants travaillant comme salariés (cadres, « top managers »...). Dans ce contexte qui déstabilise leur base électorale traditionnelle, les partis essayeraient justement de s'affranchir d'une identité sociale trop marquée, afin de pouvoir récolter des voix sur d'autres terreaux sociaux que leur terreau originel, ce dont entendait déjà rendre compte le concept de partis attrape-tout proposé par le politologue allemand Otto Kirchheimer à peu près au même moment que la théorie des clivages (cf. chapitre Partis politiques et groupes d'influence, section 4.3.2).

Cependant, tous les auteurs qui considèrent la théorie de Lipset et Rokkan comme datée ou trop « occidentalo-centrée » n'optent pas pour autant pour son abandon pur et simple. Pour un nombre significatif d'auteurs, la théorie des clivages reste un outil d'analyse pertinent, pour peu qu'on l'actualise et/ou qu'on l'adapte en tenant compte des dynamiques historiques propres aux contextes géopolitiques non occidentaux. De nouveaux clivages, voire de nouvelles révolutions, viennent alors enrichir le cadre originel. Dans le contexte occidental, ceux-ci servent de clés d'explication privilégiée à la fois à l'émergence de nouvelles familles de partis, et au réalignement identitaire de certains partis établis au moment du gel des quatre clivages historiques décelé en 1967 par Lipset et Rokkan.

8 | Dégel des clivages, nouvelles révolutions, nouveaux clivages ?

Le besoin de revenir sur la thèse lipso-rokkanienne de gel des clivages (cf. *supra*, section 5 et encadré n° 5.4) s'est fait ressentir plus particulièrement par rapport à certains types de partis que l'on a vu s'établir à partir années 1980 dans nombre de systèmes nationaux de partis, y compris non occidentaux : les partis écologistes, d'un côté, et les partis rattachés à la mouvance de l'extrême droite (cf. chapitre Idéologies, sections 10 et 11), de l'autre, ainsi que, dans une moindre mesure, les partis dits souverainistes. L'explication tirée d'un cadre d'analyse ancré dans la théorie des clivages diffère pour chacune des trois familles. Elle fait l'objet de nombreux débats portant sur la réalité et la nature de nouveaux clivages explicatifs, ainsi que leur rattachement à une éventuelle nouvelle révolution, liée à la mondialisation (cf. chapitres État, section 5.2 et Idéologies, encadré n° 6.5).

Présentons l'état des débats à propos de la possibilité de comprendre l'émergence de chacune de ces trois familles de partis dans le cadre de la théorie des clivages. Nous traiterons, pour finir, dans la section suivante, de la question des partis « anti-système ». Contrairement aux trois familles de partis que nous allons traiter dans la présente section, le qualificatif « anti-système » ne se réfère pas directement à l'idéologie des partis, et regroupe donc des partis qui ne se rattachent pas à une même identité idéologique.

ENCADRÉ N° 5.14 : APERÇU SYNTHÉTIQUE DES PRINCIPALES PISTES D'ACTUALISATION DE LA THÉORIE DES CLIVAGES

Révolutions	Clivages	Familles de partis
Nationale	Pro-système/anti-système ?	« Traditionnels » ⇔ populistes
Industrielle OU Culturelle	Productivisme/environnementalisme OU Matérialistes/post-matérialistes	Productivistes ⇔ écologistes OU Matérialistes ⇔ écologistes
Mondialiste	Cosmopolitisme/ethnocentrisme ?	Universalistes ⇔ identitaires
	Internationalisme/souverainisme ?	Internationalistes ⇔ souverainistes

En souligné : les partis naissants sur les clivages.
Avec un point d'interrogation : les clivages dont la réalité ne fait pas l'objet actuellement d'un consensus dans la littérature.
Source : élaboration des auteurs.

8.1. La théorie des clivages et les partis écologistes

Dans une première version « orthodoxe » de la théorie originelle des clivages, les partis écologistes ont été situés sur le versant « rural » du clivage rural/urbain, lui donnant une expression différente de celle des partis agrariens. Ce positionnement a été ensuite contesté, pour deux raisons. *Primo*, une raison idéologique : si l'on peut interpréter l'écologie comme un « retour de/à la nature », il ne s'agit en rien d'une défense des intérêts du monde agricole dans son évolution moderne (mécanisation, grandes exploitations, mono-cultures, etc.), les partis verts s'opposant par exemple aux méthodes intensives et polluantes de l'agriculture conventionnelle, non biologique. *Secundo*, une raison sociologique : des études portant sur les électorats et les membres des partis écologistes ont montré, notamment en Belgique, un fort ancrage dans les zones les plus urbanisées et non dans les campagnes. Dès lors, l'explication la plus commune donnée à l'émergence des partis écologistes dans le cadre de la théorie des clivages pointe vers l'émergence à partir des années 1960 (les *Golden Sixties*) d'un nouveau clivage (8.1.1). Celui-ci est dénommé soit « productivisme/environnementalisme (ou écologie) », soit « matérialisme/post-matérialisme » en référence aux deux concepts forgés par Ronald Inglehart (8.1.2). Les partis écologistes incarneraient respectivement les versants « environnementaliste » et « post-matérialiste » de ces deux clivages.

8.1.1. *L'émergence d'un nouveau clivage*

Les appellations habituellement retenues pour désigner le nouveau clivage explicatif de l'émergence des partis écologistes divergent légèrement. Elles se réfèrent aussi à des révolutions de nature différente. Le clivage « productivisme/environnementalisme » porte sur le degré plus ou moins élevé de soutenabilité environnementale des modes de production et de consommation. Il aurait été engendré par la révolution industrielle, ou plutôt « économique », qualificatif qui permet d'inclure dans ce processus de transformation sociale majeure déclenchée par la révolution industrielle, l'actuelle phase « post-industrielle », marquée par la montée en puissance du secteur tertiaire (des services) dans la production des richesses des pays occidentaux. Le clivage « matérialisme/post-matérialisme » porte lui plus largement sur la place de l'économie et de l'accumulation de richesses matérielles dans le développement d'une société et l'épanouissement des individus qui la composent. Il serait issu pour sa part d'une nouvelle révolution, « culturelle ».

Utilisées dans le cadre de l'actualisation de la théorie des clivages, les étiquettes « environnementaliste » et « post-matérialiste » désignent toutes deux une vision du monde et un projet de société propres à un mouvement social spécifique qui s'est constitué dans l'opposition au mode de développement dominant des sociétés occidentales à partir de la deuxième moitié du XIXᵉ siècle. Sa cible: en particulier la croissance économique, l'intégration par le travail rémunéré et la société de consommation, mais aussi la course aux armements et le développement de technologies à risque, le « bridage » des mœurs, la démocratie seulement représentative... S'exprimant au travers de tout un tissu d'organisations « alternatives » (pacifistes, féministes, anti-nucléaires, pour la libération des mœurs, de protection de l'environnement, promouvant des modes de déplacement alternatifs à la voiture...), cette mobilisation sociale aurait débouché sur la création d'une famille spécifique de partis destinés à en assurer le relais politique, précisément les partis écologistes. En revanche, jusqu'ici aucun parti établi ne s'est constitué avec une identité première qui ferait référence à la défense du productivisme ou du matérialisme. À l'exception peut-être, en Suisse, du Parti des automobilistes, créé en 1985, mais dont le profil programmatique le rattache plutôt à la mouvance des partis anti-système d'extrême droite dont « l'anti-écologisme » est une dimension idéologique habituelle, mais pas nécessairement la plus structurante (cf. *infra*, sections 8.2 et 9.2). Sa marginalisation électorale est d'ailleurs largement due à un transfert d'électeurs, mais aussi d'élus et de dirigeants, vers l'Union Démocratique du Centre (UDC).

Notons que dans les versions actualisées de la théorie des clivages, la notion de « post-matérialisme » ne désigne pas, comme dans les travaux de Ronald Inglehart, un mouvement *général* de déplacement des préoccupations sociales et des revendications politiques des citoyens du quantitatif/matériel vers le qualitatif/immatériel. Mais puisque ce terme fait référence aux analyses d'Inglehart, et aux concepts de matérialisme/post-matérialisme que cet auteur a mobilisés, nous allons rapidement présenter ceux-ci.

8.1.2. *L'opposition matérialisme/post-matérialisme selon Inglehart*

Inglehart (1977 ; 1993/1990) a popularisé la notion de « post-matérialisme » dans un premier ouvrage intitulé *The Silent Revolution*. Il évoque une révolution car le phénomène décrit correspondrait à un bouleversement social profond. Elle serait silencieuse car le changement serait une modification des valeurs comparable à une lame de fond, un mouvement sur le long terme, sans nécessairement de ruptures manifestes, de conflits ouverts. Observable au départ à partir des générations jeunes et aisées, Inglehart annonce toutefois une transition plus large. Sur la base d'enquêtes internationales sur les valeurs (*World Values Studies* et *European Values Studies*), il met en lumière une mutation dans ce qui fonde le positionnement politique des électeurs : d'une attention portée prioritairement à la satisfaction de besoins *matériels* (sécurité physique, accroissement général des richesses, niveau des revenus individuels...) vers une attention portée prioritairement à la satisfaction de besoins *immatériels* ou spirituels (l'épanouissement personnel, l'esthétique du milieu de vie, la participation sociale et politique...).

ENCADRÉ N° 5.15 : INDEX MATÉRIALISTE/POST-MATÉRIALISTE SELON INGLEHART

Question posée : « En politique, il est parfois impossible d'atteindre un grand nombre d'objectifs en même temps. Voici une liste d'objectifs politiques (...). Certains vous paraissent plus importants que d'autres. Pouvez-vous me dire quels sont pour vous les cinq objectifs les plus importants ? »

1 : Maintenir l'ordre dans le pays
2 : Augmenter la participation des citoyens aux décisions du gouvernement
3 : Combattre la hausse des prix
4 : Garantir la liberté d'expression
5 : Maintenir un haut niveau de croissance économique
6 : Assurer à notre pays une armée forte pour se défendre
7 : Faire en sorte que les gens aient plus leur mot à dire dans leur travail et dans leur commune
8 : Améliorer l'environnement des individus
9 : Assurer une marche régulière de l'économie
10 : Lutter contre la criminalité
11 : Construire une société plus amicale et moins impersonnelle
12 : Construire une société dans laquelle les idées sont plus importantes que l'argent

Les propositions en italiques reflètent des valeurs post-matérialistes, celles en caractère normal, des valeurs matérialistes.

Source : Inglehart, 1993/1990 ; questionnaire : Belgian National Election Study 1991-2010.

L'origine de ce mouvement de transformation profonde des aspirations des citoyens : une amélioration généralisée des conditions d'existence (en termes de revenus) et de sécurité (en termes de paix) visibles à travers le monde, et en tout cas, à l'échelle des sociétés occidentales depuis les années 1960.

Pour construire son cadre d'analyse, Inglehart s'est fortement inspiré de la hiérarchie des besoins établie par le psychologue américain Abraham Maslow : une fois leurs besoins matériels immédiats satisfaits, les individus découvrent d'autres besoins, non matériels, intellectuels, esthétiques ou relationnels.

ENCADRÉ N° 5.16 : LA HIÉRARCHIE DES VALEURS SELON MASLOW

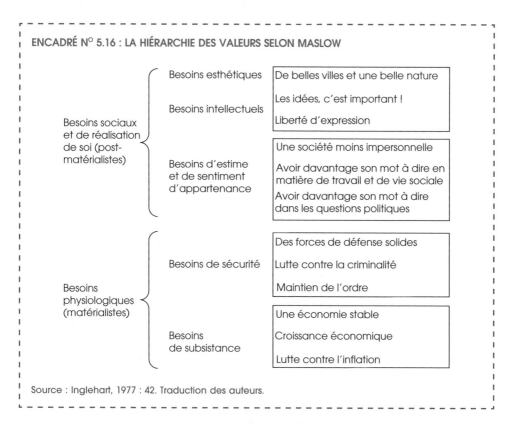

Source : Inglehart, 1977 : 42. Traduction des auteurs.

Toutefois, selon Inglehart, les individus restent marqués par leurs conditions de socialisation dans leurs jeunes années, ce qui expliquerait que ceux qui ont connu alors des conditions d'existence plus « dures » continuent à exprimer des valeurs matérialistes, en phase avec des besoins matériels, même si leurs conditions d'existence se sont entre-temps améliorées.

Soulignons pour terminer qu'en tant que telle, l'opposition au matérialisme n'est pas nécessairement nouvelle, campant l'une des caractéristiques constantes de la doctrine sociale de l'Église catholique, exprimée dès l'essor de l'industrialisation (cf. chapitre Idéologies, section 9). Ainsi, en Belgique, pour une part le choix fait en 2002 par le Parti social-chrétien (PSC) en faveur d'une référence à l'humanisme dans sa nouvelle dénomination (Centre démocrate humaniste – cdH), peut se comprendre par une volonté de poursuivre un affichage idéologique non/anti-matérialiste tout en se distanciant de la « vieille » étiquette chrétienne.

8.2. La théorie des clivages et les partis d'extrême droite

L'établissement de partis d'extrême droite dans les systèmes de partis de nombreux États occidentaux est plus délicat encore à expliquer dans le cadre de la théorie des clivages que celui des partis écologistes. Il prête à plus de débats, en particulier parce qu'il s'agit d'une catégorie de partis plus hétérogène que la famille écologiste (cf. chapitre Idéologies, section 9). Issue de la classification gauche/droite, la qualification d'extrême droite peut se référer à deux caractéristiques, si on la rapporte à la conceptualisation de Norberto Bobbio (1996/1994) : soit un projet de société extrêmement inégalitaire, radicalement à droite du point de vue du critère de l'égalité, soit un régime politique autoritaire pour réaliser ce projet de société radical de droite (cf. chapitre Idéologies, section 5). Aujourd'hui, la plupart des partis dits d'extrême droite présents sur les scènes électorales occidentales ne prônent plus – ouvertement en tout cas – l'instauration de régimes autoritaires. Rapporté à la définition par Norberto Bobbio de la classification gauche/droite, leur caractère d'extrême droite est établi essentiellement par rapport à un des aspects dominants de leur action politique, à savoir la promotion de rapports inégalitaires entre citoyens selon leur origine nationale : les populations autochtones ou « de souche » devant être traitées de façon privilégiée, au détriment des populations allochtones, ou du moins de celles perçues comme par trop étrangères d'un point de vue culturel.

Dans les versions actualisées de la théorie des clivages, on tend à rapporter l'établissement des partis d'extrême droite dans les systèmes de partis occidentaux à l'advenue d'un nouveau clivage dénommé « cosmopolitisme/ethnocentrisme » ou, synonyme, « universalisme/"identitarisme" ». Incarnant le versant « ethnocentrique » de ce « nouveau » clivage, les partis d'extrême droite apparaissent comme des partis « identitaires », dévolus principalement à la défense des intérêts et modes de vie des populations « de souche », perçus comme menacés par l'arrivée et l'intégration de populations étrangères, ou des plus étrangères d'entre elles. Le développement de ce clivage cosmopolitisme/ethnocentrisme expliquerait à la fois la création de nouveaux partis, comme le Front national (FN), en France dès 1972, et la reconversion identitaire (cf. *supra*, section 6.4) de partis anciens, comme l'Union Démocratique du Centre (UDC) en Suisse.

Ce clivage cosmopolitisme/ethnocentrisme proviendrait d'une nouvelle révolution, « la révolution mondialiste », caractérisée en particulier par des flux migratoires entre États, dans des mesures bien plus importantes que par le passé. Ceux-ci seraient liés à la mobilité des facteurs de production induite par une économie de libre concurrence globalisée, mais aussi par une société d'information et de communication « trans-nationalisée » (cf. chapitres État, section 5.2, et idéologies, encadré n° 6.5). Accompagnée, sinon promue, par les « élites au pouvoir dans les États-Nations », cette révolution mondialiste provoquerait de nouveaux clivages, par le déclenchement d'oppositions sociales profondes et durables à son encontre de la part des « perdants de la mondialisation » ou, en tout cas, d'individus et groupes qui ont peur de l'être.

Mais l'enjeu identitaire ne renvoie pas nécessairement dans tous les pays à un clivage en tant que tel, faute de s'appuyer sur une véritable mobilisation sociale, traduite dans un tissu d'organisations collectives, comme c'est le cas pour l'enjeu écologique. Dans certains pays, comme en Belgique francophone par exemple, on ne relève que peu d'organisations sociales identitaires, et leur audience reste très faible. Alors qu'au contraire, il existe un dense tissu associatif anti-raciste et de lutte contre l'extrême droite. Mais précisément celui-ci n'a pas débouché sur la création d'un parti « universaliste » spécifique, construit autour d'une attitude d'ouverture aux populations étrangères et de l'idéal de leur intégration sociale sur le même pied que les populations « de souche ». Dans ces pays, il manque donc un élément-clé dans le rapport clivages-partis tel que posé par Lipset et Rokkan si l'on veut expliquer par la théorie des clivages l'établissement de partis d'extrême droite dans le système de partis, à savoir la mobilisation d'organisations collectives faisant le lien entre un camp social et un parti-relais.

Du reste, la présence de partis d'extrême droite, dont l'identité est fortement fondée sur « le rejet des étrangers », est observable dans des systèmes nationaux de partis bien avant le développement de la « révolution mondialiste ». Que l'on songe, dans les années de l'entre-deux-guerres, au parti national-socialiste des travailleurs allemands (NSDAP), dirigé par Adolf Hitler en Allemagne, ou à Rex dirigé par Léon Degrelle en Belgique. Le clivage ne serait alors pas neuf. À moins que dans ces cas historiques datant d'avant l'avènement d'une révolution mondialiste, l'identité ethnocentrique de ces partis ne serait qu'un appendice d'une identité plus large, « anti-système » (cf. *infra*, section 9) ?

8.3. La théorie des clivages et les partis souverainistes

La nouvelle révolution mondialiste dont il vient d'être question aurait engendré également un autre clivage dénommé « post-nationalisme/souverainisme », ou, synonyme, « déterritorialisation/territorialisation », donnant naissance à une nouvelle famille de partis, « souverainistes ». Le souverainisme désignerait une opposition à un autre aspect, institutionnel, du processus de bouleversement social majeur qu'aurait engendré la mondialisation : le transfert continu de l'exercice de compétences des États vers des organisations internationales, soit régionales telles que l'Union européenne (UE), soit planétaires comme l'Organisation mondiale du commerce (OMC), afin de parvenir à une régulation internationalisée d'une série de phénomènes d'ordre social, économique ou environnemental (cf. chapitre État, sections 4.5 et 5.2). La conséquence en serait une réduction significative du pouvoir de décision des autorités nationales dans la régulation de ces phénomènes. Ce nouveau clivage expliquerait par exemple la création en France de partis tels que le Mouvement pour la France (MPF) créé en 1994 par Philippe de Villiers ou Debout la République devenu indépendant en 2007 sous la houlette de Nicolas Dupont-Aignant. Il expliquerait aussi l'émergence de partis dits « eurosceptiques » comme Libertas, issu du mouvement soutenant le non au référendum irlandais sur le Traité de Lisbonne en 2008 ou l'UKIP (Parti pour l'indépendance du Royaume-Uni) qui s'est constitué en 1993 essentiellement en vue d'obtenir la sortie du Royaume-Uni de l'Union européenne.

Mais d'une part, comme pour les partis d'extrême droite, l'émergence de cette nouvelle famille de partis ne s'accompagne pas partout d'une mobilisation sociale préalable. De l'autre, s'il se crée effectivement des partis souverainistes, rares sont les scènes politiques nationales sur lesquelles ces partis arrivent à s'établir durablement. En effet, si certains partis eurosceptiques arrivent à obtenir une représentation parlementaire durable et significative lors des élections européennes, ils restent absents ou très marginaux au sein de leur système national de partis, à l'image du UKIP qui à ce jour n'est pas représenté à la chambre des communes.

9 | Où classer les partis « anti-système » selon la théorie des clivages ?

Il reste une dernière catégorie générale de partis contemporains dont on n'a pas encore traité : les partis dits « anti-système ». On touche ici à un aspect de la vie politique que la théorie des clivages, telle que formulée par Lipset et Rokkan, permet difficilement d'aborder. Bien que très répandue en science politique, cette catégorisation de partis est peu stabilisée. Elle ne l'était déjà pas sous la plume de Lipset et Rokkan. D'un côté, l'appellation « parti anti-système » était utilisée par ces deux auteurs comme synonyme de « parti anti-démocratique », ou « parti autoritaire », désireux d'en finir avec la démocratie représentative libérale : soit dans une perspective révolutionnaire, à l'extrême gauche (partis communistes), soit dans une perspective contre-révolutionnaire, à l'extrême droite (partis fascistes, nationaux-socialistes) (cf. chapitres Idéologies et Régimes politiques). De l'autre côté, bien que communément qualifiés d'anti-système, les partis révolutionnaires et contre-révolutionnaires n'étaient pas traités de la même façon dans le cadre d'analyse forgé par Lipset et Rokkan.

Examinons d'abord le traitement réservé dans la version originelle de la théorie des clivages à chacune de ces deux familles historiques, de gauche et de droite, de « partis anti-système », en élargissant ensuite le propos aux partis qu'on qualifie aujourd'hui de « populistes »

9.1. La théorie des clivages et les partis « anti-système » de gauche

En ce qui concerne les partis communistes, on le sait, Lipset et, surtout par la suite, Rokkan ont localisé leur naissance sur le versant « travail » du clivage capital/travail, dans un sous-clivage propre au monde du travail opposant socialisme et communisme. Dans leur conception, ce sous-clivage était directement lié, déjà, à une « révolution internationale », la révolution bolchevique de 1917. Celle-ci est bien sûr d'une autre nature idéologique que la révolution internationale contemporaine, *mondialiste*, d'inspiration libérale (cf. chapitres État, section 5.2, et Idéologies, encadré n° 6.5). Dans le cadre d'analyse lipso-rokkanien, cette « première » révolution internationale a un statut particulier, dual. Elle est avancée en même temps comme « moment critique » du développement du clivage capital/travail véhiculé par la révolution industrielle (cf. *supra*, section 3.1), et comme moment fondateur du sous-clivage spécifique au versant « travail » dudit clivage capital/travail.

Transposant le cadre d'analyse de Lipset et Rokkan aux États d'Europe centrale et orientale, Daniel-Louis Seiler (2011) a considéré que, dans ces pays, les « révolutions démocratiques » amorcées entre 1989 et 1991 s'inscrivaient justement dans le processus de bouleversement majeur représenté par la « révolution internationale » de 1917, elle-même répondant à une phase de « capitalisme autoritaire ou totalitaire ». Désignant un tel processus historique de temps long, la « révolution internationale » a donné lieu dans ces pays, pour Seiler, à deux clivages singuliers : sur le plan territorial, entre post-communistes internationalistes et démocrates stato-nationaux, et sur le plan fonctionnel, entre ultralibéraux et socio-libéraux.

9.2. La théorie des clivages et les partis « anti-système » de droite

Au contraire de l'explication donnée à l'émergence de partis communistes, Lipset et Rokkan ont paru distinguer un clivage propre – sans jamais le qualifier comme tel – pour expliquer le développement de partis « anti-système » de droite. La spécificité du « clivage » explicatif du développement des partis « anti-système » de droite résidait en une réaction d'une partie de la société non pas à l'égard des « élites bâtisseuses de l'État-Nation », comme dans les autres clivages (cf. *supra*, section 5), mais à l'encontre des « réseaux montants des nouvelles élites » issues des mobilisations sociales opérées à partir des quatre clivages historiques. Sur le plan chronologique, ce clivage d'un genre particulier apparaît donc en dernier, après que les autres clivages se soient développés. Il oppose, d'une part, les petites classes moyennes traditionnelles (petits indépendants artisans et commerçants, chefs d'entreprises de taille limitée, rentiers au patrimoine limité), prises d'un sentiment de déclassement et d'abandon social et, d'autre part, les autres classes sociales, leurs organisations et représentants. Les partis politiques auxquels s'identifiait cette « petite » classe moyenne n'ont pas nécessairement pris une tournure autoritaire, anti-démocratique, comme le firent dans les années 1930, le Parti national-socialiste en Allemagne ou Rex en Belgique (cf. *supra*, section 8.2). Par exemple, en Belgique, l'éphémère UDRT (Union démocratique pour le respect du travail), fondée en 1978, qui obtint quelques sièges au parlement national dans les années 1980, ne prônait pas la fin de la démocratie parlementaire. Mais, observent Lipset et Rokkan, bien que d'idéologies différentes, tous les partis anti-système de droite partagent entre eux une autre caractéristique : ils sont tous (ultra-)nationalistes (cf. chapitre Idéologies, section 9).

ENCADRÉ N° 5.17 : CARACTÉRISTIQUES DES PARTIS « ANTI-SYSTÈME » DE DROITE SELON LIPSET ET ROKKAN

« Non seulement ils acceptent la nation constituée historiquement et sa culture, mais ils la vénèrent et rejettent le système de prise de décision et de contrôle développé à travers le processus de mobilisation et de négociation démocratique. Leur but n'est pas seulement d'obtenir la reconnaissance d'une série d'intérêts à l'intérieur d'un système de concessions mutuelles pluralistes, mais de remplacer ce système par des procédures de répartition plus autoritaires » (Lipset, Rokkan, 2008/1967 : 50).

Cette caractéristique commune amène en toute logique Lipset et Rokkan à positionner dans leur cadre d'analyse les partis anti-système de droite sur le pôle « centre » du clivage centre/périphérie. Mais pour nos deux auteurs, ces partis n'incarnent pas seulement, et d'abord, un « extrême centre », au sens de promouvoir une conception ultra-centralisée et unitariste du pouvoir. Ils veulent surtout *s'approprier* le « centre », pour *imposer* leur propre conception du système qui peu ou prou s'écarte des médiations instituées de la démocratie représentative. Dans cette mesure, ces partis ne campant plus des agents d'intégration au système politique (cf. *supra*, section 3.2), ils méritent ainsi, dans le cadre d'analyse *fonctionnaliste* de Lipset et Rokkan (cf. *supra*, section 4), l'appellation d'« anti-système ».

Notons que, par la suite, un politologue comme George Lavau (1969a et b) montrera, à partir de l'exemple du Parti communiste français (PCF), qu'en remplissant une fonction « tribunitienne », certains partis politiques classés par Lipset et Rokkan comme

« anti-système » peuvent quand même contribuer également à la stabilité du système politique (cf. chapitre Partis politiques et groupes d'influence, section 3.2.9). En effet, en exprimant, y compris dans les institutions politiques (au parlement, par exemple, lorsqu'ils se présentent aux élections et y décrochent des élus), les insatisfactions et revendications de groupes sociaux qui se sentent en marge du système politique, les partis « anti-système » officient comme des soupapes de sûreté, laissant s'échapper une tension qui, sans cet exutoire, pourrait conduire à l'implosion du système politique.

9.3. La théorie des clivages et les partis populistes

Dans le contexte actuel, l'appellation « partis populistes » tend à se substituer à celle de « partis anti-système », surtout dans le vocabulaire des médias et des acteurs politiques, mais aussi sous la plume d'un certain nombre de politologues.

ENCADRÉ N° 5.18 : QU'EST-CE QUE LE POPULISME ?

Le terme « populisme » se réfère à une manière d'exercer le pouvoir politique ou de tenter de le conquérir en se situant au plus près des aspirations « spontanées » d'une majorité de l'opinion publique ou d'une partie significative des citoyens. Prônant des solutions « simples » et de « bon sens », le populisme rejette, ou tend à minorer, toute médiation entre cette opinion populaire et l'action du pouvoir politique, qu'il s'agisse de la négociation de compromis entre partis membres d'une coalition gouvernementale, l'intervention d'experts porteurs d'un regard plus spécialisé, technicisé sur les questions politiques, ou de la concertation avec des organisations sociales représentatives (patronat, syndicats...) ou d'autres groupes d'influence (une multinationale, une ONG de défense du bien-être des animaux...). Le populisme entend ainsi limiter au maximum l'espace intermédiaire entre la décision publique et l'opinion des citoyens (cf. chapitre Partis politiques et groupes d'influence, section 1.1). Cette conception du fonctionnement du pouvoir s'accompagne généralement d'un discours très critique, souvent disqualifiant, à l'égard de l'« establishment », dans lequel sont confondus l'ensemble des dirigeants politiques des partis qualifiés alors de traditionnels (« la classe politique », « les politiciens »...), mais aussi les représentants de groupes d'influence et milieux intellectuels y compris journalistiques.

On tend à ranger sous cette étiquette de « populiste » par exemple un parti comme le Parti réformiste d'alternative démocratique (ADR), représenté au parlement du Grand-Duché du Luxembourg depuis la fin des années 1980. On y rattache souvent en Belgique la Lijst De Decker (LDD), sous-titrée « Le bon sens » (« Gezond Verstand »), qui après une percée significative aux élections législatives fédérales de 2007, année de sa création, n'a pu décrocher qu'un seul siège à celles de 2010 et ne compte plus d'élu à l'issue de celles de 2014. En Suisse, l'UDC aussi est souvent qualifiée de populiste, du fait qu'elle contribue régulièrement à la tenue de référendums d'initiative populaire à l'issue desquels ses positions « de bon sens » sont endossées par une majorité de votants, malgré le plus souvent l'opposition d'une large majorité des parlementaires et membres du gouvernement fédéral ; ainsi de l'interdiction, inscrite dans la Constitution, de la construction de minarets (2009), de l'expulsion automatique de tout résident étranger condamné par la Justice suisse (2010), ou de l'inscription dans la Constitution des principes de contingentement de l'immigration et de préférence nationale (2014).

Si l'attitude « anti-système », au sens de Lipset et Rokkan, constitue peut-être une caractéristique majeure des partis contemporains dits populistes, cette caractéristique ne suffit pas à donner une explication de leur établissement dans les systèmes de partis où ils se sont implantés qui soit en phase avec la théorie des clivages. Il faudrait avant tout pour ce faire démontrer l'existence d'un clivage pro-système/anti-système engendré par une révolution reconnue par la théorie des clivages. Comme l'évoquaient Lipset et Rokkan pour les partis anti-système de droite, certains auteurs postulent l'existence d'un tel clivage qu'ils mettent en lien avec la révolution nationale.

La mise sur pied de toute une série de médiations dans le cadre du fonctionnement des institutions représentatives aurait, à leurs yeux, engendré au sein d'une partie de la population un sentiment de marginalisation sociale et politique face au système politique. Ce sentiment d'être des « laissés pour compte du système » aurait conduit cette « frange de la population délaissée par le politique » à s'opposer frontalement aux « élites politiques traditionnelles » et, par ce biais, aux autres catégories sociales considérées comme tirant parti du système.

Mais pour rester fidèle à une explication des partis populistes qui reste cadrée par la théorie des clivages, ne faudrait-il pas démontrer que cette opposition au système prend à partir de tout un tissu d'organisations sociales dont les partis populistes seraient les relais politiques (cf. *supra*, section 3.1) ? Peut-être pas nécessairement dans ce cas-ci, dès lors qu'une des caractéristiques structurantes du populisme consiste justement à dénier le rôle politique des organisations intermédiaires. Exiger pour les partis populistes une mobilisation sociale préalable au travers d'un tissu d'organisations intermédiaires, serait dès lors paradoxal. On le voit, les partis anti-système n'ont pas fini de poser problème à la théorie des clivages.

Pour conclure, on ne peut que constater que, un demi-siècle après sa formulation, la théorie des clivages demeure, quelles que soient ses critiques et les controverses au sujet de ses formes actualisées, un instrument très diffusé en science politique. Sa force est de permettre une analyse comparée des partis politiques, sous l'angle d'une identité idéologique (cf. chapitre suivant), dégagée à la fois à partir de leurs positionnements sur les principaux enjeux clivants advenant dans l'histoire de chaque État, et des soutiens qu'ils peuvent obtenir auprès des groupes sociaux qui s'opposent sur ces enjeux.

Questions

1) Définissez la notion de clivage. En quoi ce terme désigne-t-il une division politique de nature particulière ?

2) Retracez le cadre de division structurelle de l'espace politique posé dans la formulation originale de la théorie des clivages. Reliez pour ce faire les différentes familles de partis politiques aux versants des différents clivages engendrés par les différentes révolutions.

3) En quoi le modèle fonctionnaliste construit par Talcott Parsons pose-t-il les fondations de la théorie des clivages élaborée par Lipset et Rokkan ?

4) L'entrecroisement de clivages au sein d'une société contribue-t-il à intensifier ou à pacifier les conflits structurels au sein de celle-ci ; pourquoi, comment ?

5) Présentez les propositions principales d'actualisation de la théorie des clivages, en reliant les « nouvelles » familles politiques au versant approprié de chaque nouveau clivage, le cas échéant, en précisant de quelle révolution – éventuellement, nouvelle – il serait issu.

Bibliographie

RÉFÉRENCES DE BASE

- Bartolini S. (2005), « La formation des clivages », *Revue internationale de politique comparée*, vol. 12, n° 1, pp. 9-34.
- Lipset M. S., Rokkan S. (2008/1967), *Structures de clivages, systèmes de partis et alignement des électeurs : une introduction*, Bruxelles, Éditions de l'Université de Bruxelles.
- Martin P. (2007), « Comment analyser les changements dans les systèmes partisans d'Europe occidentale depuis 1945 ? », *Revue internationale de politique comparée*, vol. 14, n° 2, pp. 263-280.
- Rokkan S. (1970), « Nation Building, Cleavage Formation and the Structuring of Mass Politics », *in* Rokkan S. (dir.), *Citizens, Elections, Parties. Approaches to Comparative Study of the Processes of development*, Oslo, Universiteitforlaget, pp. 72-144.
- Seiler D.-L. (2011), *Clivages et familles politiques en Europe*, Bruxelles, Éditions de l'Université de Bruxelles.

POUR ALLER PLUS LOIN

- Bornschier S. (2009), « Cleavage Politics in Old and New Democracies », *Living Reviews in Democracy* (revue électronique), vol. 1.
- Delfosse P. (2007), « La théorie des clivages. Où placer le curseur ? Pour quel résultat ? », *Revue internationale de politique comparée*, vol. 14, n° 2, pp. 363-388.
- De Waele J.-M. (dir.) (2004), *Les clivages politiques en Europe centrale et orientale*, Bruxelles, Éditions de l'Université de Bruxelles.
- Frognier A.-P. (2007), « Application du modèle de Lipset et Rokkan à la Belgique », *Revue internationale de politique comparée*, vol. 14, n° 2, pp. 281-302.
- Schiffino N. (2003), *Crises politiques et démocratie en Belgique*, Paris, L'Harmattan, coll. « Logiques politiques ».

CHAPITRE 6
LES IDÉOLOGIES

Sommaire

Résumé

Si les idéologies existent depuis toujours dans les sociétés humaines, ce n'est qu'à partir de la Renaissance que sont jetées les bases d'une société qui va placer la légitimité de son ordre non plus dans un « ailleurs » mais bien en elle-même, faisant des individus qui la composent, de leurs discours et de leurs idéologies, la référence ultime de cette légitimité (le concept ne sera formulé comme tel que bien plus tard). Ce changement qui prendra plusieurs siècles annonce le triomphe des idéologies en politique au XIXe et surtout au XXe siècle, au niveau de l'organisation des sociétés, mais aussi au niveau de la justification des politiques menées à l'intérieur des nations et sur la scène internationale.

Pour les sciences sociales, l'idéologie est par définition une production humaine qui obéit à des enjeux, des logiques et des processus que le chercheur tentera de découvrir et d'expliquer, et qui *a priori* n'est pas détentrice d'une vérité. L'idéologie est un ensemble de représentations relativement intégrées portant sur le monde et son devenir. L'idéologie est à la fois une vision totale du monde, elle est aussi un discours sur le monde, une orientation pour l'action, un moyen de se forger une identité, et au final, un enjeu de pouvoir. Ce qui explique pourquoi, à bien des égards, dans le savoir commun et même dans l'opinion publique, l'idéologie est souvent connotée négativement.

Tout ce qui précède annonce la distinction gauche/droite en politique et les grandes idéologies qui structurent les débats et les partis depuis plus de deux siècles, du socialisme au communisme et au libéralisme en passant par l'anarchisme, l'écologie politique, la « démocratie chrétienne » (en Europe) et l'islamisme, sans oublier le nationalisme qui peut être de droite ou de gauche mais aussi d'extrême droite. Autant de discours fondamentaux pour saisir en science politique toute la complexité du comportement et des motivations des acteurs politiques.

1 | Genèse des idéologies

Si les idéologies font partie intégrante des sociétés humaines depuis plusieurs millénaires, elles ne sont nommées et entendues comme telles que depuis quelques siècles et à ce titre, elles renvoient aujourd'hui à plusieurs significations, parfois contradictoires, souvent complémentaires. Au-delà des définitions et des fonctions de l'idéologie qui vont être explorées ici, il faut d'abord noter que les idéologies trouvent leur origine en Europe à la fin du Moyen-Âge, à la Renaissance (XVIe-XVIIe siècles), lorsque les sociétés s'émancipent progressivement d'un monde jusqu'alors fortement imprégné de références à Dieu. La redécouverte, la lecture et l'exégèse des textes philosophiques de l'Antiquité, l'essor de la science, et surtout l'influence des philosophes et des hommes de science comme Descartes ou Galilée vont progressivement faire basculer les sociétés européennes vers une conception de la nature et de l'univers où l'homme sera amené à jouer un rôle de plus en plus central.

La Renaissance jette les bases d'une société qui va placer la légitimité de son ordre non plus dans un « ailleurs » ou un au-delà, mais bien en elle-même, faisant des individus qui la composent la référence ultime de cette légitimité. Ce qui poussera un Claude Lefort (1981, 1986), un Marcel Gauchet (1985) ou un Cornelius Castoriadis (1986) à parler d'un passage vers des sociétés auto-référentielles ou autonomes, en opposition aux sociétés hétéro-référentielles ou hétéronomes. Les premières attribuent à l'homme (au social) la capacité à faire être une société et à l'investir de sens. Les secondes attribuent cette prérogative à une source extra-sociale qui peut être Dieu, les/des dieux, la Nature ou tout autre acteur en dehors de la communauté humaine.

Les enjeux pour la compréhension de la notion d'idéologie et la genèse du concept sont ici fondamentaux. Car c'est précisément le recul du divin, le « vide » laissé par cette perte d'un sens venu de l'au-delà qui, dès la sortie du Moyen-Âge, jettent sur « l'épaule » des hommes la responsabilité du monde, de la destinée humaine et du chemin qu'une société devra suivre pour l'avenir. En s'émancipant de régimes politiques de droit divin, des régimes théocratiques (cf. chapitre Régimes politiques) où la norme était indiscutable et le débat sur le sens de la vie et de la société limité aux seuls initiés (les théologiens, le clergé, etc.), la société autonome place la collectivité sociale au cœur du processus, celle-ci devient productrice du sens de son existence, de la norme, du « juste » et de l'« injuste », et du discours sur le monde qu'il faudra suivre. C'est dans ce contexte que les idéologies font leur apparition et que surtout, au fil des siècles, elles finissent par être nommées et considérées comme telles. Elles ne cesseront par la suite de structurer la vie politique au rythme des mutations et révolutions qui animeront l'histoire mouvementée de l'Europe, entre autres, jusqu'au XXIᵉ siècle.

Évoquant la signification et le rôle des idéologies dans *L'âge des empires et l'avenir de la France* (1945), Raymond Aron parle de « religions séculières » au sens où les idéologies seraient finalement, dans bien des aspects, assez proches des religions tout en étant issues du monde « ici-bas » et liées au pouvoir temporel, à l'État, par opposition au pouvoir spirituel et aux autorités religieuses.

ENCADRÉ N° 6.1 : RAYMOND ARON

Né le 14 mars 1905 et décédé le 17 octobre 1983 à Paris, Raymond Aron est un intellectuel français à la fois philosophe, historien, sociologue, politologue mais aussi éditorialiste, notamment au quotidien *Le Figaro*. Son œuvre est connue, entre autres, pour la critique qu'il formulera des totalitarismes, et notamment des régimes communistes de l'Est.

Le propre de la religion est de relier (du latin *religare*) les hommes entre eux, mais avec Dieu, et si l'idéologie relie les hommes entre eux, elle le fait sans Dieu, ou en lui substituant l'État, d'où la dimension séculière mentionnée par Aron. L'idéologie comme religion séculière sous-entend également, comme indiqué plus haut, que les idéologies font partie intégrante des sociétés humaines depuis plusieurs millénaires, mais qu'elles n'ont jamais été jusqu'à la Renaissance nommées et clairement définies et comprises comme telles.

L'idéologie, précise Aron, est caractérisée par la « substitution », l'« immanence » et le « caractère salutaire ». Il signifie par là que les idéologies substituent le politique à la religion, qu'elles sont immanentes (en référence à l'ici-bas) et qu'elles concernent les choses concrètes de la vie quotidienne en opposition aux religions et à la référence au divin par nature transcendante (en référence à un au-delà), mais que tout comme les religions, elles ont un caractère salutaire : les idéologies offrent une sorte de « délivrance », elles libèrent les individus de multiples inquiétudes et souffrances en indiquant le sens de la vie, le chemin à suivre, ce qui est « juste », ce qui est « vrai », etc.

2 | Idéologie et science

En langue française, et sur le plan strictement historique et chronologique, c'est à Antoine Destutt de Tracy (1754-1836), penseur et homme politique français, que l'on doit un premier usage précis et systématique du concept d'idéologie. Il s'agit alors, dans son esprit, de constituer une « science de la genèse des idées » qui aurait pour but d'étudier la logique d'une idée, sa dynamique et son histoire dans le cadre d'une démarche à vocation scientifique. Plus précisément, Destutt de Tracy imagine qu'il est possible d'étudier les concepts formulés par la pensée comme autant d'objets physiques étudiés par d'autres disciplines. Les concepts doivent dès lors être étudiés à travers les caractères qui leur sont propres ou encore les relations qu'ils entretiennent avec leur environnement. Ainsi, dans une perspective positiviste (cf. chapitre Qu'est-ce que la science politique ?, encadré n° 1.7) qui veut quantifier le monde, établir les lois de son fonctionnement et qui surtout voit la science expérimentale comme le seul mode de connaissance valable, ou, du moins, un mode supérieur à toutes les autres formes d'interprétation du monde, Destutt de Tracy proclame la nécessité de penser la logique d'une idée avec des outils, des règles et des méthodes formels aussi rigoureux que ce qui se fait en astronomie ou en biologie. Il pense qu'il est possible d'étudier scientifiquement la pensée en essayant d'écarter de l'analyse le subjectif, l'erreur, le faux, etc.

Les révolutions anglaise, française et américaine ont marqué un recul progressif et substantiel du rôle de la religion dans les sociétés occidentales et dès le début du XIXᵉ siècle, d'aucuns repèrent dans les idéologies de nouvelles formes de manipulation de l'esprit. Elles sont dénoncées non pas en tant que sciences de la genèse des idées, mais en tant que discours subjectifs, orientés et engagés, mais à prétention scientifique. Les idéologies dans ce contexte ne sont en réalité que le reflet d'un point de vue ou d'une interprétation du monde malgré leurs prétentions à l'objectivité et à la rationalité. Si l'homme s'est libéré de Dieu et a pu, grâce à la science, produire un discours sur la société, il n'est pas à l'abri de la manipulation que peut constituer une idéologie lorsqu'elle prétend dire le « vrai » et le « faux », le « juste » et l'« injuste », etc.

On trouve une illustration frappante de ce phénomène dans le manuel *Principes du Marxisme Léninisme*, publié par les autorités soviétiques en 1961, qui a guidé les maîtres de la Révolution bolchevique de 1917 (Lénine et Trotsky notamment) et qui a imprégné longtemps l'organisation de la société soviétique et la formulation des discours officiels. Au départ des travaux de Karl Marx et de Friedrich Engels (notamment le *Manifeste du parti communiste* de 1848), qui dénonçaient pourtant au XIXᵉ siècle la fonction réelle des idéologies (voir la section suivante), et par la suite à l'appui des écrits de Lénine et des grandes décisions du Parti communiste de l'Union soviétique (PCUS), toute une littérature à prétention scientifique a vu le jour, avant de devenir, progressivement, la base d'une nouvelle idéologie. En effet, celle-ci a d'abord dénoncé les idéologies avant de prétendre, à son tour, indiquer la véritable voie à suivre. L'extrait qui suit, issu des *Principes du Marxisme Léninisme* publiés par les autorités soviétiques et « véritable récupération de l'œuvre de Marx », illustre le propos et montre à quel point des penseurs peuvent mélanger, consciemment ou non, démarche scientifique et propagande idéologique.

ENCADRÉ N° 6.2 : LA « SCIENCE » MARXISTE

« La science marxiste des lois de l'évolution sociale permet non seulement de s'orienter dans le dédale des contradictions sociales, mais aussi de prévoir la marche des événements, la voie du progrès historique et les prochaines étapes du devenir social. Ainsi, le marxisme-léninisme offre un instrument à l'aide duquel on peut percer le voile de l'avenir et apercevoir les tournants prochains de l'histoire. (...). La théorie marxiste-léniniste n'est pas un dogme mais un guide pour l'action. Il s'agit seulement d'apprendre à l'appliquer convenablement. Cette doctrine éclaire le chemin de l'avenir » (Ouvrage collectif, 1961, *Les principes du Marxisme-Léninisme*, Moscou : Éditions en Langues Étrangères, pp. 7-9)

Depuis lors, cette tension, qui n'a jamais cessé entre la science censée dire le « vrai » et l'idéologie jugée « subjective », amènera Karl Popper (1985) à opposer au XXe siècle le discours idéologique par nature « infalsifiable » au discours scientifique qui, lui, doit être falsifiable, c'est-à-dire qu'il doit être formulé de manière à pouvoir être réfuté. En effet, pour les « falsificationistes », toute hypothèse ou tout système d'hypothèses « doit satisfaire une condition fondamentale pour acquérir le statut de loi ou de théorie scientifique. Pour faire partie de la science, une hypothèse doit être falsifiable » au sens où la logique doit autoriser « l'existence d'un énoncé ou d'une série d'énoncés d'observation qui lui sont contradictoires, c'est-à-dire, qui la falsifieraient s'ils se révélaient vrais » (Chalmers, 1987 : 76-77 ; cf. chapitre Qu'est-ce que la science politique ?). Les idéologies sont infalsifiables au sens où il est impossible de faire une observation ou de mener une expérience qui, si elle était positive, contredirait le discours porté par celles-ci en les invalidant. À titre d'exemple, il est possible d'invalider l'énoncé selon lequel « il ne neige jamais le dimanche matin » en démontrant qu'au moins une fois il a neigé un dimanche matin, alors qu'il est impossible d'invalider l'énoncé selon lequel « l'homme peut trouver son épanouissement dans la recherche de la liberté et de la propriété privée ». Nous verrons plus loin que les idéologies sont souvent imprégnées d'énoncés infalsifiables.

3 | L'idéologie chez Marx

Les travaux de Marx, comme l'œuvre de beaucoup de penseurs, ont été récupérés à des fins politiques et révolutionnaires pour devenir au XXe siècle la base de l'idéologie communiste. Celle-ci animera le discours de nombreux partis politiques dans les régimes démocratiques (les partis communistes en France, Belgique, Italie, etc.) et sera également l'idéologie d'État dans des régimes politiques autoritaires ou totalitaires (URSS, Chine, Cuba, Yougoslavie, etc.). L'ironie de l'Histoire veut cependant que Marx ait été un des premiers penseurs à dénoncer précisément la fonction manipulatrice de l'idéologie (notamment dans *L'Idéologie allemande* de 1846).

ENCADRÉ N° 6.3 : KARL MARX

Philosophe, économiste et essayiste du XIXe siècle (1818-1883), Karl Marx est l'auteur d'une œuvre monumentale. Après des études de Droit, d'Histoire et de Philosophie et une thèse sur Démocrite et Épicure qu'il défend en 1841, il étudie l'œuvre de Hegel et critique l'idéalisme afin de jeter les bases du matérialisme historique qui doit non seulement dépasser la philosophie théorique, mais surtout permettre une transformation radicale de la société. Avec son ami Engels, il va consacrer tout son travail à l'étude du système capitaliste en proposant notamment une interprétation matérialiste de l'histoire. Entre autres, il écrit *L'Idéologie allemande* (1846), *Le Manifeste du parti communiste* (1848), le premier tome du *Capital* (1867) et *Le 18 Brumaire de Louis Bonaparte* (1852).

3.1. Infrastructure et superstructure

Marx considère que l'exploitation ouvrière propre au système économique capitaliste est le fait historique majeur de son époque. Partant, il développe une critique de la philosophie et de la rationalité qui rejette la recherche d'une énième

« interprétation » du monde et de sa signification au profit d'une analyse du lieu où selon lui se fait concrètement l'Histoire, c'est-à-dire les rapports de force et de pouvoir entre classes sociales, entre ceux qui exploitent et ceux qui sont exploités sur le plan social et économique. Ce qui compte pour Marx, ce n'est pas la réflexion sur l'homme abstrait, le sens de la vie, le « bien » et le « mal » ou les droits fondamentaux comme la liberté individuelle envisagée en dehors des conditions de vie concrètes. Ce qui compte, c'est l'homme concret, l'homme qui produit, l'homme qui possède, et les rapports de force et d'exploitation entre les uns et les autres et entre classes sociales. « L'histoire des sociétés humaines jusqu'à nos jours », indiquera-t-il, c'est « l'histoire de la lutte des classes » (Marx, Engels, 1967/1848 : 27). Dans cette perspective, Marx oppose ce qu'il appelle l'« infrastructure » à la « superstructure ». La première concerne tout ce qui est matériel à l'instar des ressources, des moyens de production, des rapports entre classes sociales fondés sur les rapports de production, alors que la seconde concerne ce qui est non matériel à l'instar des institutions, des lois, des idées, de la morale, de la religion, etc. L'idéologie appartient à la superstructure qui elle-même découle de l'infrastructure, les éléments matériels générant les éléments non matériels, lesquels ne font que retraduire dans le domaine des idées et des institutions les rapports matériels de domination existants dans la société.

3.2. Idéologie et domination

Dans ce cadre théorique, Marx considère l'idéologie comme un outil au service de la classe dominante : l'idéologie prévalant dans la société, explique-t-il, est celle du groupe dominant. L'idéologie va donc de pair avec l'« idéologie dominante », elle a pour fonction de rendre légitime l'organisation de la société, la répartition des richesses, le fonctionnement du pouvoir et les relations sociales. Pour asseoir son pouvoir et assurer la stabilité du système en écartant le risque d'une révolte ou d'une révolution de la part des opprimés, la classe dominante doit produire une idéologie visant à légitimer l'état des choses, occulter l'exploitation et justifier les rapports entre les classes.

Pour Marx, l'idéologie bourgeoise du XIXe siècle justifie l'exploitation, dans le système capitaliste, en dissimulant précisément à la fois l'exploitation des travailleurs, mais aussi l'enrichissement des propriétaires, qui possèdent les moyens de production (les usines et plus largement l'« outil de production », etc.). Et elle le fait en s'appuyant sur des valeurs, notamment le mérite, le courage et l'intelligence qui caractérisent l'industriel propriétaire de l'usine et justifient son caractère « exceptionnel », mais aussi des valeurs à prétention universelle comme la liberté, la responsabilité individuelle, les droits de l'Homme, etc. L'idéologie peut aussi mobiliser la religion, qui, à défaut d'améliorer les conditions de vie du prolétaire, offre à ce dernier l'espoir d'une vie meilleure dans l'au-delà ; la religion est ainsi, selon la formule de Marx, l'« opium du peuple ». Elle organise la vie quotidienne et représente une force de stabilité grâce à la morale et à la pression sociale qui poussent les gens à accepter leur sort. L'idéologie bourgeoise mobilise aussi des principes, des coutumes, des institutions et des lois pour légitimer sa domination et stabiliser un système d'exploitation foncièrement inégalitaire. Enfin, l'« Histoire » et l'enseignement peuvent également être mobilisés, au même titre que les fêtes nationales, la culture et tous autres « vecteurs de sens » susceptibles de justifier l'ordre des choses.

Pour Marx, l'idéologie est produite par les hommes de façon consciente tout en étant un ensemble de mystifications, d'illusions collectives et de représentations que les hommes se font d'eux-mêmes pour se justifier, pour se donner bonne conscience. En d'autres termes, la classe dominante produit autant qu'elle reçoit son idéologie, au point que l'ensemble des hommes finissent par croire en l'idéologie ainsi mise en place, qu'ils soient issus de la classe dominante ou de la classe dominée. En définitive, la classe dominée ne voit pas le produit de l'idéologie comme une manipulation, mais plutôt comme le destin, voire le produit de l'« Histoire ». Ce phénomène, qui est à la fois une manipulation consciente de la part des dominants et un processus qui les dépasse, est illustré par la célèbre phrase de Marx indiquant que ce n'est pas la conscience qui détermine la vie, mais la vie qui détermine la conscience (Marx, Engels, 1969/1932, rédigé en 1845-46). C'est la vie réelle, là où se fait l'Histoire, qui détermine la conscience.

Marx en conclut que les idées dominantes d'une époque n'ont jamais été que les idées de la classe dominante et qu'à bien des égards, l'idéologie qui domine dans une société n'est autre que la mesure de l'état du rapport de force entre classes sociales. Aujourd'hui encore, les analystes convaincus par l'œuvre de Marx considèrent que la concentration des richesses mondiales dans les mains d'une minorité, la pauvreté dans le monde et la légitimité dont continue à bénéficier le système capitaliste témoignent du caractère original des travaux de Marx.

4 | Idéologie et sciences sociales

Lorsqu'elle est abordée par les sciences sociales (sur la différence entre « sciences sociales » et « sciences humaines », voir le chapitre Qu'est-ce que la science politique ?), l'idéologie est par définition une production humaine qui obéit à des enjeux, des logiques et des processus que le chercheur tentera de découvrir et d'expliquer, et qui *a priori* n'est pas détentrice d'une quelconque vérité sur le monde. En effet, si la science cherche à établir des liens entre des causes et des effets, la particularité des sciences humaines repose sur le postulat qu'il est possible d'expliquer le social par le social, pour reprendre la formule de Durkheim (*Les règles de la méthode sociologique*, 2009/1894), et que les enjeux sociaux et politiques obéissent à des causes qui se trouvent dans la société elle-même. Partant, l'idéologie à travers le regard du politologue ou du sociologue n'est plus un exposé scientifique qui vise à retracer la genèse des idées, et encore moins une rhétorique qui porterait la vérité sur le monde, elle devient un discours produit par des acteurs à l'attention d'autres acteurs avec des objectifs précis, conscients ou inconscients, et des effets désirés et indésirés. Elle devient un phénomène qui est à la fois une manipulation consciente de la part des dominants et un processus qui les dépasse.

Si en sciences sociales, il n'y a pas lieu de juger les idéologies bonnes ou mauvaises, les idéologies n'y sont pas pour autant appréhendées comme des systèmes d'idées neutres. Au contraire, on considère qu'elles obéissent à des logiques et des objectifs particuliers, et qu'elles sont dépendantes de leur époque et des relations de pouvoir du moment et du lieu où elles se développent.

Roger Eatwell et Anthony Wright (1999 : 17) définissent ainsi l'idéologie comme « un ensemble relativement cohérent de croyances et de pensées normatives et empiriques, qui porte sur les problèmes de la nature humaine, l'évolution de l'histoire et les dynamiques sociales et politiques ». Ils ajoutent qu'en « fonction de sa relation avec la structure de valeur dominante, une idéologie peut agir comme une force de stabilisation ou de révolution ». En effet, si l'idéologie est l'idéologie de la classe dominante, elle participe à la pérennisation de l'ordre établi. Si au contraire elle anime les classes dominées contre les détenteurs du pouvoir, elle peut encourager et susciter mécontentements et révoltes. L'idéologie est donc un corps d'idées sur la nature de l'homme et de la société, sur leur raison d'être et surtout sur ce qu'ils sont et ce qu'ils devraient être, notamment en termes d'organisation et d'objectifs. En bref, il s'agit d'un ensemble de représentations relativement intégrées portant sur le monde et son devenir. L'idéologie est à la fois une vision totale du monde, elle est aussi un discours sur le monde, une orientation pour l'action, un moyen de se forger une identité, et au final, un enjeu de pouvoir. Comme évoqué plus haut, c'est ce qui explique pourquoi, à bien des égards, dans le savoir commun et même dans l'opinion publique, l'idéologie est souvent connotée négativement.

L'idéologie est d'abord une vision globale du monde dans la mesure où elle ne laisse rien au hasard et qu'idéalement, elle apporte des réponses à tout, jusqu'au moindre événement. « Idéalement », au sens où toutes les idéologies ne répondent pas à ce cahier des charges, même si cela peut être l'objectif à atteindre pour être pleinement efficace. L'idéologie couvre autant les obligations des adeptes, des électeurs ou des militants sur le plan politique que les comportements sociaux à suivre sur le plan individuel, personnel ou familial, elle s'exprime sur le « juste » et l'« injuste », elle dessine la norme de laquelle il ne faut pas s'éloigner, elle offre une vision de l'Histoire en phase avec ce qui est fait dans le présent au quotidien et ce qui doit être fait pour le futur. L'idéologie a ses ennemis, ses héros, ses martyrs et, bien entendu, ses chefs charismatiques, elle parle de la politique, mais aussi de la famille et de toutes les facettes de l'existence humaine.

L'idéologie propose un système cohérent d'interprétation du monde, plein de sens, qui en fait souvent un système clos. En effet, ouvertement ou implicitement, elle prétend avoir le monopole de la vérité au point qu'il n'est pas exagéré de dire que l'idéologie n'a pas vocation à participer à la discussion, mais qu'au contraire, elle cherche surtout à s'imposer, à gagner « les cœurs », au-delà de la Raison. L'idéologie ne suscite pas le débat, mais « l'exégèse infinie de ce qui a été reconnu comme vrai » (Busnel et al., 1995 : 131), son socle de base est jugé indiscutable et seuls quelques aménagements sont tolérés, la doctrine représentant « la » vérité et les moyens à mettre en œuvre pouvant éventuellement varier. Le chemin est établi, seule la méthode pour l'analyser, le comprendre ou le parcourir pourra faire débat.

L'idéologie, c'est aussi un discours sur le monde au sens où il ne suffit pas d'avoir une vision totale de ce dernier, mais qu'il faut aussi porter ce message à l'attention du plus grand nombre. À côté d'une interprétation totale et cohérente de la marche des choses, celle-ci doit, au-delà d'une pensée, être dite, transmise et formulée pour convaincre. En définitive, on peut dire que l'idéologie est un discours qui doit persuader et qu'à ce titre, elle réduit le langage à un simple véhicule d'idées « clés sur porte » qu'elle substitue au débat d'idées.

L'idéologie est enfin une orientation pour l'action. Une des missions essentielles de l'idéologie est d'indiquer le chemin à suivre à ceux qui adhèrent au discours ou qui doivent encore être persuadés par ce dernier. Elle offre – ou prétend offrir – un itinéraire garanti et rassurant pour l'avenir. L'idéologie apporte de la prévisibilité face à l'indétermination du social et suggère des pistes d'action face aux risques quotidiens sur les plans social, économique et politique. Au final, elle a donc aussi pour fonction de rassurer ceux qui adhèrent à son message et, partant, elle rassemble et fédère ces derniers en leur proposant une sorte de ciment commun, vecteur d'identité, garant de la stabilité, et ressource pour prévoir le futur et agir.

Tout ce qui précède mène à la question du pouvoir telle qu'elle est abordée dans le chapitre qui lui est consacré dans le présent ouvrage. À bien des égards, l'idéologie sert avant tout à justifier un acte et à se donner bonne conscience. Dans cette optique, l'idéologie est un outil visant à justifier la prise du pouvoir, asseoir celui-ci et légitimer les actes politiques posés par son détenteur.

Dans la lignée de la définition wébérienne du pouvoir (voir le chapitre qui lui est consacré), le pouvoir, c'est la capacité qu'un acteur (un chef d'État, un gouvernement, etc.) a de faire faire à quelqu'un (ou à une population) quelque chose qu'il ne ferait pas de son propre chef, ou de l'empêcher de faire quelque chose qu'il aurait fait de son propre chef. Dans les sociétés contemporaines, le pouvoir politique, le pouvoir d'un gouvernement, est principalement la faculté d'obtenir le consentement de ceux sur qui il s'exerce (pour éviter la multiplication des manifestations et des grèves, pour être réélu, etc.), et ce, notamment – mais pas uniquement – grâce à l'idéologie. En effet, sachant que souvent le pouvoir auquel on se soumet le plus volontiers est celui que nous ne percevons pas comme tel, l'idéologie joue ici un rôle fondamental. Elle nous guide dans nos comportements, nos sentiments et nos actions sans apparaître comme un outil du pouvoir visant à faciliter notre soumission. L'idéologie aide les détenteurs du pouvoir à faire faire à leurs administrés quelque chose qu'ils ne feraient pas en dehors de cet appui légitimant ces actes.

ENCADRÉ N° 6.4 : LES IDÉOLOGIES LIBÉRATRICES

Si les idéologies peuvent être établies et mobilisées en vue du contrôle, de la manipulation voire de l'oppression des membres d'un parti politique, des militants d'un mouvement social ou d'une population donnée, elles peuvent aussi être libératrices et partant être un vecteur d'émancipation des individus. En effet, dans son contenu, et indépendamment de ce qui sera fait de ce dernier, une idéologie peut parfaitement promouvoir des droits fondamentaux réellement porteurs d'égalité, de justice et de liberté dans la société. C'est donc l'usage concret et l'interprétation des idéologies qui peut dans certains cas trahir la nature libératrice de ces dernières. Ainsi, lorsque le président américain George W. Bush a invoqué les valeurs démocratiques et le droit à la liberté des peuples pour justifier l'invasion de l'Irak par les troupes américaines et la chute du régime de Saddam Hussein en 2003, l'occupant de la Maison Blanche a mobilisé une idéologie libératrice pour justifier des objectifs militaires et géopolitiques très éloignés de cette dernière.

Ce qui précède explique pourquoi, comme le dit Bobbio (cf. *infra*), il n'y a sans doute rien de plus idéologique que d'indiquer qu'il n'y a plus d'idéologie aujourd'hui. En indiquant cela, un parti ou un gouvernement fait croire que l'ordre des choses est

« normal » et « naturel » et qu'il n'obéit à aucune idéologie. Il indique qu'ils peuvent dès lors faire confiance au gouvernement parce qu'il n'est pas sous l'influence d'une idéologie, et enfin il sous-entend qu'il est possible d'agir de façon neutre. Il est évident qu'il n'en est rien. Dire qu'il n'y a plus d'idéologie est simplement une façon d'imposer une idéologie en prétendant qu'elle n'en est pas une. Affirmer qu'il n'y a plus d'idéologie, c'est faire faire aux gens quelque chose qu'ils ne feraient pas en dehors de cette croyance.

ENCADRÉ N° 6.5 : LA « FIN DES IDÉOLOGIES »

La Guerre froide avait été marquée par une forte opposition idéologique : communisme, démocratie populaire et économie planifiée à l'Est vs capitalisme, libéralisme politique et économique ou « démocratie de marché » à l'Ouest. Avec la fin de cette opposition Est-Ouest serait advenu un monde avec un seul « pôle » désormais « privé de sens » (Laïdi, 1994), marqué par la « mondialisation ». Si celle-ci renvoie à un processus objectif, matériel, historique, d'accroissement des capacités technologiques d'échanges, d'interconnexions… au niveau mondial, elle est également l'autre nom (rendu dans le monde anglo-saxon par le terme « globalisation ») sous lequel « se cache » l'idéologie néo-libérale. Cette requalification permet de présenter comme inéluctables des choix politiques (demeurant à ce titre subjectifs) d'économie néo-libérale (notamment le libre-échange) en raison de l'opportunité objective fournie par la mondialisation en termes matériels de capacités technologiques. Dans sa seconde acception, la mondialisation n'est donc pas un phénomène « naturel », c'est un phénomène politique conçu pour atteindre des objectifs précis même si certains souhaitent présenter ce phénomène comme « naturel » et donc dénué d'objectifs idéologiques : les discours en faveur de la mondialisation peuvent ainsi parfois cacher une position idéologique forte visant notamment à (1) tout « marchandiser » (tout bien/tout service) (2) à l'échelle mondiale, notamment via la libéralisation de l'ensemble des échanges entre nations.

Les partis politiques appuient tous leur action en essayant de l'intégrer – de la justifier – dans leur propre cadre idéologique, qu'il s'agisse du socialisme, du libéralisme, de l'écologie, du communisme ou du nationalisme. Ils le font pour assurer la cohérence des actes, pour mobiliser les militants et capter les électeurs qui s'inscrivent dans une idéologie et la soutiennent, mais surtout pour justifier leurs choix politiques, les arbitrages qu'ils sont amenés à faire, et surtout l'usage qu'ils souhaitent faire de l'argent public.

Les régimes politiques autoritaires et surtout les régimes totalitaires (voir la différence entre les deux types de régimes dans le chapitre Régimes politiques) appuient également leur action en l'intégrant au sein d'une idéologie officielle. Ils le font pour assurer la crédibilité de l'État, pour guider les cadres du parti dominant, et les membres de l'administration qui organisent l'action de l'État, mais aussi et surtout pour justifier l'action des gouvernements successifs et plus globalement les prérogatives de l'État. Si les régimes démocratiques évoluent au rythme de la compétition entre partis politiques et qu'à ce titre, il est difficile de parler d'idéologie d'État, il en va en revanche tout autrement dans les régimes totalitaires, où l'idéologie peut animer toute la vie politique et sociale d'une société pendant une très longue période (cf. chapitre Régimes politiques). Dans ce type de régime, l'idéologie du parti au pouvoir devient l'idéologie d'État au moment où le parti lui-même tend également à se confondre avec ce dernier. L'État peut alors imposer son idéologie dans toutes les sphères de la société (enseignement, organisations de jeunesse, syndicats, culture, histoire officielle, etc.), et, en définitive, le respect de l'idéologie officielle devient à la fois une obligation pour la population et un outil de contrôle de la population. Dans les régimes totalitaires les plus exemplatifs, à l'image du régime nazi en Allemagne et du régime stalinien en URSS, on constate d'ailleurs la mise sur pied d'une police politique spécialisée dont la mission consistait à persécuter et à arrêter les membres de la société qui critiquaient le pouvoir, son action ou l'idéologie de l'État. L'enfermement de masse des gens jugés hostiles au régime est une des caractéristiques principales du totalitarisme, un régime qui vise précisément un contrôle total de la population, notamment au niveau de la pensée.

5 | Idéologie et distinction gauche/droite

Si l'idéologie est un discours sur ce « qui doit être » et qu'elle est aussi un instrument de pouvoir, elle se décline de multiples manières et renvoie notamment au socialisme, au communisme, au libéralisme, à l'anarchisme, à l'écologie politique, à la démocratie chrétienne, à l'islamisme et au nationalisme (notamment d'extrême droite), entre autres discours qu'il est possible de resituer dans le cadre de clivages opposant la gauche et la droite et plus largement, le conservatisme et le progressisme.

ENCADRÉ N° 6.6 : PROGRESSISME ET CONSERVATISME

Le progressisme est une doctrine politique qui prône le progrès et le changement sur le plan social, politique et économique, il vise une modification de la société et aspire à un idéal qu'il faut atteindre soit par des réformes successives, soit par des moyens plus radicaux pouvant mener à une révolution. Un programme politique ou une idéologie est qualifiée de progressiste lorsqu'elle conçoit le présent ou un « présent possible » comme un progrès par rapport à une période passée jugée négativement. Cependant, un projet politique ou une idéologie ne conçoit pas systématiquement le présent comme un progrès, car elle peut au contraire dénigrer le présent, et réclamer un retour à une situation plus ancienne jugée meilleure. Historiquement, l'idée de progrès est liée à la philosophie des Lumières qui pensait pouvoir transformer le monde à partir de la connaissance, de la Raison et du débat d'idées contre l'absolutisme, les dogmes et les privilèges, et « progresser » face à la société de l'Ancien Régime.

Les conservateurs aiment à indiquer qu'être conservateur ne signifie pas « conserver » à tout prix une certaine forme de société sur le plan social, moral, culturel, politique ou économique, mais défendre simplement ce qui est éternel dans la nature humaine et dans l'organisation de la société. Les conservateurs ne sont pas contre le progrès, mais ils croient seulement à un changement limité de l'ordre social qu'ils considèrent comme naturel et donc comme difficilement réformable sur le fond. En conséquence, les conservateurs tendent à vouloir conserver l'ordre social existant et les valeurs traditionnelles même si comme pour les progressistes, dans certains cas, les conservateurs souhaitent des changements importants pour précisément revenir à un ordre social révolu.

La classification gauche/droite apparaît bien souvent comme l'horizon premier de la compréhension globale du jeu politique. Elle offre en effet une interprétation globale de l'action et des idéologies des différents acteurs politiques en permettant de comparer ceux-ci entre eux.

5.1. Usage de la distinction

Malgré des critiques persistantes, la distinction gauche/droite connaît un succès continu qui s'explique d'abord par la profondeur historique de ses usages politiques, puis scientifiques, qui se sont très largement diffusés au siècle dernier en Occident au fur et à mesure de la massification de l'électorat, et, en même temps, de l'universalisation du suffrage entamée à partir du XIXᵉ siècle. Cela est encore plus vrai dans un univers francophone marqué par l'histoire politique de la France. En effet, d'une part, parce que l'événement qui a donné naissance à cette représentation de la vie politique remonte à la Révolution française. De l'autre, c'est en France en particulier que l'opposition gauche/droite en est venue à constituer, dans la pratique politique, le clivage prépondérant (Gauchet, 1992 ; Crapez, 1998).

ENCADRÉ N° 6.7 : ORIGINE DE LA DISTINCTION GAUCHE/DROITE

La classification gauche/droite trouve son origine dans un événement politique particulier, la Révolution française de 1789, et plus particulièrement un vote intervenu dans la foulée à l'Assemblée nationale à propos du maintien ou non du droit de veto royal sur les lois votées par celle-ci. Les députés favorables au maintien du droit de veto royal (ce qui implique la conservation d'une prérogative royale significative dans l'exercice du pouvoir législatif) se sont rangés à la droite du président de séance, ceux qui y étaient défavorables (et souhaitaient un transfert complet des prérogatives législatives à la seule assemblée), à sa gauche.

Au-delà de ces usages historiques, force est de constater que tant les électeurs dans les sondages que les politologues dans leurs travaux continuent de considérer la grille gauche/droite comme un instrument privilégié d'identification politique, même en dehors du contexte français et occidental.

ENCADRÉ N° 6.8 : LES RAISONS DU SUCCÈS DE LA CLASSIFICATION GAUCHE/DROITE EN SCIENCE POLITIQUE

« Il y a deux raisons principales à cela. La première est qu'elle (la classification gauche/droite) continue de représenter la meilleure option par défaut, même si la dimension gauche/droite a perdu beaucoup de sa substance et de son efficacité, il reste qu'aucun ensemble de référents alternatifs ne parvient à la concurrencer. (…). La seconde raison (…) est qu'en dépit de ses nombreuses ambiguïtés, elle continue à marcher. Ceci car les prédictions basées sur la proximité gauche/droite des partis se sont révélées relativement précises pour rendre compte des différents modèles de formation de coalitions (…) ; les analyses qui consistent à mesurer l'équilibre gauche/droite de gouvernements en place se sont avérées raisonnablement robustes pour différencier les "policy outcomes" (…) ; et (…) les modèles basés sur le positionnement gauche/droite des partis et des électeurs se sont avérés très probants pour rendre compte des choix électoraux et des changements électoraux. » (Mair, 2007 : 206-222)

La principale force d'attraction intellectuelle de la grille de lecture gauche/droite réside dans son unidimensionnalité, c'est-à-dire sa capacité à réduire l'éventail des distinctions politiques à un plan unique de comparaison, sécable en deux versants : la gauche et la droite. L'ensemble des positions des différents acteurs politiques

(États, partis, groupes de pression, lobbies, électeurs...), et les idéologies en présence sont ainsi rendues comparables entre elles grâce à leur positionnement sur un continuum allant d'un extrême gauche à un extrême droite, en passant par une gauche, un centre, et une droite, voire un dédoublement de la position de gauche en une gauche radicale et un centre-gauche, et idem pour la position de droite. Ce faisant, la richesse et la complexité du jeu politique se trouvent ainsi radicalement simplifiées. Mais cette force constitue aussi une faiblesse.

5.2. Critique de la distinction

La « simplicité » de la grille d'analyse gauche/droite suscite néanmoins d'importantes insatisfactions tant de la part du monde scientifique que des citoyens et de certains acteurs politiques (par exemple, de Benoist, 2003). Bobbio (1996/1994 : ch. 1) a identifié quatre critiques principales.

Premièrement, la classification gauche/droite comparerait des pommes et des poires en fixant les acteurs politiques sur un seul plan de comparaison alors que leur positionnement découle au contraire d'une multitude de facteurs qui touchent à des questions de nature très différente. Certains considèrent que les questions d'ordre socio-économique, la répartition des richesses, les enjeux d'ordre éthique, institutionnel et de morale publique, ou encore d'organisation du Pouvoir sont autant de sujets complexes qui ne peuvent être ramenés à une opposition binaire.

Deuxièmement, même en ne comparant que des poires (par exemple les prises de position sur les enjeux socio-économiques), les qualifications de gauche ou de droite sont susceptibles de varier dans le temps et dans l'espace, avec pour conséquence d'embrasser sous une même étiquette des acteurs ayant finalement des idées opposées. À titre d'exemple, les partis socialistes européens soutiennent aujourd'hui le principe de l'économie de marché et du capitalisme qu'ils rejetaient pourtant initialement (cf. *infra*). Ils sont toujours qualifiés de « gauche » dans le débat politique et scientifique du fait que des partis, notamment libéraux, soutiennent ces principes avec moins de modération et peuvent de ce fait être catalogués comme de droite. Autre exemple, l'étiquette de gauche est accolée à des partis socialistes qui, lorsqu'ils sont au pouvoir en Europe occidentale, procèdent à des privatisations de certains secteurs d'activités économiques, alors qu'au même moment, en Amérique latine, les mêmes partis dits « socialistes » procèdent à des nationalisations. Autrement dit, la grille en vient à considérer comme faisant partie d'une même espèce des poires de substances très différentes.

René Rémond (2002 : 30-31) fait le même constat lorsqu'il considère que la question du critère « qui départagerait infailliblement droite et gauche est le type même de la question qui ne comporte pas, qui ne peut comporter de réponse satisfaisante pour l'esprit. (...). En l'absence d'appellation déposée et d'une définition adoptée à l'unanimité, il n'est d'autre méthode que de partir à la recherche, dans le passé, des signes qui permettront de construire un concept de droite et de gauche ». Et lorsqu'on suit cette voie, ajoute Rémond, on ne tarde pas « à découvrir que chacun, ou presque, des grands thèmes qui furent les enjeux des controverses idéologiques a été, tour à tour, l'apanage de la droite puis de la gauche, à moins que ce ne fût dans l'ordre inverse, quitte à revenir ensuite dans sa famille d'origine ».

Revenons à Bobbio, qui ne s'arrête pas là, et cerne une troisième grande objection, à savoir que la grille aurait perdu de son utilité pratique. En effet, certains se demandent ce que pèse encore l'identité idéologique d'un dirigeant politique dans les régimes politiques occidentaux contemporains, à l'heure où l'on observe un recentrage des positions défendues par la plupart des partis participant au Pouvoir, un recours de plus en plus soutenu à l'expertise dans l'élaboration des politiques publiques, ainsi que la volonté affichée par de nombreux candidats à des fonctions exécutives de faire preuve avant tout de pragmatisme dans l'exercice de leurs responsabilités. Notons que l'on retrouve également ici la question de la prétendue absence d'idéologie qui peut précisément être une façon tacite d'imposer une idéologie. En effet, prôner la « bonne gouvernance » ou le « pragmatisme » (notamment dans le contexte de la « mondialisation ») est tout sauf neutre, ce sont des principes qui peuvent paraître neutres *a priori*, mais qui recouvrent des positions politiques qui s'opposent à d'autres et peuvent donc en être distinguées.

Enfin, l'appellation même de la classification gauche/droite suggère l'existence d'un clivage qui opposerait deux mondes, la gauche et la droite, comme si, nécessairement, les modérés de chaque camp avaient plus à voir avec les extrémistes de « leur » camp qu'avec les modérés de « l'autre » camp. En effet, le clivage induit l'idée qu'un libéral de droite a plus de connivence idéologique avec un nationaliste d'extrême droite alors que, dans les faits, il est plus proche des socialistes convaincus de l'utilité de l'économie de marché. Et de la même manière, il induit aussi, à tort, qu'un socialiste de gauche serait plus proche d'un communiste soucieux de mettre fin au système capitaliste alors que, dans les faits, comme certains libéraux de droite, le socialiste ne rejette pas le système dans son ensemble tout en considérant qu'il doit être encadré et qu'en aucun cas, l'économie doit être totalement livrée à elle-même, régulée par les seules lois du marché. L'appréhension de la distinction gauche/droite et centre-gauche/centre-droit sous la forme d'un clivage est problématique, notamment dans les systèmes politiques où la famille politique électoralement la plus importante est au centre, comme en Belgique, avec la famille sociale-chrétienne de la fin de la Deuxième Guerre mondiale à nos jours

5.3. Les idéologies et le rapport à l'égalité

Si l'usage de la grille gauche/droite prête à discussion, elle reste néanmoins un outil efficace pour tenter de différencier entre eux des élus, des courants et des partis politiques, mais aussi des idéologies. Dans ce contexte, il y a lieu de définir ce que l'on entend par gauche et droite. Bobbio (1996/1994 : 117-129) propose d'établir la différence entre la gauche et la droite à partir de leur rapport au principe d'égalité. Le critère « utilisé le plus couramment pour distinguer la droite de la gauche », explique-t-il, « est l'attitude qu'adoptent les hommes vivant en société face à l'idéal d'égalité qui est, avec la liberté et la paix, une des fins ultimes qu'ils se proposent d'atteindre et pour lesquelles ils sont prêts à se battre ». Et lorsque l'on affirme « que la gauche est égalitaire et que la droite est inégalitaire », ajoute-t-il, cela ne veut pas dire que pour être de gauche, il faut adhérer au principe selon lequel « tous les hommes doivent être égaux en tout, indépendamment de quelque critère discriminant que ce soit (...) ». Bien au contraire, un mouvement égalitaire qui vise à réduire les inégalités sociales ou à rendre moins pénibles les inégalités naturelles est une chose, l'égalitarisme comme « l'égalité de tous en tout » en est une autre. Ainsi,

Bobbio explique que lorsque l'on attribue « à la gauche une sensibilité plus forte à la réduction des inégalités, cela ne veut pas dire qu'elle prétend éliminer toutes les inégalités ou que la droite veuille les conserver toutes, mais tout au plus que la première est plus égalitaire et la seconde plus inégalitaire ». Associer de manière tranchée « gauche » et « égalité » est donc abusif ; il en est de même du binôme « droite » et « inégalité ».

ENCADRÉ N° 6.9 : NORBERTO BOBBIO

Norberto Bobbio (1909-2004) est un philosophe spécialiste de la philosophie politique et de la philosophie du droit de l'Université de Turin. Auteur de nombreux ouvrages sur les conditions d'accompagnement de la démocratie, les droits de l'Homme et la recherche de la paix via le droit international, il rédige en 1999 *L'État et la démocratie internationale : de l'histoire des idées à la science politique*. Traduite dans plusieurs langues, sa réflexion sur la droite et la gauche incarnée par l'ouvrage *Droite et gauche* publié en français en 1996 a également connu un retentissement international.

Dans un deuxième temps, Bobbio s'appuie sur le constat suivant : « les hommes sont à la fois égaux et inégaux entre eux. Ils sont égaux par certains aspects et inégaux par d'autres ». Et l'auteur d'illustrer son propos de la façon suivante : les hommes sont « égaux devant la mort puisqu'ils sont tous mortels, mais ils ne sont pas égaux face à la manière de mourir parce que chacun meurt d'une manière différente ; tous parlent, mais il existe des milliers de langues différentes ; des millions et des millions d'entre eux, certes pas la totalité, entretiennent un rapport avec un au-delà ignoré, mais chacun adore ou prie à sa façon son Dieu ou ses dieux ». Ainsi conclut-il, tant « l'égalité que l'inégalité entre les hommes sont vraies dans les faits, car l'une et l'autre sont confirmées par des preuves empiriques irréfutables ».

Enfin, Bobbio passe à la troisième étape de son raisonnement : que les hommes soient égaux ou inégaux, précise-t-il, dépend uniquement du fait « qu'en les observant, en les jugeant et en en tirant des conséquences pratiques, on met davantage l'accent sur ce qu'ils ont en commun ou sur ce qui les distingue ». Ainsi, ajoute-t-il, « il est correct d'appeler égalitaires ceux qui, tout en n'ignorant pas que les hommes sont à la fois égaux et inégaux, mettent l'accent avant tout sur ce qui les rapproche pour permettre une bonne vie en commun ; et, au contraire, d'appeler inégalitaires ceux qui, partant du même état de fait, jugent plus important, pour bien vivre ensemble, de donner la première place à la diversité ». S'ensuit l'opposition suivante permettant de marquer la différence entre la gauche et la droite : « d'un côté se trouvent ceux qui pensent que les hommes sont plus égaux qu'inégaux, de l'autre ceux qui estiment qu'ils sont plus inégaux qu'égaux ».

À l'appui de sa démonstration, Bobbio ajoute quelques déductions qui vont être déterminantes pour la compréhension de ce qui différencie la gauche de la droite. L'égalitaire, explique-t-il, « est convaincu que la plupart des inégalités qui provoquent son indignation, et qu'il voudrait voir disparaître, sont d'origine sociale et, en tant que telles, éliminables ; l'inégalitaire, au contraire, pense qu'elles sont naturelles, et donc inévitables ». Un peu plus loin, conclut-il : « au nom de l'égalité naturelle », au nom du fait que, dans des circonstances normales et similaires, chacun devrait suivre le même destin, l'égalitaire condamne l'inégalité sociale, et « au nom de l'inégalité naturelle, l'inégalitaire condamne l'égalité sociale ».

Mais pourquoi condamner l'égalité ? À bien y regarder, la droite libérale (au sens francophone et européen du terme) ne condamne pas l'égalité, mais elle la soumet à condition. En d'autres termes, un mouvement catalogué à droite peut soutenir l'égalité des droits (issue du courant libéral porté par les « Idées nouvelles », elle se situait d'ailleurs à ce titre initialement à gauche face aux monarchistes conservateurs favorables au maintien des privilèges dans l'Ancien Régime) et même l'égalité des chances, il peut soutenir l'égalité des citoyens devant la loi, et il peut par exemple sans se contredire soutenir un enseignement gratuit et de qualité pour diminuer précisément les inégalités. Mais en revanche, ce même mouvement catalogué à droite considère qu'une certaine dose d'inégalité est inévitable et même utile, d'abord pour différencier les individus en fonction de la volonté, du mérite, de l'intelligence ou encore de l'effort, et ensuite pour récompenser les plus courageux et les plus motivés. Si, à droite comme à gauche, on considère que les hommes et les femmes méritent une égalité « au départ » (hormis au sein de groupes radicaux d'extrême droite qui postulent l'inégalité entre les races), rien ne justifie qu'ils doivent tous être égaux « à l'arrivée », au risque de décevoir et de décourager les plus méritants. Au nom du fait que les hommes et les femmes sont à ses yeux plus inégaux qu'égaux, la droite libérale se méfie des « beaux discours » socialistes sur l'égalité – dont elle doute de la sincérité ou redoute les effets de nivellement social – et des programmes d'aide et d'assistance qui les accompagnent – dont elle doute de l'efficacité.

Le rapport à l'égalité fondent l'opposition gauche/droite qui, à bien des égards, renvoie à deux conceptions de la société diamétralement différentes avec, d'une part, l'idée que l'homme est d'abord conditionné par le milieu social dans lequel il naît et grandit et qu'à ce titre, il faut aider les plus démunis voire changer l'environnement social, et, d'autre part l'idée que l'homme est avant tout déterminé par lui-même, quel que soit son milieu social, et qu'à ce titre, aucune politique publique ne changera un individu paresseux ou fainéant. Cette opposition structure les grandes idéologies.

6 | Le libéralisme

Le libéralisme ne renvoie pas à la même chose selon qu'il est évoqué au sens culturel, philosophique, politique ou économique.

6.1. Le libéralisme culturel

Le libéralisme culturel est une vision de la société qui vise à renforcer la liberté individuelle contre les conditionnements et les normes culturelles, il promeut un ensemble de valeurs qui visent précisément à renverser d'autres valeurs jugées trop traditionnelles, trop autoritaires et trop ancrées dans les habitudes. Le libéralisme culturel prône une liberté et une autonomie individuelle forte face aux politiques répressives en matière de sécurité, face aux discours nationalistes qui glorifient l'idée de sacrifice pour la nation, et surtout face à la morale rigoriste et à toutes sortes d'interdits, notamment en matière de cohabitation hors mariage, de contraception, d'avortement et de comportement sexuel. Les libéraux culturels considèrent que la société ne devrait imposer aucun code de comportement, aucune opinion, aucune conduite afin de laisser chacun développer sa propre personnalité.

6.2. Le libéralisme philosophique

Sur le plan philosophique, le libéralisme est une conception du monde qui établit le lien et le rapport entre l'individu et la société en considérant que cette dernière est avant tout constituée d'individus. Héritier des Lumières, comme le socialisme, le libéralisme prône dès lors l'individualisme au sens où l'individu est premier, avant la collectivité ou toute autre organisation de la société et que c'est à partir de ce dernier qu'il faut penser et organiser le monde. Partant de ce constat, le libéralisme appuie toute sa conception du monde sur la notion de liberté tant sur le plan intellectuel que sur le plan social et économique. Le libéralisme prône la liberté de conscience, de parole et de réunion, mais aussi le droit à la propriété privée et la liberté d'entreprendre, d'engager des employés, de s'enrichir, d'échanger des produits, de faire du commerce, etc.

ENCADRÉ N° 6.10 : JOHN LOCKE

John Locke (1632-1704) est un philosophe anglais considéré comme un des pères du libéralisme défendant l'idée fondamentale selon laquelle le pacte social peut être établi sans mettre en danger ni annihiler les droits naturels des individus. Au sein d'une œuvre foisonnante, c'est surtout à ses deux traités du gouvernement civil que Locke doit le fait d'être reconnu comme l'un des principaux penseurs et un des principaux fondateurs du libéralisme politique moderne. Locke y défend notamment le refus de l'absolutisme, les vertus du gouvernement représentatif, l'égalité naturelle entre les individus, la propriété qu'il présente comme une des conditions de la liberté, et partant, la défense de la liberté qui justifie à ses yeux l'association des hommes dans un contrat social.

6.3. Le libéralisme politique

Le libéralisme politique est le prolongement du libéralisme philosophique, mais au niveau de l'organisation du pouvoir dans la société. Le libéralisme rejette le holisme, qui implique que le tout prime sur les parties, et postule qu'il n'y a pas d'opinion ni de volonté générale, mais seulement des opinions particulières. À ce titre, tant le pluralisme que la tolérance sont des principes fondamentaux dans l'idéologie libérale. Le pluralisme est déterminant parce qu'il rejette toute tentative d'organiser la vie collective à travers une seule et unique vision du monde et parce qu'il s'oppose à l'absolutisme au profit des régimes politiques représentatifs ou de démocratie directe. La tolérance est quant à elle indispensable pour permettre la coexistence pacifique d'individus aux opinions et aux volontés différentes et contradictoires, chacun devant pouvoir penser ce qu'il veut sans être inquiété.

Ce qui précède implique une lutte contre les menaces qui pèsent sur les libertés dont, notamment, le risque d'expansion du pouvoir de l'État. Cela implique également un cadre légal au sein duquel s'exercent les libertés, et sans lequel la liberté des uns pourrait empiéter sur celles des autres. Cela implique un rapport particulier à la notion d'égalité. Le libéralisme postule l'égalité des citoyens sur le plan moral (à la naissance), devant la loi, mais aussi, parfois, sur le plan politique (un homme = une voix), même si historiquement, cette considération n'est pas toujours allée de soi pour les partis libéraux. Et si le libéralisme prône aussi l'égalité des chances, il est en revanche incompatible avec la recherche d'une égalité « à l'arrivée » entre les individus, notamment parce que cette dernière empêcherait de récompenser les plus méritants et tirerait la société vers le bas, en la privant des effets d'émulation liés à la compétition sociale et à une certaine dose d'inégalités dans les conditions d'existences des individus.

6.4. Le libéralisme économique

Le libéralisme économique est également un prolongement des libéralismes philosophique et politique, mais il s'oppose aussi parfois à ces derniers. Ce qui le caractérise le plus est sa défense de l'économie de marché dans le cadre du système capitaliste et sa réticence, voire son opposition, à toute intervention de l'État dans ce domaine. Le libéralisme postule que l'économie fonctionne selon des lois naturelles autorégulatrices qui génèrent de la richesse pour autant qu'elle ne soit pas sous l'emprise de l'État ou entravée par celui-ci. En d'autres termes, le libéralisme défend la libre circulation des marchandises, la libre concurrence, la privatisation des entreprises publiques, et plus globalement l'interdiction de toute régulation politique, s'assimilant dans ce dernier cas à l'anarchisme (cf. *infra*). Néanmoins, les penseurs et les économistes libéraux sont conscients que certaines concentrations capitalistiques et certaines pratiques commerciales provoquent des difficultés qui menacent les libertés politiques ou philosophiques (privatisation de l'espace public, concurrence déloyale, monopoles, dégradation irréversible de l'environnement) et à ce titre, ils peuvent parfois soutenir des initiatives de l'État pour remédier aux problèmes concernés. Ceux parmi les libéraux qui sont par principe réticents à toute intervention régulatrice de l'État sont appelés néolibéraux ou libertariens.

ENCADRÉ N° 6.11 : ADAM SMITH

Philosophe et économiste écossais (1723-1790), Adam Smith est l'auteur de nombreux ouvrages qui influenceront durablement l'école libérale. C'est en 1776 qu'il publie ses *Recherches sur la nature et les causes de la richesse des nations,* une œuvre considérée encore aujourd'hui comme le premier grand traité du capitalisme libéral. Entre autres, Smith voit dans le travail à la fois la source de toutes richesses, mais aussi un moyen de mesurer la valeur des biens échangés sur le marché, ce dernier étant capable de s'autoréguler grâce à l'équilibre entre l'offre et la demande, le libre-échange, la concurrence, et au final la convergence naturelle des intérêts individuels vers l'intérêt général.

---

7 | Le socialisme

Le socialisme est une idéologie qui apparaît au XIXᵉ siècle, elle est intrinsèquement liée à trois phénomènes concomitants de la même époque. D'abord, le développement du capitalisme dans le cadre de la Révolution industrielle, qui voit tout particulièrement se développer des sociétés commerciales et industrielles au sein d'économies jusqu'alors essentiellement agraires ; ensuite, une forte croissance économique, qui elle-même suit de près les révolutions politiques majeures d'Angleterre, des États-Unis et de France ; enfin, troisième phénomène lié au deux premiers, triomphe du droit à la propriété privée issu des révolutions en question et notamment de la propriété du capital qui opposera la bourgeoisie aux prolétaires, comme évoqué plus haut.

ENCADRÉ N° 6.12 : JEAN JAURÈS

Jean Jaurès (1859-1914) est un homme politique, philosophe et historien français. Professeur de philosophie à l'Université, il défend une thèse intitulée *Les Origines du socialisme allemand chez Luther, Kant, Fichte et Hegel*. Fondateur du quotidien *L'Humanité* en 1904, député socialiste, défenseur de l'enseignement laïc et membre du Parti ouvrier français dont il défendra l'unité avec vigueur, Jaurès plaidait pour le passage d'une démocratie républicaine à une démocratie socialiste, en renforçant la classe ouvrière mais sans pour autant défendre la dictature du prolétariat. Réputé pour son pacifisme, son internationalisme et sa défense des grands combats socialistes, il est mort assassiné par un nationaliste (Raoul Villain) quelques jours avant le déclenchement de la Première Guerre mondiale.

La concentration du capital dans les mains d'une minorité de plus en plus riche, d'une part, et l'écart grandissant entre la qualité de vie des propriétaires des moyens de production (usine, actions, etc.) et la misère des travailleurs, d'autre part, va engager la naissance d'un discours et d'une idéologie anticapitalistes. Parmi celles-ci, l'idéologie socialiste qui remet en question le droit à la propriété et à l'héritage et critique les effets inégalitaires de l'individualisme issu de l'idéologie libérale. Le libéralisme et le socialisme sont des produits de la Révolution française, mais seul le second remettra en cause au milieu du XIXᵉ siècle une partie des acquis de cette dernière. À l'État libéral garant des libertés individuelles de chacun (droits civils) s'ajoute progressivement l'idée socialiste de l'État-Providence ou État social, qui garantit la protection matérielle et physique à l'ensemble des membres de la société, notamment vis-à-vis des plus fragiles (droits sociaux) (cf. chapitre État, section 3.3). En effet, le discours socialiste considère que les droits accordés aux individus sont avant tout des droits théoriques ou formels qui ne trouvent pas d'écho dans la réalité lorsque les citoyens sont exploités dans la logique capitaliste. Inspirés par Marx, les socialistes considèrent que ce sont les rapports de force entre exploitants et exploités qui déterminent la vie des gens et non les droits formels octroyés par les Constitutions et les législations nationales.

7.1. Le socialisme philosophique et politique

Sur le plan philosophique et politique, le socialisme est une conception du monde qui établit le lien et le rapport entre l'individu et la société en considérant que les relations collectives et la justice sociale sont plus importantes que les intérêts individuels. Si le libéralisme parle de « sociétés des individus », le socialisme voit la destinée de l'individu comme dépendant avant tout de son ancrage dans la société. Cette dernière est première, il est donc question de holisme, c'est-à-dire d'un système de pensée qui considère que le tout explique ou détermine, voire prime, sur les parties. Autres implications, le socialisme considère la liberté comme une valeur fondamentale, mais qu'il n'y a pas de liberté possible sans égalité. L'égalité entre les individus est une condition de possibilité de la liberté, « réelle », et, pour les socialistes, elle vaut surtout de fait (égalité réelle), plus qu'en droit (égalité formelle).

Parmi les piliers de la doctrine socialiste, mais aussi de la social-démocratie, on trouve le principe de solidarité, qui, dans le contexte du capitalisme triomphant et de la pauvreté des milieux ouvriers, est avant tout un lien d'engagement et de dépendance réciproque. Historiquement, dans son rapport à la protection et à la sécurité sociale, la solidarité est liée à la nécessité de maintenir la cohésion sociale dans le cadre de la Révolution industrielle. Avec la création des caisses de mutuelle et, ensuite, avec la généralisation dans plusieurs pays d'Europe de systèmes étatiques de sécurité sociale, les dirigeants politiques et économiques vont progressivement protéger la main-d'œuvre ouvrière des conditions de travail pénibles et de leurs répercussions sur le bien-être des travailleurs et de leurs familles. Cet objectif répond à la nécessité économique qui exige une masse de travailleurs disponibles et en bonne santé et surtout aux pressions de plus en plus fortes qui résultent des luttes sociales et des revendications socialistes pour des conditions de vie meilleures. La Révolution industrielle et le poids grandissant des partis et des syndicats d'ouvriers socialistes vont donner naissance à de multiples institutions destinées à protéger les individus des risques sociaux, qu'il s'agisse des problèmes liés à la pauvreté et à la vieillesse, des risques d'accident sur le lieu de travail ou des problèmes d'invalidité et de maladie, ou de chômage.

ENCADRÉ N° 6.13 : LÉON BLUM

Léon Blum est un écrivain et homme politique français membre du parti socialiste (1872–1950). Après des études à l'École normale supérieure, un passage au Conseil d'État et une collaboration au quotidien *L'Humanité*, Léon Blum est élu député en 1919. Fondateur du journal *Le Populaire*, d'origine juive, il préside le premier gouvernement de Front populaire de juin 1936 à juin 1937 malgré la montée de l'antisémitisme en France et ailleurs en Europe. Pendant la guerre, il est d'abord arrêté administrativement avant d'être livré aux Allemands qui le déporteront à Buchenwald. Après la guerre, libéré, il prendra la tête d'un gouvernement socialiste qui mettra en place les institutions de la 4e République. À l'origine de grandes avancées sociales (congés payés, réduction du temps de travail, etc.), Léon Blum est toujours considéré aujourd'hui comme l'une des grandes figures du socialisme français.

7.2. Le socialisme économique

Sur le plan économique, les conceptions socialistes ont beaucoup évolué depuis le XIXe siècle. C'est à la fin du XIXe et au début du XXe siècle qu'un tournant important est pris au sein du socialisme, avec Jean Jaurès, en France, et Eduard Bernstein, en Allemagne. Ce socialisme, qualifié par ses détracteurs « orthodoxes » marxistes de « révisionniste », écarte la révolution prolétarienne (cf. la section suivante, sur le communisme). Au lieu de renverser l'État, la classe ouvrière doit renforcer son pouvoir face au capital par la voie démocratique : le suffrage universel et la réforme de la société. La démocratie libérale doit donner des garanties à la classe capitaliste et à la classe ouvrière tout en amenant celle-ci à un ordre nouveau (progrès social) : comme l'avance le socialiste français Léon Blum dans l'entre-deux-guerres, dans le cadre de la démocratie parlementaire, il s'agit de « gérer les affaires de la société bourgeoise au mieux des intérêts de la classe ouvrière ». Réformiste, ce socialisme ne vise plus le renversement révolutionnaire de l'État bourgeois capitaliste, mais l'extension des missions sociales de celui-ci. Ainsi, d'abord hostile au capitalisme, ce socialisme est devenu progressivement favorable à l'économie de marché et à la libre concurrence tout en cherchant à imposer dans de nombreux domaines l'intervention de l'État. En matière d'enseignement, d'accès et de gratuité de l'école, en matière de sécurité sociale, en matière de droit aux allocations de chômage, mais aussi dans le domaine des retraites et des pré-retraites, le socialisme promeut une intervention soutenue de la puissance publique. Ceci consacra l'affirmation, en Europe de l'Ouest et dans le « Monde libre » de manière plus générale, de l'État-Providence *(Welfare State)*, alternative à la « dictature du prolétariat », dans les pays du bloc de l'Est sous domination soviétique jusqu'à la chute du Mur de Berlin.

8 | Le communisme

Le communisme et le socialisme sont deux idéologies fortement marquées par l'œuvre de Marx et par ses analyses sur la lutte des classes : « L'histoire de toute société jusqu'à nos jours n'a été que l'histoire de luttes de classes. Homme libre et esclave, praticien et plébéien, baron et serf, maître de jurande et compagnon, en un mot oppresseurs et opprimés, en opposition constante, ont mené une guerre ininterrompue, tantôt dissimulée, une guerre qui finissait toujours soit par une transformation révolutionnaire de la société tout entière, soit par la destruction des deux classes en lutte » (Marx, Engels, 1967/1848 : 27-28). Si on reprend la tentative de distinction de la gauche et de la droite réalisée par Bobbio et les propos de Marx, on peut affirmer que ces deux visions du monde sont égalitaristes et que tant les socialistes que les communistes pensent « que les hommes sont plus égaux qu'inégaux », et que la plupart des inégalités qui provoquent leur indignation, et qu'ils voudraient voir disparaître, « sont d'origine sociale et, en tant que telles, éliminables ». La différence entre les deux types de discours se situe donc moins dans leur rapport à l'égalité que dans les moyens à mettre en œuvre pour réaliser l'égalité de fait. À l'appui de réformes, le socialisme vise l'égalité en droit et si possible dans les faits. À l'appui de la révolution prolétarienne, le communisme vise avant tout l'égalité réelle et absolue entre les individus.

En effet, si le socialisme a pu, à travers le temps, accepter des compromis avec le système capitaliste et si, aujourd'hui, il ne rejette plus du tout les principes de l'économie de marché, comme en témoignent des figures politiques socialistes belge (Elio Di Rupo) ou française (François Hollande), le communisme reste fortement attaché à la promotion d'une société non-capitaliste et à l'idée d'une société sans classes. En vue d'y parvenir, il faut passer par le renversement du rapport de force entre classes et instaurer la « dictature du prolétariat », qui passe notamment par l'abolition de la propriété privée et la saisie par l'État des biens mobiliers et immobiliers, des richesses et des terres. Le communisme propose une économie d'État basée non pas sur la compétition et la concurrence entre acteurs privés, mais sur la planification en fonction des ressources, des moyens disponibles et des besoins futurs. Ce qui précède implique aussi la distribution égalitaire des richesses et des biens produits.

Avec la suppression de la propriété et de l'héritage privés, qui déterminent précisément les appartenances de classe, le communisme vise une société sans classe libérée de l'oppression et de l'exploitation. Enfin, même si des expériences politiques ont pu faire exception (cf. la théorie stalinienne du « socialisme dans un seul pays »), le communisme est théoriquement, et, par définition, internationaliste, car il conçoit que les conflits ne doivent pas opposer les nations entre elles, mais les travailleurs du monde entier contre ceux qui détiennent les moyens de production, comme y enjoint la phrase finale du Manifeste du Parti communiste : « Prolétaires de tous les pays, unissez-vous ! ».

9 | Le christianisme en politique et la démocratie chrétienne

Il faut attendre le XIXᵉ siècle pour voir la pensée politique chrétienne s'émanciper progressivement de ses origines « théocratiques » ou, selon la formulation de Prélot et Lescuyer (1997), sacerdotalistes. De sensibilité ultra-montaniste (le pouvoir des États institués devant être subordonné à l'autorité de Rome), elle continuera à nourrir en France jusqu'au XIXᵉ siècle anti-étatisme et anti-gallicanisme. C'est au cours de ce siècle qu'apparaît dans un premier temps le catholicisme *libéral*, une adaptation du catholicisme à l'ordre libéral issu de la Révolution française et se ralliant à la démocratie parlementaire républicaine. Se superpose ensuite à celui-ci un catholicisme *social*, qui s'émeut de la misère des classes laborieuses (Touchard, 1991 : 546-547). À la « question sociale » issue de la Révolution industrielle, l'Église catholique répond par l'encyclique *Rerum Novarum*, promulguée par le pape Léon XIII en 1891. Tout en puisant ses racines dans d'anciennes élaborations théologiques, l'idéologie qui se dégage dans ce contexte se présente – plus souvent implicitement qu'explicitement – comme une « troisième voie », au centre, par rapport au libéralisme et au socialisme/communisme ambiants.

9.1. Une vision *organiciste* de la société

Si le libéralisme met en avant le primat de l'individu sur la société et le socialisme/communisme, le primat de la société sur l'individu, la pensée chrétienne tente d'instaurer un équilibre au sein de cette tension. Ceci se traduit par une vision *organiciste* et *harmoniciste* de la société : chaque unité forme un organe dans le corps social et y assure une fonction pour le bien du tout et des parties. Les notions d'unicité (de la personne) et de *complémentarité* (entre les personnes) ont vocation à dépasser celles d'égalité (ou d'inégalité) et de liberté : d'une part, les êtres humains se réalisent dans le lien social et, en ce sens, il y a une proximité idéologique avec le solidarisme (Prélot, Lescuyer, 1997 : 631) ; d'autre part, ceux-ci ne sont pas conçus comme des individus (interchangeables), mais comme des *personnes*, uniques aux yeux de Dieu et donc également au sein de la société des hommes. C'est cette ontologie aux sous-bassements *théologiques* qui fonde l'*humanisme* chrétien qui fleurit à la Renaissance (Érasme) et, plus tard, le *personnalisme* (Emmanuel Mounier). Cette vision rend l'approche chrétienne rétive au cadrage de la société en termes de lutte des classes et surtout aux conséquences qui en découlent selon la proposition marxiste (d'où la condamnation par l'autorité romaine de la « théologie de la libération »).

ENCADRÉ N° 6.14 : LA « THÉOLOGIE DE LA LIBÉRATION »

Ce courant est issu de la pensée du prêtre et théologien péruvien Gustavo Gutierrez, qu'il publie en 1971. Il s'est déployé en mouvement social en Amérique latine, visant la libération des pauvres de leurs conditions socio-économiques présentes sur Terre. Cette pensée a été reçue avec réticence par la Curie romaine en raison de ses inspirations marxistes et du fait de son approche considérée comme trop « politique ».

La vision chrétienne voit plutôt entre les personnes et l'État une société organisée en « corps intermédiaires », dont l'autonomie doit être préservée : d'où sa sensibilité pour le corporatisme, ainsi que la libre initiative des « forces vives » de la société et le concept de subsidiarité (cf. encadré suivant). C'est ainsi qu'on comprend l'attachement chrétien à l'enseignement libre et l'insistance des Églises à souligner l'importance de l'autonomie organisationnelle ecclésiale en tant qu'élément essentiel du droit à la liberté religieuse (postures également favorisées par le contexte de laïcisation croissante du pouvoir politique depuis les Lumières).

Face à la domination et à l'exploitation qui peuvent découler de l'organisation « naturelle » de la société, les postures de mise en cause structurelles de l'ordre macro-social existent (comme dans l'anti-capitalisme d'un Mounier), mais sont minoritaires et mettant plutôt l'accent sur les corrections palliatives d'ordre caritatif (d'où est issu par exemple le paternalisme social patronal du XIXᵉ siècle) et sur un changement structurel global qui découlera de la conversion des cœurs à laquelle tous les hommes sont appelés.

9.2. Une approche sociale et collective de la société

La tension évoquée plus haut touchant aux rapports entre l'individu et la société n'est toutefois pas dénuée d'un penchant pour le collectif au détriment de l'ego – cœur du message chrétien – tout en incorporant également à cet égard la dimension spirituelle de l'homme, d'où le vocable d'humanisme *intégral* chez Maritain : « le bien temporel de la cité prime le bien temporel du citoyen, mais non pas le bien supra-temporel de la personne humaine » (Touchard, 1991 : 836). Ceci contribue à fonder dans l'approche chrétienne des postures anti-utilitaristes, censées parer à toute atteinte à l'« intégrité » et la « dignité » humaines.

La question du rapport *explicite* au politique est complexe. Ainsi, à la fin du XIXᵉ siècle, le pape Léon XIII invite les catholiques à ne parler de « démocratie chrétienne » que pour désigner des œuvres exclusivement sociales. En 1901, il retire l'acception politique à la notion de démocratie chrétienne et il faudra attendre l'après-Deuxième Guerre mondiale pour voir celle-ci réhabilitée par le pape Pie XII (Prélot, Lescuyer, 1997 : 633-639). Entre-temps, le courant politique prend le nom – ou est qualifié – de catholicisme social ou de popularisme démocratique (dont on retrouve la trace, par exemple, dans l'appellation du Parti Populaire européen, qui regroupe plusieurs dizaines de partis démocrates-chrétiens européens).

ENCADRÉ N° 6.15 : LE PRINCIPE DE SUBSIDIARITÉ

Dans une organisation politique ou une institution, le principe de subsidiarité consiste à renvoyer exclusivement à l'échelon supérieur ce que l'échelon inférieur ne pourrait effectuer que de manière moins efficace. À titre d'exemple, d'après le Traité sur l'Union européenne, art. 5, §3) : « En vertu du principe de subsidiarité, dans les domaines qui ne relèvent pas de sa compétence exclusive, l'Union intervient seulement si, et dans la mesure où, les objectifs de l'action envisagée ne peuvent pas être atteints de manière suffisante par les États membres, tant au niveau central qu'au niveau régional et local, mais peuvent l'être mieux, en raison des dimensions ou des effets de l'action envisagée, au niveau de l'Union ».

Peut-on parler d'idéologie démocrate-chrétienne ? Ne possédant pas une charpente doctrinale aussi solide et fouillée que le communisme, le socialisme ou le libéralisme, on la considère souvent davantage comme une famille politique qu'une idéologie. Mais sa dimension chrétienne – et donc aussi sa dimension internationale – suffit pour en faire un courant de pensée autonome capable de se distinguer des autres idéologies. Les partis politiques dits « démocrates-chrétiens » qui sont apparus après la Deuxième Guerre mondiale et selon les pays et les particularités historiques, peuvent être progressistes ou conservateurs, de droite ou de gauche, ou au « centre » avec en leur sein une aile gauche et une aile droite, mais se présentant surtout et avant tout comme « chrétiens ».

10 | Le nationalisme

Pour saisir la signification profonde des idéologies nationalistes, il faut revenir sur la définition de la nation donnée par Benedict Anderson (2002/1983 : 19-20) : « une communauté politique *imaginaire*, et *imaginée* comme intrinsèquement limitée et souveraine ». La nation est *imaginaire* « parce que même les membres de la plus petite des nations ne connaîtront jamais la plupart de leurs concitoyens : jamais ils ne les croiseront ni n'entendront parler d'eux, bien que dans l'esprit de chacun vive l'image de leur communion. (...) ». La nation est « *imaginée* comme *limitée* parce que même la plus grande d'entre elles, pouvant rassembler jusqu'à un milliard d'êtres humains, a des frontières finies, même si elles sont élastiques, derrière lesquelles vivent d'autres nations. Aucune nation ne s'imagine coextensive à l'Humanité. Les plus messianiques des nationalistes ne rêvent pas au jour où tous les membres de l'espèce humaine rejoindront leur nation (...) ». Enfin elle est « imaginée comme *souveraine* parce que le concept est apparu à l'époque où les Lumières et la Révolution détruisaient la légitimité d'un royaume dynastique hiérarchisé et d'ordonnance divine. (...) ». Le nationalisme est une idéologie qui place la nation et l'imaginaire national au cœur de l'explication et de l'interprétation du monde. Il est mobilisé par des mouvements politiques qui exercent le pouvoir dans un État ou qui cherchent celui-ci, et qui surtout justifient cet exercice ou cette recherche du pouvoir avec des arguments nationalistes (cf. chapitre État).

10.1. Nationalisme philosophique

D'un point de vue philosophique, le nationalisme établit le lien entre l'individu et la société par le biais de la nation, qui est centrale dans l'explication de la réalité et dans la détermination du chemin à suivre. La nation a un caractère explicite et particulier dans le discours nationaliste au point qu'elle prime tant sur l'individu que sur la société. Ce qui signifie que les intérêts et les valeurs de la nation sont prioritaires sur les considérations individuelles, mais aussi sur les enjeux internationaux. En effet, la nation est première et les conflits entre nations ont pour le nationalisme l'importance qu'ont les conflits entre classes sociales pour le communisme et dans une moindre mesure pour le socialisme, même si contrairement à une idée reçue, le nationalisme n'est pas un phénomène exclusivement de droite (cf. chapitre État).

10.2. Nationalisme politique et économique

D'un point de vue politique, la nation doit être aussi indépendante que possible, ce qui implique au minimum l'acquisition de la souveraineté politique, l'indépendance économique, mais aussi l'existence d'une dimension géographique liée à un groupe d'individus donnés. Ces derniers ont la conscience d'appartenir à un groupe bien déterminé sur un territoire donné et s'identifient volontiers à ce dernier. Enfin, il est aussi question d'« amour de la patrie » dans le nationalisme, ce qui en fait souvent un synonyme de patriotisme. D'un point de vue politique également, on peut distinguer, d'une part, le nationalisme *d'État* qui veut que l'État soit l'unité première de l'organisation (de la société) pendant que la nation incarne, elle, essentiellement les gens qui vivent à l'intérieur des frontières de l'État, l'appartenance à la nation se fait alors sur la base de critères civiques comme le droit du *sol* et certaines exigences en termes de citoyenneté.

ENCADRÉ N° 6.16 : NATIONALISME D'ÉTAT ET IRRÉDENTISME

L'irrédentisme est la conception selon laquelle les territoires de populations considérées comme faisant partie de la nation doivent rentrer dans le giron de celle-ci (la « mère patrie ») et être rattachés à l'État incarnant celle-ci. Elle tire son nom du contexte d'unification italienne de la fin du XIXe siècle et du début du XXe siècle, dans lequel les territoires de l'*Italia irredenta* – considérés italiens (car italophones ou prétendus tels), comme le Frioul (Trieste) et le Trentin-Haut-Adige (Trente) – devaient être « repris », « libérés », « rachetés », « rédimés » à la puissance perçue comme les assujettissant (en l'occurrence l'Autriche-Hongrie). Le nationalisme hongrois nourrit un irrédentisme à l'égard des territoires peuplés de Hongrois chez ses voisins, comme, par exemple, dans la région roumaine de Transylvanie (territoires perdus lors de la Première Guerre mondiale).

D'autre part, on peut distinguer le nationalisme *ethnique*, qui considère la communauté ethnique comme l'unité première de la société, pendant que l'État n'est perçu que comme l'expression politique de cette dernière. Le nationalisme ethnique considère l'appartenance à la communauté sur la base de critères ethniques comme le droit du *sang* et l'ethnicité. C'est sur cette base que les descendants d'émigrés allemands (comme les « Allemands de Russie », qui s'installèrent dans ce pays au XVIIIe siècle à l'invitation de Catherine II) ont classiquement continué à être reconnus par l'État allemand comme pouvant jouir de la nationalité allemande. Dans le premier type de nationalisme, l'État domine l'idéologie nationaliste, alors que, dans le second, la communauté ethnique domine l'idéologie, l'État n'étant là que pour appuyer et protéger celle-ci.

10.3. Nationalisme et extrême droite

Lorsque des considérations, d'« homogénéité ethnique » entrent en jeu, le nationalisme prend la forme d'un discours particulièrement agressif contre de prétendus ennemis de la nation. En effet, dans sa forme extrême, le nationalisme conduit à l'affirmation de la supériorité (culturelle, raciale ou autre) de la nation et du peuple par rapport aux autres, et à les faire primer sur tout le reste, y compris les droits de l'Homme ou le principe d'égalité entre les citoyens. Dans sa forme radicale et passionnelle, le nationalisme d'extrême droite mène au racisme, à l'antisémitisme, à la xénophobie, à l'homophobie et au rejet de tous les individus considérés comme autant de menaces sur l'avenir de la nation et de sa « pureté » (Jamin, 2009 : 117-151). Les mouvements suprémacistes blancs aux États-Unis s'inscrivent dans cette perspective.

11 | L'écologie politique

L'écologie politique est une idéologie plus récente, qui est née dans le contexte de l'affirmation des valeurs « post-matérialistes » durant les *Golden Sixties* (cf. chapitre Clivages, section 8.1). D'une science, née à la fin du XIXe siècle, qui étudie le rapport entre les organismes vivants, dont les hommes, et leur environnement, l'écologie devient une cause à intégrer dans le débat politique, fondant, à partir des années 1970, l'idéologie de partis dits « écologistes » ou « verts », dans le contexte notamment des développements du nucléaire (énergie et armement) et de la prise de conscience de l'épuisement à terme des ressources naturelles (cf. le rapport publié par le Club de Rome en 1972, intitulé *Halte à la croissance*), puis, plus tard, du trou dans la couche d'ozone, des pluies acides et du réchauffement climatique. La mobilisation sociale autour de ces enjeux environnementaux, comme autour d'enjeux pacifistes, féministes, autogestionnaires, liés à la libération des mœurs ou à la défense du bien-être animal, a donné naissance à des partis spécifiquement écologistes, fin des années 1970/début des années 1980. De nos jours, l'écologie est devenue un mouvement social, un mode de vie et surtout un idéal partagé par de nombreuses associations et partis politiques de gauche et parfois de droite. Au cœur de l'écologie politique réside la dénonciation du risque que fait peser le développement humain (notamment industriel et technologique) sur l'environnement, et par extension, la nécessité de développer un mode de vie en harmonie avec les équilibres vitaux, environnementaux, mais aussi biologiques. D'où une critique de la centralité du travail, de l'accroissement des rythmes de travail, et de la société de consommation dans la vie humaine contemporaine.

L'écologie politique dépasse le clivage individu/société (processus individuel/processus collectif) qui caractérise le socialisme, le communisme et le libéralisme au profit, comme le nationalisme, d'un repère qui lui est extérieur. Ici, ce n'est plus la nation qui prime, mais l'environnement, c'est-à-dire le milieu dans lequel vivent les hommes et les femmes, et les espèces animales qui le peuplent, dont l'espèce humaine saisie dans sa globalité, en ce compris les générations futures. Ce milieu doit faire l'objet d'une attention particulière parce qu'il est fragile et peut être détruit par l'activité humaine, mais aussi parce qu'il est un guide pour s'orienter dans les comportements quotidiens (cf. Jonas, 1990/1979).

12 | L'anarchisme, une approche sceptique de l'autorité légitime

L'anarchisme ne renvoie pas à un courant de pensée unifié. En fonction de ses théoriciens et des périodes dans l'histoire, il a emprunté des éléments propres au socialisme et au libéralisme pour proposer des idéaux de société très différents et même parfois contradictoires. Enfin, il n'a jamais existé d'État dominé par un pouvoir ou un parti dit « anarchiste », même si des formes de pouvoir se voulant anarchistes ont pu exister à l'échelle régionale. Une explication possible à cette exception anarchiste au regard des autres idéologies réside dans la nature particulière de cette idéologie, dont le cœur doctrinal vise précisément une organisation de la société « débarrassée » du Pouvoir, et partant, l'indépendance de l'individu et de la communauté d'individus réunis dans ce projet contre l'État et toutes les contraintes politiques, sociales et économiques qui en découlent. Né pendant la seconde moitié du XIXᵉ siècle, l'anarchisme s'oppose à toutes formes d'autorités collectives (si ce n'est par le biais de l'autogestion collective et sans chef attitré), qui sont autant de systèmes jugés inutiles, artificiels et dangereux, et dont l'État est la principale illustration.

Littéralement, l'anarchisme vise une organisation de la société sans pouvoir ni système de domination centralisé, ce qui pose la question de la légitimité. En politique en effet, la légitimité ne fait pas qu'assurer un aspect productif aux rapports de pouvoir ; elle garantit par ailleurs une certaine stabilité sociale parce qu'elle rend les relations entre le dominant et le dominé prévisibles, du moins jusqu'à un certain point. De la même façon, en se légitimant, le dominant consolide la relation qui le lie au dominé.

Toutes ces idées, sur la fonction et la nécessité de la légitimité, l'anarchisme les conteste. Avant d'en examiner les articulations, il faut, cependant, lever deux équivoques. *Primo*, le problème de fond pour l'anarchisme, contrairement à ce que l'on tient ordinairement, ce n'est pas l'État. De fait, si l'anarchisme prend l'État pour objet principal de sa critique, c'est d'abord parce qu'il incarne précisément ce qui n'a cessé de le hanter depuis ses débuts : l'autorité légitime, celle qui, moralement ou de droit, bénéficie d'une obligation de soumission de la part des individus. Ainsi, le pouvoir institutionnel est le principal problème de l'anarchisme. De là, les attaques contre toute forme de « religion » instituée. *Secundo*, l'anarchisme n'est pas, *stricto sensu*, une idéologie car il n'induit pas une organisation de la société.

Il est impossible d'identifier un noyau dur concernant la nature humaine, la société et l'État, autour duquel convergent toutes les approches qui se réclament de l'anarchisme. Ce qui néanmoins n'exclut pas un centre de gravité minimal : la remise en cause de toute forme d'autorité, en particulier de celles qui reposent sur le principe de légitimité ; à partir de là, les chemins divergent, parfois brutalement.

ENCADRÉ N° 6.17 : ÉTYMOLOGIE D'« ANARCHIE »

Le terme « anarchie » est d'origine grecque : « anarchia ». Il désigne une situation caractérisée par l'absence d'autorité capable de réguler les interactions sociales. En fait, le premier à s'être désigné comme un « anarchiste » est le Français Pierre-Joseph Proudhon (1809-1865) dont une formule a traversé les siècles : « La propriété, c'est le vol ».

La philosophie anarchiste c'est donc une résistance contre l'idée d'autorité légitime. Elle s'est traduite sous plusieurs formes : par exemple, l'anarchisme individualiste et l'anarchisme communiste. Autrement dit, il ne faut pas chercher une idéologie anarchiste, mais des ensembles idéologiques, plus ou moins arrimés aux idées développées au sein de la philosophie anarchiste. Ces idées, il y en a essentiellement deux : l'État et, corrélativement, l'autorité légitime qui sert d'assise à l'obéissance que les individus lui réservent.

ENCADRÉ N° 6.18 : ANARCHISME COMMUNISTE ET ANARCHISME INDIVIDUALISTE

Il existe plusieurs types d'anarchisme, mais les deux catégories retenues dans cette section sont les plus courantes. L'anarchisme individualiste est une radicalisation du libéralisme, alors que l'anarchisme communiste porte le socialisme à ses extrêmes. On peut comparer anarchismes individualiste et communiste le long de deux critères majeurs : leur conception de l'individu et son rapport à l'autorité étatique, d'une part, et le mode d'organisation qu'ils proposent d'ériger à la place de l'État, d'autre part.

« L'anarchisme individualiste » substitue la souveraineté individuelle à la souveraineté de l'État. En effet, l'État est un organe invasif, lequel réduit, parfois supprime, l'espace privé des individus. Au lieu de laisser les individus établir le type de relation qu'ils jugent le plus appropriés en fonction des secteurs, et selon les lois du marché, l'État est une machine à produire des règles dont l'effet, sinon le but, est de limiter la liberté d'action des individus. Pour l'anarchisme individualiste, c'est au marché d'assurer l'ensemble des fonctions actuellement dévolues à l'État. Par exemple, dans différents secteurs de la vie (santé, sécurité, emploi), des acteurs privés pourront gérer les relations sociales selon la loi de l'offre et de la demande. Ainsi, dans le domaine de la sécurité, les individus pourront s'affilier au service de police qu'ils désirent ou qu'ils jugent le plus efficace ou utile. En cas de conflits, ils pourront faire appel à « leur » tribunal. Le système repose sur une loi fondamentale : que les tribunaux des uns et des autres fonctionnent pour le bien commun et défendent la justice et la vérité. À défaut, les contentieux soumis à un arbitrage par une instance supérieure seront fréquents. Mais dans ce cas, il faudra encore décider de la loi qui s'impose à tous. Benjamin Tucker, Josiah Warren et Lysander Spooner sont les figures de proue de ce type d'anarchisme.

« L'anarchisme communiste » ou « anarcho-communisme » résulte de la cassure entre Karl Marx et Mikhaïl Bakounine à l'intérieur de la Première Internationale, durant les années 1870. Il rejette la proposition principale de l'anarchisme individualiste, aux termes de laquelle les individus sont souverains en leur sphère privée. Derrière ce désaccord, il faut voir deux orientations opposées vis-à-vis de la liberté. Quand l'anarchisme individualiste définit négativement la liberté comme non-interférence dans la sphère privée de l'individu, l'anarcho-communisme définit positivement celle-ci ; les individus ne sont vraiment libres qu'au sein d'une société solidaire. Pour cette forme d'anarchisme, l'oppression politique et l'exploitation économique opèrent de concert. L'État est l'organisation expressive de cette conjonction des moyens d'oppression. À sa place, l'anarchisme communiste propose la libre association des communautés de taille raisonnable et la fédération de celles-ci dans des ensembles plus larges. La liberté d'association a pour pendant la liberté de quitter un groupe. En même temps, on peut être exclu d'une association si le groupe en décide. Le cas est extrême, mais il fait partie des possibilités de régulation des rapports au sein de l'association. C'est donc l'autorité du groupe qui fait loi. Les figures marquantes de l'anarcho-communisme sont Mikhaïl Bakounine, Pierre Kropotkine et Errico Malatesta.

L'État, pour la philosophie anarchiste, c'est : (i) un corps *souverain*, parce qu'il s'arroge l'autorité exclusive de définir les droits et devoirs des citoyens ; (ii) un corps *coercitif*, dans la mesure où toute personne relevant d'un État est d'emblée soumise à son autorité ; (iii) un corps *monopolistique*, en ce sens qu'il est le seul autorisé à administrer la violence au sein de l'espace territorial qui est le sien ; (iv) un corps *distinct*, parce que ceux qui représentent l'État constituent un groupe séparé des autres composantes de la société (Miller, 1984 : 5). On objectera que l'État doit l'ensemble de ses attributs à un contrat fondateur, à travers lequel les individus ont confié la gestion de leur vie à un Léviathan, en contrepartie d'une renonciation volontaire à une parcelle plus ou moins importante de leur liberté. La philosophie anarchiste n'est guère sensible à cet argument. Pour elle, il n'y a pas de point d'origine, au cours duquel les citoyens auraient consenti à renoncer à leur autonomie. Et puisque l'on évoque souvent les assemblées constituantes (cf. chapitre Parlements et gouvernements) pour illustrer ou justifier l'idée du contrat initial, la philosophie anarchiste s'empresse d'ajouter que la Constitution n'est pas un contrat qui engage tout le monde car elle n'a généralement été signée que par une minorité. D'ailleurs, eût-elle été paraphée par tous les premiers citoyens d'un État qu'elle n'en serait pas moins dénuée de légitimité pour les générations ultérieures. Au nom de quel droit imprescriptible les générations précédentes se seraient-elles définitivement prononcées pour les générations suivantes ? On ne leur demande pas de dire si elles sont d'accord, on les enjoint seulement d'acquiescer.

Quid alors du vote ? Ne permet-il pas justement aux citoyens de désigner librement celui qui devra conduire les affaires collectives ? Pour la philosophie anarchiste, les suffrages exprimés le sont pour des raisons diverses, certaines étrangères à l'attribution d'une légitimité à un gouvernement quel qu'il soit. De plus, la coercition ne change pas de visage au motif que ceux qui la déploient ont été élus. Dans l'un comme dans l'autre cas, il y a atteinte à l'autonomie morale de l'individu. Or pour la philosophie anarchiste, nul ne peut réclamer le droit de gouverner la vie des autres. Les individus ne peuvent agir qu'en vertu de leur propre évaluation morale. En d'autres termes, il ne revient pas à une autorité de prescrire comment agir ou ne pas agir. L'individu ne doit agir qu'en fonction d'une raison directe (celle qui vient d'une délibération personnelle) et non pas d'une raison indirecte (celle que lui prescrit un autre individu). Ici, cependant, la philosophie anarchiste se heurte à un obstacle important. En effet, que se passe-t-il si, en vertu d'un accord, un individu accepte de respecter ce que lui dira un autre, parce qu'il considère que c'est dans l'intérêt du groupe ? Ne sommes-nous pas face à une obéissance (assise sur une raison indirecte), en vertu d'une raison initiale – le contrat – (qui, elle, est directe) ? La théorie contractuelle de l'organisation des rapports sociaux n'est donc pas une possibilité à laquelle il ne faut laisser aucun espace d'expression. Le pouvoir institutionnel ne compromet donc pas, bien au contraire, ni la raison directe ni la raison indirecte des individus. C'est l'articulation des deux qui trace de jour en jour le parcours de la légitimité dans les différents systèmes politiques.

13 | L'islamisme

Dans son acception la plus large, l'islamisme est une idéologie politique dont le référent principal est l'islam (religion). Dans la période contemporaine, cette idéologie remonte à la fin du XIXe siècle/début du XXe siècle dans le contexte de la pénétration coloniale dans le monde arabe. Cette domination étrangère (européenne/chrétienne), à la civilisation technique et matérielle en pleine expansion, y remplace une domination musulmane stagnante et décadente (Empire ottoman), qui apparaît par ailleurs de plus en plus étrangère aux Arabes en raison de l'affirmation du nationalisme turc (Corm, 2003). Dans ce contexte se pose la double question suivante (Khader, 2009) : comment se fait-il que l'Orient arabo-musulman, qui avait la prééminence sur l'Occident chrétien jusqu'au XVe siècle, soit devenu décadent ? comment promouvoir une renaissance de l'Orient arabo-musulman ? De ces questions vont émerger des réponses en tension entre deux pôles : quête d'« authenticité » via un ressourcement islamique, d'une part, mimétisme sur le « modèle » européen, d'autre part. De cette tension naît le réformisme musulman, à la fois *ré*-forme (revenir à la forme [idéalisée] de l'islam des origines, non « dévoyé » par les pouvoirs qui se sont succédé) et *réforme* (adapter l'islam au contexte ambiant en vue de relever les défis posés par la modernité occidentale). Ce courant de pensée politique sera « mis en veilleuse » jusque dans les années 1970/1980 et dépassé par une série d'autres idéologies, davantage calquées sur les « modèles » occidentaux : libéralisme ou réformisme libéral dans l'entre-deux-guerres (sur le mode de démocraties libérales censitaires de notables) et, à partir des années 1940, socialisme, nationalisme arabe et nationalismes « locaux » (construction des États-Nations issus des indépendances). C'est sous cet angle que l'islamisme contemporain, qui (re)surgit dans les années 1970/1980 de ses racines réformistes musulmanes du début du XXe siècle, peut être compris comme une idéologie politique qui, en recourant à un référent religieux (l'islam), vise à briser la prétention de la pensée politique occidentale à l'universalité en établissant une re-connexion avec un passé précolonial ressenti comme authentique, durant une troisième étape du processus de décolonisation – une étape culturelle –, après avoir connu une première étape, l'indépendance politique, et une deuxième étape, l'indépendance économique, avec les nationalisations (Burgat, 1995).

Une première manifestation clef de l'affirmation de l'islamisme dans les années 1970/1980 prend place, en dehors de l'espace arabe, mais dans un contexte analogue, avec la Révolution islamique qui marque l'Iran en 1978-79. Le régime du Chah d'Iran, qui a procédé à une modernisation autoritaire sécularisante, est renversé. Une des forces de la contestation, portée par le clergé chiite, l'emporte sur les autres forces (notamment de tendance libérale) et met en place une république islamique prenant la forme d'un régime hybride où se mêlent présidentialisme, parlementarisme et doctrine du « gouvernement du juriste-théologien » *(velayat e-faqih)*. Le leader de la Révolution, l'Ayatollah Khomeiny, décrète que ce mandat gouvernemental est conféré par Dieu de manière « absolue » *(velayat e-motlaq)* – l'ingénierie institutionnelle consacrant la suprématie du clergé face aux organes démocratiquement élus. On rencontre d'autres expériences de gouvernement islamiste, notamment dans le Royaume d'Arabie saoudite et dans la République du Soudan, ou encore dans le régime des Talibans en Afghanistan (1996-2001). Mais, dans la plupart des cas, l'islamisme se présente sous la forme de forces d'opposition au sein de régimes autoritaires, qu'il s'agisse de républiques marquées par des idéologies sécularisantes (notamment nationaliste arabe) ou de monarchies défiées sur le plan même de leur légitimité religieuse. Ces forces d'opposition ont été réprimées ou contenues via des processus de libéralisation politique défensive ou des politiques d'islamisation menées par les gouvernements mêmes, en vue de préempter la contestation. Les processus révolutionnaires du « printemps arabe », qui ont débuté durant l'hiver 2010-11, ont mené à la chute de plusieurs régimes, ou, à tout le moins, de leurs dirigeants. Ces processus ont été initiés par une série hétéroclite d'acteurs, nouveaux, pour certains, dont la jeunesse, sur la scène politique et sociale, alors que les forces d'opposition traditionnelles (notamment islamistes), surprises, se sont mobilisées en prenant le train en marche. Seules forces d'opposition structurées disposant d'une masse critique suffisante, elles sont sorties victorieuses des élections libres qui ont suivi les soulèvements. Ayant auparavant servi d'épouvantails aux régimes autoritaires pour assurer leur maintien, elles traversent à présent l'épreuve du pouvoir : c'est dans ce nouveau contexte permis par l'ouverture démocratique qu'elles démontreront la nature démocratique... ou liberticide de l'idéologie qui les anime. Sur ce point, une autre expérience est souvent mentionnée : celle de la Turquie kémaliste, qui traverse des transformations depuis les années 2000, avec l'affirmation sur la scène politique du parti islamo-conservateur de la Justice et du Développement (AKP). En dépit des dérives autoritaires qui ont pu marquer sa politique gouvernementale, notamment durant le printemps et l'été 2013, cette force politique est souvent dépeinte comme le pendant islamique (en devenir ?) des expériences de démocratie chrétienne en Occident.

Questions

1) Comment peut-on définir une idéologie ? Quelles en sont les principales caractéristiques ?

2) Pourriez-vous décrire dans quel ordre chronologique apparaissent les différentes idéologies ?

3) Quelles sont les principales différences entre les idéologies socialiste et marxiste ? Quelles sont les principales différences entre les idéologies socialiste et libérale ?

4) Comment se structurent les différentes dimensions (philosophique, politique, socio-économique et culturelle par exemple) au sein d'une idéologie (au choix) ?

5) Expliquez pourquoi le nationalisme est une idéologie ?

Bibliographie

RÉFÉRENCES DE BASE

- Aron R. (1946), *L'âge des empires et l'Avenir de la France*, Paris, Éditions Défense de la France.
- Bobbio N. (1996/1994), *Droite et Gauche*, Paris, Seuil.
- Eatwell R., Wright A. (1999), *Contemporary Political Ideologies*, London, Continuum.
- Marx K., Engels F. (1969/1932), *L'idéologie allemande*, Paris, Éditions sociales.
- Nay O. (2007), *Histoire des idées politiques*, Paris, Armand Colin, coll. « U ».

POUR ALLER PLUS LOIN

- Albertazzi D., Mueller S. (2013), « Populism and Liberal Democracy: Populists in Government in Austria, Italy, Poland and Switzerland », *Government and Opposition*, vol. 48, n° 3, pp. 343-371.
- Anderson B. (2002/1983), *L'imaginaire national. Réflexions sur l'origine et l'essor du nationalisme*, Paris, La Découverte.
- Gellner E. (1989/1983), *Nations et nationalisme*, Paris, Payot.
- Hermet G. (1996), *Histoire des nations et du nationalisme en Europe*, Paris, Seuil.
- Noël A., Thérien J.-P. (2010), *La gauche et la droite. Un débat sans frontières*, Montréal, Presses universitaires de Montréal.

LES RÉGIMES POLITIQUES

Sommaire

Résumé

Le chapitre 4 a traité du système politique, dont la notion est plus large que celle de régime politique (Hermet et al., 2001 : 263). En effet, on peut définir les régimes politiques comme les diverses formes organisationnelles et institutionnelles spécifiques que le système politique prend dans la relation « gouvernants-gouvernés » en termes de régulation sociétale. La dimension majeure retenue ici à cet égard est la manière dont le pouvoir politique est distribué et organisé au sein de la société, selon deux critères : au plan institutionnel (ou formel) et au plan matériel (ou informel) de son fonctionnement. Notons que nous n'abordons pas dans ce chapitre la typologie que l'on pourrait établir sous l'angle d'une deuxième dimension : celle de la manière dont le pouvoir s'exerce, territorialement parlant, sur l'ensemble de l'espace politique considéré – cette entrée ayant déjà été traitée dans le chapitre 2, sur l'État.

Avant de passer en revue les différents types de régimes politiques contemporains sur la base de la dimension retenue, penchons-nous d'abord sur les typologies classiques qui ont été élaborées en la matière aux époques prémodernes.

1 | Introduction : les typologies classiques des régimes politiques

Dans son ouvrage *La République* (Livre VIII), Platon (428/427 – 348/347 av. J-C.) établit, sur la base de l'histoire des sociétés antiques, une classification des différentes formes de gouvernement observées, c'est-à-dire une typologie des régimes politiques. Il en distingue six types, les deux premiers étant jugés « bons », les quatre derniers, « décadents » : la monarchie (gouvernement d'un seul, basé sur la « sagesse »), l'aristocratie (gouvernement des « meilleurs », basé lui aussi sur la « sagesse »), la timocratie (gouvernement d'une minorité, basé sur les honneurs, pour des faits d'armes essentiellement), l'oligarchie (gouvernement d'une minorité basé sur la richesse), la démocratie (gouvernement populaire) et la tyrannie (gouvernement d'un chef démagogue et autoritaire). S'inspirant des travaux de Platon, Aristote, dans son œuvre *Politika* (336 av. J.-C.), étudie les institutions politiques de 158 cités grecques et étrangères pour déterminer leur fonctionnement politique et établir également sur cette base une typologie.

ENCADRÉ N° 7.1 : ARISTOTE

Aristote (384-322 av. J.-C.), philosophe de la Grèce antique, s'est « intéressé à la politique comme à toute chose parce qu'il est un esprit encyclopédique, mais ce n'est pas chez lui une préoccupation constante : il aborde ce sujet méthodiquement, à son heure, avec autant de liberté d'esprit qu'il en apporte à son *Éthique* ou à sa *Rhétorique* » (Touchard, 1993 : 37).

D'Aristote, on retient cette phrase célèbre : « l'homme est par nature un animal politique ». L'homme se distingue des autres animaux par son appartenance à la « *polis* » : la cité-État. La cité est l'aboutissement d'un processus au cours duquel les groupes humains sont passés de la famille à la tribu, au village, à la cité. Aristote est originaire de Macédoine, qui n'a pas connu le système des cités, mais il se montre fervent défenseur de cette forme hautement organisée de la vie politique.

Si la pensée d'Aristote est encore regardée aujourd'hui (plus de 2000 ans plus tard) comme une des plus conséquentes de l'Antiquité, et singulièrement en science politique, c'est parce qu'elle est conduite avec méthode, rigueur, systématicité. Ainsi, il établit un catalogue précis de 158 constitutions différentes de cités grecques ou étrangères pour déterminer leur fonctionnement politique. Ce travail heuristique est à la base de sa typologie des régimes politiques. Dans l'*Éthique à Nicomaque*, il décrit sa façon de procéder notamment en ces termes : « En premier lieu, efforçons-nous d'examiner toutes les bonnes manières d'agir même partielles notées par nos prédécesseurs, puis d'une étude des constitutions réunies, remarquons quels sont les éléments qui préservent et ceux qui détruisent les cités et leurs différentes constitutions ; et quelles sont les raisons pour lesquelles certaines sont bien gouvernées, les autres non. Quand nous aurons fait cela, nous serons aussi mieux capables de voir quelle est la meilleure constitution, comment ses pouvoirs sont distribués et sur quelles bases éthiques et légales elle repose » (*Éthique à Nicomaque*, livre X, chapitre 9, p. 23, cité par Touchard, 1993 : 38).

Ce qui est remarquable dans la pensée d'Aristote et le place en personnage précurseur de la science politique, c'est sa démarche qui consiste à : constater la diversité des formes ou régimes politiques, les inventorier, en analyser les composantes et les mécanismes, chercher à expliquer plus qu'à poser des regards normatifs sur les phénomènes politiques.

[annotation manuscrite : ① the ratio gouvernants vs. gouvernés]

La typologie d'Aristote se fonde sur deux critères : le nombre de personnes exerçant le pouvoir et le public-cible au profit duquel ce pouvoir est exercé. Comme on peut l'observer dans le tableau figurant ci-dessous, d'une part, le pouvoir peut être exercé par une seule personne, plusieurs ou beaucoup, voire toutes les personnes concernées au sein d'une communauté ; d'autre part, ce pouvoir peut être exercé dans l'intérêt de tous ou bien dans l'intérêt du ou des gouvernant(s) et/ou d'une partie seulement du peuple. Ceci amène Aristote à distinguer le caractère « pur » du pouvoir (dans l'« intérêt général ») du caractère « dévié » du pouvoir (dans l'intérêt particulier du ou des gouvernant(s) et/ou d'une partie seulement du peuple).

[annotation manuscrite : « Pur » = intérêt générale « dévié » l'interet des gouvernants]

ENCADRÉ N° 7.2 : LA TYPOLOGIE DES RÉGIMES POLITIQUES D'ARISTOTE

dans l'intérêt de... / gouvernants	de tous	de lui-même/d'eux-mêmes et/ou d'une partie du peuple
un seul	monarchie	tyrannie
quelques-uns	aristocratie	oligarchie
beaucoup/tous	république *(politeia) (en termes contemporains = démocratie)*	démocratie *(en termes contemporains = démagogie)*

Source : élaboration des auteurs.

Notons la connotation péjorative du vocable « démocratie » chez Aristote : ce qu'il appelle « démocratie » s'apparente à ce qui est qualifié de nos jours de « démagogie » ou encore, de « populisme » (cf. chapitre Clivages, encadré n° 5.18) : un mode de gouvernement par lequel les gouvernants dirigent supposément dans l'intérêt du peuple en allant « dans son sens » – le « sens de la facilité » en recourant à un discours simpliste, en le flattant, en tirant bénéfice de ses passions, de ses frustrations, de ses « bas instincts »... Ce qui correspond en revanche à « démocratie » de nos jours (c'est-à-dire le pouvoir du plus grand nombre dans l'intérêt du plus grand nombre) est appelé chez Aristote *politeia*, rendu en latin par le politicien et auteur romain Cicéron (106-43 av. J.-C.) *res publica*, littéralement la « chose publique », et qui a donné en français *république*.

D'autres penseurs ont prolongé l'œuvre d'Aristote, tel Montesquieu, qui distingue la *nature* du régime politique du *principe* qui le guide. Concernant la *nature* du régime, il reprend, d'une part, le critère d'Aristote relatif au nombre de gouvernants et, d'autre part, le mode d'exercice du Pouvoir (sans lois ni règles vs avec des lois fixes et stables, ce qui renvoie à la notion d'État de droit ; cf. *infra*, ainsi que le chapitre État, section 1.3), des pouvoirs intermédiaires entre le Roi et le peuple – la noblesse, le Parlement, les villes... Il fait à cet égard la distinction entre la monarchie (le pouvoir d'un seul) et la république, qui peut être démocratique (le pouvoir de la multitude) ou aristocratique (le pouvoir de quelques-uns). Selon Montesquieu, aucun de ces trois types de gouvernement n'est bon ou mauvais en soi, le critère pertinent à cet égard étant les *principes* qui le guident : des principes sains (l'esprit civique dans la république et l'honneur dans la monarchie) ou malsains (le despotisme, où peur, soumission et esprit d'esclavage prévalent).

ENCADRÉ N° 7.3 : DE LA DÉMOCRATIE SELON MONTESQUIEU

Philosophe et penseur politique français, Montesquieu (1689-1755) séjourne en Angleterre, où il observe l'évolution du régime monarchique enclenchée par la Glorieuse Révolution (1688-1689) (cf. encadré n° 7.9), marquée par une affirmation du contrôle du Parlement sur le gouvernement du Roi. En procède un éloge de la Constitution anglaise, dans son œuvre *De l'esprit des lois* (2002/1748). Mais Montesquieu demeure marqué par son appartenance sociale et voit dans le Parlement le vecteur, tout particulièrement, de l'émancipation de la noblesse vis-à-vis du pouvoir royal, ce qui le situe dans une forme de libéralisme aristocratique. Il est à l'origine de la théorie de la séparation des pouvoirs législatif, exécutif et judiciaire (cf. encadré n° 8.1).

En matière de typologie des régimes politiques se situant dans le sillage des travaux d'Aristote, on peut également mentionner Rousseau, qui distingue démocratie (gouvernement confié au peuple en corps), aristocratie (gouvernement confié à un petit nombre) et monarchie (gouvernement confié à un seul). Tous trois peuvent être légitimes en théorie, le critère ultime étant que le ou les gouvernant(s) n'exerce(nt) pas le pouvoir à leur/son propre profit (2001/1762 : 109). Aucun des trois types n'est intrinsèquement idéal. D'où cet extrait *célèbre* de son œuvre *Du contrat social* (2001/1762 : 106-107), souvent cité : « il n'a jamais existé de véritable démocratie et il n'en existera jamais. Il est contre l'ordre naturel que le grand nombre gouverne et que le petit soit gouverné. On ne peut imaginer que le peuple reste incessamment assemblé pour vaquer aux affaires publiques (…) S'il y avait un peuple de dieux, il se gouvernerait démocratiquement. Un gouvernement si parfait ne convient pas aux hommes ».

ENCADRÉ N° 7.4 : DE LA DÉMOCRATIE SELON ROUSSEAU

Citoyen de Genève, Rousseau (1712-1778) est influencé par les auteurs qui l'ont précédé, dont Machiavel et Montesquieu, ainsi que par l'histoire de sa ville. Au xvie siècle, c'est là que s'installe le réformateur protestant Calvin, qui y participe à l'instauration d'une république théocratique. Centre du calvinisme, la ville accueille hommes d'affaires, banquiers et artisans et s'épanouit économiquement jusqu'au xviie siècle. Mais au xviiie siècle, elle connaît crise économique et troubles politiques : la population se révolte contre les élites au pouvoir, qui ordonnent de brûler devant l'Hôtel de Ville deux œuvres de Rousseau, dont *Du contrat social* (1762). Les premières lignes de cette œuvre illustrent bien ce qui effraie les gouvernants de l'époque :

« L'homme est né libre et partout il est dans les fers. Tel se croit le maître des autres, qui ne laisse pas d'être plus esclave qu'eux. Comment ce changement s'est-il fait ? Je l'ignore. Qu'est-ce qui peut le rendre légitime ? Je crois pouvoir répondre à cette question » (2001/1762 : 46).

Rousseau expose que la société doit reposer sur un contrat auquel adhèrent tous les citoyens, par lequel ceux-ci acceptent de soumettre leurs volontés particulières à la « volonté générale ». Cette notion, définie de manière complexe par Rousseau, ne se réduit pas à la somme des volontés individuelles. Par la « volonté générale », les individus poursuivent l'« intérêt général ». Ils sont citoyens parce qu'ils participent au pouvoir politique et ils sont sujets parce qu'ils se soumettent aux lois.

C'est de cette façon qu'ils peuvent être libres et égaux. Le peuple, pour Rousseau, est le Souverain. La volonté (générale) du peuple ne peut pas être représentée par ses mandataires, par les députés : ils ne sont que des commissaires qui ne peuvent rien décider de définitivement important. « Toute loi que le Peuple en personne n'a pas ratifiée est nulle ; ce n'est pas une loi » (2001/1762 : 134). On note ici l'opposition entre une démocratie *représentative* telle qu'elle reposerait sur les écrits de Montesquieu et une démocratie *directe* telle qu'elle pourrait s'inspirer de Rousseau. C'est aussi le principe de la majorité qui se trouve affirmé. Le contrat n'est pas établi entre le peuple et les gouvernants ; il est conclu, à la base, entre les individus qui, de ce fait, forment la société : « Les dépositaires de la puissance exécutive ne sont point les maîtres du peuple mais ses officiers, il peut les établir et les destituer quand il lui plaît (…) » (2001/1762 : 139). Selon Rousseau, les gouvernants exercent « un emploi dans lequel, simples officiers du Souverain (*le peuple*), ils exercent en son nom le pouvoir dont il les a faits dépositaires, et qu'il peut limiter, modifier et reprendre quand il lui plaît » (2001/1762 : 96). Cette conception constitue un fondement de l'alternance du pouvoir, caractéristique des démocraties contemporaines.

Deux choses méritent d'être précisées à ce stade. Tout d'abord, lorsqu'Aristote évoque le pouvoir de tous, cela ne concerne, dans la cité grecque de son temps, que les citoyens, seuls électeurs, éligibles et égaux en droit – le statut de citoyens n'étant octroyé ni aux femmes, ni aux esclaves, ni aux étrangers (cf. chapitre Citoyens).

Il convient ainsi de définir précisément, comme le rappelait G. Sartori (1973/1962), le lien qui existe entre, d'une part, le peuple (*demos*) et, d'autre part, le pouvoir (*kratos*). Ce lien est complexe pour plusieurs raisons. À commencer par la définition même du peuple. Dans l'Antiquité, le peuple évoqué dans le terme même de démocratie (*demokratia*) concernait une communauté restreinte vivant sur un territoire donné et ayant la capacité de prendre des décisions. À notre époque, le terme de « peuple » renvoie toujours, de manière effective, à une communauté, mais qui dépasse en nombre, en composition, en types, en aspirations… la communauté de l'Antiquité grecque. C'est une des premières difficultés de la définition de la démocratie, à savoir à quel « peuple » il est fait référence à l'heure actuelle. Dans la terminologie anglo-saxonne, la notion même de peuple est définie, soit sous le terme de « people », soit sous le terme de « mass », exprimant, à cet égard, toute la diversité d'individus qui, de nos jours, composent toute société.

En lien avec ceci, notons la multiplication des niveaux de pouvoir à l'œuvre de nos jours, qui appelle à un affinement des définitions classiques de la démocratie. Le double mouvement, supranational et infranational, a transformé en profondeur l'organisation politique des États contemporains. Ce faisant, la dimension « multiniveau » de la démocratie ne peut plus être négligée et doit être intégrée dans tout effort définitionnel. Parallèlement, la globalisation et son impact sur les mouvements des personnes (qui se sont ainsi intensifiés) posent de nouveaux défis à la démocratie et à son organisation. Ainsi, ce que d'aucuns qualifient de multiculturalisme doit être aussi pris en considération dans les nouvelles définitions de la démocratie.

ENCADRÉ N° 7.5 : LE MULTICULTURALISME

Le multiculturalisme est une attitude visant à prendre en compte la diversité culturelle d'une société dans la réalité politique. Il peut s'agir de sociétés au départ relativement « homogènes » sur ce plan et devenant plus diversifiées en raison, notamment, du fait migratoire, ou bien, de sociétés dont le secteur dominant reconnaît à un certain moment les spécificités de minorités culturellement opprimées (comme les communautés indigènes d'Amérique du Sud ou les « Premières nations » d'Amérique du Nord).

Peuvent en découler, entre autres, la mise en place de dispositifs en termes d'exercice effectif de droits (égalité des chances, lutte contre les discriminations...) ou la reconnaissance juridique de certaines spécificités, le régime général de droit taillé « sur mesure » pour la population majoritaire pouvant poser des difficultés aux minorités en question : d'où, la mise en place, par exemple, au Canada, d'« accommodements raisonnables » (par exemple, accommoder, au bénéfice des intéressés, les jours de travail presté aux prescrits de telle ou telle religion en matière de jour de repos hebdomadaire) (pour plus de détails, cf. chapitre État, notamment les sections sur l'État plurinational et l'État multiculturel).

En contraste avec la cité grecque antique, à quel « corps politique » avons-nous donc affaire aujourd'hui ? À l'heure actuelle, tous les États de la planète ont, à tout le moins officiellement, aboli l'esclavage ; les cas de traite des êtres humains qui persistent sont donc illégaux, faisant l'objet de répression ou de « tolérance » par laxisme des autorités. Le suffrage universel « pur et simple » (selon le principe « un homme, une voix », dit aussi principe d'isonomie) ne remonte, bien souvent, à pas si loin de nous : en Belgique, par exemple, il a été instauré en 1919 (il faut par ailleurs dans ce cadre comprendre « homme » comme citoyen de sexe masculin, les femmes étant alors exclues du droit de vote). Auparavant, le suffrage était censitaire (seuls les citoyens payant un certain niveau d'impôts [cens] avaient le droit de vote), avant de prendre la forme du suffrage universel tempéré par le vote plural (selon que l'on détenait un diplôme et/ou que l'on était assujetti à un certain niveau d'impôts, l'on disposait d'une, deux ou trois voix). L'extension du droit de vote aux femmes est, dans certains cas, encore plus récente et remonte, pour la Belgique, à 1948. N'ayant pas la qualité de citoyens et considérés comme des résidents, les étrangers demeurent, dans la plupart des cas, exclus du droit de vote : mais ici aussi, on note des évolutions, le Conseil de l'Union européenne (UE) ayant adopté, en 1994, une directive étendant ce droit aux ressortissants des États de l'UE résidant sur le territoire d'un État-membre dont ils n'ont pas la nationalité dans le cadre des élections au niveau local (élections municipales) ; certains États-membres, dont la Belgique, sont allés plus loin, en étendant ce droit au niveau local à tous les étrangers résidant sur son territoire, qu'ils soient ressortissants d'un État-membre de l'UE ou non. Un autre critère dans cette problématique est celui de l'âge du droit de vote. En Belgique, il est passé de 25 ans à 21 ans en 1919 et à 18 ans en 1981. En 2012, le Parlement Jeunesse de la Fédération Wallonie-Bruxelles – un cadre de simulation de l'activité parlementaire à destination des jeunes – a mis au débat l'abaissement de l'âge du droit de vote à 16 ans. Ces limitations renvoient à la dimension capacitaire du vote : sur la base de quels critères le citoyen est-il considéré comme apte au vote, c'est-à-dire considéré comme capable de contribuer à l'élaboration de choix engageant l'ensemble de la collectivité, en l'occurrence, par l'exercice de ce droit ? (à tout le moins, en termes de philosophie politique ; dans la pratique politique, des motivations liées à des ambitions d'accès au pouvoir et de mise en œuvre d'orientations politiques spécifiques peuvent inciter des acteurs à promouvoir des règles du jeu électoral favorables à leurs intérêts et au triomphe de leurs orientations politiques). L'on peut enfin retrouver trois autres types d'incapacité en matière de droit de vote : les personnes handicapées mentales placées sous statut de minorité prolongée, dont le droit en la matière est suspendu, les condamnés déchus de leurs droits politiques, ainsi que les militaires (conscrits ou d'active), en vue de favoriser leur neutralité dans la stricte défense de l'État, quel qu'en soit le régime ou le gouvernement en place. Dernier point : toute cette problématique relative au droit de vote se retrouve également au niveau des critères d'éligibilité, c'est-à-dire au droit de se porter candidat aux élections. Avec la réforme de l'État belge de 1993, par exemple, l'âge de l'éligibilité au Sénat est passé de 40 ans révolus à 21 ans révolus, avant que le Sénat ne se transforme en 2014 en une assemblée d'élus indirects et de membres cooptés (sur l'évolution du droit de vote et d'éligibilité en Belgique, cf. chapitre Citoyens, encadré n° 10.2).

Ensuite, la référence à l'intérêt du nombre – l'« intérêt général » – n'est pas univoque. Si Aristote, dans sa typologie, utilise le critère du pouvoir au profit de l'intérêt général en l'opposant aux intérêts particuliers (ceux du ou des gouvernant(s) et/ou d'une partie seulement du peuple), nous donne-t-il un critère d'évaluation pour juger de l'« intérêt général » : il évoque l'excès d'inégalité… mais aussi celui d'égalité… entre les différentes couches sociales – la vertu se trouvant selon lui dans le « juste milieu », le vice résidant, selon sa conception, dans le fait de favoriser des intérêts particuliers… précisément qu'ils soient ceux des nantis… ou ceux des couches plus modestes.

Ceci pose la question de la faisabilité d'objectiver l'« intérêt général », c'est-à-dire d'établir sur la base d'un certain nombre de critères ce qui est « vraiment » dans l'intérêt du plus grand nombre : l'accès aux ressources de base, à la culture, aux soins de santé, la possibilité de participer à la chose publique, etc. Certes, la philosophie politique et l'éthique élaborent des critères pour définir ce qu'est l'« intérêt général », le « bien commun », ou, plus largement, une « société juste », mais, tout en étant rigoureuses dans leur logique interne, ces démarches demeurent normatives. Sous un angle politologique, ces notions sont – en dernière analyse – le produit de constructions sociales visant notamment à légitimer tel ordre, telle orientation ou telle décision politique, selon les conceptions de ceux qui les invoquent ou de celles en vigueur : on peut distinguer ainsi la vision française, selon laquelle l'« intérêt général » transcende les intérêts particuliers, de la vision (consociativiste) belge, selon laquelle l'« intérêt général » est le produit de compromis entre intérêts particuliers divergents. En attendant, la problématique posée par Aristote dans sa typologie des régimes politiques a bien été exprimée par Maurice Duverger (1964 : 22) dans sa métaphore du dieu romain Janus à double face.

ENCADRÉ N° 7.6 : MAURICE DUVERGER – LA POLITIQUE, MÉTAPHORE DU DIEU JANUS

Maurice Duverger est un politiste français né en 1917, auteur de nombreux ouvrages de référence portant notamment sur les régimes et les partis politiques.

Source : Buste de Janus, Musée du Vatican.
© Fubar Obfusco

> « Depuis que les hommes réfléchissent à la politique, ils oscillent entre deux interpréta-
> tions diamétralement opposées. Pour les uns, la politique est essentiellement une lutte,
> un combat, le pouvoir permettant aux individus et aux groupes qui le détiennent d'as-
> surer leur domination sur la société, et d'en tirer profit. Pour les autres, la politique est un
> effort pour faire régner l'ordre et la justice, le pouvoir assurant l'intérêt général et le bien
> commun contre la pression des revendications particulières. Pour les premiers, la politique
> sert à maintenir les privilèges d'une minorité sur la majorité. Pour les seconds, elle est un
> moyen de réaliser l'intégration de tous les individus dans la communauté et de créer la
> cité juste dont parlait Aristote, déjà. » « En définitive », poursuit Duverger, « l'essence même
> de la politique, sa nature propre, sa véritable signification, c'est qu'elle est toujours et par-
> tout ambivalente. L'image de Janus, le dieu à double face, est la véritable représentation
> de l'État : elle exprime la réalité politique la plus profonde. L'État – et, d'une façon plus
> générale le pouvoir institué dans une société – est toujours et partout *à la fois* l'instrument
> de la domination de certaines classes sur d'autres, utilisé par les premières à leur profit et
> au désavantage des secondes, et un moyen d'assurer un certain ordre social, une cer-
> taine intégration de tous dans la collectivité, pour le bien commun. La proportion de l'un
> et l'autre élément varie, suivant les époques, les circonstances et les pays : mais les deux
> coexistent toujours. » (Duverger, 1964 : 20-22).

Après nous être penchés, en guise d'introduction, sur les typologies classiques des régimes politiques, élaborées à l'époque prémoderne, nous en abordons à présent les typologies modernes et contemporaines, en distinguant régimes démocratiques (en spécifiant d'emblée qu'il s'agira ici de régimes ressortissant à la démocratie *libérale*) et régimes *non* démocratiques, c'est-à-dire liberticides, tyranniques, despotiques (et parmi lesquels on fera notamment la distinction entre régimes autoritaires et totalitaires).

2 | Les régimes démocratiques

Après avoir précisé ce que nous entendons par régimes *démocratiques*, nous établissons la filiation historique des régimes démocratiques occidentaux et en établissons une typologie sous l'angle de la dimension évoquée plus haut : la distribution et l'organisation du pouvoir selon le critère institutionnel (ou formel) vs le critère matériel (ou informel) de son fonctionnement. Enfin, nous clôturons notre exposé sur les régimes démocratiques en évoquant la tension entre « raison » et participation (ou volonté « éclairée » et volonté « populaire »).

2.1. Introduction : la démocratie *libérale*

La célèbre formule du « gouvernement du peuple, par le peuple, pour le peuple », attribuée à Abraham Lincoln, président des États-Unis de 1861 à 1865, et reprise dans l'article 2 de la Constitution française actuelle (celle de la Cinquième République, adoptée en 1958), a le mérite de poser les termes de l'analyse, renvoyant respective-ment à la *source*, au *mode d'exercice* et à la *finalité* du Pouvoir. La distinction opérée par les deux premiers termes (source et mode d'exercice) permet de définir des cri-tères quant à la détention du Pouvoir : jusqu'au XVIIIe siècle, c'est son *exercice* (régu-lier) effectif qui en constitue le critère prédominant ; depuis lors, c'est sa *titularité* (selon cette seconde modalité, la question est celle de l'exercice du Pouvoir « au nom de »). Ceci a fondé la notion de démocratie « représentative », qui, sous cet angle, peut également être conçue comme une « aristocratie élective » (le pouvoir, dans les faits, est exercé par un petit nombre d'élus... censés représenter le peuple).

Le critère le plus souvent utilisé pour définir la démocratie renvoie ainsi au nombre de personnes qui, dans une société donnée, possèdent ou exercent le pouvoir politique. Sous cet angle, un régime sera d'autant plus démocratique qu'il élargira l'accès au pouvoir politique au plus grand nombre, par exemple au-delà des différences de classes sociales (avec, notamment, en Europe occidentale, fin du XIXᵉ siècle/début du XXᵉ siècle, l'instauration du suffrage universel masculin, qui sera étendu plus tard aux femmes). Cet accès peut se faire de manière directe ou de manière indirecte : de manière indirecte, lorsqu'un certain nombre de personnes censées représenter l'ensemble de la collectivité humaine concernée l'exercent au nom de celle-ci (d'où la notion de démocratie *représentative*) en tant que *titulaires* ; de manière directe, lorsque les personnes ne délèguent pas de représentants pour exercer le pouvoir au nom de la collectivité, mais l'exercent elles-mêmes personnellement, souvent par le vote (secret, par les urnes, ou publiquement, par exemple, à main levée), d'où la notion de démocratie *directe*.

ENCADRÉ Nº 7.7 : REPRÉSENTATION *VERSUS* PARTICIPATION

Les régimes politiques se distinguent par leurs manières respectives d'équilibrer la *représentation* et la *participation* (cf. chapitre Citoyens, section 2). Tout particulièrement, cette dialectique est au cœur de la démocratie parlementaire. Récemment, d'importants travaux (cf. notamment Garon, 2009) ont été entrepris en science politique afin de réconcilier des traditions d'étude de la démocratie parfois opposées, c'est-à-dire principalement celles reposant, d'un côté, sur une conception libérale/représentative et, de l'autre, sur une conception participative. La conception *libérale/représentative* de la démocratie prend sa source dans le républicanisme classique de Locke et de Montesquieu, dans le modèle classique libéral de Mill et de Tocqueville et, sous des formes plus modernes, dans l'élitisme de Michels (cf. chapitre Partis politiques et groupes d'influence, section 4.2) et le pluralisme de Dahl et Fraenkel. La conception *participative* prend racine dans la démocratie athénienne classique, dans une forme alternative de républicanisme classique de Rousseau, dans les idées de démocratie directe et participative de Barber et Pateman, et dans la démocratie délibérative de Fishkin et Habermas.

Pour pleinement ressortir de la démocratie au sens contemporain du terme dans l'aire occidentale et revêtir l'appellation de démocratie *libérale*, un tel régime (qu'il soit direct ou représentatif) doit satisfaire à une série de critères communément admis.

Nous avons évoqué plus haut que le seul critère générique de la démocratie a rapport au nombre de personnes qui, dans une société donnée, possèdent ou exercent le pouvoir politique. Si l'on met de côté ce critère, on évitera donc de « substantialiser » la démocratie : il n'y a pas « une » seule forme de démocratie, celle-ci se déclinant de manière plurielle et située dans des contextes d'époques et de lieux différents. Cela étant et en les situant dans le cadre de « modèles » historiquement situés, y aurait-il des critères de discernement permettant d'évaluer le caractère démocratique de tel ou tel régime politique, au sens où nous l'entendons dans l'ensemble de l'aire occidentale de l'ère post-Guerre froide ? Car, en effet, maints régimes autoritaires, voire totalitaires, des pays du bloc de l'Est revendiquaient également la qualité et le statut d'États démocratiques sous la catégorie de démocraties *populaires*, certains intégrant le référent démocratique dans le nom officiel de l'État, comme, par exemple, la République démocratique allemande (RDA). D'autre part, en Europe notamment, de nombreux partis d'extrême droite hostiles aux valeurs démocratiques se présentent comme étant les « vrais » défenseurs de la démocratie. Notre critériologie porte donc ici sur ce sous-type particulier de démocratie que forment les démocraties occidentales contemporaines, que l'on qualifie génériquement de démocraties *libérales*. Au-delà donc de la détention ou de l'exercice du pouvoir du peuple – le plus souvent, par la représentation –, figurent, parmi les dimensions essentielles qui les caractérisent, l'État de droit, la séparation des pouvoirs, les droits de l'Homme et la séparation Eglise-État.

L'État de droit *(rule of law)* dans les sociétés occidentales a trois acceptions idéales-typiques dans leur apparition chronologique. L'État de droit au sens *formel*, soit la soumission de l'exercice du pouvoir à des règles seulement procédurales (amender la Constitution selon les règles de modification qui s'y trouvent édictées, respecter la consultation juridiquement obligatoire d'un organe avant l'édiction d'une loi...). L'État de droit au sens *substantiel*, soit la soumission de l'exercice du pouvoir à des règles qui ont un contenu particulier sur son orientation en termes d'interdit ou d'obligation d'action ; notamment, des règles d'un genre particulier dans le rapport pouvoir – « sujets humains » comme les « droits de l'Homme » (déjà dans la *Magna Carta* au XIIIe siècle, mais c'est un acte isolé ; surtout à partir du XVIIe siècle en Angleterre, en particulier avec la Déclaration des droits *[Bill of Rights]* de 1689, puis dans les Révolutions états-unienne et française). Enfin, l'État de droit au sens *juridictionnel* : contrôle de légalité/annulation de la validité juridique des actes du pouvoir (dans ses branches législative et exécutive) par des organes juridictionnels (soit issus des cours et tribunaux classiques de la branche judiciaire, soit d'organes n'appartenant pas à l'ordre judiciaire du type Cour constitutionnelle/Conseil d'État) ; ce sens-là advient beaucoup plus tardivement, avec des différences chronologiques nettes entre les États-Unis (rôle très précoce, en ce sens reconnu à la Cour suprême) et les autres États occidentaux (en Belgique à partir du XXe siècle seulement, par une évolution de la jurisprudence de la Cour de Cassation d'abord, la création du Conseil d'État, au sortir de la Deuxième Guerre mondiale, puis, dans les années 1980, de la Cour d'Arbitrage, rebaptisée en 2007 « Cour constitutionnelle »).

La séparation des pouvoirs, dont la théorie a été élaborée par Montesquieu (cf. *supra*), repose sur la conception selon laquelle leur concentration mène à des abus tyranniques et à l'arbitraire, d'où l'idée de contre-pouvoirs. Comme évoqué plus haut, il y a ainsi une division des tâches d'élaboration, d'exécution et de contrôle de l'effectivité des lois, ce qui ne signifie pas pour autant un cloisonnement total, mais plutôt un contrôle réciproque, entre les trois sphères. Par ailleurs, dans la réalité politique (au-delà de la conception stricte de philosophie politique), plusieurs sphères peuvent être associées à une même tâche (tout particulièrement le Parlement et le gouvernement, par exemple, dans l'élaboration des lois).

Les droits de l'Homme se sont particulièrement affirmés à la fin du XVIIIe siècle, dans les contextes de la Révolution française et de la naissance des États-Unis d'Amérique. Ils reposent sur la conception selon laquelle tous les hommes jouissent – de droit – de libertés fondamentales touchant à leur intégrité physique et morale, à titre individuel ou collectif (liberté de mouvement, d'opinion, d'expression, d'association...). Des lois adoptées en contexte démocratique, par exemple, à la majorité des voix et se mettant en porte-à-faux avec ces droits fondamentaux, feraient perdre son caractère démocratique au régime dans lequel une telle évolution prendrait place. Ceci est éminemment en lien avec la qualification *libérale* du régime démocratique.

La séparation de l'Église et de l'État repose sur la conception selon laquelle la souveraineté du pouvoir relève des hommes concevant de manière autonome les normes qui guident l'organisation de leur vivre ensemble. Cette conception, née au Siècle des Lumières (XVIIIᵉ siècle), s'est opposée à l'emprise du pouvoir de l'Église (notamment catholique-romaine) sur le pouvoir temporel, participant également de la légitimation de celui-ci : il en était ainsi des régimes de monarchie absolue de droit divin. Le phénomène de laïcisation a connu divers degrés, du plus abouti, comme dans la France républicaine (ou la séparation du politique et du religieux est forte), à des formes intermédiaires, dans lesquelles il y a, dans l'exercice du pouvoir politique, séparation entre sphères politique et religieuse sans aller toutefois jusqu'à l'absence d'interactions entre celles-ci (matérialisées, par exemple, par le financement public des cultes). Nous abordons à présent précisément la filiation historique des régimes démocratiques occidentaux.

2.2. Filiation historique des régimes démocratiques occidentaux

2.2.1. *Les régimes démocratiques anciens : la démocratie directe*

Sur un plan historique, la démocratie s'est d'abord incarnée durant l'Antiquité dans quelques rares cités grecques, en particulier, de façon la plus aboutie, à Athènes, pendant à peu près deux siècles, du VIᵉ au IVᵉ siècle avant J.-C., avant la dissolution de la cité athénienne dans l'Empire d'Alexandre le Grand. Le siècle d'or de la démocratie athénienne est classiquement situé dans le Vᵉ siècle avant J.-C., souvent appelé le « siècle de Périclès », du nom d'un homme politique reconnu, maintes fois reconduit (plus de quinze fois) à la fonction de « stratège » (cf. *infra*), et auteur de multiples initiatives publiques dans le domaine des techniques et de la culture. Ce « modèle » a inspiré d'autres expériences durant l'Antiquité, en particulier à certaines époques de la République romaine, au Moyen-Âge, dans certaines contrées germaniques ou cités italiennes, jusqu'à la Renaissance, en Suisse, en particulier.

Rétrospectivement, le trait le plus significatif de cette première expérience démocratique réside dans l'exercice *direct* du pouvoir par les citoyens, contrastant avec l'exercice indirect du pouvoir, par l'intermédiaire de représentants, caractéristique des démocraties modernes, représentatives (cf. *infra*). Comme évoqué plus haut, rappelons toutefois que le statut de citoyen n'était reconnu à Athènes qu'aux seuls résidents réguliers (excluant les étrangers ne bénéficiant pas d'un « droit de cité »), adultes (excluant les jeunes), masculins (excluant les femmes) et libres (excluant les esclaves), soit environ un huitième (40 000 personnes) de la population de la cité athénienne.

Ces citoyens étaient invités à se rassembler sur la place publique, l'agora, en une assemblée des citoyens, l'ecclésia, 3 ou 4 journées par mois, afin de délibérer sur les décisions à prendre concernant l'organisation de la cité et ses relations avec le monde extérieur. Ayant pour objet l'adoption de lois, y compris de finances publiques (impôts, dépenses publiques), de traités, ou de sanctions à l'égard de « mauvais citoyens » (exclus de la cité), toutes les décisions se prenaient à main levée, à la majorité des voix exprimées, selon le principe de l'isonomie (cf. *supra*). Un conseil, la *boulè*, était chargé de préparer l'ordre du jour et les débats des assemblées et de veiller à faire exécuter les décisions par les magistrats formant la magistrature, équivalant à l'administration publique exécutive d'aujourd'hui (les ministères). Des tribunaux, l'héliée, étaient chargés de trancher les différends voire même de juger de la conformité des lois votées par l'ecclésia aux lois fondamentales de la cité. Une certaine séparation des pouvoirs était donc déjà perceptible dans les modalités d'exercice du pouvoir.

Fait marquant, la démocratie pratiquée à Athènes était non seulement directe, mais également participative : la plupart des fonctions dans les organes autres que l'ecclésia étaient toutes électives et à durée limitée, généralement, un an au plus. Pour l'écrasante majorité des postes, le mode d'élection résidait dans le tirage au sort, avec ou sans acte de candidature des citoyens. Pour quelques postes spécifiques de la magistrature, l'élection se faisait sur présentation de candidatures et au suffrage universel des citoyens, comme pour les « stratèges », qui exerçaient collectivement la fonction de ministre des Affaires étrangères et de chef d'état-major des armées et d'administrateur des finances. Le principe général visait donc à assurer la participation de la plus grande part possible des citoyens aux différentes fonctions du gouvernement suprême de la cité. En plus de l'institution de l'élection par tirage au sort et de la faible durée des mandats attribués – 24 h pour celui équivalent à celui de chef de l'État aujourd'hui ! –, y contribuaient aussi des règles sur la limitation du nombre de mandats exerçables par un citoyen, ainsi que l'instauration d'une sorte d'indemnité ou de jeton de présence destiné à inciter les citoyens, notamment les plus pauvres, à participer aux activités politiques. Le manque de participation politique des citoyens, leur « apathie politique », étaient déjà perçus comme un problème à l'époque !

La description de ce type de régime peut le faire apparaître comme « idéal ». Il faut toutefois souligner son aspect potentiellement liberticide, en considérant que tout citoyen dont le comportement était jugé négatif pouvait être condamné à l'exil, voire à mort, comme ce fut le cas de Socrate (Vᵉ siècle av. J.-C.). Un régime démocratique, selon le seul critère du nombre de personnes exerçant le pouvoir, peut donc aussi se révéler liberticide.

Du côté occidental de l'Europe, l'Antiquité romaine sera marquée par la constitution d'un grand empire du Iᵉʳ siècle au Vᵉ siècle après J.-C. Avec sa chute débute le Moyen-Âge, caractérisé essentiellement par l'éclatement des formes organisationnelles du pouvoir politique, la non-distinction d'une sphère de pouvoir spécifiquement politique aux côtés des sphères religieuse, économique, privée..., ainsi que le comblement par l'Église du vide politique laissé par la chute de l'Empire romain : c'est l'ère du sacerdotalisme médiéval (Prélot, Lescuyer, 1997 : 113-158). Cette période est suivie par la réaffirmation du pouvoir civil dans le cadre de l'absolutisme princier, qui s'érodera progressivement pour mener aux régimes démocratiques modernes portés par les « Idées nouvelles ».

2.2.2. *Les régimes démocratiques modernes : la démocratie représentative*

Dans son analyse généalogique des États d'Europe occidentale, Seiler (1982) distingue deux lignages de régimes politiques : le lignage anglais et le lignage lotharingien-germanique ; le premier ayant produit des régimes de démocratie *représentative*, le second des régimes de type fédéral et/ou de démocratie *directe* (que nous qualifierons plus loin, pour notre part, de démocratie représentative assortie de mécanismes de démocratie directe).

Parmi les régimes politiques occidentaux contemporains, un seul ne doit pas son origine au lignage anglais : le régime suisse, qui trouve son origine dans la Lotharingie et le Saint Empire romain germanique.

ENCADRÉ N° 7.8 : LA LOTHARINGIE ET LE SAINT EMPIRE ROMAIN GERMANIQUE

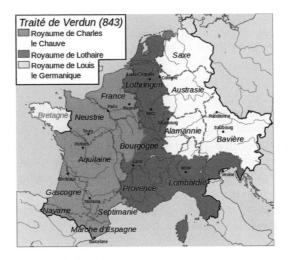

Source : Traité de Verdun. L'Empire carolingien à son apogée avec sa division de 843.
© Flying PC, 2010.

Source : Le Saint Empire romain germanique vers l'an mil.
© Captain Blood, uploaded on Commons by Maksim under licence GFDL, 2008.

> La Lotharingie est issue du partage de l'Empire de Charlemagne entre trois de ses petits-fils dans le cadre du Traité de Verdun (843) : Charles le Chauve, Lothaire et Louis le Germanique. Contrairement à l'espace occidental, qui fera l'objet d'une forte centralisation politique dans le cadre de la constitution de l'État français, les espaces central et oriental connaîtront une forte résistance des « périphéries » (noblesse féodale et bourgeoisie des cités) aux velléités de puissances centralisatrices (notamment la Maison de Habsbourg). Ceci favorisera l'autonomie locale et, partant, par effet d'échelle, des formes de démocratie directe.

Il est intéressant de noter à cet égard deux autres expériences historiques datant de la fin du XVIIIe siècle évoquées par Seiler : les Provinces-Unies (correspondant aux Pays-Bas actuels) et les Pays-Bas autrichiens (correspondant à la Belgique actuelle). Si le « modèle » lotharingien-germanique n'a guère essaimé au-delà de la Suisse sur le plan de l'organisation *actorielle* et *fonctionnelle* du pouvoir (démocratie mixte représentative-directe), il a par contre inspiré nombre d'États dans le monde sur le plan de l'organisation *territoriale* du pouvoir (fédéralisme, décentralisation...). Nous exposons ce « modèle » suisse plus loin.

En contraste avec le lignage lotharingien-germanique (au plan de l'organisation *actorielle/fonctionnelle* du pouvoir), le lignage anglais a été beaucoup plus prolifique, instaurant la forme démocratique la plus répandue, qui est celle de la démocratie *représentative* (précisons que la Confédération helvétique telle que constituée dans l'ère contemporaine ne fait pas exception à cet égard ; sa spécificité tient en ce qu'elle revêt en outre des caractéristiques propres au lignage dont elle est plus directement issue). Notons d'emblée que ce lignage a donné en Europe tant des *républiques* que des *monarchies*.. Dans les républiques, nous pouvons distinguer deux cas de figure : le chef de l'État, qui est élu et exerce ses fonctions pour une période limitée dans le temps, soit gouverne le pays de manière effective, soit voit son rôle limité à une fonction symbolique et protocolaire de représentation de l'État (tant à l'extérieur qu'à l'intérieur, notamment en ratifiant les traités et en promulguant les lois – le pouvoir effectif étant dévolu au gouvernement, issu du Parlement). Dans les monarchies, le chef de l'État, qui, de nos jours, de manière héréditaire et selon la formule consacrée, « règne, mais ne gouverne pas », exerce essentiellement cette fonction symbolique et protocolaire de représentation de l'État : il s'agit ici de monarchies parlementaires, dites aussi « constitutionnelles », tirant cette dénomination du fait que les pouvoirs du Roi sont (dé)limités par une Constitution (le plus souvent écrite, mais aussi coutumière, dans le cas de la Grande-Bretagne). Précisons ici que certaines monarchies « encadrées » par une Constitution ne sauraient rentrer dans la catégorie des régimes démocratiques : l'opposé extrême des monarchies parlementaires, ou « constitutionnelles » au sens contemporain occidental du terme, est la monarchie absolue, caractérisée par le pouvoir héréditaire autocratique d'un homme sur une communauté politique non ou – plus souvent, dans la pratique – peu limité et contrôlé. En Occident, ce type de pouvoir s'est historiquement érodé pour être partagé avec des représentants du peuple, jusqu'à être exclusivement exercé par ceux-ci, l'institution monarchique endossant un rôle symbolique et protocolaire de représentation de l'État (comme, par exemple, aux Pays-Bas, en Suède et en Norvège), à défaut, plus radicalement, de disparaître dans le cadre de l'instauration d'une république (comme, par exemple, en France et en Italie).

ENCADRÉ N° 7.9 : LA BELGIQUE, DERNIÈRE MONARCHIE OCCIDENTALE NON STRICTEMENT PROTOCOLAIRE ?

Dans le contexte de l'abdication du Roi Albert II et de l'avènement de son fils Philippe sur le trône de Belgique le 21 juillet 2013, le débat sur l'évolution de l'institution monarchique belge vers une monarchie strictement protocolaire a été rouvert. Quel pouvoir le Roi exerce-t-il toujours en Belgique ?

– « Aucun acte du Roi ne peut avoir d'effet, s'il n'est contresigné par un ministre, qui, par cela seul, s'en rend responsable. » (article 106 de la Constitution belge) Par exemple, les discours prononcés par le Roi à la Noël et lors de la fête nationale (21 juillet) doivent être approuvés par le gouvernement.

– « Le Roi sanctionne et promulgue les lois. » (article 109 de la Constitution belge) Le Roi accomplit cet acte de manière systématique : il s'agit donc d'un acte purement formel. Une exception toutefois : en 1990, le Roi Baudouin refuse de sanctionner la loi sur la dépénalisation de l'avortement, qui ne peut donc entrer en vigueur. La crise sera débloquée par le recours à l'article 93 de la Constitution, qui permet de déclarer le Roi dans « l'impossibilité de régner » (il s'agit en l'occurrence d'une utilisation inédite de cet article, consacrant une impossibilité de régner pour raison morale, la disposition visant *a priori* une impossibilité de régner pour raison de santé physique ou mentale). Le trône ayant été rendu vacant, le Conseil des ministres sanctionna et promulgua la loi en lieu et place du Roi. Le Parlement leva ensuite l'impossibilité de régner du Roi, qui reprit ses fonctions. Bien qu'exceptionnel, ce précédent nourrit le débat sur l'évolution de la monarchie vers une fonction strictement protocolaire, qui ôterait au Roi la sanction et la promulgation des lois adoptées par le Parlement.

– Hormis ce pouvoir dans les faits largement théoriques (si l'on considère le précédent de 1990 comme exceptionnel), le Roi dispose d'un pouvoir effectif en période d'absence d'un gouvernement de plein exercice, par le fait que lui revient l'initiative de nommer des informateurs/formateurs de gouvernement : dans la pratique, le Roi tient compte des résultats des élections et de leurs vainqueurs, en vue de favoriser la formation d'une coalition gouvernementale viable, susceptible d'être soutenue par une majorité parlementaire. Ce pouvoir d'initiative permet malgré tout au Roi d'exercer une influence politique bien réelle au plan gouvernemental. Ici aussi, une évolution de la monarchie vers une fonction strictement protocolaire ôterait au Roi ce dernier pouvoir effectif de l'institution monarchique belge.

Comme on va l'exposer, cette érosion provient à l'origine d'une transaction entre le monarque qui lève l'impôt et ses sujets, qui, en contrepartie, lui « demandent des comptes » quant à l'usage qu'il/que l'État en fait.

L'érosion progressive de la monarchie absolue

Sous le règne du Roi Jean sans Terre, les vassaux sont excédés par les exigences financières de celui-ci. Le conflit entre les deux parties trouve une issue dans la promulgation, en 1215, de la Grande Charte (*Magna Carta*) : la levée d'impôts est soumise à l'autorisation du Grand Conseil royal (l'ancêtre de ce qui deviendra progressivement le Parlement). C'est ainsi que le pouvoir royal connaît une première limitation : le contrôle budgétaire, prérogative du Parlement.

La Déclaration des droits (*Bill of Rights*), adoptée en 1689, consacre une deuxième évolution : la séparation progressive du pouvoir législatif (adoption de lois par le Parlement) et du pouvoir exécutif (gouvernement du Roi) – préfigurant la « séparation des pouvoirs » théorisée par Montesquieu (Législatif – Exécutif – Judiciaire).

Le Roi ne peut pas suspendre les lois adoptées par le Parlement sans le consentement de celui-ci (art. 1) (le dernier veto d'un monarque anglais à une loi adoptée par le Parlement sera celui de la Reine Anne, en 1707) ; de son côté, le Roi gouverne et nomme les ministres, qui ne sont responsables que devant lui (Cabinet privé) (et non pas devant le Parlement). Notons l'influence qu'exerça cette modalité du pouvoir – transposée dans un régime républicain – sur le régime présidentiel qui naît de la Constitution des États-Unis d'Amérique de 1787 : le président nomme et révoque librement les membres de son administration composée de secrétaires d'État qui ne sont pas responsables devant le parlement, mais seulement devant lui, tout comme le Cabinet privé du Roi en Grande-Bretagne n'est à l'époque responsable – c'est-à-dire, ne doit rendre des comptes – que devant celui-ci.

ENCADRÉ N° 7.10 : LES RÉVOLUTIONS ANGLAISE, AMÉRICAINE ET FRANÇAISE, « FONDATRICES » DES RÉGIMES DE DÉMOCRATIE (LIBÉRALE) MODERNE

La Révolution anglaise, dite « Glorieuse Révolution » (1688-1689), concrétisée par la destitution du Roi catholique Jacques II, suite à l'intervention des armées du Roi protestant des Pays-Bas Guillaume III, qui s'empare du trône en accord avec le Parlement, mène en 1689 à la Déclaration des droits *(Bill of Rights)*, qui abolit la monarchie absolue et instaure le passage vers la monarchie parlementaire et confirme les avancées en matière de droits fondamentaux (notamment la loi portant sur l'*habeas corpus*, adoptée en 1679, qui protège contre l'arbitraire en matière d'arrestation).

La Révolution américaine, qui débute en 1774 avec la tenue du Premier Congrès continental à Philadelphie, débouche en 1776 sur la Déclaration d'indépendance des États-Unis d'Amérique, par laquelle les colons britanniques qui y ont fait souche s'émancipent de leur métropole d'origine. Les colons, ne bénéficiant pas de représentation parlementaire, contrairement à leurs compatriotes métropolitains, en instaurent une, qui prend le nom de Congrès. La dimension libérale de cette révolution réside également notamment, dans le préambule de la Déclaration d'indépendance, dans la référence aux droits inaliénables dont jouissent les hommes : « Nous tenons pour évidentes par elles-mêmes les vérités suivantes : tous les hommes sont créés égaux ; ils sont doués par le Créateur de certains droits inaliénables ; parmi ces droits se trouvent la vie, la liberté et la recherche du bonheur. Les gouvernements sont établis parmi les hommes pour garantir ces droits, et leur juste pouvoir émane du consentement des gouvernés. »

La Révolution française est motivée par la contestation de la monarchie absolue de droit divin (Ancien Régime) et débouche sur la Déclaration des droits de l'homme et du citoyen (1789), ainsi que sur une assemblée nationale constituante qui consacrera le principe de souveraineté du peuple. La transition vers une monarchie de type constitutionnel échouera et mènera à l'avènement de la République en 1792. Dans un contexte contre-révolutionnaire, un régime, dit de la Terreur, est instauré. Si la révolution de 1789 planta les semences de la démocratie libérale française, celles-ci prendront beaucoup de temps à germer, dans une histoire chaotique marquée notamment par la restauration monarchique.

La période qui suit confirme le phénomène de parlementarisation, c'est-à-dire l'affirmation de plus en plus forte du Parlement face à l'exécutif, sur lequel il exerce un contrôle de plus en plus important (cf. aussi chapitre Parlements et gouvernements). Mais c'est chose difficile dans la mesure où cet exécutif est dans les mains du Roi et que celui-ci est réputé politiquement « irresponsable » (« le Roi ne peut mal faire »). Ainsi, pour pouvoir sanctionner l'exécutif, la distinction entre le Roi et son Cabinet doit s'opérer, si bien que l'on observe l'autonomisation progressive du Cabinet du Roi par rapport à celui-ci : la distinction entre pouvoir *royal* et pouvoir *gouvernemental* apparaît. Le Parlement pourra ainsi contrôler le gouvernement en sanctionnant les ministres, les membres du Cabinet du Roi. Le Cabinet royal devient de la sorte responsable à la fois devant le Roi *et* le Parlement. De nouveau, notons au passage l'influence qu'exerça cette nouvelle modalité du pouvoir – transposée dans un régime républicain – en l'occurrence, sur le régime semi-présidentiel instauré par la Cinquième République en France (1958) sous le Général de Gaulle : le gouvernement et son chef (Premier ministre) sont nommés par le président de la République (qui préside le Conseil des ministres) et sont également investis par le Parlement, qui peut les démettre par une motion de censure.

Pour revenir à l'évolution du régime monarchique en Angleterre, notons qu'il s'agit dans un premier temps pour le Cabinet royal d'une responsabilité *personnelle* et *pénale*, avec l'instauration du dispositif de mise en accusation *(impeachment)*, pouvant aller jusqu'à la condamnation à mort du ministre. Cette responsabilité deviendra par la suite *fonctionnelle* et *politique* : c'est la politique menée qui est sanctionnée, pas la personne. Peu à peu, les ministres deviennent donc politiquement responsables devant le Parlement : le Cabinet devra obtenir sa confiance, pourra être démis par une motion de censure... Il n'est donc plus question de responsabilité pénale.

ENCADRÉ N° 7.11 : LES IMMUNITÉS DE FONCTION

Il s'ensuit de cette évolution qu'un ministre ne pourra plus être poursuivi par la Justice pour des actes posés dans le cadre de ses fonctions (*ex officio*) ; bien entendu, celui-ci pourra toujours être mis en cause devant les tribunaux pour tout acte illégal qu'il commettrait en tant que « citoyen ordinaire », mais encore faudra-t-il pour cela que les immunités dont il jouit par les fonctions qu'il occupe soient levées. Ces immunités de fonction, dont jouissent tant les membres du gouvernement que les parlementaires (cf. chapitre Parlements et gouvernements, section 1.4.5), sont censées mettre ceux-ci à l'abri des pressions et leur garantir ainsi l'indépendance dans le cadre des fonctions qu'ils exercent.

L'avènement du parlementarisme classique (de la fin XVIIIᵉ s. au début XXᵉ s.)

C'est le dénouement de la compétition entre le pouvoir monarchique et le Parlement, consacré par la formule : « le Roi règne, mais ne gouverne pas ». En Belgique, elle se retrouve, comme évoqué plus haut, dans la Constitution sous l'article 106 : « Aucun acte du Roi ne peut avoir d'effet, s'il n'est contresigné par un ministre, qui, par cela seul, s'en rend responsable » (sous-entendu devant le Parlement). L'« irresponsabilité » du Roi trouve son aboutissement effectif dans la mesure où le pouvoir exécutif réel passe aux mains du gouvernement et où celui-ci n'est plus responsable que devant le Parlement, qui peut l'instituer et le révoquer. Inversement, le gouvernement peut dissoudre le Parlement. C'est ainsi que s'instaurent un *équilibre* entre les pouvoirs du Parlement et du gouvernement et une *collaboration* entre ceux-ci : l'exécutif participe à la fonction législative en élaborant des projets de loi (qui doivent, pour être adoptés, être soumis à l'approbation du Parlement). Équilibre et collaboration sont les deux fondements de la théorie du régime parlementaire (Lalumière, Demichel, 1978 : 37). Il est au fondement du régime politique belge – comme de nombreux autres régimes politiques issus du parlementarisme classique des XVIIIᵉ et XIXᵉ siècles – au plan *formel* ; la totalité des caractéristiques du régime belge ne pourrait en effet être saisie sans mentionner une série d'autres éléments, qui opèrent bien souvent, comme on le verra plus loin, de manière *informelle*.

ENCADRÉ N° 7.12 : LE FORMEL ET LE MATÉRIEL

Ce qui est formel relève de la forme, sans nécessairement produire d'effet matériel, effectif, pratique. Ce qui est matériel relève de réalités effectives, sans forcément revêtir de forme reconnue au plan juridique, institutionnel, constitutionnel... Ainsi, les partis politiques en Belgique sont des associations de fait, dépourvues de tout statut juridique, et qui sur le plan officiel/formel n'interviennent pas dans l'exercice du pouvoir, alors que, de manière *informelle*, ils exercent un pouvoir *effectif* parfois considérable (cf. la notion de partitocratie, section 2.2.4) dans le jeu politique. Le formel touche donc à ce qui devrait être dans la réalité, sans qu'il soit avéré que la réalité effective y corresponde, tandis que le matériel correspond à cette réalité effective.

Dans cette ligne, à la lecture des analyses que les politistes ont faite du parlementarisme classique, Seiler (1982 : 74) se demande par ailleurs si « le parlementarisme classique ne constitue pas une fiction », c'est-à-dire une réalité au plan formel, que l'on pourrait par exemple dégager d'une lecture littérale des Constitutions concernées, sans par ailleurs prendre en compte toute une série de pratiques dans l'exercice effectif du pouvoir. Rejoignant Duverger (1980 : 55), il avance toutefois que le parlementarisme classique aurait effectivement fonctionné selon la description exposée ci-dessus d'environ 1870 à 1939 (notamment en France, dans le cadre de la Troisième République, et, au Royaume-Uni, plus tôt même, de la fin du XVIIIe siècle jusqu'à 1910, fin du règne d'Édouard VII). Mais l'« émergence de partis politiques stables, disciplinés et bien organisés » modifia les régimes parlementaires classiques, « les transformant tantôt en régimes de cabinet, tantôt en partitocraties » (Seiler, 1982 : 74).

Le régime de Cabinet

Ce régime, qui apparaît au Royaume-Uni sous le règne de George V (1910-1936), est caractérisé par la prépondérance croissante de l'exécutif par rapport au législatif et revêt les cinq traits suivants (Seiler, 1982 : 74-75 ; Duverger, 1980/1955 : 178-181). *Premièrement*, le pouvoir législatif est, dans les faits, dans les mains du gouvernement, dont émane l'écrasante majorité des lois et qui a donc un pouvoir d'initiative en la matière : le Parlement devient pour le gouvernement une « chambre d'entérinement », un instrument de justification et de ratification des lois. *Deuxièmement*, le Cabinet est assuré de la confiance du Parlement pour toute la durée de la législature (stabilité). Là où la Constitution ne prévoit pas de terme pour la législature, la dissolution du Parlement se produit typiquement dans deux cas de figure : la majorité profite du fait que l'opposition est faible ou divisée et/ou que l'« opinion » lui est favorable ; en cas de crise politique, la dissolution du Parlement équivaut à une « question de confiance » posée directement à l'électorat. *Troisièmement*, le pouvoir est fortement concentré entre les mains du Premier ministre, surtout en l'absence de coalition gouvernementale (un seul parti au gouvernement). *Quatrièmement*, le Parlement devient la tribune de l'opposition. *Cinquièmement*, le régime de Cabinet s'épanouit notamment en système bipartisan (deux partis ou deux coalitions de partis stables) ; les électeurs peuvent faire un choix clair entre les candidatures proposées par les deux partis, le candidat du parti ou le chef du parti vainqueur devenant le chef de gouvernement ou de l'État.

ENCADRÉ N° 7.13 : LE PREMIER MINISTRE DU ROYAUME-UNI A-T-IL PLUS DE POUVOIR QUE LE PRÉSIDENT DES ÉTATS-UNIS ?

Oui, car le Premier ministre du Royaume-Uni a des pouvoirs dont le président des États-Unis ne dispose pas : il contrôle le Parlement (il dispose d'une majorité parlementaire assurée tandis que le président des États-Unis peut se retrouver avec une majorité au Congrès – chambre et/ou Sénat –, différente de la majorité présidentielle) et dispose de l'initiative législative. Toutefois sa légitimité peut être moindre, face à un président directement élu – outre qu'il doit la partager avec la monarchie, quoiqu'en votant pour son parti, l'électeur favorise ses chances de devenir Premier ministre.

La partitocratie

Seiler (1982 : 75-76) situe l'avènement de la partitocratie dans l'après-Deuxième Guerre mondiale. L'origine du terme (dans le langage courant, on parle plus souvent de particratie) vient d'Italie (*partitocrazia*), où ce régime s'est épanoui, tout comme dans les pays du Benelux. Seiler lui trouve les cinq traits suivants. *Premièrement*, le gouvernement exerce le pouvoir législatif (initiative législative) dans le cadre d'un accord conclu entre les partis de la majorité ; ceux-ci déterminent la politique gouvernementale ; les décisions clefs émanent d'un « caucus » rassemblant les dirigeants des partis et des délégués du gouvernement. *Deuxièmement*, en partitocratie, les gouvernements tombent en raison de divergences survenant entre les partis de la coalition gouvernementale ou en leur sein, sans qu'une motion de défiance soit nécessairement votée par le Parlement, car l'essentiel du jeu politique se passe en fait *ailleurs* que dans l'hémicycle (à savoir dans les « États-majors » de partis et au cours des tractations et négociations entre ceux-ci). *Troisièmement*, l'essentiel du pouvoir est concentré dans les mains des « États-majors » de partis de la coalition gouvernementale (d'où les « sommets » de partis). *Quatrièmement*, la fonction du Parlement est encore plus réduite que dans le régime de Cabinet : il est mis devant les faits accomplis ; les choses « *semblent* se passer » dans l'arène politique, car, comme on vient de l'évoquer, l'essentiel du jeu politique se passe *ailleurs* que dans l'hémicycle ; en outre, la composition des majorités peut varier au cours d'une même législature (on est dans l'opposition « pour un certain temps »). *Cinquièmement*, les électeurs ne savent pas de quels partis la future coalition gouvernementale sera formée et ne peuvent donc pas « parier » sur un programme gouvernemental clairement prédéfini à l'avance (qui correspondrait par hypothèse au programme du parti qui aurait décroché le plus de sièges ; le programme sera un mixte des programmes des partis qui parviendront à former une coalition gouvernementale) ; ils ne peuvent que distribuer les cartes entre les partis-joueurs sans pouvoir influer sur le déroulement de la partie, d'où une certaine frustration pouvant se traduire par de l'indifférence et/ou de la méfiance à l'égard de la politique de manière générale, ou, plus spécifiquement, de la « classe politique » et des institutions, ceci pouvant favoriser l'émergence de partis populistes ou « anti-système » (cf. le qualunquisme en Italie et le poujadisme en France) (cf. chapitre Clivages, section 9).

En résumé, le lignage anglais des formes de gouvernement a produit la démocratie représentative, de type parlementaire ou (semi-)présidentiel. Dans sa modalité *parlementaire*, le Parlement, progressivement composé de plus en plus de représentants élus par le peuple, conquiert petit à petit son autonomie par rapport au pouvoir du monarque, par étapes successives : tout d'abord, par la limitation des pouvoirs du monarque aux plans législatif et budgétaire ; ensuite, par l'instauration d'un pouvoir exécutif (gouvernement) distinct du monarque et de plus en plus sous contrôle du Parlement. Tout en demeurant démocratique, la primauté du Parlement consacrée par le parlementarisme classique a opéré un recul par le pouvoir croissant de l'exécutif, aboutissant au régime de Cabinet (gouvernement demeurant malgré tout issu d'élections, car reposant sur une majorité parlementaire). Par ailleurs, une forme dérivée du parlementarisme classique est incarnée par la partitocratie, qui voit le pouvoir accru des partis dans la régulation politique. Comme on l'a noté, la démocratie représentative de type parlementaire se retrouve tant dans des républiques que dans des monarchies constitutionnelles. Enfin, on a exposé que les modalités *présidentielle* et *semi-présidentielle* du régime démocratique représentatif ont été inspirées par des séquences de l'évolution des modalités de fonctionnement du pouvoir monarchique : respectivement, par la responsabilité ministérielle devant le Roi exclusivement et par la double responsabilité ministérielle, devant le Roi et le Parlement (avec, bien entendu, cette différence essentielle que, dans les versions républicaines en présence, le chef de l'État est élu par le peuple).

Nous poursuivons à présent notre typologie des régimes démocratiques contemporains selon deux critères bien distincts : selon le critère institutionnel (ou formel) de la distribution actorielle du pouvoir (section 2.3) vs selon le critère matériel (ou informel) du fonctionnement effectif du pouvoir (section 2.4).

2.3. Typologie des régimes démocratiques contemporains selon le critère institutionnel (ou formel) de la distribution actorielle du pouvoir

Ayant exposé la généalogie des régimes démocratiques occidentaux, nous nous arrêtons à présent sur les diverses formes qu'ils revêtent dans le monde contemporain : nous empruntons ici l'entrée qui nous est donnée par les acteurs qui l'exercent en remplissant une série de fonctions spécifiques (distribution *actorielle* et *fonctionnelle* du pouvoir) selon le critère institutionnel (ou formel), en notant le lien que cette distribution entretient pour partie avec les différents types de système électoral et de mode de scrutin (cf. chapitre Parlements et gouvernements). Nous différencions ainsi, sur la base de la distinction opérée par Arend Lijphart (1977), les régimes représentatifs majoritaires (parmi lesquels l'on distingue le régime parlementaire de type majoritaire, le régime présidentiel et le régime semi-présidentiel) des régimes représentatifs proportionnels – catégories auxquelles nous ajoutons celle de régimes représentatifs incluant des mécanismes de démocratie directe. Comme nous l'exposerons, deux distinctions majeures vont apparaître : (1) parlementaire vs présidentielle ; (2) représentation *majoritaire* vs *proportionnelle*, cette dernière pouvant être associée au consociationalisme, également dénommé consociativisme.

2.3.1. *Les régimes représentatifs majoritaires*

Nous distinguons sous cette catégorie le régime parlementaire de type majoritaire, le régime présidentiel et le régime semi-présidentiel.

Le régime parlementaire de type majoritaire

Notons tout d'abord que, dans ce type de régime, le chef de l'État (le Roi, dans le cadre d'une monarchie constitutionnelle, ou le président, dans le cadre d'une république) a essentiellement pour fonction de représenter le pays et non pas de le diriger, cette fonction étant assurée par le Premier ministre et son gouvernement. Ensuite, celui-ci est dépendant du Parlement, dans la mesure où il en est issu et où il peut être défait par ce dernier. Mais le gouvernement peut aussi amener à la dissolution des chambres et convoquer de nouvelles élections.

ENCADRÉ N° 7.14 : LA CHAMBRE ET LES CHAMBRES

Les chambres (avec s) désignent, de façon générique, les deux assemblées dont peut se composer un parlement (qui est dès lors bicaméral). La chambre (au singulier) désigne l'une de ces deux assemblées, généralement distincte du Sénat par ses modalités de désignation (directe, au suffrage universel, de façon proportionnelle à la population d'une circonscription électorale…). En contraste, le Sénat peut, dans certains régimes, revêtir cet aspect de chambre de notables, parfois désignés et non élus, en raison de leur allégeance supposée ou manifestée au pouvoir (au régime) en tant que membres d'une classe sociale organiquement liée à celui-ci (par exemple, les nobles – anciens et nouveaux, anoblis) ou de la sagesse attribuée à l'âge (aînesse) (cf. chapitre Parlements et gouvernements pour plus de détails).

Cette dépendance réciproque vise à éviter une dérive autoritaire grâce au contrôle réciproque du Parlement sur le gouvernement et inversement, elle vise également à instituer une obligation minimale de confiance et de collégialité dans l'exercice du pouvoir. La mise en place d'un gouvernement par le parlement se fait au travers d'un vote appelé « vote de confiance ».

Ce gouvernement est en général composé d'un Premier ministre (qui est donc distinct du chef de l'État ; cf. *infra*) et de ses ministres. Les ministres sont entourés d'un Cabinet constitué d'un certain nombre de conseillers et de personnes qui aident le ministre à préparer les politiques qu'il souhaite développer, avec l'aval du gouvernement, et à préparer les décisions à l'intention de l'Administration. La taille des Cabinets ministériels dépend du portefeuille ministériel dont le ministre a la charge. Par exemple, le Ministère des Affaires étrangères ou le Ministère de l'Intérieur comporte de nombreux conseillers et collaborateurs de Cabinet en raison des différentes tâches qui sont assumées par ces ministères. C'est également le Cabinet qui communique les décisions prises à l'administration. À la différence des régimes présidentiels (cf. *infra*), il n'y a pas une administration propre à la fonction. L'Administration est celle de l'État. Cette situation engendre parfois des tensions entre les Cabinets ministériels et l'Administration à cause des oppositions entre la logique politique et la logique de l'Administration ou du service public.

Il faut noter que les ministres sont souvent choisis par le président du parti parmi les membres de celui-ci qui ont été élus à l'assemblée parlementaire. Cependant, ce n'est pas une règle appliquée de manière stricte puisqu'un certain nombre de gouvernements parlementaires actuels comportent des ministres qui ne se sont jamais présentés aux élections, mais qui ont été choisis pour leurs connaissances de la matière et de leur niveau de technicité (on parle dans ce cas de figure de technocrates). Dans ce cadre notamment, le fait de nommer un ministre qui n'est pas passé par les urnes peut également être un moyen, pour un parti, de propulser en avant, notamment dans les médias, une personne que l'on prédestine à un avenir politique de premier plan, comme Paul Magnette, professeur de science politique à l'Université libre de Bruxelles (ULB), invité par Elio Di Rupo, alors président du Parti socialiste, à rejoindre le gouvernement wallon en 2007, puis le gouvernement fédéral. Dans ce dernier cas, la personne concernée devra tôt ou tard se présenter sur une liste électorale à l'un ou l'autre niveau de pouvoir afin d'obtenir une légitimité démocratique : en juin 2010, Paul Magnette s'est présenté aux élections fédérales et a obtenu un siège de sénateur au Parlement belge.

Enfin, dans ce type de régime, le Premier ministre n'est pas le chef de l'État. Il revient à ce dernier, qu'il soit un Roi ou un président, d'approuver la formation du gouvernement mis en place sous la direction du Premier ministre, une procédure largement formelle, sa fonction principale étant par ailleurs de jouer un rôle protocolaire de représentation de l'État. Dans cette ligne, la responsabilité politique de cette représentation par le chef de l'État est endossée par le Premier ministre, chef du gouvernement.

Les traits décrits ci-dessus sont en fait propres à l'ensemble des régimes démocratiques parlementaires (non présidentiels). Il convient donc d'ajouter ici la spécificité de ceux rattachés au type *majoritaire* : ceux dans lesquels un seul parti détient la majorité des sièges dans l'Assemblée et exerce le pouvoir exécutif au sein du gouvernement. Ce type de configuration permet une stabilité gouvernementale plus forte que, comme on le verra plus loin, dans le cas des régimes parlementaires de type non majoritaire/proportionnel.

Le régime présidentiel

À la différence du régime parlementaire, le régime présidentiel se caractérise à la fois par une stricte division des pouvoirs entre le législatif, l'exécutif et le judiciaire et un équilibre entre ceux-ci dans la mesure où ils se contrôlent mutuellement. Le président, le Parlement et la Justice ont la capacité de se contrôler les uns les autres. L'exemple le plus manifeste de ce système est celui qui est en vigueur aux États-Unis. Si le Congrès a le droit de légiférer, le président a également le droit d'opposer son veto à l'adoption d'une loi. De même, si le président a le droit de nommer les juges à la Cour Suprême, le Sénat doit ratifier cette nomination. Le système présidentiel s'est principalement développé sur le continent américain comme dans le cas de l'Amérique du Sud, mais il en existe l'une ou l'autre trace en Europe.

Dans ce type de régime, le pouvoir exécutif est exercé par une seule personne élue pour une durée précise – le président. Les citoyens élisent celui-ci de manière directe ou indirecte. De manière directe, comme en France, où les électeurs votent en personne pour le candidat de leur choix ; de manière indirecte, comme aux États-Unis, où le président est élu par un collège de « grands électeurs », lesquels ayant été eux-mêmes élus selon la loi électorale propre à chaque État fédéré : dans les deux cas, mais selon des modalités différentes, le président est donc élu par un corps électoral « national », alors que les membres du Parlement sont élus par un corps électoral restreint à leur circonscription électorale. Dans les deux cas de figure enfin, le président dirige le gouvernement et est également le chef de l'État.

Comme le président et les assemblées parlementaires sont élus pour une durée déterminée et de manière indépendante, les deux institutions ne peuvent pas se démettre l'une l'autre, ce qui confère à chacune de ces institutions une certaine autonomie. Pour rappel, dans les régimes parlementaires, l'exécutif dépend du Parlement. Par conséquent, le Parlement peut voter une motion de méfiance vis-à-vis de l'exécutif et par conséquent le démettre. Ce n'est pas le cas dans les régimes présidentiels : les assemblées parlementaires et le président sont élus de manière indépendante, ce qui les protège mutuellement.

Dans ce type de régime, le président est entouré de son propre personnel ou encore de sa propre administration, qu'il met lui-même en place, comme c'est le cas aux États-Unis. Cette administration est différente de l'administration de l'État dans la mesure où l'administration présidentielle est en place pendant la durée du mandat présidentiel et dissoute au moment de l'échéance du mandat. Ainsi, l'administration présidentielle, aux États-Unis, change avec chaque président.

Cette administration présidentielle comprend des départements ou des services en relation étroite avec les compétences de la Présidence. Enfin, à la tête de l'administration présidentielle, il y a un certain nombre de ministres qui forment le Cabinet du président. Ces ministres sont directement nommés par le président, travaillent sous son autorité et, comme on l'a évoqué plus haut, ne sont responsables que devant celui-ci (et non pas devant le Parlement). Les membres de ce Cabinet ne peuvent pas siéger au Parlement et inversement, des membres du Parlement peuvent démissionner pour siéger dans des cabinets ou l'Administration.

Le régime semi-présidentiel

Comme on l'a évoqué, dans le régime semi-présidentiel instauré par la Cinquième République en France (1958) sous le Général de Gaulle, le gouvernement et son chef (Premier ministre) sont nommés par le président de la République (qui préside le Conseil des ministres) et sont également investis par le Parlement, qui peut les démettre par une motion de censure. Le régime politique français contemporain (qui a également été adopté par la Finlande) rejoint le cas états-unien, même si le régime présidentiel qui y est en place est mixte : il y a deux exécutifs en place. Le premier est constitué par le Premier ministre et son gouvernement, le second, par le président élu. Dans le cas de la France, le fonctionnement de cet exécutif dépend – au-delà d'un éventuel cas de « cohabitation » (cf. *infra*) –, d'une part, de la personnalité et de l'autorité du président, et, d'autre part, de celles du Premier ministre. Ce type de régime combine ainsi les structures parlementaires et présidentielles (d'où sa qualification, établie par Duverger, de « semi-présidentiel ») et se fonde sur un partage/une division (parfois conflictuelle) du pouvoir exécutif entre le président et le gouvernement : si le chef d'État est élu au suffrage universel direct et possède certains pouvoirs qui excèdent ceux d'un chef d'État de régime parlementaire (notamment la capacité de nommer le Premier ministre, de mener la politique étrangère, ou encore, de dissoudre l'assemblée), le gouvernement, issu de l'assemblée parlementaire, reste confié à un Cabinet formé d'un Premier ministre et de ministres, qui sont responsables devant cette assemblée et qui peuvent donc, le cas échéant, être démis par celle-ci (cf. Duverger, 1980 : 322).

Ce type de régime présente des difficultés lorsque le parti dont est issu le président de la République ne correspond pas au parti qui a obtenu le plus de sièges à l'Assemblée nationale. Cela peut poser des difficultés dans la mesure où le président ne dispose pas du soutien d'une majorité parlementaire. On parle alors de *cohabitation* entre le président et le Premier ministre. Ce fut le cas en France sous la présidence de François Mitterrand, qui dut gouverner à deux reprises avec un Premier ministre issu d'un autre parti que le sien (de 1986 à 1988, avec Jacques Chirac, et, de 1993 à 1995, avec Édouard Balladur), ainsi que sous la présidence de Jacques Chirac, à son tour président, également amené à gouverner avec un Premier ministre issu d'un autre parti que le sien (Lionel Jospin, de 1997 à 2002).

2.3.2. *Les régimes représentatifs proportionnels*

Les régimes démocratiques parlementaires de type non majoritaire/proportionnel revêtent les traits généraux exposés au sujet des régimes parlementaires de type majoritaire (cf. *supra*). Ils s'en distinguent toutefois par le fait qu'un seul parti ne détient pas à lui seul le pouvoir gouvernemental assuré d'une majorité parlementaire. Nous avons ici trois cas de figure (Muller, Strøm, 2000) : gouvernement minoritaire formé par un seul parti, coalition minoritaire et coalition majoritaire. Dans le premier cas, seul un parti est au gouvernement, mais il ne possède pas la majorité des sièges à l'assemblée. Par conséquent, il ne dispose pas d'une majorité stable au Parlement. Dans le deuxième cas, c'est une coalition minoritaire de partis qui forme le gouvernement. Ici non plus, l'exécutif ne dispose pas d'une majorité de sièges au Parlement. Dans le troisième cas, plusieurs partis forment une majorité au Parlement et décident de constituer une coalition majoritaire pour former un gouvernement. L'exécutif s'appuie donc cette fois sur une majorité parlementaire.

On comprend pourquoi les régimes parlementaires de type non majoritaire produisent une stabilité gouvernementale plus faible que dans le cas des régimes parlementaires de type majoritaire : c'est évident dans les cas des gouvernements minoritaires formés par un seul parti et de ceux de coalition minoritaire ; quant à ceux de coalition majoritaire, la stabilité du gouvernement dépend de la volonté et de la capacité de chacun des partis formant la majorité parlementaire et la coalition gouvernementale s'appuyant sur celle-ci de maintenir cette majorité et cette coalition (cf. *supra*, sur la partitocratie).

La formation d'une coalition de plusieurs partis pour mettre en place un gouvernement suit une procédure particulière qui peut être inscrite ou non dans la Constitution ou les lois du pays. À l'issue des élections, le chef de l'État – pas le Premier ministre – nomme une personne du parti qui a remporté le plus de voix pour mener des discussions entre les partis afin de former une coalition. Cette personne porte en général le nom de *formateur*. Cette personne est souvent – mais il n'y a pas d'obligation – soit le président du parti qui a remporté le plus de voix soit un des *leaders* de ce parti. Le formateur rencontre tous les partis politiques susceptibles de former une coalition gouvernementale et établit un programme pour le futur gouvernement appelé, dans le cas belge, un *accord de gouvernement*. C'est ce programme qui sera présenté, sous la forme d'une « déclaration gouvernementale », à l'assemblée parlementaire afin que cette dernière vote la confiance au gouvernement et lui permette de passer au développement et à l'application de ses politiques. Il arrive que le chef de l'État nomme parfois un *informateur* avant un formateur afin de procéder à une prise de contact avec les différents partis et connaître leur position sur un certain nombre d'enjeux de telle sorte que cet informateur puisse présenter au chef de l'État la coalition la plus probable et les convergences observées dans les programmes politiques des différents partis. En Belgique, la pratique veut – pas toujours, mais le plus souvent – que le formateur, s'il réussit sa mission de formation d'un gouvernement, en devienne le Premier ministre.

ENCADRÉ N° 7.15 : BELGIQUE 2010-2011 : 541 JOURS « SANS GOUVERNEMENT »

Suite aux élections législatives fédérales belges du 13 juin 2010, la Belgique a été, jusqu'au 6 décembre 2011, en gouvernement d'affaires courantes, en raison des échecs de tentatives de formation d'un gouvernement de plein exercice. Une série de chargés de mission nommés par le Roi se sont succédé, avec leur dénomination officielle, telle que figurant dans les communiqués diffusés par le Palais royal :

Bart De Wever (informateur), Elio Di Rupo (pré-formateur), André Flahaut & Danny Pieters (médiateurs), Bart De Wever (clarificateur), Johan Vande Lanotte (conciliateur), Didier Reynders (informateur), Wouter Beke (négociateur), Elio Di Rupo (formateur). Suivant la pratique le plus souvent suivie, ce dernier, formateur ayant réussi sa mission, a été nommé Premier ministre du nouveau gouvernement.

Dans ce processus, les partis qui acceptent de former entre eux la coalition gouvernementale négocient les portefeuilles ministériels qu'ils souhaitent prendre en charge. Des postes de Secrétaire d'État sont attribués à certains partis car ces postes permettent d'obtenir un subtil équilibre politique entre les partis de la coalition. Les Secrétaires d'État sont en général des personnes exerçant une fonction ministérielle, mais sans en disposer des pleins pouvoirs. Ils exercent leurs fonctions sous la tutelle du ministre auquel ils sont attachés et ne participent pas au Conseil des ministres.

ENCADRÉ N° 7.16 : LE *KERNKABINET*

En Belgique, le gouvernement comporte en son sein un Conseil des ministres restreint (en néerlandais, *kernkabinet*, littéralement « Cabinet au cœur (du gouvernement) », abrégé en français « kern »), regroupant le Premier ministre et les Vice-Premiers ministres (dont un par parti membre de la coalition gouvernementale). Cette institution informelle, qui incarne les caractéristiques consociationnelle et partitocratique du régime politique belge, y forme le véritable noyau du pouvoir.

Gallagher, Laver, Mair (2006 : 401) remarquent que la formation d'une coalition suit une tendance observée dans la plupart des pays où le système de représentation proportionnelle est en vigueur. Il s'agit de la règle de la coalition minimale gagnante (*minimal winning coalition*). Le principe est le suivant : le nombre de partis qui se coalisent est le plus petit possible, juste assez pour obtenir une majorité de sièges au Parlement. Ce principe permet au gouvernement d'asseoir systématiquement ses décisions sur une majorité d'élu(e)s au sein de l'assemblée parlementaire.

Pour terminer, les coalitions sont souvent composées de partis appartenant au même spectre idéologique (coalitions de partis de droite, coalitions de partis de gauche...). Dans les systèmes de parti (cf. chapitre Partis politiques et groupes d'influence, section 7) comprenant un parti situé au centre du spectre politique, celui-ci fonctionne généralement comme « parti-pivot », tendant à faire systématiquement partie d'une coalition gouvernementale, soit avec un parti de gauche soit avec un parti de droite. Ainsi, en Belgique, durant la seconde moitié du XXe siècle, les démocrates-chrétiens ont le plus souvent été un parti-pivot (au centre, avec son aile droite et son aile gauche) au pouvoir, s'associant, tantôt aux socialistes (gauche), tantôt aux libéraux (droite). Précisons que ceci se vérifie tout particulièrement au niveau national, mais moins au niveau local : ainsi, au niveau provincial, en Wallonie (ou dans ses provinces industrielles à tout le moins – Hainaut et Liège), on retrouve souvent des gouvernements (députations permanentes) formés non pas autour du parti-pivot démocrate-chrétien, mais bien par l'association des deux autres partis (libéral et socialiste) : il s'agit alors de coalitions qui peuvent apparaître « contre nature » sur le plan de l'opposition gauche/droite au plan socio-économique (cf. chapitre Idéologies), mais qui peuvent faire sens sur le plan du clivage clérical – anti-clérical (cf. chapitre Clivages) et qui sont surtout permises par le poids important de ces deux partis dans le paysage politique concerné face à celui, moindre, du parti démocrate-chrétien (lequel est plus important dans les provinces rurales – Namur et Luxembourg). Par contre, le poids démographique et démocrate-chrétien constitué par l'électorat flamand contribue à donner au parti correspondant ce rôle de parti-pivot au niveau national.

Comme cela a été mentionné (cf. *supra*, sur la partitocratie), les gouvernements de coalition subissent une certaine instabilité due au fait que le gouvernement ne subsiste que par la volonté des différents partis, eux-mêmes livrés à la pression du jeu électoral et au rythme des élections. Dès lors que les enjeux deviennent plus importants et que les différents partis prenant part à la coalition prennent des positions plus radicales, le gouvernement de coalition subit des tensions et des crises de confiance entre les différents partenaires. Müller & Strøm (2000) ont ainsi calculé que les gouvernements de coalition durent, en moyenne, deux années.

Le régime représentatif proportionnel se retrouve notamment dans le cas des États caractérisés par le *consociationalisme* – de *con*sensus permanent entre *associations* constitutives du pays (Duhamel, 1993 : 75). Le terme, dont la paternité revient au politologue néerlandais Arend Lijphart (1968 a et b), est issu de l'observation de la Belgique et des Pays-Bas. Propre à des sociétés de taille relativement petite et segmentées en plusieurs « mondes » sociaux ou « piliers » (en néerlandais, *zuilen*) s'articulant chacun autour d'un ou plusieurs parti(s) politique(s), ce type de régime repose sur le mode de scrutin proportionnel, menant au multipartisme au sein des assemblées et à la formation de gouvernements de coalition, ainsi que sur des mécanismes spéciaux de protection (en particulier, des entités constitutives minoritaires), notamment par des règles de majorité spéciale (cf. *infra*, encadré suivant). La notion de pilarisation (en néerlandais, *verzuiling*), popularisée par le même auteur (Lijphart, 1977), vise le processus de constitution, entre les individus et l'État, de réseaux d'organisations intermédiaires partageant une même identité idéologique, appartenant à leurs « mondes » ou « piliers » respectifs. Les destinées individuelles sont ainsi enserrées dans ceux-ci (cf. chapitre Clivages, encadré n° 5.11). Au « sommet » des piliers se trouvent des partis-frères, qui les soutiennent et aident à se développer selon leurs proportions respectives ; ces partis-frères sont, en retour, soutenus par les piliers, les élites politiques représentant ceux-ci étant amenées à faire des compromis.

À l'origine, en Belgique, nous trouvons deux piliers : le pilier catholique (clérical) et le pilier libéral (laïc). Avec l'apparition de la question sociale à la fin du XIXe siècle, le pilier laïc se dédouble partiellement, avec l'apparition du pilier socialiste. S'ensuit une densification organisationnelle des trois piliers, en particulier des piliers catholique et socialiste. La question communautaire (néerlandophones/francophones ; Wallons ou francophones/Flamands), qui apparaît dans les années 1960, mène au dédoublement des trois piliers et de leurs partis de référence. À partir de ces années, la communautarisation va de pair avec une dépilarisation constante de la société belge, produite par une série de phénomènes sociaux : la déconfessionalisation, la « classemoyennisation », l'affirmation de l'individualisme et du consumérisme. Pas (encore ?) totale, la dépilarisation est submergée par la communautarisation, c'est-à-dire l'affirmation de la question communautaire évoquée ci-dessus.

ENCADRÉ Nº 7.17 : BELGIQUE, SUISSE, LIBAN : DES RÉGIMES CONSOCIATIONNELS

– En Belgique : les procédures de « sonnette d'alarme » et de « conflit d'intérêts »

Au sein de la chambre des Représentants, ceux-ci sont répartis en deux (sous–)groupes linguistiques correspondant à la langue des listes électorales sur lesquelles ils se sont inscrits : en français ou en néerlandais. Ces groupes linguistiques ont été inscrits dans la Constitution belge lors de la première réforme institutionnelle (1970) afin de garantir de « bonnes relations » entre les deux communautés. Chacun d'eux peut sur cette base (par le vote d'une motion par au moins 4/5 des membres du groupe concerné) activer la procédure dite « de sonnette d'alarme », en vue de la protection des intérêts de la population qu'il représente. Cette procédure qui permet la suspension temporaire, et l'enclenchement d'une procédure de médiation spécifique sans obligation de résultat, d'un projet ou d'une proposition de loi qui entrerait en conflit avec les intérêts de la communauté linguistique concernée.

La procédure dite « du conflit d'intérêts » est très similaire, dans sa portée et sa philosophie, à la procédure de la sonnette d'alarme, si ce n'est qu'elle est activable par le parlement fédéral et les parlements des entités fédérées contre toute initiative législative prise par l'un de ces parlements, et à condition de recueillir ¾ des voix des représentants de l'assemblée concernée.

– En Suisse : la « formule magique »

La pratique institutionnelle veut en Suisse, ou – à tout le moins, voulait, jusque dans les années 1990 – que le gouvernement (le Conseil fédéral, constitué par 7 conseillers fédéraux) soit composé – religieusement, linguistiquement et politiquement – selon la « formule magique » suivante (Duhamel, 1993 : 76) : des représentants des quatre grandes forces politiques telles que stabilisées à l'époque depuis plusieurs décennies (soit 2 membres du Parti radical, 2 membres du Parti démocrate-chrétien, 2 membres du Parti socialiste et un membre de l'Union démocratique du Centre), ce qui donnait généralement, en termes religieux (en fait, sur la base de cantons réputés – démographiquement parlant – catholiques ou protestants), 4 protestants (soit 2 PR, un PS et un UDC) et 3 catholiques (soit 2 PDC et un PS) et, en termes linguistiques, 4 germanophones (soit un PR, un PDC, un PS et un UDC), 2 francophones (soit un PR et un PS) et un italophone (soit un PDC).

– Le Liban et son compromis intercommunautaire

Le Liban compte en son sein 18 communautés ethno-confessionnelles reconnues institutionnellement (musulmans sunnites et chiites, chrétiens maronites, grecs-orthodoxes, Arméniens catholiques, Arméniens orthodoxes...). Le Pacte national de 1943 a instauré un compromis intercommunautaire (non écrit), selon lequel le président de la République est maronite, le Premier ministre, sunnite, et le président du Parlement, chiite ; le parlement, quant à lui, prévoyait un nombre de sièges réservés aux principales communautés : en tout 54 chrétiens et 45 musulmans. Suite à la guerre civile (1975-90), la parité chrétiens/musulmans en nombre de sièges (64 pour chacun des deux groupes) est instaurée par les accords de Taëf (1989).

On notera dans l'encadré le référencement de la Suisse dans les régimes consociationnels : nous approfondissons ce cas spécifique dans le cadre du troisième grand type de régime représentatif : ceux qui incluent des mécanismes de démocratie directe.

2.3.3. *Les régimes représentatifs incluant des mécanismes de démocratie directe*

Ce type de régime ne se retrouve guère qu'en Suisse. Comme évoqué plus haut, nous ne revenons pas ici sur la distribution *territoriale* du pouvoir, marquée par la décentralisation et la forte autonomie des entités constitutives de l'État (exposée au chapitre 2, sur l'État). Nous nous focalisons ici sur la distribution *actorielle/fonctionnelle* du pouvoir, marquée dans ce cas par le fait que l'essentiel du pouvoir est dans les mains du Parlement, le gouvernement en étant parfois presque réduit à gérer les affaires courantes entre les sessions parlementaires (d'où la qualification de *régime d'assemblée*), et que le peuple exerce directement le pouvoir par voie référendaire.

L'Assemblée fédérale (Parlement) est composée du Conseil national (formant la chambre des députés) et du Conseil des États (formant la chambre représentant de manière égalitaire l'ensemble des 26 cantons). En début de législature, cette assemblée élit 7 conseillers fédéraux pour 4 ans, qui forment le Conseil fédéral (gouvernement). La *Constitution* prévoit (art. 141) que les « diverses régions et communautés linguistiques doivent être équitablement représentées au Conseil fédéral », ce qui se traduit, dans la *pratique* institutionnelle, par la mise en œuvre de la fameuse « formule magique » (cf. *supra* : encadré n° 7.17 sur les régimes consociationnels), censée garantir la présence permanente au sein du Conseil fédéral des principales forces politiques du pays, ce qui donne à ce régime la qualification de *régime de concordance* (Duhamel, 1993 : 75).

Le Conseil fédéral acquiert par cet effet la dimension de *régime directorial* : le pouvoir exécutif est confié à un directoire, en l'occurrence un petit groupe d'hommes et de femmes fonctionnant de manière égalitaire (il n'y a pas de hiérarchie ; le président y siège en tant que *primus inter pares*, sans voix prépondérante), collégiale (les membres du groupe n'ont pas de pouvoir personnel, les décisions sont prises en commun) (cf. Duverger, 1980 : 339) et par rotation annuelle entre ses membres. Le gouvernement (Conseil fédéral) et le Parlement (Assemblée fédérale) sont indépendants l'un vis-à-vis de l'autre.

Élu pour quatre ans par l'Assemblée fédérale, le Conseil fédéral est irrévocable. Le Conseil fédéral n'est pas responsable devant le Parlement, mais est son « commis » (Duverger, 1980 : 194), tenu d'appliquer la politique qu'il a décidée : « si l'Assemblée vote une interpellation marquant sa défiance, le Conseil fédéral ne démissionne pas mais s'incline » (Duhamel, 1993 : 77-78) en infléchissant « sa politique dans le sens voulu par le Parlement » (Duverger, 1980 : 195). « En théorie, il n'a donc pas de politique propre ; il n'est véritablement qu'un exécutant », note Duverger (1980 : 195), mais « en pratique, le Conseil fédéral a de très grands pouvoirs dans l'État » : « L'Assemblée fédérale ne siège que de façon intermittente. Le Conseil fédéral dirige en fait les affaires du pays. » (Duhamel, 1993 : 78)

Par ailleurs, le peuple légifère également aussi directement par votations, selon trois types de modalités : par référendum obligatoire (notamment en cas de révision de la Constitution), par référendum facultatif (notamment contre une loi fédérale : à la demande du Parlement, ou de 50 000 citoyens dans les trois mois suivant l'adoption de la loi en question, ou de huit cantons) et par initiative populaire (100 000 citoyens, dont les signatures doivent être collectées sur une période de dix-huit mois maximum, pour une loi constitutionnelle). C'est ce qui donne à ce régime cette *dimension* de « démocratie directe ». Le régime suisse n'est pas une démocratie directe intégrale et ne saurait dans cette ligne s'assimiler à la démocratie athénienne : contrairement à celle-ci, la modalité de traduction de la volonté populaire est atomisée (vote au scrutin secret) et non collective (vote à main levée), et pas nécessairement précédée d'une délibération collective. Il demeure que, via le dispositif de la votation, la volonté populaire peut s'imposer à la volonté des responsables politiques siégeant à l'Assemblée et au Conseil.

Comme on l'a évoqué, le « modèle » suisse n'a pas tant essaimé dans le monde sur le plan de la distribution *actorielle* du pouvoir (même si la pratique référendaire se retrouve dans nombre d'autres États) que sur le plan de sa distribution *territoriale* (cf. les régimes de type fédéral comme ceux des États-Unis, du Canada, de l'Allemagne... de la Belgique : à cet égard, nous renvoyons, comme on l'a évoqué, vers le chapitre État, qui distingue les États qui ont adopté ce type de régime sous l'effet de processus centrifuges vs centripètes).

Après avoir abordé les régimes démocratiques contemporains selon le critère institutionnel (ou formel) de la distribution actorielle du pouvoir, nous investiguons à présent ceux-ci selon le critère matériel (ou informel) de son fonctionnement effectif.

2.4. Typologie des régimes démocratiques contemporains selon le critère matériel (ou informel) du fonctionnement effectif du pouvoir

Un des travaux de référence en matière de typologie selon le critère matériel (ou informel) du fonctionnement effectif du pouvoir est celui effectué par Bernard Manin (1995). Sur la base d'une étude comparée et historique fouillée, celui-ci distingue quatre principes fondamentaux d'un gouvernement pouvant être qualifié de démocratique et représentatif. Premièrement, les gouvernants doivent être désignés par élection à intervalles réguliers afin de permettre une compétition politique elle-même garantie par un « marché électoral » ouvert à échéances régulières permettant l'alternance du pouvoir. Deuxièmement, les gouvernants conservent, dans leurs décisions, une indépendance vis-à-vis des volontés des électeurs. Troisièmement, après avoir contribué à nommer leurs représentants, les gouvernés peuvent continuer à exprimer leurs opinions et leurs volontés politiques sans que celles-ci soient soumises au contrôle des gouvernants, c'est un principe fondamental du libéralisme politique, garantissant les libertés d'opinion et d'expression. Quatrièmement, les décisions publiques sont soumises à l'épreuve d'une délibération collective préalable.

En lien avec ces quatre principes, Manin (1995) distingue trois types de gouvernement représentatif ayant marqué les régimes politiques occidentaux : de la fin du XVIIIe siècle à la moitié du XIXe siècle, la *démocratie du Parlement* (ou parlementarisme), ensuite, jusqu'aux années 1960, la *démocratie des partis*, enfin, de cette dernière époque à nos jours, la *démocratie du public*. Il observe une évolution linéaire de l'ensemble des régimes politiques occidentaux de la première forme à la troisième en passant par la deuxième, mais, selon les cas, à des rythmes différents et en conservant une « couche » d'ampleur différente de la forme antérieure lors de son « phagocytage » par la forme suivante. Enfin, il démontre que ces trois formes différentes résultent d'une évolution concomitante des manières de traduire les quatre principes mentionnés plus haut.

ENCADRÉ N° 7.18 : LES QUATRE PRINCIPES ET LES TROIS FORMES DE GOUVERNEMENT
REPRÉSENTATIF OCCIDENTAL SELON BERNARD MANIN

	Démocratie du Parlement (parlementarisme)	Démocratie des partis (démocratie partidaire, particratie)	Démocratie du public (démocratie de l'opinion, « émocratie »)
Caractéristiques	– suffrage limité (censitaire ou capacitaire)	– universalisation du suffrage (→ suffrage universel) – apparition de clivages sociaux structurels	– élévation générale du niveau d'instruction – multiplication des sources de différenciation sociale (individualisme) – marchandisation/ consumérisation – complexification de la société – développement des mass media/TV (concurrence) & sondages
Lien électoral/ figure du représentant	Personnel choix d'une personne de confiance = le notable local	Collectif fidélité à un parti = relais d'une identité sociale lourde/expression d'une appartenance de classe	« Personnel » choix d'une personne de confiance = la personnalité médiatique y compris dans ses côtés « people »
Position des gouvernants vis-à-vis des électeurs	Délibération (vote…) « en âme et conscience »	Respect des consignes du parti (discipline de parti)	À l'abri de l'image des leaders
Opinion des gouvernés	Mouvements indépendants	Organisations sociales agrégées et liées à un parti	« Opinion publique », telle qu'exprimée par les sondages d'opinion et les mass media (TV, Internet…)
Délibération collective préalable à la décision	Débat parlementaire	Débat au sein des et entre les partis/ néo-corporatisme	Consultations multiples et éclatées (lobbying des groupes d'influence, consultations publiques de la société civile, rapports d'experts, tables rondes réunissant les acteurs d'un secteur, débats médiatiques, etc.)

Source : élaboration des auteurs à partir de Manin (1995 : 303).

2.5. La tension Raison-participation (ou volonté éclairée – volonté populaire) dans les régimes démocratiques représentatifs modernes

La problématique de la tension entre Raison et participation fait écho à celle de la représentation vs participation évoquée plus haut. Les promoteurs de la démocratie moderne, en Angleterre, aux États-Unis ou en France, ont rejeté le modèle de la démocratie directe au nom de la Raison, parce qu'ils craignaient l'instauration d'un gouvernement « irrationnel », sur la base de la conception selon laquelle le « peuple » serait enclin à agir de manière passionnelle, émotive et non « éclairée » (Manin, 1995). Cette conception élitiste du pouvoir instaure une tension entre une démocratie élitaire fondée sur la Raison (l'élite sachant ce qui est « bon » et « raisonnable » pour le « peuple ») et une démocratie « populaire » puisant sa légitimité dans la participation, éventuellement directe, du plus grand nombre, au gouvernement. Selon cette conception, le recours au référendum en matière de peine de mort mènerait fort probablement à revenir sur son abolition, considérée comme un progrès de la Raison engrangé dans le cadre de la démocratie représentative. Les résultats des votations en Suisse sur certains sujets peuvent à cet égard nourrir la réflexion : en 2012, les Suisses se sont opposés à l'allongement de la durée légale des congés annuels (se satisfaisant de quatre semaines, au regard du passage à six semaines proposé lors d'une votation initiée par le syndicat « Travail.Suisse »).

Dans le cadre même de la démocratie *représentative*, deux évolutions ont marqué, comme évoqué plus haut, la plupart des régimes politiques démocratiques du XIXe siècle à nos jours : le poids grandissant de l'exécutif par rapport au législatif (régime de Cabinet) et/ou celui des partis (partitocratie) dans la régulation politique. Nous ajoutons ici également le poids grandissant de l'administration publique. Duverger (1980 : 41) a éclairé l'affirmation de ces phénomènes suite à la Deuxième Guerre mondiale à la lumière du concept de « technodémocratie ».

2.5.1. *La techno-démocratie : la « mise entre parenthèses » du Parlement*

Tout comme Tocqueville avait parlé d'« aristocratie manufacturière », Duverger (1980 : 60) évoque le phénomène de l'« oligarchie économique » : au départ, le capitalisme libéral fonctionne sur la base du mérite personnel de l'entrepreneur, mais la richesse s'accumule dans les familles par transmission successorale du patrimoine et le capitalisme libéral devient « héréditaire » (comme la noblesse auparavant) au sein de la classe bourgeoise. On observe également une concentration économique croissante (holdings) : la libre-concurrence est menacée par la constitution d'oligopoles, voire de monopoles. Pour Duverger, cette évolution nécessite un État plus interventionniste que l'État libéral classique. Les acteurs économiques doivent rationaliser leur production sur plusieurs années avant la mise sur le marché de leurs nouveaux produits : ils ont dès lors besoin de stabilité économique et sociale, e.a., au niveau du pouvoir d'achat, que seul l'État peut assurer (par redistribution des revenus, notamment via les allocations sociales, de chômage, de retraite...). Le champ économique nécessite des décisions rapides : le pouvoir exécutif du gouvernement est plus adapté que le pouvoir législatif du Parlement qui, en période de difficultés économiques, confère des « pouvoirs spéciaux » au gouvernement dans ce domaine. Les décisions économiques exigent des compétences techniques élevées dont ne disposent pas toujours les parlementaires. Mais, précisément, au risque de favoriser l'émergence d'un pouvoir technocratique (cf. chapitre État, section 1.4), lui-même porté par la croissance des pouvoirs des exécutifs (gouvernements) par rapport à ceux des Parlements ainsi que de ceux, également accrus, des partis (partitocratie) et de l'administration publique (bureaucratie). Certes, le Parlement voit s'accroître ses capacités de contrôle du gouvernement en raison de la discipline de vote, mais à la distinction « gouvernement-Parlement » se substitue la distinction « majorité-opposition », qui incarne précisément le pouvoir des partis. Selon Duverger, le régime demeure démocratique, car les élections continuent à jouer un rôle essentiel, l'électeur pouvant sanctionner le pouvoir par le vote en ne le reconduisant pas. Il n'empêche qu'ici aussi les partis pèsent de tout leur poids dans la vie politique en contrôlant une grande partie du processus électoral par leur capacité à définir les règles du jeu (cf., par exemple, le vote de tête de liste de parti) et via les campagnes médiatiques (débats télévisés...).

ENCADRÉ N° 7.19 : L'EFFET DÉVOLUTIF DU VOTE DE TÊTE DE LISTE DE PARTI

« Lors de la *dévolution des sièges*, sont d'abord élus les candidats qui ont obtenu assez de voix de préférence pour atteindre le chiffre d'*éligibilité*. Ensuite, la moitié des voix portées en case de tête (auxquelles on assimile les bulletins contenant des votes uniquement en faveur de candidats suppléants) est distribuée aux candidats qui n'atteignent pas le chiffre d'éligibilité. Le premier candidat, s'il n'a pas recueilli sur son nom suffisamment de voix pour être élu, recevra de la case de tête (que l'on appelle parfois le pot commun) le nombre de voix qui lui manquent, puis on complétera le nombre de voix du deuxième candidat, puis du troisième et ainsi de suite jusqu'à épuisement du pot commun. Une fois le pot commun vide (constitué donc de la moitié de l'ensemble des votes portés en case de tête) seules les voix de préférence de chaque candidat sont prises en considération pour l'attribution des sièges.

(En Belgique, j)usqu'en 2000, le pot commun était constitué de l'ensemble des voix émises en case de tête. Depuis lors, seule la moitié des votes exprimés dans la case de tête est distribuée aux candidats de la liste. Cette réduction de moitié de l'effet dévolutif de la case de tête est un compromis entre une revendication plus radicale visant à supprimer totalement la possibilité de voter en case de tête et une position opposée visant à maintenir le système antérieur. Elle a pour avantage de donner un poids plus élevé au vote de l'électeur dans la détermination des candidats qui sont élus. Elle a pour inconvénient de personnaliser les campagnes électorales et de favoriser le vedettariat. »

Source : Centre de recherche et d'informations socio-politiques (CRISP) – http://www.vocabulairepolitique. be/case-de-tete/, consulté le 28 août 2014

Cette problématique n'est pas sans lien avec la globalisation économique, entamée avec la construction européenne à l'échelle de l'Europe occidentale (ou de l'Ouest, du temps de la Guerre froide) avec la Communauté économique européenne (CEE), fondée en 1957, ancêtre de l'Union européenne (UE), et, plus largement, au niveau mondial, avec l'Accord général sur les tarifs douaniers et le commerce (GATT), signé en 1947, à l'origine de l'Organisation mondiale du Commerce (OMC), qui naîtra en 1994 (cf. chapitre État, section 4.5). Ces processus ont entraîné un changement d'échelle au plan économique ne trouvant pas son pendant au plan politique : s'ensuit une disparité entre le niveau de régulation politique de l'économie prévalant anciennement (au niveau de l'État-Nation) et celui de l'économie et du commerce, à présent européanisée et mondialisée. Certes, les États demeurent (au moins formellement) souverains dans l'adoption des régulations internationales (... qui peuvent, le cas échéant, entraîner des dérégulations au niveau national, celles-ci découlant précisément de décisions délibérées de régulations entraînant des... dérégulations). Mais ici joue de nouveau le poids des gouvernements, les dynamiques à l'œuvre étant d'ordre inter-gouvernemental, dans un contexte où les Parlements sont souvent devenus des chambres d'entérinement, sans compter le poids d'acteurs non étatiques puissants tels que les firmes multinationales dans les processus de libéralisation des échanges ou de protectionnisme (selon le cas) et de marchandisation croissante touchant un nombre toujours croissant de biens et de services, certains ayant jusqu'alors strictement relevé du secteur public. Que l'on songe au poids croissant des compétences de l'UE, ne relevant plus des États-membres, évoqué dans le chapitre État.

2.5.2. *Démocratie représentative, délibérative et participative*

Face aux insatisfactions ressenties quant au « déficit démocratique » lié à la « mise entre parenthèses » du Parlement, elle-même produite par l'affirmation de la techno-démocratie, tant au plan national qu'international (« gouvernance » de la globalisation économique), la démocratie directe est parfois invoquée comme solution : l'idée serait de « rendre le pouvoir au peuple » par l'expression directe de celui-ci, notamment par la voie référendaire. La démocratie directe est ainsi présentée comme une solution à la crise de la représentation (cf. chapitre Citoyens, section 2.2).

Constatons que ce sont tout particulièrement les partis populistes (cf. chapitre Clivages, encadré n° 5.18, et Idéologies, encadré n° 10.3), qui prônent l'instauration de tels dispositifs. Ceux-ci permettraient au peuple de retrouver la maîtrise « usurpée » de son destin. L'idée est de rendre au peuple le pouvoir qu'il mérite face à une classe politique jugée incapable ou corrompue, obsédée par ses intérêts particuliers. Force est de constater que, hormis dans ce secteur politique, la démocratie directe n'est guère plébiscitée, même si de nombreux partis démocratiques – minoritaires ou peu représentatifs – ont pu s'en revendiquer dans l'histoire, au-delà des populismes. Par contre, une forme de démocratie semble s'affirmer comme complément à la démocratie représentative en réponse aux déficiences de celle-ci et en phase avec l'expansion des valeurs post-matérialistes (cf. chapitre Clivages, section 8.1.2) : la démocratie *participative*, qui vise l'inclusion du maximum possible d'acteurs dans le processus politique (Garon, 2009). Celle-ci peut notamment prendre la forme de la démocratie *délibérative*, qui, en l'occurrence, conceptualise le citoyen comme débatteur et prévoit la présence interactive et réfléchie des intervenants dans presque toutes les étapes d'élaboration des politiques.

3 | Les régimes non démocratiques

Dans notre traitement des régimes *non* démocratiques (c'est-à-dire liberticides, tyranniques ou despotiques), nous articulerons principalement notre propos en nous référant à la synthèse de référence de Juan J. Linz (2006/2000), en distinguant les régimes *traditionnels* des régimes *modernes* (ces derniers se répartissant entre régimes *autoritaires* et régimes *totalitaires*).

3.1. Introduction : régimes non démocratiques et dictature

Selon la critériologie relative aux régimes pouvant être qualifiés de démocratiques selon l'acception que nous en avons (régimes de démocratie *libérale*), sont considérés comme *non* démocratiques les régimes ne satisfaisant pas aux standards qui y sont mentionnés ou caractérisés par des manquements graves par rapport à ceux-ci. Nous avons opté pour cette qualification en miroir négatif – régimes *non* démocratiques – en distinguant les variantes *traditionnelles* et *modernes* (et, parmi ces dernières, les types *autoritaires* et *totalitaires*). On évitera de recourir à cet égard à la notion de régime *dictatorial*. Comme le spécifie Linz (2006/2000 : 32-33, 35), la notion de dictature réfère historiquement, dans la Rome antique, « à la charge exceptionnelle, temporaire et parfaitement "constitutionnelle" assumée par le dictateur dans les situations de grand péril ; charge assumée pour un semestre au maximum, sans prorogation possible, ou bien encore circonscrite à un sujet précis ». L'auteur avance dans cette ligne qu'il convient « de réserver l'usage du terme de dictature aux gouvernements de crise intérimaires qui ne se sont pas institutionnalisés et qui introduisent une coupure provisoire avec les règles du régime précédent en matière d'accession au pouvoir et d'exercice de celui-ci ».

D'emblée, notons ici qu'à l'instar des régimes démocratiques, les régimes *non* démocratiques peuvent prendre la forme de républiques ou de monarchies ; dans ce deuxième cas, on parlera non plus de monarchie parlementaire ou « constitutionnelle », mais, classiquement (en rapport avec l'expérience historique européenne), de monarchie *absolue*, ou, selon les termes mêmes du Pouvoir marocain, de monarchie *exécutive* (qui renvoie clairement à l'idée que le Roi ne fait pas que régner, mais gouverne, de manière effective).

3.2. Les régimes non démocratiques traditionnels

Dans les pays classiquement qualifiés de pays en développement » (autrefois également qualifiés de pays « sous-développés », « en voie de développement » ou encore du « Tiers-Monde », plus souvent qualifiés de nos jours de pays « du Sud », de par leurs positions géographiques principales sur le globe), on trouve des formes de pouvoir de type *traditionnel*, parfois agrémenté d'éléments bureaucratico-militaires, ou néo-patrimonialistes plus modernes (cf. *infra*).

À la base, le régime de type *traditionnel* est le *régime autoritaire patrimonial* (Weber, 1995/1922 : 301-320), caractérisé par un mode de domination traditionnel (cf. chapitre Pouvoir, encadré n° 2.25 sur les trois types de domination légitime distingués par Weber) reposant sur la confusion entre ressources de l'État et biens personnels du chef, celui-ci disposant d'un pouvoir arbitraire, s'appropriant et (re)distribuant de manière discrétionnaire les ressources matérielles et symboliques (postes, positions...) sur le mode du « père de famille », en vue de s'assurer loyauté et soutien de la part de ses sujets. Le prolongement de ce type de régime dans des contextes plus récents a été conceptualisé par Eisenstadt (1973) sous le terme de néo-patrimonialisme (cf. *infra*).

Par *régimes sultaniques* (le terme est de Weber, 1995/1922 : 308-309), on entend ces régimes tyranniques (un individu et ses affidés, soutenus par une garde prétorienne), dénués d'idéologies, hautement arbitraires (absence de règles institutionnalisées de l'exercice du pouvoir et de la coercition) au service d'intérêts privés (ceux du chef et de son entourage) plutôt que collectifs. La loyauté à l'égard du dirigeant n'est pas assurée par une légitimité de type traditionnel, mais par un mélange de peur, de gratitude pour des mesures sociales paternalistes occasionnelles et de gratifications offertes aux collaborateurs. Les sociétés sud-américaines ont connu une forme de sultanisme avec le *caciquisme* ou gouvernement de notables locaux, souvent de grands propriétaires terriens, reposant sur des relations patron-client et la coercition sous la forme de milices para-militaires. Au XIXᵉ siècle, dans le cadre des processus de construction nationale, le caciquisme a souvent évolué vers le *caudillisme*, qui consacre l'alliance de ces pouvoirs traditionnels locaux – notamment par leur « domestication » – à un pouvoir central plus moderne, au niveau national : on peut mentionner, à titre d'exemples, l'Argentine sous Juan Manuel de Rosas (1835-1852), ou encore, le Mexique sous Antonio Lopez de Santa Anna (qui y exerça plusieurs fois la présidence de la République entre 1833 et 1855). Des exemples emblématiques de la persistance du sultanisme au XXᵉ siècle sont ceux de la République dominicaine sous Trujillo (1930-61) et de la République de Haïti sous les Duvalier (père, de 1957 à 1971, et fils, de 1971 à 1986).

3.3. Les régimes non démocratiques modernes : autoritaires et totalitaires

Passons à présent aux deux autres types de régime non démocratique distingués par Linz (2006/2000). Dans le tableau ci-dessous figurent les critères permettant de distinguer de manière idéale-typique (au sens wébérien du terme) les régimes *autoritaires* vs *totalitaires* à l'aune des caractéristiques dégagées par l'auteur précité : monisme politique vs pluralisme politique limité du pouvoir, plus ou moins haut degré de mobilisation d'une idéologie et plus ou moins haut degré de mobilisation politique de la population.

ENCADRÉ N° 7.20 : DISTINCTION ENTRE RÉGIME TOTALITAIRE ET RÉGIME AUTORITAIRE SELON TROIS CRITÈRES

	Régime totalitaire	Régime autoritaire
Pouvoir	monisme politique	pluralisme politique limité
Mobilisation politique de la population	forte	variable (et peut être relativement faible)
Idéologie	forte	variable (et peut être relativement faible)

Source : élaboration des auteurs à partir de Juan J. Linz (2006/2000).

Dans le prolongement de ce que nous venons de spécifier quant au caractère idéal-typique de cette catégorisation, il est utile de préciser que, dans la réalité empirique, un même pouvoir politique peut passer par des phases autoritaires et totalitaires. Ainsi, la fin de certains régimes du bloc de l'Est a été marquée par le passage d'un régime totalitaire à un régime autoritaire, avant, pour certains, de connaître un processus de démocratisation.

3.3.1. *Les régimes totalitaires*

Dans les régimes totalitaires, le pouvoir est tout d'abord caractérisé par la place importante qu'il accorde à l'idéologie : le pouvoir exige des individus qu'ils se convertissent, dans leurs idées et leurs comportements, à l'idéologie officielle. La propagande massive vise à mobiliser les masses vers un objectif commun en étant le message officiel du régime (Aron, 1965 : 284). L'encouragement, voire l'embrigadement, de la population est ainsi assuré par les organisations « satellites » du Pouvoir (mouvements de jeunesse, syndicats, associations professionnelles...). Le régime totalitaire prône un monisme idéologique qui entraîne l'éradication par la force et la violence de toute forme d'idées, de valeurs et de projets contraires à l'idéologie officielle. Dans le régime totalitaire, le parti – lorsqu'il y en a un – est souvent un parti unique qui se confond avec l'État, ce dernier ayant le monopole de la « Vérité » sur ce qui est bon pour le peuple et la nation.

ENCADRÉ N° 7.21 : L'IDÉOLOGIE EN RÉGIME TOTALITAIRE : L'ALBANIE COMMUNISTE, ÉTAT OFFICIELLEMENT ATHÉE

« Une action de masse, réalisant la libre volonté du peuple, a détruit les lieux de culte, le clergé, les rites religieux organisés et de nombreux usages sauvages. Par cet acte révolutionnaire, notre société a fait un grand pas en avant, du point de vue qualitatif, le peuple a été libéré d'un grand poids matériel et spirituel... Pourtant, il est vrai qu'aujourd'hui encore perdurent dans notre vie des expressions et résidus de préjugés et de pratiques religieuses... De telles expressions sont encore assez significatives, nocives et dangereuses pour mériter que le Parti luttât contre elles. » (extrait de « *Vers la création d'une société totalement athée* », Comité central du Parti du Travail d'Albanie, novembre 1986). Reproduit in : Entraide d'Églises, « Le premier État athée du monde : l'Albanie », *Bulletin*, septembre 1987 – www.entraide-eglises.be/Archives/bulletin19873.html, consulté le 28 août 2014.

Ce monopole idéologique va de pair avec le caractère concentré du pouvoir : un seul groupement (souvent, le parti unique) exerce l'intégralité du pouvoir politique (d'où le concept de parti-État ; cf. chapitre Partis politiques et groupes d'influence), qui a pour vocation de contrôler l'ensemble de la société. Aucun domaine d'activité (économique, social, culturel...) n'est autonome, chacun servant les finalités idéologico-politiques du régime. Tout est politisé : ainsi, une faute dans la gestion d'une activité économique, par exemple, devient un crime idéologique et politique (contre l'État, le peuple...) (Aron, 1965 : 285). Les organisations dans la société, lorsqu'elles existent, ne sont pas des groupes de pression ou des mouvements poursuivant des fins autonomes : elles sont des courroies de transmission, des instruments de mobilisation au service de la ligne fixée par le Pouvoir : « Tout le sens de l'action de l'Union de la Jeunesse tchécoslovaque réside dans la réalisation des objectifs du Parti. » (Lowit, 1979 : 823).

ENCADRÉ N° 7.22 : LE MONISME EN URSS

– Art. 6 de la Constitution soviétique (1977) : « Le Parti communiste de l'Union soviétique est la force qui dirige et oriente la société soviétique ; il est le noyau de son système politique et de toutes les organisations sociales et d'État (...). Armée de la doctrine marxiste-léniniste, le Parti communiste définit la perspective générale du développement de la société (...). ».

Dans cette ligne, la mobilisation politique de la population y est forte : le pouvoir vise une adhésion active et sans réserve de toute la population au régime. Pour ce faire, le régime totalitaire met en place un contrôle social extrêmement intense et massif, touchant tous les espaces, du lieu de travail (collègues) jusqu'au sein de la famille (les enfants « surveillant » leurs parents, jusqu'à la délation). L'écrivain George Orwell a tenté de décrire ce phénomène dans son ouvrage de politique-fiction *1984*, publié en 1949, en la figure de « Big Brother ». À cet égard, Hannah Arendt (1995/1951) note le règne de la terreur généralisée comme l'essence même du régime totalitaire : elle touche l'ensemble de la population, y compris l'élite au pouvoir (dont certains membres peuvent être éliminés lors de purges). La répression, qui peut s'étendre aux membres innocents de la famille de l'accusé, peut se manifester par la confession de crimes non commis : souvent, l'accent est mis sur les intentions et les mobiles supposés de l'accusé plutôt que sur les actes avérés ou soi-disant commis. La terreur peut également s'abattre sur des catégories entières de population accusées d'être coupables en soi, sur la base de préjugés idéologiques : par exemple, les juifs et les tsiganes, dans le totalitarisme nazi ; par exemple, les membres du clergé, considérés comme « contre-révolutionnaires » dans le totalitarisme soviétique. La violence peut prendre ici des proportions extrêmes : exécutions, exterminations de masse, parfois accompagnées d'une motivation génocidaire, dans des camps de concentration, voire d'extermination. Dans le nazisme, ces camps ont tout particulièrement visé les juifs (Shoah) en tant qu'ennemi de race, mais aussi les tsiganes, les homosexuels, les opposants politiques, en particulier communistes, les résistants... Dans le communisme, c'est l'ennemi de classe qui est visé. Ainsi, dans la Chine maoïste, durant la « Révolution culturelle » (1966-76) ou, au Cambodge, sous le régime des Khmers rouges (1975-79), les camps de concentration visent à « rééduquer » les « ennemis du peuple » par le travail manuel, la dureté des conditions de vie y entraînant une très forte mortalité.

La conception selon laquelle les régimes totalitaires visent à l'avènement d'un « homme nouveau » est fréquente, non sans ambivalence. Si cela est manifestement le cas du totalitarisme communiste, la question est plus complexe dans le cas du nazisme et du fascisme, que Duverger (1980 : 440) considère comme fondamentalement conservateurs de l'ordre social existant fondé sur le capitalisme. La dimension en question apparaît ici sans doute à un autre niveau, par l'idée d'une régénérescence de l'individu et de la société par la purification raciale, la culture physique... « Homme nouveau » ou pas, le projet totalitaire vise, en tout état de cause, l'avènement ou la restauration d'une « société parfaite ».

Ce type de régime est souvent marqué par le culte de la personnalité du chef (le Duce, Mussolini, dans l'Italie fasciste ; le Führer, Hitler, dans l'Allemagne nazie, le « Petit Père des Peuples », Staline, en URSS ; le « Grand Timonier », Mao, en Chine). Le chef totalitaire remplit par son charisme (cf. la domination/légitimité charismatique chez Weber dans le chapitre Pouvoir, encadré n° 2.25) la fonction de mobilisation politique de la population et concentre en sa personne la nature moniste et le projet idéologique monopolistique du régime : dans l'Italie fasciste régnait la devise « Mussolini a toujours raison » (*« Mussolini ha sempre ragione »*). Cette qualité de « guide suprême » infaillible attribuant une qualité quasi divine à un « surhomme », de nature différente des autres hommes, participe du culte de la personnalité.

Aux trois critères de Linz (monisme du pouvoir, mobilisation politique de la population, idéologie), on ajoutera le critère suivant : la mesure plus ou moins importante dans laquelle le Pouvoir s'en prend aux libertés civiles, au-delà des libertés politiques. Nous posons en effet que les régimes autoritaires s'en prennent aux libertés politiques sans toucher aux libertés civiles, contrairement aux régimes totalitaires, qui s'en prennent aux deux catégories mentionnées. Par libertés civiles, nous entendons notamment les libertés en termes de modes de vie au quotidien, imposés ou interdits, en termes de relations sexuelles, de manière de se vêtir, de se détendre... On songe au régime des Talibans en Afghanistan (1996-2001), sous lequel le cinéma, le théâtre, la musique, la pratique de certains sports, les relations extra-conjugales et homosexuelles... étaient prohibés et durement réprimés. Une nuance peut être apportée en termes d'intrusion dans les libertés civiles et, notamment, ce qui est considéré comme relevant de « choix personnels » et de la « vie privée » : le Pouvoir se limite-t-il à la conformité comportementale des individus dans l'espace public ou bien va-t-il jusqu'à s'immiscer dans l'espace privé ? dans quelle mesure est-il proactif – ou pas – dans la répression de comportements hétérodoxes « clandestins » ?

La qualification totalitaire d'un régime n'en demeure pas moins complexe. Si les régimes saoudien et iranien semblent répondre au dernier critère évoqué (intrusion forte dans les libertés civiles de la population, en tout cas, dans l'espace public), ils ne répondent pas au critère de la mobilisation politique forte de la population (à l'exception, dans le cas de l'Iran, de l'ère Khomeiny, de 1979 à 1989, durant laquelle, par exemple, un climat de délation fut instauré, notamment, à l'école, auprès des enfants à l'égard de leurs parents). On notera également qu'un régime peut avoir des prétentions totalitaires sans en avoir nécessairement les moyens coercitifs et de contrôle : on parlera alors de régimes *totalitarisants*. Un régime de nos jours semble en tout cas répondre aux critères tout en ayant les moyens : la Corée du Nord, qui apparaît comme une réalité politique orwellienne.

Après avoir passé en revue une série de critères permettant de déterminer le caractère totalitaire d'un régime, précisons que le concept même de totalitarisme ne fait pas l'unanimité. Déjà en 1951, lorsque Hannah Arendt publie *Les origines du totalitarisme* dont le volume qui sera publié plus tard sous le titre « Le système totalitaire » (1995/1951), des voix s'élèvent pour dénoncer un usage politique d'une notion sans pertinence scientifique. Arendt a été la première à oser comparer le régime totalitaire nazi et le régime totalitaire stalinien et cette démarche a suscité bien des critiques dans l'Europe de l'après-guerre, où l'ennemi avait un seul visage : l'Allemagne nazie vaincue. L'URSS représentait à la fois un acteur prépondérant dans la victoire des Alliés, mais aussi le terrain expérimental du « socialisme réel » tel que préfiguré par les œuvres de Marx et de Lénine. En osant comparer la logique du système totalitaire en Allemagne et en Union soviétique, Arendt a montré la ressemblance entre deux régimes à partir de quelques critères simples et, à bien des égards, incontestables : le rôle du chef et la puissance du parti qui se confond avec l'État ; l'idéologie qui est tellement fondamentale que c'est la réalité qui doit s'adapter à cette dernière et non l'inverse ; la police secrète et la police politique, qui contrôlent toutes les sphères de la société (d'où l'idée d'un contrôle total), et surtout les arrestations de masse des « déviants » en tous genres enfermés dans des camps : les ennemis de la « classe élue » au Goulag, les ennemis de la « race élue » à Auschwitz (Ernst Nolte, 2000).

ENCADRÉ N° 7.23 : LE TOTALITARISME SELON CLAUDE LEFORT

Dans *L'invention démocratique – Les limites de la domination totalitaire* (1981), Claude Lefort (1924-2010) a apporté sa contribution à la compréhension du concept de totalitarisme. D'après lui, le totalitarisme a été une réaction à la démocratie, une « réponse » à la démocratie et, à bien des égards, il a simplement été le miroir inversé de la démocratie, l'un n'allant pas sans l'autre. Face à l'indétermination propre au jeu politique, aux élections, aux scandales, aux rapports de force, etc., face à l'incertitude propre à la démocratie et à la diversité et aux conflits qui traversent toute société démocratique, Lefort indique que le totalitarisme n'est qu'une tentative de refaire corps, de recréer l'unité, de balayer les différences, d'écarter les divergences pour redonner sur un registre mythique une représentation unique et homogène du peuple (ressortissant en cela de la logique du « mythe de l'unité », mise en avant par Girardet (1986).

Si le totalitarisme peut faire l'objet de querelles scientifiques et peut être utilisé comme une arme politique pour discréditer un adversaire, Lefort a surtout montré qu'il était inséparable de la démocratie et qu'à certains égards, le totalitarisme ne pouvait pas naître en réaction à la monarchie ou à la « dictature », mais au contraire seulement en réaction à la démocratie, totalitarisme et démocratie étant les deux visages possibles d'une dynamique unique.

3.3.2. *Les régimes autoritaires*

Le régime autoritaire ne saurait être assimilé au régime démocratique (selon l'acception libérale que nous avons retenue), mais ne saurait toutefois non plus être assimilé au régime totalitaire, et ce, pour trois raisons (Linz, 2006/2000) : tout d'abord, le pouvoir n'y est pas forcément moniste, mais peut être caractérisé par un certain pluralisme, certes limité, en étant soumis à condition ; ensuite, le degré de mobilisation politique de la population y est variable et peut être relativement faible ; il en est de même enfin pour ce qui est du degré de mobilisation idéologique.

Tout d'abord donc, le pouvoir peut se caractériser, dans les régimes autoritaires, par un certain pluralisme, certes limité : il peut en effet y tolérer la participation plus ou moins autonome de certains groupes (Églises, syndicats...) à l'exercice du pouvoir politique, à deux conditions (Linz, 2006/2000) : qu'ils ne contestent pas les fondements du régime (de sa légitimité ainsi que celle de son chef) ; c'est le pouvoir qui, en dernier ressort, habilite les groupes admis à exister et détermine les conditions en la matière (notons que l'on peut retrouver ce trait dans les régimes démocratiques vis-à-vis de groupes – partis, mouvements, associations... – considérés comme... non démocratiques, les partis portant atteinte à l'ordre démocratique étant qualifiés, par exemple, en Allemagne, d'« inconstitutionnels »).

Ensuite, en termes de mobilisation politique de la population, le régime autoritaire s'accommode et se satisfait bien souvent de l'obéissance passive et de l'apathie des individus, voire encourage la dépolitisation, réservant l'activité politique à des élites, notamment, militaires. Selon cette logique, le rapport gouvernants-gouvernés repose plus sur la force et la contrainte que la persuasion propre au projet totalitaire, qui, comme on l'a évoqué, recherche l'adhésion active des individus. En revanche, la violence et la terreur peuvent d'ailleurs y être d'une intensité aussi forte qu'en régime totalitaire, car le régime autoritaire vise aussi la réduction, voire la suppression de toute forme d'opposition politique, que ce soit par la répression physique ou la manipulation des scrutins électoraux.

Enfin, le faible degré de mobilisation politique dans les régimes autoritaires va de pair avec la place variable – et souvent relativement faible – qu'y occupe l'idéologie. Ce type de régime peut fonctionner sans idéologie élaborée, structurée et directrice et tout à fait se satisfaire d'une adhésion de façade. Sans vouloir produire un « homme nouveau », comme dans certains régimes totalitaires, ces régimes peuvent être autant porteurs d'un idéal « progressiste » d'émancipation en termes d'amélioration des conditions d'existence que d'une vision conservatrice de l'ordre social existant.

Nous pouvons distinguer plusieurs types de régime autoritaire et mobilisons pour ce faire les catégories élaborées par plusieurs auteurs de référence, dont Linz (2006/2000) et Hermet (1985), qui renvoient eux-mêmes à d'autres auteurs, tels que Max Weber, Guillermo O'Donnell, Shmuel Eisenstadt et Philippe Schmitter : régime bureaucratico-militaire, régime oligarchique clientéliste, régime d'étatisme organique (dits aussi d'État organique), régime bonapartiste, régime développemen-taliste post-colonial, régime néo-patrimonialiste, régime de démocratie raciale.

Une première catégorie est formée par les *régimes bureaucratico-militaires* (O'Donnell, 1973). Ceux-ci reposent sur une coalition d'officiers de l'armée et de bureaucrates (hauts fonctionnaires technocrates) s'appuyant sur une formation officielle unique dépourvue d'une idéologie particulière, visant moins à mobiliser la population qu'à réduire toute opposition, par la répression, la cooptation et/ou la corruption. Des institutions telles que la monarchie et l'Église (catholique ou orthodoxe, selon les pays) et des groupes sociaux tels que la noblesse, la bourgeoisie et les grands propriétaires terriens ont souvent été partie prenante de ce type de régime. Celui-ci a émergé en rupture avec l'affirmation de la démocratie libérale durant l'entre-deux-guerres par réaction de l'an-cienne élite politique. Certains de ces régimes, comme l'Espagne de Primo de Rivera (1923-1930), puis plus tard, de Franco (1939-1975), le Portugal de Salazar (1932-1968), l'Autriche de Dollfuss (à partir de 1933 et jusqu'à son assassinat, l'année suivante) et le Brésil de Vargas (cf. *infra*), ont combiné ce profil bureaucratico-militaire peu idéologisé avec des éléments, notamment esthétiques, fascistes (c'est-à-dire d'inspiration ou de tendance fasciste) et des éléments d'étatisme organique (cf. *infra*).

On notera également l'évolution, dans le cas de l'Argentine, d'un régime bureaucratico-militaire vers un régime, toujours autoritaire, de tendance nationa-liste populiste fascisante (cf. *infra*, ainsi que les chapitres Idéologies et Clivages) sous Perón (péronisme), qui présida le pays notamment de 1946 à 1955. Ces régimes, tout en ne remettant pas fondamentalement en cause l'ordre social iné-galitaire, n'ont pas été dénués d'accents sociaux, comme le surnom du dirigeant Getulio Vargas, grand propriétaire terrien et président du Brésil (de 1930 à 1945 et de 1951 à 1954), le suggère (« père des pauvres »).

Ceci permet de faire la charnière avec une autre catégorisation – pas forcément contra-dictoire avec celle de régime bureaucratico-militaire – celle de *régime oligarchique clien-téliste* (Hermet, 1985). Dans le cas des régimes latino-américains, ceux-ci puisent leur origine dans le *caciquisme*, qui, comme on l'a vu, a évolué, avec le processus de construc-tion nationale, vers le *caudillisme*. Ceci a abouti à des régimes qualifiés d'oligarchiques clientélistes, dans la mesure où quelques grandes familles ou clans (souvent proprié-taires de grands domaines agricoles) se partagent en alternance le pouvoir politique en gérant l'État comme leur propriété sur la base de relations patron-client marquées par l'inégalité de l'échange (par exemple, petits paysans vs grands propriétaires terriens).

ENCADRÉ N° 7.24 : LE CLIENTÉLISME

Le clientélisme n'est pas l'apanage des pays dits sous-développés. Ce phénomène, par lequel des hommes politiques tentent de récolter des voix permettant de leur garantir un soutien électoral, en échange de services via leur intercession (passe-droit sur une liste d'attente dans une administration, piston en vue de décrocher un emploi public...) caractérise ou ont pu caractériser des régimes politiques de pays aussi « développés » que la Belgique (cf. les « permanences politiques » des politiciens), l'Italie du Sud ou les États-Unis (cf. les partis « machines politiques » dans ce pays dans les villes de la fin du XIXᵉ siècle jusqu'aux années 1950 ; cf. chapitre Partis politiques et groupes d'influence, encadré n° 9.6).

À la dimension bureaucratico-militaire de ces régimes s'ajoute, avec les *régimes d'étatisme organique*, un mode de représentation des intérêts antagonistes de classes sur la base du rejet tant de la démocratie libérale que de l'option communiste de la lutte des classes : le corporatisme. Schmitter (1979) le définit comme un système de représentation des intérêts dont les unités constituantes (« corps intermédiaires ») se structurent en un petit nombre d'organisations hiérarchisées, obligatoires et non compétitives (monopolistiques dans leurs secteurs respectifs), reconnues et légalisées (sinon fondées) par l'État (cf. chapitre Partis politiques et groupes d'influence, section 9.2.3).

ENCADRÉ N° 7.25 : LES ORIGINES CHRÉTIENNES DU (NÉO-)CORPORATISME

La conception intégrative des relations entre l'État et les groupes d'influence (GI) se retrouve au cœur du modèle chrétien (ou communautarien), qui développe une vision des rapports État-société médiatisés par des « *corps intermédiaires* », dont les/certains GI peuvent servir d'organisations représentatives. Un auteur comme Durkheim (1973/1897), à la fin du XIXᵉ siècle et au début du XXᵉ siècle, théorise ce type de modèle chrétien d'institutionnalisation de relations entre GI et l'État. Les corps intermédiaires et les GI qui les représentent sont vus comme permettant l'expression d'intérêts sociaux canalisée, encadrée, conciliée. En arbitrant les demandes concurrentes, divergentes de leurs membres, les corps intermédiaires et les GI qui les représentent jouent ainsi déjà un rôle constructif d'harmonisation des intérêts sociaux, un rôle pacificateur d'évitement de conflits sociaux dus à la divergence d'intérêts. Raison pour laquelle ils doivent être appréhendés par l'État comme des partenaires avec lesquels il faut nouer des relations stables, officielles, institutionnalisées.

L'État est alors invité à créer des cadres institutionnels dans lesquels ces organisations collectives intermédiaires vont être représentées. Selon les cas, ces cadres partenariaux pourront :

- être établis sur des bases géographiques d'amplitude croissante : local, régional, national ;

- être établis de façon moniste (une seule organisation représentative d'un secteur social : une seule organisation représentative des familles, une seule organisation représentative des agriculteurs, une seule organisation représentative de l'industrie... et pas une organisation des employeurs d'un côté, et une organisation des travailleurs de l'autre) ou pluraliste (plusieurs organisations représentant des intérêts différents d'un même secteur social : plusieurs organisations représentatives des familles ou des agriculteurs, justement une ou plusieurs organisations représentatives des employeurs et une ou plusieurs organisations représentatives des travailleurs, et pas une organisation industrielle unique qui regrouperait en son sein employeur et travailleur) ;

– être dotés de pouvoirs de consultation (l'État doit consulter les organisations-partenaires avant de prendre une décision dans le secteur social qui les concerne) voire de pouvoirs législatifs ou réglementaires, de droit (reconnus par la loi) ou de fait (l'État suit systématiquement les avis des organisations-partenaires lorsqu'il prend des décisions dans le secteur social qui les concerne, comme ce fut le cas en Belgique, dans le domaine socio-économique vis-à-vis des accords entre « partenaires sociaux »/patronat et syndicats, dans les années 1960 et au début des années 1970) ; de pouvoirs administratifs (le pouvoir de direction de la mise en œuvre de la politique de l'État dans tel secteur social étant délégué aux organisations intermédiaires-partenaires, comme c'est le cas en Belgique, « partenaires sociaux »/patronat et syndicats, dans le domaine de la sécurité sociale pour les salariés) ; de pouvoirs disciplinaires (cf. les ordres professionnels : des médecins, des avocats, des notaires…), ou judiciaires.

N.B. : Le *néo-corporatisme* se distingue du *corporatisme* en ce qu'il prend acte de l'existence d'antagonismes sociaux structurels : ainsi, il ne reprend pas l'antienne harmoniciste selon laquelle « on est tous de la même famille » (modèle corporatiste), mais veut forcer à l'entente les forces représentatives d'intérêts (*a priori*) opposés.

On parle également d'*État organique* (Stepan, 1978), le qualificatif référant au fait que chacune des parties constitue un organe distinct et complémentaire aux autres dans l'ensemble du corps social : patronat, ouvriers, paysans… La vision n'est donc pas d'abolir les conflits de classes (comme dans le communisme), mais de les nier sur la base de la complémentarité alléguée. Dans les pays catholiques concernés, l'Église a contribué à légitimer cette vision de l'ordre social par la sensibilité de sa doctrine sociale à l'égard du corporatisme.

Un autre type de régime autoritaire est le *régime bonapartiste* (Hermet, 1985). La catégorie a été forgée par Marx et Engels dans le contexte français du Second Empire (1852-1870) : la bourgeoisie industrielle capitaliste de la fin du XIXᵉ siècle se sentant menacée par l'affirmation politique de la classe ouvrière dans le cadre des demandes d'extension de la démocratie libérale à un plus large électorat (suffrage universel), sacrifie le libéralisme politique afin de préserver sa domination économique et sociale en s'en remettant à un autocrate incarnant l'unité nationale, arbitre gouvernant par plébiscite au-dessus des partis et des divisions sociales qu'ils incarnent. En l'espèce, il s'agit de Louis-Napoléon Bonaparte (neveu de Napoléon Iᵉʳ, élu président de la Deuxième République en 1848, puis proclamé empereur des Français sous le nom de Napoléon III en 1852), qui a donné son nom au type de régime en question, et dont on a pu retrouver la marque, plus tard dans la France occupée par l'Allemagne, dans le régime de Vichy sous le Maréchal Pétain (1940-44).

Un autre type de régime autoritaire partage certains traits avec le régime bonapartiste tout en ayant pris naissance dans un tout autre contexte : celui des jeunes États issus de l'indépendance dans les pays du Tiers-Monde, comme on les nommait à l'époque, principalement en Afrique et en Asie : les *régimes développementalistes post-coloniaux*. Les leaders nationalistes sortant vainqueurs de la lutte contre le colonisateur ont justifié l'impératif de construction de l'État et de la Nation (*nation- & state-building*) par une « unité nationale » ne souffrant pas d'opposition au parti au pouvoir, qui se transforme rapidement en parti unique ou dominant. La priorité portant sur le développement économique et social (en regardant vers le modèle socialiste de l'Est ou le modèle capitaliste de l'Ouest ou en tentant de dépasser cette division par le « non-alignement » et l'élaboration de « troisièmes voies »), un « contrat social tacite » fondé sur un « consensus négatif » (Khader, 2009) fut mis en place : une modernisation autoritaire remettant à plus tard le pluralisme politique et les libertés fondamentales (opinion, expression et association). Ces régimes ont pu être portés par des pouvoirs civils ou militaires (Égypte nassérienne, Tunisie sous Bourguiba, Algérie FLN, Irak et Syrie baathistes...). Certains ont mis en place de véritables transformations de l'ordre économique et social notamment via des réformes agraires (qui ont redistribué les terres), d'autres ont prolongé des logiques traditionnelles patrimoniales en néo-patrimonialisme dans leur entreprise modernisatrice.

C'est précisément par les *régimes néo-patrimonialistes* que nous terminons notre catégorisation des régimes autoritaires. Comme nous l'avons évoqué plus haut, cette catégorie a été élaborée par Eisenstadt (1973) en termes de prolongement des régimes traditionnels patrimoniaux dans des contextes plus récents. Il entend par là la reconfiguration de dynamiques de domination patrimoniales dans des pays en développement tendant à reproduire un mode de domination personnalisé autour d'un individu garantissant aux élites constituant le centre du pouvoir la poursuite de la captation des ressources dans le processus de modernisation économique et leur redistribution dans le cadre de relations patron-client. Dans ces régimes, les dirigeants se trouvent à la tête de bureaucraties patrimoniales, de structures féodales, d'organisations tribales, parfois en coexistence avec des éléments non traditionnels d'importation occidentale. On peut mentionner le Congo/Zaïre de Mobutu (1965-97), la République centrafricaine de Bokassa (1966-79), ainsi que des régimes monarchiques ou tribalo-dynastiques arabes tels que le Maroc, la Jordanie et les pétro-monarchies du Golfe, dont l'Arabie saoudite. En termes de légitimité, ces derniers régimes reposent également parfois sur des fondations religieuses fortes, le Roi du Maroc, par exemple, étant à la fois chef politique et chef religieux, en tant que « commandeur des croyants », ou le Roi de Jordanie, asseyant la légitimité de son pouvoir notamment en tant que membre de la famille hachémite, descendant du Prophète Mohamed.

Par *régimes de démocratie raciale*, Linz (2006/2000) entend des régimes tout à fait démocratiques, mais pour une partie seulement de la population (son secteur dominant) : il en était ainsi du régime d'apartheid en Afrique du Sud, ou encore, du régime des États-Unis avant l'émancipation politique (obtention du droit de vote) et civique (abolition des lois ségrégationnistes) du secteur noir de la population.

4 | Régimes politiques et idéologies : les idéologies d'État

L'entrecroisement entre types de régime et idéologies nous amène enfin à évoquer la notion d'idéologie d'État. Nous avons évoqué dans ce chapitre une série de régimes autoritaires ou totalitaires, tels la Chine de Mao, l'Allemagne de Hitler et l'Argentine de Perón. Au plan idéologique, ces régimes non démocratiques peuvent être classés dans deux catégories principales – le communisme et le nationalisme –, qui ont été abordées dans le chapitre Idéologies.

L'Allemagne hitlérienne est dirigée par le NSDAP, soit national-socialiste, qui a donné le terme diminutif « nazi ». L'Italie de Mussolini est dirigée par le Parti national fasciste. Complémentairement, l'idéologie peut également être marquée par le nom de son inspirateur et du chef de l'État. Cuba, dans sa Constitution, fait explicitement référence notamment à Marx, Lénine et Castro, au socialisme et au communisme. La République d'Iran est qualifiée d'islamique et sa Constitution fait référence à son fondateur, l'Ayatollah Khomeiny, à la doctrine du « gouvernement du juriste-théologien » *(velayat e-faqih)*, propre à l'islam chiite.

Notons enfin que l'idéologie d'État n'est pas l'apanage des régimes non démocratiques. Les États démocratiques libéraux fonctionnent sur la base de mécanismes démocratiques et adhèrent tout autant à l'idéologie... démocratique qui les fonde : c'est-à-dire une certaine conception de l'ordre « juste » censé politiquement orienter la société. « Il a été dit que la démocratie est la pire forme de gouvernement », pour reprendre les mots de l'homme d'État britannique Winston Churchill (1874-1965), ... « à l'exception de toutes celles qui ont pu être expérimentées par le passé. »

Questions

1) À quelles caractéristiques du pouvoir nous renvoie la typologie des régimes politiques d'Aristote ?

2) Retracez la genèse des régimes démocratiques d'Europe occidentale.

3) Quels différences et points communs entre régimes parlementaire, présidentiel et semi-présidentiel peut-on identifier ?

4) Quels sont les traits distinctifs des régimes démocratiques (dans leur acception libérale) et des régimes non démocratiques ?

5) Quels sont les traits distinctifs des régimes autoritaires et des régimes totalitaires ?

Bibliographie

RÉFÉRENCES DE BASE

- Arendt H. (1995/1951), *Les origines du totalitarisme, Tome 3 : Le système totalitaire*, Paris, Seuil.
- Duverger M. (1980), *Institutions politiques et droit constitutionnel, Tome 1*, 16ᵉ éd., Paris, PUF.
- Hermet G. (1985), « L'autoritarisme », *in* Grawitz M., Leca J. (dir.), *Traité de Science politique*, vol. 2, Paris, PUF, pp. 269-312.
- Linz Juan J. (2006/2000), *Régimes totalitaires et autoritaires*, Paris, Armand Colin.
- Manin B. (1995), *Principes du gouvernement représentatif*, Paris, Calmann-Lévy.

POUR ALLER PLUS LOIN

- Gosselin G., Filion M. (2007), *Régimes politiques et sociétés dans le monde*, Québec, Presses de l'Université de Laval.
- Lauvaux Ph. (2004), *Les grandes démocraties contemporaines*, 3ᵉ éd., Paris, PUF.
- Quermonne J.-L. (2006), *Les régimes politiques des pays occidentaux*, 5ᵉ éd., Paris, Seuil.
- Seiler D.-L. (1982), *La politique comparée*, Paris, Armand Colin.
- Traverso E. (dir.) (2001), *Le totalitarisme. Le XXᵉ siècle en débat*, Paris, Seuil, coll. « Points. Essais ».

LES PARLEMENTS ET GOUVERNEMENTS

Sommaire

Résumé

Le parlement et le gouvernement sont des acteurs étatiques fondamentaux. Un déficit de représentativité, questionné dans nos sociétés, remet parfois et partiellement en cause ces institutions publiques. Fondamentalement, elles pilotent la façon dont les politiques publiques sont adoptées, dont les États fonctionnent et les régimes politiques évoluent. Il est essentiel de connaître les fondements du pouvoir législatif d'une part et du pouvoir exécutif d'autre part, pour les comprendre et, le cas échéant, participer à une démarche critique qui permet – entre autres démarches – aux citoyens de participer à la vie politique.

Avant d'entrer dans le vif du sujet, précisons encore que le parlement et le gouvernement sont abordés ici à l'échelon national (structuré parfois dans un État fédéral), nonobstant le fait que le parlement et le gouvernement existent à différents niveaux de pouvoir. En Belgique par exemple, le parlement et le gouvernement disposent, au niveau régional, de compétences comparables à leurs homologues fédéraux, notamment en termes d'équipollence des normes. Au niveau local, le parlement et le gouvernement apparaissent sous une forme différente, souvent mis sous tutelle d'une instance située à un échelon supérieur. En Belgique, par exemple, le conseil communal (assemblée législative) et le collège communal (organe exécutif composé du bourgmestre, des échevins et du président du CPAS) sont placés sous la tutelle des Régions. Compte tenu des particularités des parlements et gouvernements à l'échelon supranational, nous ne les aborderons pas davantage dans ce chapitre.

1 | Le parlement

1.1. Définition et notions connexes

Dans cette première section, notre objectif est d'expliciter le contenu de quelques notions de base. Le parlement est ainsi l'assemblée essentiellement composée de représentants du peuple qui exerce(nt) le pouvoir législatif, c'est-à-dire, la capacité de produire des lois, des décisions suprêmes de portée générale (par exemple : le budget de l'État) ou particulière (par exemple, l'octroi de la nationalité dans certains cas), soit seul, soit en association avec le chef de l'État.

ENCADRÉ N° 8.1 : MONTESQUIEU, LE POUVOIR LÉGISLATIF ET LA SÉPARATION DES POUVOIRS

C'est Montesquieu qui est un des premiers à avoir posé les balises d'exercice du pouvoir dans les démocraties. Dans *De l'esprit des lois,* Montesquieu (2002/1748) décrit comment les trois pouvoirs fondamentaux dans un régime démocratique doivent être exercés de manière autonome afin de le préserver de l'absolutisme. Le pouvoir législatif est exercé par le parlement. Le pouvoir exécutif est exercé par le gouvernement et enfin, le pouvoir judiciaire est exercé par les cours et tribunaux. Cette « séparation » des trois pouvoirs amène les différents corps à exercer des compétences spécifiques en matière de législation : le parlement *élabore* les lois ; le gouvernement *exécute* les lois et veille à leur application ; la Justice *interprète* les lois et veille à ce qu'elles soient *effectivement appliquées dans les litiges qui lui sont soumis*. De cette conception de Montesquieu sont nées deux formes d'exercice du pouvoir : le régime parlementaire et le régime présidentiel (cf. chapitre Régimes politiques). Pour autant, n'oublions pas que ladite « séparation » des pouvoirs ne doit pas être considérée de façon absolue et consiste plus souplement en une semi-collaboration des pouvoirs (cf. chapitre Régimes politiques, section 2.1).

En lien avec le verbe « parler » ou « parlementer », le parlement a pour tâche de préparer, d'adopter et de modifier, par le débat, la Constitution et les lois qui régissent le fonctionnement de l'État. En ce sens, le parlement peut être considéré, en principe, comme une arène de décisions publiques (cf. chapitre Qu'est-ce que la science politique ?). Selon les époques et les régimes politiques, ses modalités de fonctionnement varient. Le rôle du parlement est le plus fort dans un régime qualifié de parlementaire : le centre de gravité politique se trouve alors localisé dans l'arène parlementaire (cf. chapitre Régimes politiques). Ce phénomène peut être qualifié de démocratie parlementaire ou de parlementarisme.

ENCADRÉ N° 8.2 : LE PARLEMENTARISME

Selon Hans Kelsen (1962/1934), on entend par parlementarisme la formation de la volonté étatique directrice par un organe collégial élu par le peuple sur la base du suffrage universel et égalitaire, c'est-à-dire démocratique, et prenant ses décisions à la majorité.

Dans le langage courant, le terme « assemblée » désigne la réunion dans un même lieu d'un nombre plus ou moins élevé de personnes. Compte tenu du fait que les représentants (élus en démocratie) se regroupent au parlement pour exercer le pouvoir législatif, le terme d'« assemblée » est communément associé à celui de « parlement ». En science politique, « l'assemblée parlementaire » est associée à la souveraineté populaire et à la représentation (voir ci-dessous dans les développements historiques).

En effet, les élites qui ont contribué à la formation historique des parlements (dès le Moyen-Âge en Angleterre, au XIXᵉ siècle dans beaucoup de démocraties occidentales, comme développé ci-après), ont estimé que le peuple ne pouvait pas se diriger lui-même, pour des raisons pratiques ou de principe (le peuple serait guidé par ses émotions, ses réactions ne seraient pas éclairées, etc.), et devait donc recourir à des représentants qui exerceraient le pouvoir législatif en son nom. C'est une des raisons qui explique que le terme « assemblée » est souvent retenu pour désigner, d'une part, les parlements monocaméraux comme la « Grande assemblée nationale » en Turquie et, d'autre part, « la chambre basse » des parlements bicaméraux comme en France, en Hongrie, au Vénézuéla ou au Pakistan où l'on utilise le terme « assemblée nationale » ou encore dans le cas de l'Égypte, celui d'« assemblée du peuple ».

Désignant spécifiquement le ou les organes du pouvoir législatif, le terme « parlement » peut être assorti des qualificatifs « monocaméral » ou « bicaméral ». Le monocaméralisme désigne le fait que tous les représentants (ou députés) se regroupent dans une seule et même chambre tandis que le bicaméralisme qualifie un parlement doté d'une « chambre haute » et d'une « chambre basse ». Nous reviendrons plus loin sur ce point dans la section sur les structures du parlement.

1.2. Les origines historiques du parlement

La notion de parlement est historiquement liée à celles de représentation, d'élection et de démocratie. L'origine de la représentation parlementaire, qui paraît naturelle aujourd'hui, notamment en Occident, est issue, en droite ligne, des évolutions historiques réalisées dans les différents pays en Europe et aux États-Unis d'Amérique. Dans l'Antiquité, la petite communauté (cf. chapitre Qu'est-ce que la science politique ?, section 1.1) détenait ce pouvoir et l'exerçait de manière directe (cf. chapitres État, section 3.1, et Régimes politiques, section 2.2.1). Or, depuis le Moyen-Âge et en particulier, depuis les révolutions anglaise et française (cf. chapitre Régimes politiques, section 2.2.2), le pouvoir est confié à des représentants du peuple. Depuis lors, la notion de démocratie et le pouvoir qu'elle confère se fondent sur deux principes : l'élection et la représentation. L'élection désigne l'élu, mais c'est sa responsabilité devant ses électeurs qui en fait le représentant. En effet, la définition de la démocratie implique de prendre en compte tant le peuple qui est à la fois sujet et souverain, d'une part, et la délégation du pouvoir à des représentants, et donc les interactions entre les représentants et les représentés, d'autre part. À cet égard, dans son *Principe du gouvernement représentatif*, B. Manin a montré l'avènement de la démocratie du public, avec ses interactions multiples entre tous ses différents acteurs. En réalité, au cours de l'histoire, les régimes politiques se sont distingués par leurs manières respectives d'équilibrer la représentation et la participation (cf. chapitres Régimes politiques, section 2.5.2, et Citoyens, sections 2.1 et 2.2). Plus que pour tout autre type de régime, cette dialectique est au cœur de la démocratie parlementaire.

Les premiers embryons d'une structure et d'une démocratie parlementaire ont commencé à exister dès le XIIIe siècle en Angleterre. Cette arène parlementaire sera connue sous le nom de « parlement de Westminster ». Elle est souvent considérée comme la « souche-mère » des parlements. Ce sont les revendications des bourgeois, soucieux de participer à la gestion des affaires de l'État et à leur intégration à la Cour du Roi, qui marqueront les débuts de la structure parlementaire. C'est au XIVe siècle que cette structure évolue vers la forme la plus répandue dans nos démocraties actuelles, à savoir la séparation en deux chambres – la *House of Lords* (« chambre haute ») et la *House of Commons* (« chambre basse ») – représentant respectivement, d'un côté, la noblesse et le clergé et, de l'autre, les bourgeois et l'aristocratie. Les pouvoirs de ces deux chambres deviennent prépondérants sur les pouvoirs du Roi après la « Glorieuse Révolution » de 1688. Ce n'est qu'à partir du XVIIe siècle que les pouvoirs du parlement anglais commencent à prédominer sur les pouvoirs du Roi et ce n'est qu'au XIXe siècle que le parlement a la capacité de voter sa confiance ou non au gouvernement.

C'est de cette expérience anglaise que s'inspireront de nombreux États. La clé de ce régime parlementaire réside dans la collaboration du pouvoir législatif et exécutif. L'architecture institutionnelle prévoit, en principe, la dynamique suivante. Le parlement vote la confiance au gouvernement et, par conséquent, contribue à légitimer son action. Le gouvernement est donc responsable devant le parlement, et ne peut agir que sous le vote de la confiance, et pour la législature pour laquelle l'assemblée parlementaire a été élue. Si le régime parlementaire présente des avantages comme celui de faire reposer l'exécutif sur le vote du parlement, il présente aussi un certain nombre de contraintes. D'aucuns mettent en avant le fait que le gouvernement dispose de peu de marge de manœuvre car il est encadré par le parlement. D'autres estiment que cela rend la vie politique plus instable dans la mesure où un groupe parlementaire peut déposer une motion de méfiance qui, si elle est votée, amène à la démission du gouvernement. D'autres encore pointent l'immobilisme que cela peut engendrer dans la gestion des affaires de l'État.

La plupart des États européens ont opté par principe pour cette dynamique de la démocratie parlementaire ou encore de la démocratie qualifiée de représentative : au lendemain des révolutions nationales, un mode de fonctionnement basé sur la représentation était censé défendre, en principe donc, par « un certain nombre », les intérêts « du plus grand nombre ». La démocratie va alors être qualifiée de représentative parce que c'est une forme limitée et indirecte du fonctionnement démocratique, dans la mesure où cette forme de représentation lie les gouvernants et les gouvernés d'une manière telle que les intérêts des citoyens sont articulés et leurs demandes prises en charge. Notons que les développements de la démocratie parlementaire et représentative ne sont pas synonymes d'acquisition du suffrage universel pur et simple (cf. chapitres Régimes politiques, introduction, et Citoyens, section 2.1) : il peut exister une représentation sans élection élargie.

1.3. Les structures de parlement

1.3.1. *Le nombre de chambres*

Selon les États, les parlements comptent une ou deux chambre(s), c'est-à-dire une ou deux arène(s) entre lesquelles se répartissent, le cas échéant, les représentants. En conséquence, ils sont qualifiés, soit de mono- ou uni- caméraux, soit de bicaméraux. Depuis la fin de la Seconde Guerre mondiale, on constate une tendance au monocaméralisme. Par exemple, en 1948, Israël a instauré un parlement monocaméral (la « Knesset »). La Nouvelle-Zélande a supprimé son Sénat après 1950. C'est aussi le cas, par exemple, des pays nordiques : Danemark (il a supprimé son Sénat en 1953), Suède (elle a supprimé son Sénat en 1974), Islande (elle a supprimé son Sénat après 1991). Le Luxembourg et la Turquie possèdent également des parlements monocaméraux. Aujourd'hui, on estime qu'environ la moitié des États conservent un parlement avec deux chambres. C'est le cas notamment dans les Amériques et, en particulier, en Amérique latine.

Il existe deux grandes catégories d'explications pour rendre compte de l'origine et des pouvoirs de la chambre dite « haute ». La première explication est d'ordre historique et sociologique. La seconde explication est d'ordre institutionnel.

La première explication conduit, dans beaucoup d'États, à considérer la chambre haute comme un héritage de l'histoire sociale. La chambre haute correspond à un corps social plus restreint en termes de rang social, d'âge, de fiscalité, etc. À ce titre, la chambre haute était ou est encore aujourd'hui un bastion – ou un résidu – de la représentation des couches sociales supérieures associées (non sans tensions) au pouvoir monarchique. Les pouvoirs traditionnels de l'Ancien régime (le clergé et la noblesse et dans certains cas, la bourgeoisie) y étaient représentés, par le biais de restrictions d'éligibilité. C'est le cas, par exemple, de la *House of Lords* au Royaume-Uni : elle était réservée, d'une part, au haut clergé et, d'autre part, à la noblesse britannique dont certains membres y siégeaient à vie et ce, pour certains, de manière héréditaire. De même, au XIXᵉ siècle, le Sénat (en Belgique ou aux Pays-Bas) privilégiait la représentation des couches sociales supérieures par le biais du suffrage capacitaire et censitaire. Notons, cependant, que ce type de représentation – par le biais du suffrage censitaire et capacitaire – a aussi concerné certaines chambres basses, comme la chambre des représentants en Belgique, par exemple.

Deuxièmement, sur le plan institutionnel, une chambre peut servir la représentation d'entités généralement géographiques. Dans les États où la chambre haute résulte d'une structure fédérale ou régionale, elle sert en effet à la représentation des unités sous-étatiques. Par exemple, le Sénat américain est le lieu de représentation des 50 États à raison de deux sénateurs par État. En Allemagne, les régions appelées *Länder* siègent au *Bundesrat* (Conseil fédéral). En Suisse, les cantons sont représentés au sein du « Conseil des États » et, au Canada, les provinces sont représentées au Sénat. En Belgique, la sixième réforme institutionnelle de l'État fait du Sénat une chambre des Régions et des Communautés. Mais cette deuxième explication du bicaméralisme ne s'applique pas uniquement à des États fédéraux. Ainsi, en France, les collectivités locales et les DOM-TOM sont représentés au Sénat. Autre modalité de cette explication, l'Irlande a fait de son Sénat une chambre néocorporatiste permettant la représentation des syndicats, universités, organisations agricoles, etc.

ENCADRÉ N° 8.3 : QUELQUES DÉNOMINATIONS DE PARLEMENTS BICAMÉRAUX

Allemagne	Bundestag	Bundesrat
Belgique	Chambre des Représentants	Sénat
Canada	Chambre des Communes	Sénat
États-Unis (« Congrès »)	Chambre des Représentants	Sénat
France	Assemblée nationale	Sénat
Italie	Camera	Senato
Pakistan	Assemblée nationale	Sénat
Royaume-Uni	Chambre des Communes	Chambre des Lords
Suisse (« assemblée fédérale »)	Conseil national	Conseil des États

Source : élaboration des auteurs.

Ces deux sources « généalogiques » (représentation des couches sociales supérieures ou bien des pouvoirs infranationaux) ont conduit à des modes de sélection différents des parlementaires pour les deux chambres ainsi qu'à une composition sociale différenciée des chambres). La chambre basse est, dans tous les pays démocratiques, élue de manière directe et au suffrage universel, suivant différents systèmes électoraux (majoritaire, proportionnel, etc.). La chambre haute présente généralement des différences avec la chambre basse en ce qui concerne la durée du mandat des représentants et le mode de suffrage employé pour leur élection.

En ce qui concerne la durée du mandat, il est souvent plus long, comme le montre par exemple le mandat de 6 ans pour le Sénat américain alors que celui à la chambre américaine des représentants dure 2 ans. De même, en France, le mandat est de 9 ans au Sénat, contre 5 ans à l'Assemblée nationale. En ce qui concerne le mode de suffrage, il est plus souvent indirect pour la chambre haute que pour la chambre basse. Par exemple en France, les sénateurs sont élus par un « collège électoral » formé de députés, de conseillers régionaux et de conseillers municipaux, à raison d'au moins un par mairie avec une surreprésentation des zones rurales. Dans le cas suisse, les représentants des cantons – 2 par canton et 1 par demi-canton – sont élus au sein du Conseil des États. L'élection de ces représentants est particulière car chaque canton fixe lui-même les règles d'élection de ses représentants. Le système utilisé est souvent majoritaire à l'exception du canton du Jura où le système est proportionnel. Le mandat est de 4 ans. Au Canada, les représentants des provinces élus au Sénat siègent jusqu'à 75 ans. Le nombre de représentants est identique pour chaque *groupe* de provinces, soit 24 personnes à élire. Au sein de ces groupes, le nombre de représentants varie. Les petites provinces ont droit à des représentants, mais le nombre maximal de sénateurs ne peut dépasser les 113 représentants.

Particulièrement important dans les États fédéraux, le bicaméralisme permet de « gérer » les conflits d'intérêts qui peuvent exister entre le niveau fédéral et le niveau fédéré ou encore entre le pouvoir central et le pouvoir décentralisé (voir les chapitres sur les clivages et sur l'État). C'est le cas, par exemple, du pouvoir législatif octroyé aux provinces au Canada ou encore aux cantons en Suisse, dans le cadre d'États fédéraux. Le bicaméralisme revêt en réalité un certain nombre de particularités.

Tout d'abord, cette structure de parlement permet de « cadrer » davantage le pouvoir de l'exécutif dans la mesure où deux chambres, avec des compositions et des mandats différents, exercent un double contrôle sur l'activité du gouvernement. Ensuite, l'existence de deux chambres permet de répondre à un plus grand nombre d'intérêts et par conséquent, de mieux représenter les différents groupes d'électeurs. Comme nous l'avons mentionné, la représentation peut d'ailleurs combiner plusieurs critères de représentation (par exemple, de la population via le suffrage direct et de collectivités locales de façon indirecte). Par ailleurs, l'existence d'une seconde chambre permet le contrôle du contenu des activités de la première chambre : l'examen de la législation par une seconde chambre permet d'apprécier la teneur des textes, et de prévenir les erreurs ou les conflits d'intérêts qui pourraient surgir suite à l'adoption d'une loi par la première chambre. Dans cette perspective, la seconde chambre peut également constituer un dispositif de sécurité renforcée dans le processus législatif impliquant des choix de société, impactant l'ensemble des citoyens soumis à la contrainte de la loi, car elle permet de débattre et de discuter plus en profondeur de normes, notamment lorsque celles-ci sont particulièrement controversées. Entre 2012 et 2013 en France, les débats relatifs à l'homoparentalité, au Sénat et à l'Assemblée nationale, sont illustratifs de ceci. Une seconde chambre peut exercer, en quelque sorte, un « contrôle des sages » notamment grâce à un temps de réflexion plus long. Traditionnellement, en Belgique, le Sénat s'est ainsi vu confier les propositions de lois en matière éthique et bioéthique (dépénalisation de l'euthanasie en 2002, régulation de la procréation médicalement assistée en 2007, etc.) ou encore nucléaire (loi de sortie du nucléaire en 2003).

Une structure bicamérale induit une « prise de décision » en matière législative plus lente que dans une structure monocamérale. Cette spécificité, ainsi que celles qui suivent, servent parfois de point d'ancrage aux arguments des détracteurs du bicaméralisme. Ces derniers soulignent que les membres qui composent cette seconde chambre ne sont pas nécessairement élus. Certains d'entre eux peuvent être désignés ou indirectement élus. Des conflits de compétences engendrés par l'existence de deux chambres peuvent également émerger, ce qui freine le processus législatif : la première chambre peut entrer en conflit avec la seconde accentuant, à certains moments, un aller-retour du texte d'une chambre à l'autre (la procédure dite « de navette », cf. *infra*) et, le cas échéant, un problème politique pouvant affecter jusqu'au gouvernement. En effet, les chambres peuvent cristalliser les divergences d'intérêt, les oppositions voire les conflits entre les composantes nationales. Concrètement, c'est la composition politique différente des deux chambres qui peut notamment les amener à s'opposer sur certaines propositions de lois. Cela survient assez fréquemment aux États-Unis d'Amérique, par exemple. Enfin, selon les opposants du bicaméralisme, l'existence d'une seconde chambre serait de nature à préserver un caractère conservateur, en maintenant cette seconde chambre comme le lieu dédié par excellence aux intérêts d'une certaine élite.

1.3.2. *Les commissions parlementaires*

Que le parlement compte une ou deux chambres, les séances plénières – qui, par définition, réunissent tous les députés – sont importantes car elles constituent le moment de la décision collective. De plus, ce sont les séances plénières qui symbolisent généralement le parlement aux yeux des citoyens car elles sont parfois médiatisées. Soulignons à cet égard l'importance de la médiatisation du jeu politique et de sa mise en scène. Depuis des décennies, en France, les séances de l'Assemblée nationale sont diffusées à la télévision le mercredi après-midi, accentuant les joutes oratoires entre les députés.

Toutefois, au quotidien, le travail parlementaire de fond est principalement réalisé dans les commissions parlementaires rassemblant un nombre restreint de parlementaires. Ces commissions offrent une structure essentielle au travail législatif dans la mesure où les députés disposent de plus de temps pour approfondir le contenu des propositions de lois, mobilisent expériences et connaissances techniques, que celles-ci leur soient propres ou apportées par des personnes extérieures qu'ils auditionnent, dans une logique de spécialisation. Deux grands types de commissions parlementaires contribuent au travail législatif : les commissions permanentes (ou structurelles) et les commissions conjoncturelles (ou *ad hoc*), c'est-à-dire créées pour une durée limitée et/ou sur une problématique précise.

Les commissions structurelles, comme le qualificatif l'indique, effectuent un travail relatif à la législation, dans beaucoup de secteurs d'intervention de l'État (la justice, les affaires sociales, l'économie et la finance, les affaires étrangères, etc.), s'inscrivant dans le fonctionnement permanent de ce dernier et l'exercice des fonctions étatiques (cf. chapitre État, section 5). Les commissions participent beaucoup à adopter les lois qui contribuent à la gestion du « vivre ensemble » (cf. chapitre Qu'est-ce que la science politique ?, section 1.1). Dans les différents États, elles sont d'ailleurs généralement composées des parlementaires portant ensemble les diverses couleurs politiques représentées au parlement, afin de refléter au mieux l'éventail des électeurs. Leur nombre, leur degré de spécialisation et leur mode de fonctionnement peuvent varier d'un État à l'autre. Au sein même de ces commissions structurelles, il existe, parfois des commissions spécifiques (qui traitent de sujets ciblés) comme, par exemple, la Commission des naturalisations.

Parmi les commissions conjoncturelles ou *ad hoc*, plusieurs catégories peuvent être distinguées. Les commissions d'enquêtes parlementaires ont ceci de spécifique qu'elles effectuent plutôt un travail de contrôle et de désignation de responsabilités face à un problème auquel la communauté politique a été confrontée. Les commissions d'enquête disposent souvent de larges pouvoirs et transforment, en quelque sorte, pour une période limitée, des parlementaires en juges d'instruction. Mentionnons deux exemples. En Belgique, en 2008, une commission sur la séparation des pouvoirs (dite « Fortis » du nom d'une banque) enquêta sur des contacts entre le cabinet du Premier ministre et la magistrature dans le cadre d'une procédure judiciaire au Tribunal du Commerce relative à la banque Fortis. Elle émit des recommandations pour notamment renforcer l'autonomie du pouvoir judiciaire par rapport aux cabinets ministériels. Aux États-Unis d'Amérique, le Congrès mit sur pied en 2002, avec l'approbation du président des États-Unis, la commission nationale sur les attaques terroristes contre les États-Unis, communément appelée commission du 11 septembre (2001). Entre autres résultats, la commission mit en évidence des dysfonctionnements au niveau du FBI et de la CIA.

Des commissions plus spécifiques peuvent également être mises en place pour débattre d'enjeux que la société se pose à un moment donné, et pour lesquels l'intervention du parlement est requise. Ce dernier peut mobiliser le temps et l'expertise pour clarifier les tentants et les aboutissants de ces enjeux. Une fois la législature terminée, le parlement pourra décider que l'enjeu a été circonscrit, que – le cas échéant, il a fait l'objet de décisions suffisantes – et ne pas remettre en place la commission spécifique qu'il avait antérieurement créée. En Belgique, la Commission spéciale chargée des questions bioéthiques pendant la législature de 1999 à 2003 a ainsi planché sur une série d'enjeux spécifiques comme la procréation médicalement assistée, la recherche sur les embryons et les cellules-souches.

1.3.3. *La taille des chambres et l'enjeu des découpages*

Comment sont composées les chambres et, en leur sein, les commissions ? En principe, la taille de la chambre principale des parlements est proportionnelle à celle de la population. Souvent, les commissions reprennent, en proportion, un nombre restreint de parlementaires attachés aux différents partis politiques de la majorité et de l'opposition.

En Russie (qui compte plus de 140 millions d'habitants), la chambre des députés (la « Douma ») est composée de 450 membres. En Belgique (qui compte moins de 11 millions d'habitants), la chambre des députés du parlement fédéral est composée de 150 membres. Si l'on compare les pays en fonction de la taille de leur population, on constate que les pays moins peuplés ont proportionnellement un plus grand nombre de députés. Chaque député à la Douma russe, par exemple, représente à lui seul une plus grande part de la population et du territoire qu'un député belge dans son propre pays (où la population est moins nombreuse et le territoire plus petit).

La composition des assemblées parlementaires est également dépendante des lois électorales. À partir du moment où le parlement est censé représenter le peuple, la représentation parlementaire tient compte, en principe et autant que possible, de ses caractéristiques, dont sa dispersion territoriale. Par exemple, le nombre de sièges à pourvoir à la chambre des députés du parlement fédéral belge est proportionnel à la population de chacune des circonscriptions électorales. Dans la pratique, des dispositifs peuvent induire une sous-représentation ou, inversement, une sur-représentation de telle ou telle partie de la population.

Les circonscriptions électorales sont définies par la loi et correspondent à des entités territoriales plus ou moins homogènes. Au-delà de cette dimension légale, ne nous y trompons pas : la définition des circonscriptions fait l'objet d'âpres discussions et de vifs enjeux politiques. À titre d'exemple, le ou les parti(s) au pouvoir peu(ven)t procéder à des redécoupages territoriaux pour les élections suivantes afin d'affaiblir tel ou tel autre parti. Ce processus de redécoupage est souvent appelé *gerrymandering* en référence à la stratégie du Gouverneur états-unisien du Massachusetts, Eldridge Gerry, au XIXᵉ siècle. Eldridge Gerry avait redécoupé les circonscriptions dans son État de sorte que son parti (démocrate) remporta 29 sièges avec moins de voix que ses adversaires politiques qui, malgré qu'ils avaient recueilli plus de voix, ne pouvaient prétendre qu'à 11 sièges.

Dans certains pays, au sein de la circonscription, le territoire est parfois subdivisé en cantons électoraux. Le nombre de cantons électoraux varie en fonction de la taille de la population de la circonscription. Dans le cas belge, le code électoral a connu plusieurs modifications et la réforme de 2003 a défini le territoire en circonscriptions électorales correspondant aux provinces administratives, soit 10 circonscriptions électorales. Il existe une particularité à ce découpage électoral, en Belgique, dans la mesure où la Région de Bruxelles-Capitale n'est pas une province et a été agrégée, jusqu'en 2012, à l'arrondissement électoral de Hal-Vilvorde pour ne former qu'un seul arrondissement électoral, comprenant 35 communes.

ENCADRÉ N° 8.4 : BHV OU L'ENJEU POLITIQUE DES CIRCONSCRIPTIONS ÉLECTORALES EN BELGIQUE

Le découpage des circonscriptions électorales n'est pas une question politiquement neutre. Il peut être source de conflits. En Belgique, le regroupement au sein d'une même circonscription électorale pour les élections législatives et européennes des arrondissements de Bruxelles, Hal et Vilvoorde (BHV) a fait naître un conflit communautaire dans la mesure où une partie de ces communes (relevant des arrondissements de Hal et Vilvoorde) est située sur le territoire de la Région flamande, unilingue néerlandophone, et une autre partie de ces communes sur le territoire, bilingue, de la Région de Bruxelles-Capitale. Au fil du temps, la situation a fini par apparaître problématique pour les partis flamands. D'une part, elle dérogeait au principe général, établi lors de la cinquième réforme de l'État en 2001, selon lequel, les circonscriptions pour les élections à la chambre épousaient les contours des provinces. Or le Brabant flamand faisait seule exception puisque son territoire relevait de deux circonscriptions : BHV, d'un côté, Leuven, de l'autre. D'autre part, les arrondissements de Hal et Vilvoorde étaient les seuls arrondissements électoraux situés en région unilingue à donner la possibilité à leurs électeurs de voter non seulement pour des listes de candidats déposées dans la langue de région (dans ce cas, le néerlandais, et donc en pratique, pour des listes flamandes), mais également pour des listes déposées dans l'autre grande langue nationale (dans ce cas, le français, et donc en pratique, pour des listes francophones). Dans le cadre des lois linguistiques de 1962-63 qui fixèrent la « frontière linguistique » (cf. chapitre État, encadré n° 3.4), le « problème BHV » était conçu de façon différente de part et d'autre de ladite frontière. Du côté flamand s'est forgée la conviction que tout dispositif contraire au principe de l'unilinguisme en Flandre est une anomalie qui, de ce fait, doit être supprimée. Du côté francophone, il est important d'obtenir des contreparties à la limitation « définitive » de la région institutionnellement bilingue de Bruxelles, majoritairement francophone.

Suite aux réformes institutionnelles menées après les élections législatives de juin 2010, l'arrondissement électoral de Bruxelles-Hal-Vilvorde a été scindé par la loi du 19 juillet 2012, parue au *Moniteur belge* le 22 août 2012. Suite à cette loi, Hal et Vilvorde ont été dissociées de la circonscription électorale de Bruxelles et le nombre de personnes à élire pour les circonscriptions du Brabant flamand et de Bruxelles a, par conséquent, été revu. Le nombre de personnes à élire dans la circonscription de l'arrondissement de Bruxelles est respectivement de 15 députés et de 15 députés pour le Brabant flamand. Cette nouvelle répartition tient compte de la population de ces deux circonscriptions électorales. Cela signifie également que le nombre de députés à élire est de 30, alors qu'auparavant il n'était que de 29 dans l'ancienne répartition (22 à Bruxelles-Hal-Vilvorde et 7 à Louvain). Comme la chambre des représentants ne compte que 150 sièges à attribuer, cela signifie qu'une autre circonscription a perdu un siège, compte tenu de la redistribution des sièges en fonction de la population présente au sein de chaque circonscription. C'est l'arrondissement électoral du Hainaut qui a perdu ce siège, en vertu d'une baisse relative de sa population. Il est à noter qu'en Belgique, des voix s'élèvent en faveur de la constitution d'une seule et unique circonscription électorale (circonscription fédérale) afin de diminuer les tensions structurelles entre les deux communautés linguistiques.

ENCADRÉ N° 8.5 : NOMBRE DE CANDIDATS À ÉLIRE À LA CHAMBRE DES DÉPUTÉS, PAR CIRCONSCRIPTION, AUX ÉLECTIONS FÉDÉRALES AVANT ET APRÈS 2012 EN BELGIQUE

Circonscriptions électorales	Nombre de membres – candidats à élire avant la loi du 19 juillet 2012	Circonscriptions électorales	Nombre de membres – candidats à élire après la loi du 19 juillet 2012
Hainaut	19	Hainaut	18
Liège	15	Liège	15
Luxembourg	4	Luxembourg	4
Namur	6	Namur	6
Brabant wallon	5	Brabant wallon	5
Bruxelles-Hal-Vilvorde	22	Bruxelles	15
Brabant flamand	7	Brabant flamand (+ Hal-Vilvorde)	15
Anvers	24	Anvers	24
Flandre occidentale	16	Flandre occidentale	16
Flandre orientale	20	Flandre orientale	20
Limbourg	12	Limbourg	12
TOTAL	150	TOTAL	150

Source : Code électoral et Modifications du Code électoral – cf. Arrêté royal du 31 janvier 2013 portant sur la répartition des membres de la chambre des représentants entre les circonscriptions électorales, publié au *Moniteur belge*, le 14 février 2013, 2ᵉ édition.

Si le découpage territorial lors des élections constitue un enjeu politique majeur, l'attribution du nombre de sièges aux partis politiques au sein de l'assemblée parlementaire en constitue un autre. Elle se réalise au travers de différents systèmes électoraux que l'on répertorie habituellement en trois catégories : les systèmes majoritaires, proportionnels ou mixtes.

1.3.4. *Les systèmes électoraux et les modes de scrutin*

Au-delà de la diversité des situations et des particularités techniques propres à chaque contexte, nous insistons ici sur deux modes de scrutin, ou deux types de régime électoral, dominants dans les démocraties représentatives.

Le premier mode de scrutin est dit majoritaire. Le principe de ce type de scrutin réside dans la victoire du candidat qui a obtenu le plus de voix au regard de ses concurrents. La victoire ne nécessite pas de majorité absolue ni de majorité qualifiée (sur ces termes, cf. *infra*, encadré n° 8.9). Elle découle simplement du nombre de voix supérieur que le vainqueur a remporté. Ce type de système présente l'avantage d'établir des majorités fortes, stables et souvent homogènes. Quand bien même le parti politique gagnant aurait recueilli une majorité relative (cf. encadré n° 8.9) des voix, il obtient dans ce système la majorité absolue (cf. encadré suivant) des sièges au parlement. Dans les circonscriptions où le parti a gagné les élections, il ne récolte pas uniquement les suffrages en sa faveur, mais aussi tous les suffrages de tous les candidats ayant participé au scrutin. Ce type de système présente également l'avantage de faire émerger clairement les différences qui caractérisent les partis en compétition.

Le scrutin majoritaire peut se dérouler en un tour ou en deux tour(s) d'élections. Dans le premier cas, le candidat qui a rassemblé le plus de voix dans sa circonscription est immédiatement élu. Dans le deuxième cas, les candidats en compétition sont d'abord départagés entre eux à l'issue d'un premier scrutin et seuls les deux candidats qui y ont fait les scores les plus élevés sont admis au deuxième tour. La compétition peut ensuite continuer avec ces deux candidats seulement, celui remportant le plus de voix à cette deuxième étape étant élu.

Dans les systèmes majoritaires, il faut également différencier le système uninominal du système plurinominal. Le scrutin est uninominal si chaque circonscription désigne un seul et un seul candidat. Il est plurinominal quand chaque circonscription désigne plusieurs candidats à plusieurs sièges. De manière générale, le tableau ci-dessous résume les configurations possibles.

ENCADRÉ N° 8.6 : NOMBRE DE CANDIDATS ET DE TOURS À L'ÉLECTION DANS UN SYSTÈME MAJORITAIRE

	Élection à 1 tour	Élection à 2 tours
Circonscription uninominale	Un seul candidat à un siège par circonscription électorale	Un seul candidat à un siège par circonscription électorale, mais le candidat doit avoir la majorité absolue au premier tour
	Exemple : Royaume-Uni, Canada	Exemple : France
Circonscription plurinominale	Plusieurs candidats à plusieurs sièges par circonscription	Plusieurs candidats à plusieurs sièges par circonscription, avec une majorité relative au second tour, si une majorité absolue n'a pas été obtenue au premier tour
	Exemple : États-Unis pour l'élection présidentielle	Exemple : Belgique avant la proportionnalité en 1899

Source : élaboration des auteurs.

Le deuxième mode de scrutin est dit proportionnel car il répartit les sièges au parlement entre les partis en fonction de leurs poids électoraux respectifs. C'est celui qui est appliqué en Belgique depuis la fin du XIXe siècle. Face au principal défaut du scrutin majoritaire, le scrutin proportionnel présente un avantage important. En effet, le système majoritaire présente l'inconvénient d'être moins représentatif puisqu'il évince du jeu électoral toutes les forces politiques qui ont obtenu des voix, voire beaucoup de voix, sans avoir obtenu le plus grand nombre de voix. Le scrutin proportionnel offre la possibilité de représenter toutes les tendances politiques, y compris celles qui sont minoritaires. Mais ce mode de scrutin présente lui aussi des désavantages. D'abord, il nécessite la mise sur pied de coalitions qui peuvent être fragiles en raison des difficultés à établir un programme politique par un nombre potentiellement élevé de partenaires. Ensuite, contrairement au scrutin majoritaire, le système proportionnel ne renvoie pas un message clair à l'électorat, *a fortiori* lorsque des partis dits de droite et des partis dits de gauche se partagent le pouvoir. Enfin, en période de crise de la représentativité, ce système permet facilement l'émergence de nouveaux petits partis sur la scène politique, certains observateurs percevant ici des risques de fragmentation du spectre politique (cf. *infra*).

Deux méthodes sont principalement utilisées dans la répartition des sièges : la méthode par le quotient et la méthode par le diviseur. La méthode par le quotient consiste à définir un nombre de voix nécessaires pour obtenir un siège. La méthode de calcul simple (qualifiée de méthode Hare) consiste à diviser le nombre de suffrages exprimés par le nombre de sièges à pourvoir. Dès que ce quotient est connu, on divise le résultat du parti par le quotient afin de connaître le nombre de sièges à attribuer au parti. Il existe d'autres méthodes de calcul de ce quotient (Dropp, Imperalii, Hagenbasch-Bischoff). Un des problèmes de cette méthode réside dans les « restes » des suffrages car il est difficile d'attribuer 3,33 sièges à un parti. À nouveau, les systèmes électoraux prévoient des méthodes d'attribution des « suffrages restants » en utilisant principalement deux méthodes : soit par l'attribution par les « plus forts restes » soit par l'attribution de « la plus forte moyenne ».

Dans le cas des « plus forts restes », on commence par évaluer le nombre de sièges restant à attribuer après avoir appliqué la méthode du quotient. Sur cette base, on ordonne de manière décroissante les partis avec leur nombre de voix restantes. Le premier parti avec le plus grand nombre de voix restantes prendra donc un siège supplémentaire puis le second parti avec le plus grand nombre de voix restantes prendra le second siège restant et ainsi de suite jusqu'à ce que tous les sièges soient attribués. Ce système est encore utilisé à Chypre, par exemple. Dans le cas de « la plus forte moyenne », après avoir appliqué le quotient et attribué une première fois les sièges, on va établir la moyenne des voix pour chaque parti, c'est-à-dire diviser le nombre de voix de chaque parti par le nombre de sièges qui lui a été attribué en utilisant le quotient. Le parti qui a obtenu la plus grande moyenne reçoit un siège supplémentaire. On répète cette opération de moyenne jusqu'à l'attribution des sièges. Il faut faire attention que la moyenne diffère chaque fois qu'un siège supplémentaire a été attribué à un parti.

La méthode par le diviseur consiste à attribuer les sièges sur la base d'un nombre (diviseur) qui correspond au nombre de sièges à pourvoir. Il existe principalement deux types de méthodes par le « diviseur » : D'Hondt et Sainte-Lägue. La méthode D'Hondt utilise un diviseur simple, soit 1, 2, 3, ... n. On divise pour chaque parti le nombre de voix obtenues par ce diviseur simple en fonction du nombre de sièges à pourvoir. Si on dispose de 7 sièges à attribuer, cela signifie que l'on calcule pour le premier siège un premier seuil. On calcule ensuite le seuil pour le second siège, et ainsi de suite. On obtient donc un tableau avec ces seuils et on les ordonne par ordre décroissant jusqu'à ce que le nombre de sièges soit attribué. La méthode D'Hondt produit en général les mêmes résultats que la méthode par l'attribution par la « plus grande moyenne ». C'est la méthode employée en Belgique par l'inventeur national qui lui a donné son nom.

Certains pays où le système proportionnel est en vigueur ont par ailleurs introduit des conditions supplémentaires. Un « seuil électoral » au-delà duquel les partis ont une chance de décrocher un siège a été instauré dans certains pays. Par exemple, ce seuil est de 5 % en Belgique comme en Allemagne, mais il est de 1 % en Israël. De même certains pays ont introduit le « panachage », c'est-à-dire la possibilité de voter pour plusieurs candidats qui figurent sur des listes de partis politiques différents. C'est le cas, par exemple, au Luxembourg et en Suisse. Il faut être prudent à ne pas confondre le panachage avec des situations, comme en Belgique, où l'électeur peut voter soit pour la liste telle qu'établie (sans désigner un candidat en particulier), soit pour la tête de liste et pour plusieurs autres candidats au sein de cette même liste.

Enfin, outre les systèmes majoritaires ou proportionnels, certains pays ont adopté des modes de scrutin mixtes. Ces derniers mélangent des modes de scrutins majoritaires et proportionnels. Par exemple, l'Italie a expérimenté ce système mixte entre 1993 et 2001 : trois quarts des députés étaient élus au scrutin majoritaire et un quart au scrutin proportionnel. La France mobilise aussi ce dispositif mixte au niveau régional, mais en sens « inversé » : le parti ayant obtenu le plus de voix au second tour se voit attribuer un quart des sièges directement, les trois quarts des sièges restants sont attribués via un mécanisme de proportionnalité.

Dans les modalités de vote, les réformes et les lois électorales tiennent également compte de certaines autres caractéristiques. Dans plusieurs États, le législateur prévoit, par exemple, un nombre maximum de candidats de même sexe sur les listes électorales, voire la parité des deux sexes. L'objectif est d'augmenter la proportion de femmes représentées dans les assemblées parlementaires et, en particulier, le nombre de femmes élues à la chambre basse. Les quotas visent la présence d'une portion déterminée et obligatoire de femmes sur les listes électorales. En Belgique, par exemple, pour les élections fédérales de 1999, les listes devaient comporter un tiers de femmes. Ni les quotas ni la parité sur les listes électorales n'accroissent automatiquement le nombre de femmes effectivement élues. La notion de parité s'est répandue dans les années 1990 dans les pays occidentaux. Elle s'est imposée, par exemple, en France à partir de 2000 et, en Belgique, depuis les élections de 2003. Il faut noter qu'en Suisse et au Canada, il n'y a pas de législation imposant un quota mais les partis l'appliquent de manière volontaire. Le tableau ci-dessous reprend des indications chiffrées de l'évolution de la proportion d'hommes et de femmes au parlement belge (30 à 40 %). Globalement, les femmes sont plus largement présentes dans les parlements des pays scandinaves (entre 40 et 50 %).

ENCADRÉ Nº 8.7 : ÉVOLUTION DU NOMBRE DE FEMMES SIÉGEANT À LA CHAMBRE DES REPRÉSENTANTS EN BELGIQUE DEPUIS 1946 (EN %)

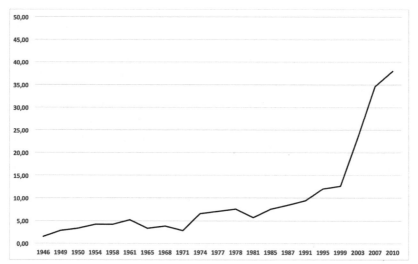

Source : élaboration des auteurs à partir de É. Gubin et L. Van Molle, *Femmes et politiques en Belgique*, Bruxelles, Éditions Racine, 1998 ; et pour les années 1996-2010, Union Inter-Parlementaire, http://www. ipu.org/iss-f/women.htm, consulté le 16 septembre 2013.

D'autres motifs peuvent inciter à une représentation accrue de la diversité des caractéristiques de la population au sein du parlement, comme l'intégration de communautés d'origine étrangère, ou des segments de la population nationale dont une représentation minimale est assurée (par exemple, les néerlandophones ou les germanophones dans les assemblées parlementaires bruxelloises). Le fait de jouir de la nationalité de l'État pour être élu(e) (dans le cas de la Belgique, aux niveaux fédéral, régional et communautaire) peut parfois s'avérer insuffisant. En Belgique, il n'y a pas de correspondance entre la proportion de personnes issues de communautés d'origine étrangère sur les listes des partis et de personnes élues dans l'assemblée parlementaire.

La désignation des parlementaires peut également dépendre des chambres dans lesquelles ils vont siéger, lorsque le parlement est bicaméral. En effet, le nombre de personnes à élire à la chambre basse est en général supérieur par rapport à la première chambre. Dans un certain nombre de cas, ces représentants ne sont pas élus directement. Mais ils sont désignés, notamment par leurs pairs ; on parle alors de « cooptation », par exemple pour une partie des sénateurs en Belgique. Dans d'autres cas, un parti peut faire l'objet d'un « apparentement » par un autre parti de telle sorte que le parti apparenté puisse obtenir une représentation parlementaire alors que ses résultats électoraux et le mécanisme d'attribution des sièges ne lui en auraient pas conférée. En Belgique par exemple, l'apparentement est d'application pour les élections au parlement wallon. En Suisse, les partis peuvent s'apparenter pour les élections nationales.

Enfin, le code électoral définit parfois la désignation des membres au parlement par des critères en plusieurs paliers. En Belgique par exemple, c'est l'élu sur la liste électorale d'un parti politique spécifique qui a lui-même obtenu le nombre de voix nécessaires (seuil électoral de 5 % par parti politique – cf. *supra* –, comme premier palier), et qui a reçu le plus grand nombre de voix des électeurs (second palier par candidat) qui prêtera serment comme représentant du peuple. Il est à noter qu'il existe des candidats suppléants qui peuvent, le cas échéant, occuper le siège au parlement de la personne qui aurait dû normalement l'occuper. En effet, il existe des incompatibilités qui ne permettent pas à la personne normalement élue de siéger car elle occupe d'autres fonctions comme, par exemple celle de ministre. Ainsi, certains pays ont défini des règles limitant le cumul des mandats. En effet, cumuler un mandat de député régional et de député fédéral tout en étant bourgmestre (maire) d'une commune a soulevé de nombreuses questions sur la capacité d'une personne à pouvoir assumer « effectivement » ses mandats quand il doit se rendre dans plusieurs assemblées différentes au même moment. C'est une des raisons pour lesquelles, en Belgique par exemple, il est autorisé d'être député-bourgmestre, mais il n'est pas légalement possible d'être ministre et bourgmestre (deux mandats exécutifs, à des échelons différents) en même temps.

1.4. Les acteurs et les organes du parlement

1.4.1. *Le président de l'assemblée*

Le président de la première ou de la seconde chambre dans un parlement est une personne qui dispose d'une autorité importante à double titre : cette personne représente l'assemblée élue en dehors du parlement et elle exerce un rôle très important dans certains pays au sein du parlement lui-même, dans la mesure où elle préside des séances plénières et « mobilise » l'ensemble de l'assemblée (et sa majorité). De manière symptomatique, en Belgique, le président de la chambre des représentants intervient au second rang protocolaire, après le Premier ministre, et avant les autres membres du gouvernement. Il en va de même pour son ordre de rémunération, plus élevé que celui des ministres.

Il est de tradition de confier la Présidence des chambres à des personnes qui ont de l'expérience en termes de travail parlementaire – souvent liée à de l'ancienneté en politique – car il doit, en même temps, garantir le bon fonctionnement du parlement, veiller à ce que les travaux parlementaires se déroulent dans les meilleures conditions et gérer l'administration du parlement. Le rôle du président d'assemblée a été mis en lumière par le paradoxe de Condorcet et le théorème d'Arrow. Tous deux se sont penchés sur la question de savoir comment, dans une assemblée, les préférences individuelles des décideurs (en l'occurrence, les parlementaires) peuvent être agrégées en un choix collectif (qui prendrait ici la forme d'une loi).

ENCADRÉ N° 8.8 : LE PARADOXE DE CONDORCET, LE THÉORÈME D'ARROW... OU LA DIFFICILE DÉCISION DANS L'ARÈNE PARLEMENTAIRE

Au XVIIIe siècle, Nicolas de Condorcet (1743-1794) a mis en évidence l'impossibilité de dégager – de façon rationnelle, objective et univoque (dépourvue d'ambiguïté) – une volonté générale à partir d'une somme de volontés individuelles. Appliqué à des propositions parlementaires, le paradoxe provient de ce qu'aucune proposition de loi ne s'impose par rapport à d'autres.

Préférences parmi les alternatives	Résultat du vote majoritaire
x, y, z y, z, x z, x, y	

Source du tableau : de Bruyne P.,1995 : 96.

Au XXe siècle, Kenneth Arrow (1921–) a complété son raisonnement en démontrant que cette impossibilité est applicable à tout système de vote. Son « théorème de l'impossibilité » démontre qu'un choix collectif ne peut pas être le simple résultat des préférences individuelles agrégées des électeurs.

Dans ces circonstances, le rôle du président d'assemblée se révèle essentiel. En effet, en politique, décider ne se limite pas à trancher face à un choix rationnel entre des propositions. Il faut convaincre ses partenaires et ses adversaires du bien-fondé de sa proposition (cf. chapitre Pouvoir, Dahl et la mesure de l'influence par le degré de changement dans la position des acteurs) ; il faut posséder des talents de délibération, d'argumentation, de conviction, etc. Maîtriser les techniques de décision politique constitue donc une ressource du pouvoir. Et le président d'assemblée, qui gère l'ordre du jour et le timing des débats, les tours de parole, etc. en est doté, par définition.

1.4.2. *Le Bureau du parlement*

Les parlements disposent généralement d'une instance collégiale chargée de la gestion générale du parlement. La composition et les missions de ce bureau, pour reprendre le terme générique, varient d'un pays à l'autre. Selon les cas, le bureau est donc une instance davantage administrative ou alors politique.

Sur le plan administratif, souvent, le bureau est l'instance majeure de décisions en termes de budgets, de personnel, de règlement interne du parlement. Concrètement, le rôle du bureau est également important car il organise les travaux parlementaires, en fixant l'agenda des séances plénières, en convoquant les commissions, voire en délimitant les temps de parole.

Sur le plan politique, une caractéristique du bureau commune à beaucoup de pays est qu'il est principalement composé d'élus. Si le bureau peut-être de nature plus politique, c'est donc au moins pour deux raisons. Premièrement, ceux qui y siègent sont souvent aussi le président de la première ou de la seconde chambre (cf. la section 1.4.1.), ainsi que les chefs des différents groupes parlementaires (par ailleurs généralement attachés à des partis politiques). Deuxièmement, il constitue un lieu de débats politiques (au sens de « la » politique en français et « politics » en anglais, cf. chapitre Qu'est-ce que la science politique ?, section 1.3) dans la mesure où choisir de placer à l'agenda tel ou tel dossier n'est pas neutre (cf. le paradoxe de Condorcet ci-dessus). Les groupes parlementaires peuvent par exemple tenter de protéger les ministres « de leur parti » en ralentissant la mise à l'agenda d'un dossier difficile[1].

1.4.3. *Les groupes parlementaires ou politiques*

Les groupes parlementaires, autrement appelés « groupes politiques », sont constitués sur la base des élus des différents partis. La taille de ces groupes dépend du nombre d'élus qu'un parti a pu obtenir dans le cadre d'une élection. Ces groupes parlementaires désignent, en général, un « chef de groupe » chargé de représenter le parti politique au sein des instances du parlement et en particulier, au Bureau.

Au-delà de la connotation proprement politique de ces groupes parlementaires, le parlement peut disposer, en son sein, de groupes chargés de garantir la représentation la plus fine possible de la population. En Belgique, les groupes linguistiques en fournissent une illustration. Comme le qualificatif l'indique, il s'agit de groupes de parlementaires formés sur base de la langue dans laquelle les parlementaires prêtent serment : en français ou en néerlandais. Ces groupes linguistiques interviennent dans le calcul de certaines majorités, comme la majorité spéciale (cf. tableau sur les différents types de majorité, ci-dessous).

En Belgique, dans les chambres bilingues que sont la chambre des représentants et le Sénat, les parlementaires sont répartis en deux (sous-)groupes linguistiques correspondant à la langue de prestation de serment. Les groupes linguistiques néerlandais et français ont été inscrits dans la Constitution belge lors de la première réforme institutionnelle (1970) afin de garantir les « bonnes relations » entre les deux communautés. Pour autant qu'il réunisse une majorité de 4/5 en son sein, chacun de ces groupes peut d'ailleurs activer une procédure, dite « de la sonnette d'alarme », en vue de la protection des intérêts de la population qu'il représente. Cette procédure permet la suspension d'une proposition de loi qui entrerait en conflit avec les intérêts de la communauté linguistique en question. Il en va de même concernant les réformes institutionnelles et les révisions de la Constitution auxquelles s'appliquent des majorités spécifiques.

---

[1] En Belgique, remarquons que le Bureau – chargé de la gestion du parlement – se distingue de la Conférence des présidents – chargée des enjeux politiques d'organisation des débats.

ENCADRÉ N° 8.9 : LES DIFFÉRENTS TYPES DE MAJORITÉ

La notion de majorité reçoit plusieurs qualificatifs qui en font un outil adapté à différentes situations : selon qu'un accord plus ou moins fort est requis par les votants.

– La **majorité simple** consiste à obtenir le plus grand nombre de voix exprimées, ou en d'autres termes un nombre de voix supérieur par rapport aux voix récoltées par toute autre proposition. Considérons par exemple qu'une proposition x recueille 40 voix, contre 30 à la proposition y et 20 à la proposition z. Si l'on applique la règle de la majorité simple, la proposition x passe, puisqu'elle récolte plus de voix (40) que, d'un côté, la proposition y (30) et, de l'autre, la proposition z (20).

– La **majorité absolue** requiert pour qu'une proposition soit adoptée non seulement qu'elle obtienne le plus grand nombre de voix exprimées, mais encore que ce nombre soit supérieur d'une voix à 50 % (la moitié) des voix exprimées. Dans l'exemple retenu, ce n'est pas le cas de la proposition x qui n'atteint pas la moitié des voix exprimées + 1 voix (40 n'étant pas la moitié plus une voix du total des 90 voix exprimées : 40+30+20). Pour être adoptée si la règle de la majorité absolue s'appliquait, la proposition x aurait dû totaliser 46 voix.

– La **majorité qualifiée** (parfois appelée renforcée) est calquée sur la majorité absolue mais en définissant pour qu'une proposition soit adoptée un seuil plus élevé que les 50 % de voix exprimées + 1 requis par la majorité absolue : en général, deux tiers ou trois quarts des voix exprimées. Ce qui n'est évidemment le cas d'aucune proposition dans l'exemple retenu. En Belgique, cette majorité est également dite constitutionnelle car l'article 195 de la Constitution (qui régit l'adoption des propositions d'amendement à la Constitution) exige, pour qu'une telle proposition soit adoptée, que, dans chaque hémicycle, deux tiers au moins des représentants soient présents, et que la proposition recueille deux tiers des suffrages exprimés d'un côté, à la chambre des représentants, et de l'autre, au Sénat.

– En Belgique, ce que l'on appelle dans la Constitution une « **majorité spéciale** » est requise pour les lois qui touchent aux matières linguistiques, particulièrement sensibles dans le pays. Elle correspond à une majorité simple de *présence* à la chambre *et* au Sénat, une majorité simple des votes dans chaque *groupe linguistique, et* une majorité des 2/3 des *votes* à la chambre et au Sénat.

1.4.4. *Le support logistique au fonctionnement parlementaire*

Pour aider au fonctionnement le plus efficace possible des chambres, fournir les ressources répondant aux besoins du travail législatif, les parlements disposent de services administratifs qui sont dirigés par un directeur général ou un greffier. Le greffier constitue un chef d'administration veillant au bon fonctionnement du parlement dans ses différents services. En tant que fonctionnaire dirigeant, le greffier peut assister aux réunions parlementaires (généralement sans voix délibérative). Cette personne est secondée par d'autres, comme un greffier-adjoint ou des directeurs de services, l'organigramme variant bien sûr d'un État à l'autre. Ensemble, ces personnes sont chargées de veiller à la bonne préparation des travaux parlementaires (fournir des documents par exemple), à leur suivi, impliquant la valeur juridique des textes, l'exactitude des comptes rendus des débats parlementaires, la qualité des archives mises à disposition des parlementaires.

Au sein du parlement, un support significatif est fourni par les questeurs, dont un trait essentiel est d'être souvent des parlementaires élus. En France, entrés en fonction sous Bonaparte, ils disposent aujourd'hui de pouvoirs financiers, en établissant notamment le budget de l'Assemblée nationale et en engageant ses dépenses. En Belgique, la fonction de questeur existe depuis le XIXᵉ siècle. Toute dépense de la chambre implique l'aval du collège des questeurs qui établit le projet de budget, de même qu'il gère les bâtiments et le personnel[2]. Une Cour des comptes, organe indépendant des pouvoirs législatif et exécutif, procède par ailleurs à la vérification de la gestion du budget.

La plupart du temps, les assemblées parlementaires disposent d'un service d'étude auquel les parlementaires peuvent avoir recours pour préparer leurs initiatives et interventions. Ce travail intellectuel de soutien aux parlementaires peut aussi être le fait d'« assistants parlementaires », personnes engagées pour la durée d'une législature par une assemblée, et détachées auprès des parlementaires individuellement ou des groupes parlementaires.

Enfin, le parlement dispose de services gérant les relations internationales dans le cadre de collaborations d'un parlement national à un autre ; ou encore d'une bibliothèque et d'un service de documentation disposant de collections importantes d'ouvrages et d'archives.

1.4.5. *Le profil et le statut des parlementaires*

En tant qu'élus, les députés ont juridiquement une fonction de représentation de la population. À ce titre, ils siègent dans une des assemblées (première ou seconde chambre) et participent aux travaux de ces assemblées de manière régulière. Ils participent également aux commissions parlementaires, qu'elles soient permanentes ou *ad hoc* et enfin, reçoivent les citoyens qui le demandent (en Belgique dans leur bureau qui se situe dans la « Maison des Parlementaires », tout près du parlement).

Les parlementaires disposent en général d'un statut particulier pour des actes ex officio, en leur qualité de représentant. Ils disposent d'une immunité parlementaire leur permettant de ne pas être poursuivis par la Justice pendant la durée de leur mandat, et de ne pas être poursuivis du tout pour des faits liés à l'exercice de leur mandat, pour autant que celui-ci ait respecté les règles. Si un parlementaire est impliqué dans un dossier judiciaire, en-dehors de son mandat ou du respect des règles, le pouvoir judiciaire doit d'abord demander la levée de son immunité au parlement (décidée par vote), avant de pouvoir procéder à son audition, son inculpation ou encore à son jugement. Ce dispositif de protection a été mis en place pour garantir l'indépendance des représentants, pour préserver leur marge d'action, face à des intimidations qui pourraient venir des autres organes du pouvoir, d'acteurs privés, de l'extérieur de manière générale.

En termes de profil, de nombreux travaux ont mis en évidence l'évolution de la composition sociologique des élites et notamment des parlementaires. Le nombre de représentants issus des couches sociales supérieures comme la noblesse ou la haute bourgeoisie diminue au profit de parlementaires issus de la classe moyenne. Au Royaume-Uni, par exemple, la proportion des parlementaires issus de la noblesse est de 55 % entre 1868 et 1886, de 23 % entre 1916 et 1935 et de 13 % entre 1955 et 1970. En France, les parlementaires issus de la noblesse représentent 14 % entre 1879 et 1889, et 3 % entre 1945 et 1958. En Allemagne, les élus issus de la noblesse

---

[2] Le Parlement dispose d'un budget propre, qu'il gère de façon autonome, dans la mesure où il constitue une branche étatique, « séparée » des autres.

représentent 65 % entre 1890 et 1918 et celle-ci n'est plus représentée dans les années 1950-1960 (Putnam, 1976, p. 177).

Des analyses contemporaines ont permis de dresser un profil-type des parlementaires, en relevant les principales caractéristiques de ces élites politiques. Ce sont en général des hommes originaires du pays où ils deviennent mandataires, âgés en moyenne de 50 ans, disposant en général d'un diplôme d'enseignement universitaire ou en tout cas supérieur, souvent fonctionnaire public ou exerçant des professions libérales comme avocats ou chefs d'entreprises. Le nombre de femmes parlementaires a légèrement augmenté durant les dernières décennies suite, entre autres, à l'introduction des quotas de représentation, voire de la parité, sur les listes électorales. Globalement, il n'y a pas une correspondance parfaite entre la répartition des catégories spécifiques de la population (femmes, jeunes, immigrés, etc.) et leur représentation au sein des assemblées parlementaires. Le chapitre sur les régimes politiques montre par ailleurs l'évolution de la représentation et de la démocratie.

1.5. Les fonctions du parlement

Le rôle des parlements varie d'un État à l'autre, et surtout d'un régime politique à l'autre, mais la science politique met généralement en exergue les fonctions exposées ci-dessous comme étant principales, fédératrices, communes à la diversité des États, particulièrement les États occidentaux. Nous débutons cette section par la rédaction de la Constitution qui est classiquement la première tâche confiée à un parlement lorsqu'il est créé. Nous enchaînons sur les fonctions de représentation et de législation qui représentent le fondement et l'activité principale du parlement.

1.5.1. *La fonction constituante : tâche première des parlements*

Les assemblées parlementaires ont une première fonction essentielle, qui est la rédaction et l'adoption d'une Constitution et, par la suite, sa révision. Il faut se rappeler que la mise en place d'organes représentant l'exercice du pouvoir par le peuple s'est faite progressivement au lendemain des révolutions « nationales » comme la Révolution française ou encore la Révolution belge, par exemple. Au lendemain de ces révolutions, le peuple a, sous l'égide des élites de l'époque en général, mis en place une assemblée constituante chargée de rédiger le texte fondamental régissant le fonctionnement de l'État et ses interactions avec les individus et les groupes : une Constitution. Dans la Constitution, l'exercice du pouvoir est organisé ; il est réparti entre le parlement, le gouvernement, et la Justice. Les droits et les devoirs des citoyens y sont également établis. L'adoption d'une Constitution par une assemblée composée d'élus ou d'élites fonde la fonction même de constituant de cette assemblée parlementaire. Elle reste une tâche de première importance dans les États nouvellement créés ou ayant traversé des révolutions à l'époque actuelle. La Tunisie post-Ben Ali en offre une illustration contemporaine.

Si l'adoption d'une première Constitution est un événement exceptionnel dans la création d'un État, la révision de la Constitution au fil du temps, pour l'adapter aux évolutions de la société, est plus fréquente, quoi que de façon variable selon les pays. Aux États-Unis d'Amérique, la Constitution adoptée en 1787 n'a été complétée que par 27 amendements, dont XII au XXᵉ siècle. En réalité, la modification de la Constitution d'un pays n'est pas un acte anodin car il touche aux fondements mêmes du pouvoir et de l'équilibre de son exercice. C'est la raison pour laquelle la modification de la

Constitution est en général entourée de procédures spécifiques, souvent relativement lourdes. Par exemple, dans certains pays, les deux chambres du parlement doivent être réunies pour la modifier. C'est le cas en France où les députés et les sénateurs sont réunis en « congrès ». Dans d'autres États, la contrainte pesant sur le processus de révision constitutionnelle prend la forme de majorités complexes à obtenir (cf. ci-dessus, encadré sur les majorités).

1.5.2. *La fonction de représentation : la base du système parlementaire*

Dans les démocraties représentatives, le parlement est censé être la source par excellence de l'exercice de la souveraineté populaire représentée (le cas échéant, en articulation avec le chef de l'État, s'il s'agit d'un président, élu directement comme en France, ou indirectement, comme aux États-Unis d'Amérique). En qualité d'élu(e), le représentant constitue le lien entre les citoyens et le système politique (cf. chapitre Système politique). Les parlementaires représentent, à la fois, le « peuple », les électeurs et la nation. Dans le cadre de la Belgique fédérale par exemple, cela signifie que tout parlementaire fédéral représente ses électeurs et, au-delà, la population belge. Il peut représenter les citoyens rattachés à la Région wallonne s'il a été élu au parlement de la Région wallonne, ou encore il représente ceux de la Communauté française s'il a été élu au parlement de la Communauté française. En d'autres termes et en fonction de l'assemblée parlementaire au sein de laquelle il ou elle a été élu(e), un élu représente différentes personnes et catégories de la population en même temps.

Il existe différentes conceptions des mandats parlementaires. Le mandat *dévolutif* ou *non impératif*, par lequel le représentant, tout en étant élu au sein d'une circonscription électorale particulière (à un niveau local/régional), est censé représenter l'ensemble de la Nation et viser l'« intérêt général » en transcendant une somme d'intérêts particuliers, est de sensibilité française, dans laquelle le lobbying est mal connoté. À l'inverse, le mandat *impératif*, par lequel l'élu est lié au mandat pour lequel l'électeur a voté (son programme et/ou défendre les intérêts des électeurs de sa circonscription électorale) est de sensibilité anglo-saxonne et rejoint la conception du lobbying, qui y est, dans ce contexte, non péjorative.

Dans le cas des démocraties représentatives, la conception la plus courante est celle du mandat dévolutif. Cette conception est apparue en même temps que la création des parlements et des partis modernes. Elle s'est imposée à l'occasion des révolutions nationales sous l'influence de penseurs comme Sieyès en France. L'idée est qu'en gagnant une élection, l'élu se voit confier un mandat populaire pour mettre en œuvre les politiques publiques qu'il a promises ou soutenues pendant la campagne électorale. Les élus sont perçus comme des courroies de transmission pour mettre à exécution les idées ou les projets politiques, sans toutefois appliquer à la lettre la volonté des électeurs. Dans une optique dévolutive, les représentants disposent d'une marge d'indépendance dans la mise en œuvre des préférences politiques des électeurs : au sein du parlement, ils sont censés juger de l'« intérêt général », selon les différentes conceptions en présence, et débattre des choix collectifs à poser. Dans cette perspective, leur position doit pouvoir évoluer au cours des débats, sans que les parlementaires soient « pieds et poings liés » à la volonté des électeurs. La délibération, l'épreuve de la discussion, sont les étapes préalables à la décision parlementaire. La fonction représentative est ainsi assortie d'une fonction délibérative qui nécessite la liberté des parlementaires. Concrètement, leur autonomie varie toutefois en fonction de contraintes formelles et informelles : la discipline imposée par le parti politique dont ils sont issus, les pressions conjoncturelles (une échéance électorale) ou les enjeux personnels (s'aligner pour construire une carrière politique), etc.

ENCADRÉ N° 8.10 : *THE CONCEPT OF REPRESENTATION* PAR HANNA PITKIN

Peu de textes ont eu autant d'influence sur la définition et sur le travail d'un concept que cet ouvrage. Publié pour la première fois en 1967, il se donne un objectif ambitieux : recenser et classer l'ensemble des significations données au mot représentation (et aux mots de la même famille), à la fois dans le langage courant et dans les études théoriques et empiriques de la représentation, pour en tirer le sens le mieux adapté à l'analyse de la représentation politique. Pour cela, l'auteure part de l'idée qu'il existe une signification unique du concept, selon laquelle représenter, c'est « rendre présent en un certain sens quelque chose qui néanmoins n'est pas présent au sens propre » (pp. 8-9), mais que cette signification peut être interprétée de différentes manières. Ces interprétations peuvent être regroupées en quatre visions (*views*) de la représentation : la vision formaliste, selon laquelle c'est l'existence d'une procédure formelle d'autorisation (ou de reddition des comptes) qui fonde la représentation ; la représentation descriptive, où le représentant figure (*stand for*) le représenté du fait de caractéristiques communes ; la représentation symbolique, reposant sur la croyance des représentés dans le pouvoir de symbolisation du représentant ; et enfin la représentation substantielle, où le représentant agit pour (*act for*) le représenté. À partir de celui des quatre sens qu'Hanna Pitkin juge le plus adapté au domaine politique, la représentation substantielle, elle définit la représentation politique comme la défense par le représentant des intérêts des représentés d'une façon qui soit réactive aux souhaits que ceux-ci expriment.

Source : Hayat, Sintomer, 2013 : 8-9.

À l'inverse, la représentation par le mandat impératif est conçue comme le fait, pour le parlementaire, d'agir pour les électeurs dans un cadre strictement défini par ces derniers. En d'autres termes, le représentant ne peut user de son propre jugement pour représenter les intérêts de tiers : il applique « comme un homme de paille » ce que d'autres acteurs attendent de lui. Cette conception de la représentation est restrictive dans la mesure où elle laisse peu de place au libre arbitre du représentant : les élus doivent se conformer ici au mieux des attentes de leurs électeurs. Leur position ne peut pas évoluer à l'occasion d'un débat au cours duquel s'échangeraient arguments et contre-arguments. Pour les détracteurs du mandat impératif, celui-ci limiterait le développement du *leadership* et la capacité de devenir un « homme d'État », susceptible de transcender, par un rôle d'arbitre, les intérêts particuliers des différentes bases électorales. Le chapitre sur les régimes politiques développe la tension entre mandat et raison, en développant la rationalité de l'action politique.

1.5.3. *La fonction législative : le travail du parlement au quotidien*

L'action du parlement consiste essentiellement à élaborer, adopter et modifier des lois qui fournissent des cadres généraux à l'action du gouvernement. La fonction législative est peut-être la fonction la plus visible de l'activité parlementaire. Le parlement n'en dispose pas de l'exclusivité pour autant. En Belgique, comme dans d'autres États-membres de l'Union européenne ou aux États-Unis d'Amérique, on tend à considérer que le gouvernement est en réalité à l'origine de 80 % à 85 % des lois qui sont adoptées par le parlement.

ENCADRÉ N° 8.11 : PROPOSITION *VERSUS* PROJET DE LOI EN BELGIQUE

Dans le cadre des activités du parlement, on distingue les projets de loi des propositions de loi. Le projet de loi est une initiative du gouvernement. Il est obligatoirement soumis à l'avis du Conseil d'État avant d'être examiné par la commission de la chambre de laquelle il relève.

Les propositions de lois sont issues d'une initiative parlementaire. Elles ne sont pas obligatoirement soumises au Conseil d'État comme les projets de lois : les commissions qui en ont la charge peuvent – si elles le souhaitent – solliciter l'avis du Conseil d'État.

Les lois résultant du travail parlementaire s'imposent aux citoyens de par les caractéristiques mêmes du parlement. En effet, les lois émanent des parlementaires qui ont été élus par les citoyens, sont conçus comme leurs représentants, et débattent des textes législatifs dans l'« intérêt général ». De ces caractéristiques découle la *légitimité primaire* des lois dans une démocratie représentative. Celle-ci n'est pas étrangère au fait que les textes législatifs suivent tout un parcours au sein de l'arène parlementaire. Schématiquement, on peut résumer le cursus d'une loi de la façon suivante.

Le débat et le vote en séance plénière symbolisent le travail représentatif et parlementaire. Pourtant, avant d'en arriver là, c'est en commission que les textes législatifs sont principalement travaillés. Afin qu'il y ait débat en commission, il faut préalablement que le projet ou la proposition de loi ait été inscrit(e) à l'agenda d'une commission compétente. À l'occasion des débats en commission, des amendements au projet ou à la proposition de loi y sont souvent déposés. Le texte législatif est soumis à un vote en commission avant d'être présenté dans une chambre. Le rapporteur de la commission fait un compte rendu au sein de l'assemblée parlementaire. Au cours de la séance plénière, la proposition de loi peut encore faire l'objet d'amendements. La loi n'est adoptée qu'au terme du vote de celle-ci lors d'une séance plénière. C'est ici que la fonction de la deuxième chambre dans un parlement bicaméral se révèle. Comme nous l'avons évoqué précédemment, la seconde chambre (appelée Sénat dans certains pays) examinera également la proposition de loi et y apportera éventuellement des amendements. En fonction des dispositions constitutionnelles des États, la proposition de loi discutée au sein de la première chambre et ensuite, au sein de la seconde chambre, fait des allers-retours (qualifiés de « navette ») de telle sorte qu'un accord surgisse entre les parlementaires des deux chambres.

Dans certains pays, le chef de l'État exerce également un rôle dans la fonction législative. Le parlement soumet le texte de loi à la signature du chef de l'État. Cette sanction du chef de l'État doit, dans certains cas, être également accompagnée de la signature d'un ou de plusieurs ministres, comme le prévoit par exemple la Constitution belge. Dans le cas belge, en effet, c'est le Roi qui sanctionne la loi et la promulgue, mais cette sanction royale doit être accompagnée de la signature d'un ou de plusieurs ministres (« contreseing ministériel »). En accompagnant la signature royale, un membre du gouvernement prend, dès lors, la responsabilité de la sanction royale et couvre la Couronne.

Dans ces procédures, le chef de l'État refuse rarement de signer la loi adoptée par le parlement, qui lui est soumise pour la sanction et la promulgation. Néanmoins, cela peut se produire. Ce fut le cas en Belgique lors de la sanction et de la promulgation de la loi sur la dépénalisation de l'avortement soumise au Roi Baudouin en 1990. Le chef de l'État estimant que signer la loi entrait en conflit avec ses convictions personnelles, il a signifié au gouvernement son impossibilité de la sanctionner. En vertu de l'article 93 de la Constitution belge, le gouvernement déclara le chef de l'État dans l'« impossibilité de régner », pendant 72 heures, le temps que le gouvernement sanctionne et promulgue lui-même cette loi en disposant des « pleins droits » du souverain à cet effet. Dans un régime présidentiel ou semi-présidentiel (cf. chapitre Régimes politiques), par exemple aux États-Unis d'Amérique, le président dispose d'un droit de veto sur des textes, mais qui peut être renversé par une majorité qualifiée du parlement. Au terme du parcours, la loi est promulguée ; elle est rendue publique, ce qui fait ressortir ses effets pour tous les citoyens.

Comme l'exprime la formule « nul n'est censé ignorer la loi », les citoyens ont le devoir de connaître ce que leur permettent ou leur interdisent les textes législatifs publiés, en Belgique au *Moniteur belge*, en France au *Journal officiel*, en Suisse au *Recueil officiel du droit fédéral*, etc. À cet égard, le parlement a certes une tâche, voire un devoir, d'information envers les citoyens. Cela explique en partie le souci des représentants que le travail parlementaire soit médiatisé : les principales lois sont relayées dans la presse, des séances retransmises à la télévision, les initiatives des parlementaires affichées sur internet (sites, blogs, réseaux sociaux, etc.), discutées via des forums, etc.

1.5.4. *La fonction de contrôle : le parlement comme « garde-fou »*

Les parlements disposent également d'une fonction de contrôle, principalement sur le gouvernement. Cette fonction s'exerce à différents moments et en différents lieux d'un parlement. Plusieurs types de contrôle sont à distinguer (cf. *infra*) mais, dans un régime parlementaire, la première modalité importante est le vote de confiance intronisant le gouvernement dans son rôle exécutif au début d'une législature et le vote de méfiance qui, le cas échéant, peut mettre un terme à l'activité du gouvernement en induisant sa démission.

La séance de « Questions-Réponses » permet à tout élu de questionner directement le gouvernement et ses ministres sur les politiques entreprises ou à entreprendre (par exemple, la relance économique, la lutte contre le chômage...), sur les problèmes survenus dans la société (par exemple, une crise alimentaire menaçant la santé publique), ou pour lesquels l'opinion publique estime que l'État a failli à son devoir ou son obligation de moralité (par exemple, les licences d'exportation d'armes), et encore sur les préoccupations des citoyens sur tel ou tel aspect du fonctionnement de l'État (par exemple, les problèmes de retard dans le trafic ferroviaire). Les questions peuvent être orales ou écrites. Elles sont adressées directement ou à l'avance aux membres du gouvernement, lesquels ne peuvent s'y soustraire. Elles sont publiées (avec les réponses) dans le bulletin des questions et des réponses (questions écrites) ou dans les annales (questions orales). Dans ce dernier cas, il est encore possible de différencier les questions d'actualité des interpellations ordinaires. À titre d'illustration, la « *House of Commons* », au Royaume-Uni, publie aussi l'agenda des questions adressées par les parlementaires aux ministres.

Ce contrôle peut aussi s'organiser dans le cadre des différentes commissions parlementaires thématiques ou *ad hoc* (cf. ci-dessus). En effet, le gouvernement et ses ministres peuvent être entendus dans le cadre des commissions thématiques, par exemple sur le budget et les finances de l'État, ou encore sur l'engagement du pays dans une intervention armée au sein de la Commission des Affaires étrangères. Dans certains pays, le parlement peut mettre en place des commissions *ad hoc*. Cette commission peut s'appeler commission spéciale ou commission d'enquête, suivant le problème à traiter. La commission spéciale peut analyser, discuter et formuler des recommandations sur des sujets « sensibles » de société, comme les faits de pédophilie commis par des membres de l'Église, par exemple. Une commission d'enquête sera plutôt mise en place lorsqu'un dysfonctionnement aux conséquences graves a été constaté, et que les élus cherchent à comprendre dans quelle mesure l'État est en partie responsable de la situation, et comment il peut y remédier. Elle fonctionne à l'instar d'une procédure d'instruction. Ce sont les commissions d'enquête parlementaires portant, en Belgique, par exemple, sur l'Affaire Dutroux ou l'assassinat de Patrice Lumumba au Congo.

Pour terminer, insistons sur un contrôle permanent et typique durant une législature : celui qui est réalisé par les parlementaires dits « de l'opposition ». Ces parlementaires sont issus des partis qui se montrent plus attentifs à critiquer le gouvernement, et à débusquer ses mauvaises initiatives, puisqu'ils ne le soutiennent pas. Des auteurs comme Duverger ou Manin posent l'hypothèse d'un glissement : d'une logique « parlement *versus* gouvernement » (impliquant un contrôle dans une dynamique de débats) à une logique « majorité *versus* opposition » (où les partis politiques d'opposition monopolisent les critiques contre le gouvernement). Quoi qu'il en soit, l'exercice de ce contrôle nécessite de la part de ceux qui l'exercent d'avoir, d'un côté, un accès à l'information sur les politiques et les orientations du gouvernement et, de l'autre, les connaissances nécessaires à la compréhension de cette information et de ses implications possibles sur la population. À titre d'exemple, le budget de l'État requiert un niveau de connaissance assez élaboré dans la mesure où il faut en comprendre les aspects comptables, dont les caractéristiques des différents postes et à quoi ceux-ci correspondent concrètement.

2 | Le gouvernement

2.1. La notion de gouvernement et ses implications

Dans une perspective organique, le concept de gouvernement désigne le groupe des ministres qui exercent, pour le compte du chef de l'État, le pouvoir exécutif, c'est-à-dire la capacité de produire des arrêtés, des décisions suprêmes plus concrètes ou plus particulières que les lois, en vue de la mise en œuvre de celles-ci. Représentant une des trois branches du pouvoir étatique, le gouvernement est considéré ici comme un acteur collectif et l'addition d'acteurs individuels : le chef de l'État, le chef du gouvernement et les ministres. Dans les pays anglo-saxons, le « cabinet » est synonyme de gouvernement ; il peut donc comprendre le chef du gouvernement et les ministres. Dans la tradition francophone, le « cabinet » et notamment le « cabinet ministériel » désigne l'équipe d'acteurs politiques et administratifs qui assistent et conseillent le ministre en tant que détenteur d'un portefeuille de compétences. Remarquons que c'est précisément pour se différencier d'un organe de gestion politique dans un État que des groupes de pression se qualifient d'organisations « non gouvernementales » (ONG).

Dans une perspective substantive, le concept de gouvernement renvoie aussi à l'exercice de la souveraineté. C'est dans ce sens que l'on parlera de l'État comme exerçant le gouvernement suprême à l'intérieur de ses frontières. Il s'agit donc ici de placer la focale sur l'action de diriger une entité politique en y exerçant du pouvoir, qu'il s'agisse d'un pays dans son ensemble ou d'une entité infra-étatique (une province québécoise, un canton suisse, un *Land* allemand, etc.). Le gouvernement fait ici référence au pilotage politique de la société.

Dans une perspective pragmatique, le gouvernement de l'État implique des modes de décision politique et des types de politiques publiques. Cela induit, dans nos sociétés contemporaines, un ensemble de tâches de plus en plus complexes à cause de la technicité des affaires à traiter et le contexte d'interdépendance entre les acteurs. Cela signifie donc aussi une différenciation des rôles à deux niveaux au moins : politique et administratif. Plus précisément, la science politique distingue la « fonction exécutive *politique* » et la « fonction exécutive *administrative* ». Deux catégories de rôles sont ainsi différenciées : d'une part, celle des décideurs politiques et, d'autre part, celle de l'administration et des fonctionnaires (cf. *infra*).

Au XXIe siècle, il est important de souligner que le concept de gouvernement cohabite avec une autre notion : celle de gouvernance. La notion de gouvernance renvoie à une gestion des intérêts collectifs minimisant le rôle des acteurs étatiques traditionnels (comme le gouvernement) et valorisant celui des acteurs non étatiques : sociaux, privés, qui forment la société civile. L'État et singulièrement le gouvernement apparaissent alors comme des médiateurs ou des régulateurs, chargés d'organiser les interactions entre les différents acteurs : entendre les positions en présence, les intérêts divergents, sélectionner les demandes qui sont recevables, et y répondre, dans un double souci de légitimité et d'efficacité. À cette appréhension générale de la gouvernance peuvent être ajoutées trois versions de ses implications.

Une première version, que nous pourrions qualifier d'ultralibérale, consiste à réduire le poids du gouvernement au sens traditionnel. Celui-ci officie dans un État minimum confronté à une loi de l'offre et de la demande politique dans laquelle les autres acteurs – économiques et sociaux – s'autorégulent. Cette version fait craindre le poids des lobbies technico-commerciaux sur les choix de société. Il ne faut pas négliger le fait qu'historiquement, le concept de gouvernance (présent dans des textes dans le Moyen-Âge) est revenu à la mode, notamment dans les discours d'organisations financières internationales, en même temps que l'effondrement du Bloc de l'Est et l'affirmation quasi monopolistique de l'idéologie néo-libérale, au début des années 1990 (cf. chapitre Idéologies, encadré n° 6.5).

Dans une seconde version, le gouvernement intervient comme médiateur dans un État participatif et développant de nouvelles compétences managériales pour que les choix de société soient posés sur base de la participation de différents acteurs : publics et privés, économiques et sociaux, incluant les citoyens. La participation est requise pour affronter la complexité des dossiers pour lesquels une expertise (par exemple, celle d'une association environnementale) est utile. De plus, dans le contexte de la mondialisation, la « gouvernance multi-niveaux » désigne une distribution du pouvoir polycentrique qui se répartit sur plusieurs niveaux de gouvernement à la fois, qui s'interconnectent et se concurrencent, du local à l'international, en passant par le national.

Dans une troisième version, que nous pourrions dénommer de technocratique, la gouvernance amène à une gestion technicisée, éclairée, par des acteurs qui co-construisent des cadres communs d'action et de gestion publiques. L'*État post-moderne* décrit par Chevallier (2008) recourt notamment au droit sur un mode négocié, mou (la persuasion est promue pour garantir l'observance), non prescriptif (la règle est remplacée par des standards ou des principes) et réflexif (son efficacité est constamment questionnée). La tendance croissante à l'autorégulation et à des indicateurs résulte de cette recherche de pragmatisme. Le gouvernement apparaît ainsi à la recherche d'un équilibre par l'articulation des instruments de gouvernement et de gouvernance, l'imbrication de l'efficacité et de la légitimité, ainsi que la gestion des conflits d'intérêts et rapports de force qui peuvent émerger au cœur de cette dynamique plurielle (Raone, Schiffino, 2015).

2.2. Les structures de gouvernement

2.2.1. *Verticalité et horizontalité du pouvoir exécutif*

Deux grandes formes de gouvernement se sont mises en place durant le XIXe siècle : le régime présidentiel américain et le régime de Cabinet. Ceux-ci étant décrits dans le chapitre sur les régimes politiques, nous nous limitons ici à représenter schématiquement la fonction exécutive, dans une optique d'organigramme.

Au sein même de l'exécutif, il existe différents niveaux de responsabilités et de statuts qui peuvent conduire à une représentation pyramidale du gouvernement. La science politique distingue, d'une part, la fonction de chef d'État et, d'autre part, celle de chef de gouvernement qui chapeaute par ailleurs le groupe des ministres.

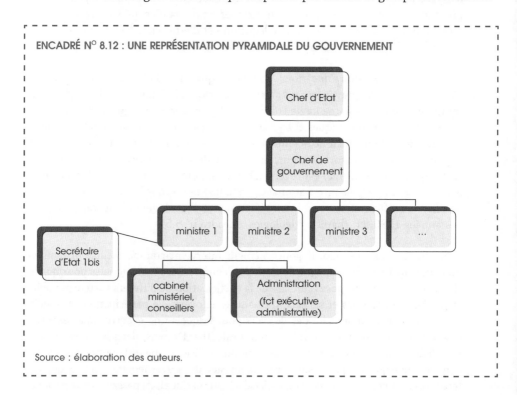

ENCADRÉ N° 8.12 : UNE REPRÉSENTATION PYRAMIDALE DU GOUVERNEMENT

Source : élaboration des auteurs.

Au sein du gouvernement, une hiérarchie existe en fonction des statuts et des porte-feuilles ministériels. Ainsi, entre le Premier ministre et les ministres, des Vice-Premiers ministres peuvent être désignés. En outre, en termes de portefeuilles ministériels, les finances et les affaires étrangères sont considérées comme des matières prédominantes dans tous les États, par comparaison, par exemple, aux sports, aux transports, etc. Dans un gouvernement de coalition, les portefeuilles ministériels les plus prestigieux sont sou-vent confiés aux ministres attachés à des partis politiques ayant remporté plus de voix.

En réalité, selon les pays, il existe une grande diversité d'organigramme gouverne-mental. De plus, la notion de gouvernance amène une conception plus horizontale, voire polycentrique, de l'exercice du pouvoir exécutif.

Dans la période plus récente, les transformations des structures gouvernementales se sont également manifestées par la personnalisation croissante du pouvoir, d'une part, et, d'autre part, par l'accroissement partiel des pouvoirs du président (chef d'État) ou du Premier ministre (chef du gouvernement).

Les cabinets sont aussi devenus des échelons intermédiaires entre gouvernement (au sens strict) et administration publique. Celle-ci acquiert par ailleurs au moins partiellement une fonction de conseil et d'expertise qui décloisonne la division tra-ditionnelle entre politique et administratif. Les agences auxquelles l'État délègue des compétences, y compris par contractualisation, en sont une illustration par excellence (par exemple, en Belgique, l'Agence fédérale pour la sécurité de la chaîne alimentaire ou l'Agence fédérale pour le contrôle nucléaire).

2.2.2. *Typologie des gouvernements*

In fine et indépendamment du régime politique (un gouvernement à parti unique n'est pas démocratique), il est possible de classer ou catégoriser les gouvernements sur base de deux critères. Le premier critère est le *nombre de partis politiques* qui composent le gouvernement : on distingue le gouvernement « à un parti » du gouvernement « de coalition ». Le gouvernement de coalition ou « pluripartite » est formé, après négocia-tions, d'au moins deux partis politiques en fonction de la répartition des sièges entre les partis au sein du parlement et de la majorité parlementaire nécessaire au soutien de l'action du gouvernement. Le second critère est le *nombre de sièges au parlement* dont dispose(nt) le ou les parti(s) politique(s) qui forme(nt) le gouvernement. Par « base parlementaire », on entend le nombre de sièges que les partis politiques contrôlent au parlement. Cette « base parlementaire » est dite « majoritaire » si les partis politiques contrôlent plus de 50 % des sièges. Elle est appelée « minoritaire » si les partis poli-tiques contrôlent moins de 50 % des sièges. Comme nous allons l'aborder, elle possède un impact important sur la marge de manœuvre du gouvernement.

La distinction entre gouvernements « majoritaires » et « minoritaires » trouve son ori-gine dans la relation entre parlement et gouvernement. Au sein de régimes parlemen-taires, le gouvernement est lié au parlement. Pour sa viabilité : il doit en obtenir un vote de confiance et peut en subir un vote de méfiance. Pour son efficacité : ses initiatives doi-vent être votées au parlement. Au sein de régimes présidentiels, le gouvernement est lié au président. Mais le gouvernement et le président ne sont pas pour autant autonomes par rapport au parlement. Aux États-Unis d'Amérique, par exemple, le président nomme les hauts fonctionnaires, mais ces nominations doivent être avalisées par le Sénat.

ENCADRÉ N° 8.13 : CLASSIFICATION DES TYPES DE GOUVERNEMENTS

Nombre de partis Contrôle des sièges	Un parti	2 ou plus de partis
Moins de 50 % de sièges	gouvernements bloquants	
50 % de sièges	gouvernements minoritaires	
Plus de 50 % de sièges	gouvernements majoritaires à un parti	1. « Minimum winning coalitions » 2. gouvernements à « majorité en surplus »

Source : élaboration des auteurs.

Dans les gouvernements minoritaires, les sièges de tous les partis qui n'appartiennent pas au gouvernement sont plus nombreux que ceux du parti au gouvernement. L'opposition peut donc faire tomber le gouvernement à tout moment par un vote de méfiance. Mais ces gouvernements peuvent se maintenir au pouvoir parce qu'ils reçoivent le soutien de partis extérieurs au gouvernement, de manière occasionnelle ou plus durable. Ainsi aux Pays-Bas, à l'issue des élections législatives de 2010, le parti PVV de Geert Wilders a signé un accord soutenant le premier gouvernement dirigé par le libéral Mark Rutte, sans toutefois en faire partie. Dans les faits, la présence de gouvernements minoritaires est variable selon les pays. En France, le gouvernement, de Michel Rocard (socialiste) de 1988 à 1991 pendant le deuxième mandat présidentiel de François Mitterrand correspondait à cette catégorie de gouvernement. Les gouvernements minoritaires sont plus fréquents au Canada : en 2004, le gouvernement minoritaire de Paul Martin (parti libéral) ou, en 2006, celui (conservateur) de Stephen Harper. En 2012, Pauline Marois a formé un gouvernement minoritaire dans la province de Québec, phénomène politique plus rare à cet échelon de pouvoir.

Les gouvernements dits « d'affaires courantes » se distinguent des gouvernements de plein exercice. Ce fut le cas, par exemple, en Belgique, entre juillet 2007 et décembre 2007, alors qu'il était difficile de former une coalition gouvernementale au niveau fédéral.

Un gouvernement peut devenir « bloquant » en cours de législature si un petit parti qui le composait quitte le gouvernement. Par exemple, le gouvernement du socialiste Felipe Gonzalez, de 1989 à 1993, en Espagne détenait 175 sièges sur 350 à la chambre des représentants. En Italie, la même situation fut expérimentée en 1992-1993.

Les gouvernements dits de « coalitions minimales gagnantes » sont des gouvernements à plusieurs partis politiques détenant une courte majorité au parlement. Chaque parti membre de la coalition minimale gagnante est nécessaire pour voter les propositions de lois au parlement. En d'autres termes, chaque parti membre de la coalition minimale gagnante possède un pouvoir de blocage sur ses partenaires. Ce cas de figure se présente souvent en Belgique, en Italie, en Allemagne et en Israël.

Dans les gouvernements à majorité en surplus, le gouvernement est composé de plusieurs partis politiques et détient grâce à leur coalition une majorité confortable au parlement. En d'autres termes, la coalition est composée de plus de partis politiques que nécessaire pour former une majorité au gouvernement. Par exemple, en France, en 1981, le parti socialiste possédait à lui seul la majorité des sièges à l'Assemblée nationale, mais il avait quand même formé une coalition avec le Parti communiste et le « Mouvement des radicaux de gauche » (MRG). À un autre échelon de pouvoir, le gouvernement peut être confronté à des situations analogues. En Belgique, après les élections communales d'octobre 2006, le parti socialiste montois dispose de la majorité absolue, mais il ouvre le Collège aux membres du parti libéral.

2.3. Les acteurs et les organes du gouvernement

2.3.1. *Le chef de l'État*

Le chef de l'État est généralement un monarque ou un président qui peut être élu directement par les citoyens (comme en France) ou indirectement (comme aux États-Unis, par un collège de « grands électeurs »). Selon les régimes politiques, le chef d'État est détenteur d'un pouvoir plus ou moins symbolique. On peut ainsi distinguer le rôle principalement honorifique de la Reine du Royaume-Uni *versus* les pouvoirs effectifs qu'exerce le président de la République en France. Quoi qu'il en soit, le chef de l'État est toujours au minimum le responsable ultime de l'Exécutif, même si c'est de façon purement formelle, comme en Belgique, où le Roi ne peut agir dans ses fonctions (notamment exécutives) que couvert par le gouvernement, par le biais du mécanisme du contreseing ministériel (cf. *supra*).

Mais, dans certains régimes, il peut exercer le rôle de véritable chef de l'Exécutif. C'est le cas, par exemple, aux États-Unis, où le président est entouré d'une administration et de conseillers, et non pas d'un gouvernement placé sous la direction d'un Premier ministre. Le chef de l'État peut même détenir un rôle significatif dans le pouvoir législatif. Ainsi, toujours aux États-Unis, le président jouit d'un pouvoir d'initiative législative et de la possibilité (dans certaines conditions de vote précises) d'opposer son veto à l'adoption de lois votées par le parlement (incarné par le Congrès et le Sénat). Enfin, le chef de l'État peut même avoir une part dans le pouvoir judiciaire. Par exemple, les présidents de la République ou les Rois sont traditionnellement dotés d'un « droit de grâce ».

2.3.2. *Le chef de gouvernement et son équipe*

Dans la majorité des États, que le régime soit de type présidentiel ou monarchique, le chef de gouvernement dirige l'équipe ministérielle. Le plus souvent, ce dernier apparaît comme le véritable chef de l'exécutif, le gouvernement étant placé sous sa direction. La dénomination qui lui correspond peut varier selon les pays : premier ministre au Royaume-Uni, chancelier en Allemagne, président du conseil (des ministres) en Italie, etc.

Outre ce que nous avons déjà mentionné pour les ministres, arrêtons-nous ici, pour ce qui concerne l'équipe gouvernementale, sur la notion de secrétaire d'État. Celle-ci est en effet spécifique. Selon les pays, la fonction possède un statut et un contenu très différents. Ainsi, aux États-Unis, le secrétaire d'État est chargé du portefeuille très important des affaires étrangères. Il travaille en étroite collaboration avec le président des États-Unis dont il constitue en quelque sorte le bras droit. En Belgique ou au Canada, par contre, les secrétaires d'État disposent d'une marge de manœuvre moindre que les ministres. Ils leur sont attachés pour des problématiques très spécifiques (par exemple, la simplification administrative, la lutte contre la fraude fiscale, l'immigration, etc.).

En Belgique, la Constitution différencie d'ailleurs le Conseil des ministres (qui ne comprend pas les secrétaires d'État) et le gouvernement (qui inclut les secrétaires d'État). Cette différenciation sert par exemple à appliquer la parité linguistique au sein de l'exécutif fédéral. Le Conseil des ministres compte au maximum 15 membres : 7 francophones et 7 néerlandophones, le Premier ministre étant considéré comme linguistiquement neutre. Au gouvernement s'ajoutent les secrétaires d'État qui sont plus souvent néerlandophones pour représenter la communauté démographiquement majoritaire.

2.3.3. *Le Conseil des ministres*

Le Conseil des ministres est un des lieux emblématiques de l'exercice du pouvoir gouvernemental. Celui-ci se réunit au moins une fois par semaine, présidé, par exemple, par le président de la République en France, par le Premier ministre en Belgique, par le président du conseil en Italie. Le Conseil des ministres prend en général des décisions par consensus. En d'autres termes, tous les ministres endossent collégialement la responsabilité des décisions gouvernementales adoptées.

En outre, le Premier ministre et les Vice-Premiers ministres peuvent composer un groupe plus « restreint ». En Belgique, le « Kern » est parfois réuni soit pour préparer des dossiers soit pour régler un problème urgent et/ou délicat (cf. chapitre Régimes politiques, encadré n° 7.16).

2.3.4. *Le support logistique au travail ministériel*

Le Premier ministre est assisté de services administratifs appelés « Chancellerie » dans la plupart des pays. Cette chancellerie est composée d'un comité de direction, d'une cellule de coordination générale de la politique, d'une administration publique, du secrétariat et du cabinet du Premier ministre. Il faut noter qu'à ce niveau de pouvoir, il peut y avoir différents secrétariats se répartissant soit la préparation du Conseil des ministres, soit la gestion de l'agenda du Premier ministre, soit d'autres réunions.

Chaque ministre est aussi en général entouré d'un Cabinet (dit ministériel, à ne pas confondre avec la notion de Cabinet comme synonyme de gouvernement dans les pays anglo-saxons, cf. chapitre Régimes politiques, section n° 2.2.2). Les Cabinets ministériels sont variables en taille (nombre de conseillers) et de fonctionnement. Cette variabilité s'explique notamment par le portefeuille détenu par le ministre : le portefeuille des Affaires étrangères ou celui de l'Intérieur sont plus conséquents que celui de la Culture, par exemple, et s'accompagne donc d'un Cabinet plus important. En Belgique, la taille et le financement des Cabinets sont fixés par la loi. Les Cabinets y sont souvent considérés comme important dans le cadre de gouvernements de coalition, car ils permettent de préparer et coordonner la prise de décision par les membres du gouvernement. Un Cabinet est composé par des membres issus principalement du même parti politique que celui auquel appartient le ministre, mais aussi par l'un ou l'autre membre d'autre parti de la coalition (appelé « belle-mère » dans le langage courant), ainsi que d'experts recrutés dans la société civile, ou de fonctionnaires ponctuellement « détachés » de l'administration pour travailler au sein du Cabinet.

2.3.5. *Le profil des ministres*

Les ministres sont majoritairement des hommes d'une cinquantaine d'années en Europe. En France et en Belgique, à une exception près, tous les ministres ont été des hommes jusque dans les années 1970. Édith Cresson a été la seule Première ministre dans un gouvernement français (en l'occurrence, présidé par François Mitterrand, entre 1991-1992), de même que Margaret Thatcher au Royaume-Uni, de 1979 à 1990. Aux États-Unis d'Amérique, Condoleeza Rice a été la première femme noire à occuper un poste aussi important que celui de ministre des Affaires étrangères (Secrétaire d'État) dans le gouvernement Bush, de 2005 à 2009. Dans la deuxième décennie des années 2000, des femmes accèdent aux plus hauts postes exécutifs, telles Angela Merkel comme chancelière en Allemagne, ou Julia Gillard comme présidente en Australie.

Depuis quelques années, des hommes politiques plus jeunes accèdent aussi à la fonction exécutive. Par exemple, en 2010, David Cameron est devenu le plus jeune Premier ministre au Royaume-Uni, à l'âge de 44 ans.

Les ministres ont un niveau d'études largement supérieur à celui de la majorité de la population. Ils ont suivi des filières prestigieuses (comme, par exemple, au sein de la Harvard Law School aux États-Unis d'Amérique ou de l'École Nationale d'Administration en France). Ils appartiennent à une classe sociale (plus) aisée. Ils émergent souvent de professions libérales et entretiennent souvent des liens avec le milieu des entreprises et des affaires ou celui des organisations sociales.

2.4. L'administration publique ou la fonction exécutive... administrative

Les membres de l'administration publique, communément appelés fonctionnaires, sont placés sous la responsabilité d'un ministre de tutelle. Formellement, ils rendent applicable et font appliquer les décisions prises par les gouvernants en matière d'organisation générale des conduites dans un groupe humain. C'est pourquoi nous distinguons la fonction exécutive *politique* (celle assumée par le gouvernement qui porte la responsabilité des décisions) de la fonction exécutive *administrative*. L'administration est à entendre ici au sens large, aussi bien civile que militaire (l'armée), « purement administrative » (les ministères) que judiciaire (les cours et tribunaux bien que ces derniers relèvent du pouvoir judiciaire et non strictement du pouvoir exécutif).

Ensemble, gouvernants et administration sont souvent désignés aussi sous l'appellation de « pouvoirs publics ». On parle d'ailleurs d'administration publique (pour signifier l'administration de l'État) plutôt que d'administration (tout court, sans qualificatif), car ce n'est pas le propre des pouvoirs publics que d'abriter une administration. Les entreprises privées, les universités, les clubs sportifs possèdent aussi une administration. Mais elle n'est donc pas, dans ces cas, au service de toute la collectivité.

L'administration publique a connu de profonds bouleversements dans son organisation depuis la fin du XXe siècle. La « bureaucratie » décrite par Weber (1995/1922 : 290-301 ; cf. chapitre État, section 1.4) a progressivement évolué pour être soumise à une « nouvelle gestion publique ». En Belgique, dès 1999, cette réforme a pris le nom de « Copernic », symptomatique de changements importants : contractualisation, indicateurs de performance, mandats pour les « top managers » responsables de la modernisation de l'administration publique. De façon symptomatique, les États occidentaux ont connu, au cours des vingt dernières années, un développement significatif d'agences administratives auxquelles les États ont confié des compétences spécifiques, dans beaucoup de secteurs (environnement, santé publique, finances, commerce, etc.).

En écho à ce que nous évoquions sur la gouvernance, des auteurs comme Guy Peters (2001) présentent l'administration publique, au sens traditionnel du terme, comme désuète. L'auteur en arrive à proposer quatre idéaux-types d'exécutif (politique et administratif au sens où nous l'entendons ici) : un gouvernement par le marché, un gouvernement participatif, un gouvernement flexible et un gouvernement dérégulé. Un trait permettant de différencier les quatre types porte sur le problème auquel le gouvernement s'attaque principalement : l'existence d'un monopole public, une hiérarchie trop centralisatrice, une structure trop rigide, une régulation trop présente. En fonction du problème sur lequel se focalise le gouvernement, il gère différemment la fonction publique, les services administratifs, le personnel de l'État.

2.5. Les fonctions du gouvernement

2.5.1. *La fonction d'impulsion des politiques publiques et de* leadership

La tâche principale de l'exécutif est de gouverner. Dans ce cadre, il lui revient de prendre les décisions politiques importantes pour l'État. Décider et gouverner vont de pair et engagent la responsabilité du gouvernement et de ses membres. C'est ce qu'induisent les analyses en science politique lorsque, à l'instar de celles de J. Blondel (1985), elles attribuent comme fonctions générales à un gouvernement : la création et la mise en œuvre des politiques publiques, mais aussi le *leadership* et l'impulsion de ces politiques. Moins évidente à démontrer, cette fonction de *leadership* se traduit, entre autres, par la capacité de convaincre les gouvernés que les politiques publiques vont avoir des effets positifs malgré un contexte difficile. Cette fonction est donc étroitement liée à la légitimité de l'action du gouvernement. Plus il est reconnu comme légitime, plus le *leadership* du gouvernement se renforce. Si cette fonction est incarnée de manière diverse, elle n'en reste pas moins essentielle car le *leadership* influence le lien entre l'exécutif et les citoyens.

La création et la mise en œuvre des politiques publiques sont la fonction la plus évidente et peut-être la plus visible d'un gouvernement, partagée dans son exécution avec l'administration qui possède également une fonction de conseil (cf. Avant-propos, encadré n° 0.4). Les ministres disposent, en général, d'une feuille de route négociée au lendemain des élections ou établie pendant la campagne électorale. Dès la confiance votée au gouvernement ou dès son investiture terminée, ce dernier entreprend de concrétiser ladite feuille de route : il enclenche les réformes ou la mise en place de ces politiques publiques.

Dans son rôle d'impulsion des politiques publiques, la fonction du gouvernement dénote aussi sa capacité de *leadership* car l'exercice du pouvoir exécutif implique de piloter les programmes d'action publique et les projets de société. Mais la fonction de *leadership* peut également être analysée à un niveau plus micro : elle peut être incarnée par un homme. Dans cette perspective, le rôle de *leadership* se traduit plus dans les actions entreprises par un chef d'État, comme un président par exemple, ou un Premier ministre et les membres (surtout les ministres) de son gouvernement. Nous poursuivons en développant ceci sous la forme d'une autre fonction exercée par le gouvernement : celle de représenter la société et l'État qu'il gère, le temps d'un mandat (en démocratie).

2.5.2. *La fonction de représentation (symbolique et légitimatrice)*

Le chef de l'État, le chef du gouvernement, les ministres et, dans une moindre mesure, les secrétaires d'État représentent l'État et sa société, que ce soit à l'intérieur ou à l'extérieur de ses frontières. Le gouvernement et ses membres symbolisent l'unité nationale vis-à-vis de l'extérieur (sur la scène internationale) et pour la société qu'ils dirigent (en politique intérieure). Cette fonction s'incarne dans les conférences internationales, les sommets européens, les visites de décideurs étrangers, les ratifications de traités, les communiqués de presse à la population, etc.

Cette fonction est utile à deux titres. Premièrement, à un niveau macro, à l'égard des États voisins et de la communauté internationale, elle donne une visibilité à l'État, elle suppose de reconnaître une entité nationale, ce qui augmente la légitimité politique. En cela, le gouvernement est un acteur étatique en soi. Deuxièmement, à un niveau micro, pour les membres de l'exécutif eux-mêmes, cette fonction les rend visibles comme des décideurs nationaux, au sommet du pouvoir, ce qui peut favoriser leur crédibilité politique et électorale.

Cette fonction est donc liée à – et génératrice d'une – certaine légitimité puisque le mandataire qui l'exerce possède un pouvoir légitime et, dans le même temps, convainc la population de son action. Cette population estime donc son pouvoir comme légitime. Si les résultats sont à la hauteur des aspirations de la population, cette légitimité et ce *leadership* se renforceront ; dans le cas contraire, un processus de dé-légitimation se mettra en place. Cette dynamique est décrite par les théories relatives au système politique (cf. chapitre Système politique).

Soulignons ici que la formulation de politiques publiques doit, d'une part, tenir compte de la réalité (effort technique) car elle doit correspondre à ce qui a été promis au cours de la campagne électorale, mais également fournir une solution aux problèmes quotidiens. D'autre part, elle doit être satisfaisante sur le plan psychologique car il s'agit de faire accepter à l'opinion publique le bien-fondé de la politique, mais également aux personnes qui vont devoir la mettre en œuvre, à savoir l'administration. Cette double contrainte va nécessiter une certaine coordination qui constitue la troisième contrainte qui pèse sur la formulation des politiques publiques par le gouvernement.

2.5.3. *La fonction de coordination à l'époque contemporaine*

Cette fonction s'est imposée *de facto* aux gouvernements car ils doivent intervenir de plus en plus dans la vie publique. Cette coordination se fait au sein du gouvernement dans la création des politiques publiques, mais également lors de la mise en œuvre de ces politiques. Concrètement, le chef de gouvernement, les ministres, les secrétaires d'État forment le noyau dur chargé de superviser l'application des programmes économiques et sociaux par l'administration publique et, dans un contexte de gouvernance, par les acteurs associés à l'action publique. Fondamentalement, le gouvernement est animé par une dimension collégiale. Chaque ministre agit en respectant une feuille de route établie de concert par le gouvernement.

Au-delà d'une logique sectorielle où chaque ministre porte la responsabilité de « son » domaine de politiques publiques, de son portefeuille ministériel et des fonctionnaires qui y sont rattachés, une logique transversale s'impose pour coordonner plusieurs domaines de politiques publiques, grâce à des concertations inter-départements ou inter-cabinets, par exemple. À l'heure où les dossiers sont plus complexes, plus techniques, où leurs implications sont envisagées de façon transversale et dans une logique de développement durable, une telle coordination est importante. Par exemple, pour réguler les OGM agro-alimentaires, le ministre de l'Environnement et son administration ne sont pas les seuls intervenants. Les ministres de la Santé publique, de l'Économie et de la Recherche scientifique, leurs services, les associations environnementales, celles veillant à la protection des consommateurs, les syndicats agricoles, les producteurs au sein des universités ou les firmes multinationales, etc. sont autant d'acteurs dont les points de vue doivent être croisés en vue de décisions coordonnées en la matière.

2.5.4. *Le leadership de crise : une gestion cruciale et à double tranchant*

Le gouvernement possède sur le parlement la capacité de pouvoir adopter rapidement des décisions importantes, notamment en situation d'urgence. Lorsque des crises éclatent, en politique intérieure ou sur la scène internationale, c'est généralement le gouvernement qui y réagit, par la voix du chef de l'État ou du chef du gouvernement, de par la capacité de *leadership* du gouvernement, sa structure hiérarchique pyramidale, sa rapidité à mobiliser des ressources. C'est au gouvernement que revient la possibilité de décréter un état d'urgence, une situation de catastrophe naturelle, etc.

Cette capacité de *leadership* en situation de crise constitue une ressource de pouvoir pour l'exécutif (cf. chapitre Pouvoir). C'est aussi une arme à double tranchant : elle peut souligner l'efficacité du gouvernement et renforcer sa légitimité aux yeux des citoyens si la réponse du gouvernement à la crise est jugée bien fondée ; mais elle peut aussi saper la légitimité du gouvernement s'il ne parvient pas à gérer les problèmes d'urgence. L'ouragan Katrina en 2005, par exemple, a montré les difficultés de l'administration et du gouvernement de G.W. Bush à gérer la situation de crise : l'aide apportée à la population de Louisiane semblait inefficace, tardive, inadaptée et la légitimité des acteurs politiques et administratifs s'en est trouvée entamée. Si un chef d'État ou un chef de gouvernement est à l'étranger lorsqu'une crise ou une catastrophe survient, il reviendra d'ailleurs souvent sur le territoire national. C'est ce qu'a fait le roi Albert II en 2012, par exemple, lorsqu'un accident de car à Sierre, en Suisse, a causé la mort de plusieurs enfants belges revenant de vacances.

Questions

1) Comment définir la notion de parlement, en ce compris par les notions connexes ?

2) Quelles sont les implications des concepts de gouvernement et de gouvernance ?

3) Quelles fonctions assument les parlements et les gouvernements dans nos États contemporains ?

4) Pouvez-vous exposer quelques organes importants dans les parlements et les gouvernements de nos États contemporains ?

5) Quels traits spécifiques les profils des parlementaires et des ministres présentent-ils aujourd'hui ?

Bibliographie

RÉFÉRENCES DE BASE

- Blondel J. (1985), « Gouvernements et exécutifs, parlements et législatifs », *in* Grawitz M., Leca J. (dir.), *Traité de Science Politique, Tome 2 : Les régimes politiques et contemporains*, Paris, PUF, pp. 355-404.
- Braibant G. (2002), « Le passé et le présent de l'administration publique », *Revue française d'administration publique*, vol. 2, n° 102, pp. 213-221.
- Costa O., Kerrouche É., Magnette P. (2004), *Vers un renouveau du parlementarisme en Europe ?*, Bruxelles, Éditions de l'Université de Bruxelles.
- Dowding K., Dumont P. (dir.) (2013), *The Selection of Ministers around the World. A Comparative Study*, London, Routledge.
- Strøm K., Müller W. C., Bergman T. (dir.) (2008), *Cabinets and Coalition Bargaining : The Democratic Life Cycle in Western Europe*, Oxford, Oxford University Press.

POUR ALLER PLUS LOIN

- Chevallier J. (2008), *L'État post-moderne*, Paris, LGDJ.
- Favre P. (2003), « Qui gouverne quand personne ne gouverne ? », *in* Favre P. *et al.*, *Être gouverné : études en l'honneur de Jean Leca*, Paris, Presses de Sciences Po, pp. 259-271.
- Peters G. (1996), *The future of governing : four emerging models*, Lawrence, University Press of Kansas.
- Pitkin H. (1967), *The concept or representation*, Berkeley, University of California Press.
- Rozenberg O., Kerrouche É. (2009), « Retour au parlement », *Revue française de science politique*, voir l'ensemble du dossier spécial : vol. 59, n° 3, pp. 397-506.

CHAPITRE 9

LES PARTIS POLITIQUES ET GROUPES D'INFLUENCE

Sommaire

Résumé

Les partis politiques et les groupes d'influence entendent tous deux peser sur l'action des organes du pouvoir, en particulier les parlements et gouvernements. Les partis cherchent en outre à y placer leurs représentants, afin d'exercer un contrôle général sur l'action de ces organes. Dans les régimes de démocratie libérale, partis et groupes d'influence agissent comme des courroies intermédiaires entre les citoyens et l'État, selon des modes opératoires et des formes d'interactions très variables. Ils représentent ainsi les forces vives des dynamiques politiques caractéristiques des régimes, pluralistes, de démocratie libérale.

Les premiers travaux ayant pour objet les groupes d'influence et les partis politiques se développèrent concomitamment, à la fin du XIXᵉ et au début du XXᵉ siècle. Ils puisent communément leurs racines dans le paradigme *pluraliste*, fondateur de la science politique actuelle (cf. chapitre Qu'est-ce que la science politique ?, section 8.2). Invitant à ne plus voir l'État comme le prolongement politique institutionnel d'un peuple considéré comme un tout homogène, ce paradigme pose que l'État, et ses actions, sont la résultante d'interactions entre des groupes différents voire opposés. Malgré le fait que les partis politiques et les groupes d'influence partagent certains points communs, leur étude relève pourtant le plus souvent de communautés scientifiques différentes, de sorte qu'il est rare qu'ils fassent l'objet de généralisations, voire même d'approches, communes.

C'est pourquoi, hormis dans un bref premier temps (section 1), nous allons donc envisager dans ce chapitre les partis et les groupes d'influence de façon successive, en commençant par les premiers, auxquels on accordera plus d'attention. *Primo*, parce que dans la tradition politologique francophone, en particulier en Belgique, régime partitocratique par excellence (cf. chapitre Régimes politiques, section 2.2.2 et 2.4), les études sur les partis sont plus développées que celles sur les groupes d'influence. *Secundo*, parce que cette dernière catégorie recouvre un éventail d'organisations beaucoup plus hétéroclite que celui qu'embrasse la catégorie de partis, ce qui rend l'étude commune des groupes d'influence moins aisée que celle des partis.

Après que nous nous soyons penchés sur la définition des partis politiques (section 2), nous envisagerons ceux-ci sous cinq angles principaux : leurs fonctions, organisation, ressources humaines, idées et le système qu'ils forment entre eux. Après quoi, nous nous pencherons sur les groupes d'influence, que nous définirons d'abord, avant d'en présenter les principales classifications.

1 | Partis politiques et groupes d'influence : points communs et différences

1.1. Point commun : des organisations collectives d'influence de l'action des pouvoirs publics

Les partis politiques et les groupes d'influence partagent deux caractéristiques communes. *Primo*, l'action des partis et groupes d'influence consiste, en tout ou en partie, à chercher à influencer l'État, à peser sur l'orientation de l'action publique et sur les modes d'organisation sociale que celle-ci véhicule.

Secundo, juridiquement, en tant qu'organisations collectives, ils occupent une position d'extériorité à l'État. Même si certains de leurs membres et dirigeants peuvent être conduits à occuper à titre individuel une fonction publique, comme c'est le cas dans les démocraties représentatives pour la plupart des parlementaires qui sont élus sur des listes électorales présentées par des partis, et de la plupart des ministres et chefs de gouvernement qui proviennent des partis. Il n'en reste pas moins que d'un point de vue juridique, en tout cas dans les régimes de démocratie libérale (cf. chapitre Régimes politiques), les partis politiques et les groupes d'influence sont des acteurs politiques *privés* (cf. avant-propos, encadré n° 0.4). Ils n'ont pas la capacité juridique d'engager l'État et ne constituent nullement des organes de l'État comme le sont les parlements et gouvernements, acteurs politiques *publics* (cf. chapitre précédent).

À la différence des citoyens pris individuellement (cf. chapitre suivant), qui sont comme eux des acteurs politiques privés, les partis politiques et les groupes d'influence constituent des *organisations collectives*. En démocratie libérale, partis et groupes d'influence représentent des « organisations *intermédiaires* » entre la société civile et l'État, plus exactement, entre la sphère privée (les citoyens) et la sphère publique (les pouvoirs publics), ce que l'on appelle en néerlandais le « *middenveld* » (littéralement : le milieu) (cf. chapitre Qu'est-ce que la science politique ?, encadré n° 1.6). Dans une représentation systémique, ils jouent le rôle de « filtres » entre les citoyens et le système politique qu'ils alimentent en demandes et soutiens qui articulent et agrègent, sous des formes relativement intégrées, cohérentes, des attentes et préférences individuelles et collectives variées à l'égard du système politique qui sont présentes dans l'environnement social (cf. chapitre Système politique, section 4 et encadré n° 4.13).

Dans les faits toutefois, certains partis et groupes d'influence peuvent avoir une influence telle sur l'État, les parlements et gouvernements, qu'ils peuvent être considérés comme les « vrais » organes du pouvoir, ceux qui orientent effectivement l'action publique. Ceci vaut en particulier pour les partis qui, dans les régimes politiques à parti unique, dirigent l'État, comme c'est le cas du Parti communiste chinois (PCC), dont le rôle dirigeant est reconnu dans la Constitution elle-même (cf. chapitre Régimes politiques, section 3.3). Mais cela est vrai aussi dans les démocraties libérales lorsque le fonctionnement des institutions politiques les assimile à des partitocraties, dans lesquelles règne la discipline de parti (cf. chapitre Régimes politiques, section 2.4) ou à des régimes néo-corporatistes, dans lesquels syndicats et patronat arrivent, à coup de compromis, à dicter la politique socio-économique (cf. *infra*, section 9.2.3 et chapitre Régimes politiques, encadré n° 7.25).

1.2. Différence : gouverner par procuration ou faire pression de l'extérieur sur des thématiques ciblées

La différence la plus fréquemment évoquée entre partis et groupes d'influence réside dans la vocation des premiers à *conquérir le pouvoir*, en cherchant à faire exercer par leurs représentants des fonctions décisionnelles au sein de l'État, comme parlementaires, ministres, chef de gouvernement, chef de l'État, voire juges ou (hauts) fonctionnaires de l'administration publique. L'objectif d'un parti politique consiste donc à occuper le pouvoir, même si c'est par procuration, par l'intermédiaire de représentants, alors que comme collectif, le parti reste organiquement en dehors de l'État (cf. *supra*, section 1.1). C'est la raison pour laquelle dans les démocraties représentatives, l'un des critères habituels de distinction d'un parti par rapport à un « simple » groupe d'influence consiste dans le fait de présenter des listes de candidats aux élections (cf. *infra*, section 2). C'est là le signe d'une volonté de pénétrer dans l'État, en essayant de placer un maximum de représentants dans les assemblées parlementaires chargées de produire les normes publiques, d'accorder la confiance au gouvernement, de le doter d'un budget et d'en contrôler les actes (cf. chapitre Parlements et gouvernements). En somme, les groupes d'influence chercheraient à influencer l'État en demeurant strictement à l'*extérieur* de l'État, de la boîte noire du système politique, dans une représentation systémique (cf. chapitre Système politique, encadré n° 4.13). Tandis que, tendus vers les mêmes fins, les partis chercheraient eux à pénétrer à l'*intérieur* de l'État, à « entrer dans la tête de la bête », à s'emparer des leviers d'action de l'État par l'intermédiaire de leurs représentants.

Ce critère de distinction d'extériorité ou d'intériorité (« out/in ») par rapport à l'État ne doit toutefois pas être vu de manière absolue : bien qu'il soit statistiquement largement valable, il connaît des exceptions. Certaines circonstances peuvent ainsi amener des organisations qui ont tous les traits d'un parti (cf. *infra*) à ne pas présenter de listes de candidats à des élections, par exemple, parce qu'elles prévoient que le déroulement de celles-ci ne sera pas honnête ou parce que le régime en place leur interdit de se présenter aux élections. Inversement, certaines organisations qui ont tous les traits de groupes d'influence peuvent en venir à déposer des listes électorales, même, si dans ce cas, cela débouche alors le plus souvent sur la création d'un parti. Ce fut le cas du parti belge francophone ÉCOLO, cofondé en 1980 par une organisation de défense de l'environnement, les Amis de la terre. Ou alors, certains groupes d'influence entretiennent des relations suffisamment proches avec un parti pour faire figurer régulièrement certains de leurs membres ou dirigeants sur les listes électorales ou parmi les candidats proposés à des fonctions ministérielles par ce parti. Par exemple, historiquement en Belgique dans le contexte d'une société pilarisée (cf. chapitre Clivages, encadré n° 5.11), du Mouvement ouvrier chrétien (MOC) au sein du Parti social-chrétien, et de façon encore très prégnante aujourd'hui au sein du CD&V flamand, ou des organisations socialistes équivalentes (syndicat, mutuelle, fédération de coopérative...) au sein du Parti socialiste, de façon encore très prégnante aujourd'hui au sein du PS francophone. Ainsi aussi, aux États-Unis, du *Tea Party* (littéralement la fête du thé, référence à un événement de la guerre d'indépendance) au sein du Parti conservateur. Par ailleurs, on l'a dit, dans des régimes dits néo-corporatistes, il existe des formes plus ou moins étroites, et officielles, d'association de groupes d'influence à la décision publique qui font de ceux-ci, dans les faits, de véritables organes de gestion publique (cf. *infra*, section 9.2.3).

Une deuxième différence est aussi souvent évoquée : le fait que les partis poursuivraient un intérêt général, alors que les groupes d'influence serviraient des intérêts particuliers. Variante, exprimée sous une forme plus neutre d'un point de vue axiologique : les partis seraient mus par un projet de société plus ou moins global, « complet », alors que les groupes d'influence n'agiraient que par rapport à des enjeux spécifiques, circonscrits. Notons que ce critère idéel – relatif aux idées véhiculées par les organisations en question – a donné lieu à des sous-classifications tant de partis, d'un côté, que de groupes d'influence, de l'autre, nous en reparlerons (cf. *infra*, sections 2 et 9). Actons ici le fait qu'en effet un parti aura plutôt tendance à prendre position, notamment dans son programme électoral, dans un plus grand nombre de domaines de la vie sociale qu'un groupe d'influence. Mais ici encore il convient de ne pas doter ce critère de distinction d'une portée absolue. D'une part, il y a des « partis spécialisés » – ou « *one single issue* » – qui prennent position essentiellement sur une thématique particulière, par exemple, le parti UKIP (Parti pour l'indépendance du Royaume-Uni) dont la constitution répond à la volonté d'obtenir le retrait du Royaume-Uni de l'Union européenne (cf. *infra*, encadré n° 9.5). De l'autre, inversement, un groupe d'influence d'apparence spécialisé comme un syndicat de travailleurs, peut en venir à balayer un très large éventail de domaines de la vie sociale, que ce soit dans le but explicite d'y défendre l'intérêt de ses affiliés, ou non, en se prononçant par exemple contre une intervention armée d'un pays étranger dans un pays tiers ou pour des mesures structurelles de protection de l'environnement.

Enfin, notons que dans une approche fonctionnaliste – beaucoup plus diffusée à propos des partis que des groupes d'influence (cf. *infra*, section 3) – la plupart des fonctions qui sont attribuées aux partis peuvent aussi être remplies, dans des mesures variables, par les groupes d'influence. Ne fût-ce que parce que certains groupes d'influence peuvent influer sur la manière dont certaines de ses fonctions sont remplies par les partis (Lawson, 1996). Ce qui sera d'autant plus le cas que ces groupes d'influence entretiennent des rapports intégrés avec un parti politique, sur le modèle du parti indirect (cf. *infra*, encadré n° 9.13) : participation à la désignation des candidats du parti lors de scrutins électoraux, à l'élaboration de son programme, présence de ses membres dans des cabinets ministériels, etc.

2 | Qu'est-ce qu'un parti politique ?

Tout ce qui se nomme parti dans la pratique politique n'acquiert pas nécessairement ce statut du point de vue de la science politique. Afin de conserver une certaine homogénéité parmi les organisations à étudier sous le couvert de la catégorie « parti » – pour ne pas comparer des pommes avec des poires –, les politologues ont cherché à se doter d'une définition générale. Comme pour bien d'autres phénomènes politiques, l'une des premières définitions a été fournie par Max Weber.

ENCADRÉ N° 9.1 : LA DÉFINITION DE MAX WEBER D'UN PARTI POLITIQUE

Une association (…) « reposant sur un engagement (formellement) libre ayant pour but de procurer à leurs chefs le pouvoir au sein d'un groupement (comprendre : une société) et à leurs militants actifs des chances – idéales ou matérielles – de poursuivre des buts objectifs (comprendre : réaliser des revendications liées à des modes d'organisation sociale considérés comme souhaitables), d'obtenir des avantages personnels ou de réaliser les deux ensemble ». (Weber, 1995/1922 : 371).

En affinité avec le paradigme stratégique de la science politique (cf. chapitre Qu'est-ce que la science politique ?, section 11.3), la définition wébérienne est de type instrumental. Elle se focalise sur les buts que serviraient les regroupements partisans, au contraire de la définition qui recueille aujourd'hui le plus large consensus parmi les politologues.

Proposée dans les années 1960 par Joseph La Palombara et Myron Weiner, politologues états-uniens, la définition qui fait aujourd'hui référence a le mérite de distinguer clairement les trois composantes principales d'un parti : sa composante organisationnelle interne (critères 1 et 2), sa composante gouvernementale ou institutionnelle (critère 3) et sa composante publique ou sociétale (critère 4).

ENCADRÉ N° 9.2 : LA DÉFINITION DE RÉFÉRENCE D'UN PARTI POLITIQUE PAR LA PALOMBARA ET WEINER

« Une organisation durable, c'est-à-dire une organisation dont l'espérance de vie politique est supérieure à celle de ses dirigeants en place ; une organisation locale bien établie et apparemment durable, entretenant des rapports réguliers et variés avec l'échelon national ; la volonté délibérée des dirigeants nationaux et locaux de prendre et exercer le pouvoir, seuls ou avec d'autres, et non pas – simplement – d'influencer le pouvoir ; le souci enfin de rechercher le soutien populaire à travers les élections ou de tout autre manière ».

Source : La Palombara, Weiner, 1966 : 6 ; traduction de Guillaume Delmotte, « Des partis pour l'Europe ? Les "partis politiques européens" à l'approche des élections au parlement européen de 2009 », 2008, www.cafebabel.fr, consulté le 1er août 2013.

La définition de La Palombara et Weiner a fait l'objet de discussions critiques qui ont eu pour effet de lui apporter des précisions et des compléments, plus que de lui opposer des alternatives. Ainsi, le premier critère, celui de la durabilité organisationnelle, ne doit pas amener à dénier systématiquement la qualité de parti à des partis jeunes au motif que leurs dirigeants d'origine seraient toujours en place. Il s'agit simplement de jauger du caractère suffisamment collectif et institutionnalisé d'une organisation se présentant comme un parti. Son existence ne doit en aucun cas par exemple tenir à la seule personnalité d'un leader emblématique, comme ce fut le cas aux Pays-Bas de l'éphémère Liste Pim Fortuyn qui ne survécut que sept années à l'assassinat de son dirigeant-fondateur en 2002.

En ce qui concerne le deuxième critère organisationnel, la qualification « *nationale* » de la coupole avec laquelle les sections locales de l'organisation doivent entretenir des contacts réguliers ne doit pas être prise au pied de la lettre. Sinon par exemple l'ensemble des partis belges représentés au parlement national avant les élections législatives de 2014 ne seraient pas considérés comme des partis et le Bloc québécois, au Canada, non plus.

ENCADRÉ N° 9.3 : L'ABANDON D'UN ÉCHELON NATIONAL DE COORDINATION AU SEIN DES PRINCIPAUX PARTIS POLITIQUES BELGES

Depuis la fin des années 1970, les trois partis belges dits traditionnels (socialiste, social-chrétien, libéral), qui étaient originellement unitaires, c'est-à-dire organisés à un niveau national, se sont scindés sur une base communautaire, entre partis francophones et partis flamands (cf. chapitre Clivages, section 5.2). Pour leur part, de nouveaux partis, comme les partis écologistes, qui ont percé électoralement à partir des années 1980, ont d'emblée établi leur niveau « central » à l'échelle communautaire et non nationale. La même observation vaut bien entendu pour les partis régionalistes, comme la N-VA (Nieuw-Vlaamse Alliantie/Nouvelle alliance flamande) ou le FDF (Fédéralistes démocrates francophones).

Le deuxième critère de la définition de La Palombara et Weiner exige seulement l'existence, au minimum, d'un double étage organisationnel au sein d'un parti, constitué « à la base » d'un maillage de sections locales qui sont coordonnées « au sommet » avec une coupole fédérative (cf. section 4).

Quant au troisième critère, la quête de l'exercice du pouvoir, certains auteurs l'assimilent à la volonté de participer au gouvernement, organe-clé de la manœuvre du pouvoir dans les démocraties libérales contemporaines (cf. chapitres Régimes politiques et Parlements et gouvernements, section 2.5), et pas « simplement » d'être représenté au parlement, en refusant de « prendre ses responsabilités » (gouvernementales). Cette interprétation prête toutefois à discussion car son application peut amener à ne considérer comme parti que, d'une part, des partis « loyalistes », « légitimistes », « pro-système » qui s'accommodent du système politique en place, et de l'autre, des partis « gestionnaires » ou « de gouvernement », pour lesquels l'exercice de responsabilités gouvernementales n'est pas nécessairement conditionné à la perspective de réaliser une part significative d'un programme d'action. Se trouvent alors rejetés en dehors de la notion de parti, d'une part, les « partis anti-système » (cf. chapitre Clivages, section 9), au motif qu'ils refusent de participer à l'exercice du gouvernement tant qu'ils ne sont pas assurés d'avoir le poids – politique ou social – suffisant pour renverser l'ensemble du système, à l'instar de certains partis d'extrême gauche ou d'extrême droite en Europe occidentale. D'autre part, ne sont pas non plus considérés alors comme parti, les « partis-aiguillons » – qui correspondent souvent à des partis spécialisés (cf. *infra*, encadré n° 9.5), comme les Partis pirates en Suède ou en Allemagne – dont l'objectif vise uniquement à peser sur le gouvernement « de l'extérieur », mais y compris depuis le parlement. Ces partis considèrent que leurs revendications principales ont plus de chance de peser sur l'orientation de l'action publique tant qu'ils ne sont pas soumis aux contraintes de la participation au pouvoir gouvernemental qui les obligerait soit à « mettre de l'eau dans leur vin », soit à prendre position sur des sujets qui ne sont pas ceux sur lesquels ils veulent agir, et par rapport auxquels ils souhaitent rester neutres.

Enfin, le dernier critère de la définition de La Palombara et Weiner, la quête de soutien populaire, suscite un débat quant à savoir s'il est nécessaire ou non pour reconnaître la qualité de parti à une organisation que celle-ci présente des candidats à des scrutins électoraux consistant en une compétition (suffisamment) libre et honnête pour le recueil des voix des électeurs. Par exemple, faut-il considérer comme des partis les organisations partisanes de régimes politiques à parti unique ou assimilé, c'est-à-dire dans lesquels seuls le parti dirigeant, et le cas échéant quelques partis satellites, sont autorisés à se présenter aux élections (cf. chapitre Régimes politiques, section 3.3) ? Pour les uns, la réponse est oui, car ce serait faire preuve d'occidentalo-centrisme que de limiter la notion de parti aux seules organisations partisanes des régimes de démocratie libérale. Pour les autres, la réponse est non, car le fait de fonctionner dans un cadre autoritaire, non (suffisamment) compétitif pour la quête de soutiens populaires, induit des effets tellement différents sur le fonctionnement des organisations partisanes que ce serait succomber au nominalisme que de les considérer comme faisant partie d'une même catégorie générale.

ENCADRÉ N° 9.4 : ÉVITER LE NOMINALISME EN SCIENCE POLITIQUE

Le nominalisme consiste à traiter dans l'analyse des phénomènes d'ordre différent comme s'ils étaient (suffisamment) similaires, simplement parce que ces phénomènes sont nommés de façon identique dans le langage courant.

Ainsi pour Daniel-Louis Seiler (2000 : 24), les partis sont des « (...) organisations visant à mobiliser les individus dans une action collective menée contre d'autres, pareillement mobilisés, afin d'accéder, seuls ou en coalition, à l'exercice des fonctions de gouvernement. Cette action collective et cette prétention à conduire la marche des affaires publiques sont justifiées par une conception particulière de l'intérêt général ».

La fin de la définition de Seiler met le doigt sur un critère qui est absent de la définition de La Palombara et Weiner : le critère idéel (cf. *supra*, section 1.2). Tout parti véhicule une certaine vision du monde et de l'organisation sociale, un « projet de société » qu'il traduit en un programme d'action plus ou moins général, et plus ou moins adapté aux circonstances, au nom duquel le parti cherche en particulier à capter des voix lors des joutes électorales.

Deux questions se posent ici : faut-il inclure un critère idéel dans la définition d'un parti et si oui, faut-il exiger pour qu'une organisation soit reconnue comme parti qu'elle défende un point de vue suffisamment global sur le monde, qui balaie un large éventail d'aspects de la vie sociale ?

À la première question, s'en tenant à la définition de La Palombara et Weiner, certains répondent par la négative, insistant sur la variabilité dans le temps des idées défendues par un même parti. Les auteurs promouvant une définition dite alors « réaliste » des partis vont jusqu'à considérer les idées des partis comme des instruments parmi d'autres – et donc pas plus structurants que d'autres dans l'identité d'un parti – dans la poursuite de la vocation première de tout parti : l'accession au pouvoir. Au contraire, d'autres répondent par l'affirmative, tant les partis ne cessent de brasser des idées. Qu'elles soient « bonnes » ou « mauvaises », « approfondies » ou « superficielles », « sincères » ou « feintes », traduites en actes ou pas, stables ou changeantes... là n'est pas la question. En outre, la plupart des partis cherchent à s'identifier à des éléments idéels, jusque dans leur appellation même : partis socialiste, chrétien, conservateur, réformateur....

Les auteurs qui incluent la dimension idéelle dans la définition des partis se distinguent encore entre eux selon qu'ils exigent ou non un certain degré de généralité, de « complétude », dans les idées promues par les partis. Exiger pour qu'une organisation soit reconnue comme parti qu'elle se positionne nécessairement sur un large éventail de thématiques liées à l'organisation sociale – qu'elle soit donc « *multi-issues* » selon l'expression anglaise – concourt toutefois à écarter de la catégorie de parti les « partis spécialisés » – « *one single issue* » –, au seul motif que le spectre de leurs revendications n'est pas suffisamment large. Or il s'agit là uniquement d'une caractéristique particulière de leurs idées qui n'influe en rien sur leur nature de parti, eu égard aux autres critères de définition d'un parti.

ENCADRÉ N° 9.5 : PARTIS SPÉCIALISÉS ET PARTIS HOMOGÈNES

L'expression « parti spécialisé » s'entend en opposition à « parti complet », ou, plus souvent, « parti homogène », ou « *multi-issues* ». Les partis spécialisés sont donc ceux qui se concentrent sur une thématique spécifique – « *one single issue parties* » –, ou en tout cas sur un nombre très restreint de thématiques privilégiées. Ainsi des Partis Pirates, constitués à l'origine, dans la deuxième moitié des années 2000, à partir de revendications touchant exclusivement à des questions liées à l'internet et à l'accès et au traitement électronique des données.

---

3 | Les fonctions des partis politiques

À quoi servent les partis ? Quelle est leur utilité sociale ? Quelles fonctions remplissent-ils ? Telles sont les questions auxquelles entendent répondre les approches *fonctionnelles* des partis, qui se rattachent au paradigme *fonctionnaliste* de la science politique (cf. chapitre Qu'est-ce que la science politique ?, section 9.3), et plus encore à la tradition *systémique* (cf. chapitre Système politique). Après un rapide détour par le travail pionnier du sociologue Robert Merton, nous ferons l'inventaire des fonctions que peuvent remplir les partis dans les démocraties représentatives.

3.1. Fonctions manifestes et latentes des partis : l'apport de Robert Merton

L'un des premiers auteurs à avoir développé une approche fonctionnaliste des partis est le sociologue Robert Merton (1997/1949) à propos des sections locales des partis politiques aux États-Unis à la fin du XIXe siècle et dans la première moitié du XXe, en particulier celles du Parti démocrate implantées dans de grandes agglomérations urbaines, sections qu'il a qualifiées de « machines politiques ». Cette expression est entendue dans un sens bien particulier qui ne se réduit pas l'idée courante qu'un parti fonctionne comme une « grosse machine ».

ENCADRÉ N° 9.6 : LES « MACHINES POLITIQUES » SELON ROBERT K. MERTON

« Les machines politiques sont des organisations conçues pour gagner les élections en mobilisant des *clientèles* dans le cadre de *relations personnelles*. Les machines ne cherchent pas à mobiliser leur électorat en fonction de son intérêt, de ses valeurs ou d'une idéologie ; la fidélisation des clientèles repose sur la *distribution d'incitations matérielles*, notamment des emplois publics. (…) Les machines politiques – des organisations centralisées qui dominent la vie politique locale – sont un phénomène relativement spécifique aux États-Unis des années 1870-1950. (…) À la tête de la machine se trouve le boss. Le boss est toujours le chef du parti, où il contrôle le processus de nomination et a autorité sur ses lieutenants au niveau des différents quartiers » (Bonnet, 2010 : 13 ; nous soulignons). Autrement dit, un parti s'assimile à une « machine politique » essentiellement à partir du moment il suscite des soutiens populaires non pour le contenu des idées générales qu'il promeut – lien de représentation programmatique –, ni pour l'attrait de la personnalité de son ou de ses leaders – lien de représentation charismatique –, mais bien parce qu'il offre des avantages matériels directs à ses militants et sympathisants – lien de représentation clientélaire (synonyme : clientéliste) (Kitschelt, 2000).

Partant d'un point de vue fonctionnaliste général (cf. chapitre Système politique), Merton s'est demandé si, et en quoi, les pratiques de ces « machines politiques » avaient pour effet de répondre à des besoins sociaux couverts par le système social, et remplissaient donc des fonctions sociales.

ENCADRÉ N° 9.7 : LA DÉFINITION DES FONCTIONS SOCIALES PAR GEORGES LAVAU

« Les fonctions sont des contributions (ou des solutions) que les acteurs apportent, par leurs actes, à des exigences fonctionnelles des systèmes auxquels ces acteurs sont reliés, ces exigences fonctionnelles étant supposées être ce qui est nécessaire à ce système pour survivre, s'adapter, atteindre ses buts, ne pas se dénaturer. Ces contributions peuvent résulter soit des buts proclamés et de l'activité immédiate des acteurs (fonctions manifestes), soit des résultats non consciemment recherchés et non immédiats desdits acteurs (fonctions latentes). Résultats non immédiats et buts proclamés et manifestes peuvent être dysfonctionnels ou a-fonctionnels » (1969a : 32).

Ce faisant, Merton a distingué des fonctions *manifestes*, qui contribuent de façon consciente et voulue aux buts du système et des fonctions *latentes* qui tout en n'étant pas voulues, voire même pas perçues par les responsables des partis, contribuent néanmoins dans les faits à l'ajustement et la perpétuation du système. Ce sont surtout ces fonctions latentes qui intéressaient Merton, car, précisément, elles étaient rarement perçues par les acteurs sociaux et les citoyens. Pour Merton, les pratiques clientélaires des « machines politiques » remplissaient bien, mais à leur manière, para-légale voire illégale, des buts poursuivis par le système social. Pourvoyeuses d'assistance sociale, d'emplois (publics) ou de contrats (publics) pour les entreprises, ces pratiques représentaient pour leurs bénéficiaires des possibilités plus accessibles de revenus voire de mobilité sociale, que celles offertes par les procédures officielles. De surcroît, elles s'inscrivaient dans des échanges ressentis comme plus humains, « chaleureux », « chauds », car liés à des relations personnelles, que lesdites procédures officielles, plus bureaucratiques, « froides », impersonnelles.

Les travaux de Merton encouragèrent les politologues à partir à la découverte des fonctions latentes d'*intégration sociale* des partis, de tous les partis, pas simplement ceux assimilables à des « machines politiques ». Il est ainsi établi aujourd'hui que les partis représentent des vecteurs d'ascension sociale (une carrière au sein du parti ou comme représentant du parti), ainsi que des cadres de socialisation (lieux d'échanges intellectuels, de naissance de relations amicales voire amoureuses…), susceptibles de procurer du sens (positif) à l'existence, de l'estime de soi, résidant dans le sentiment de faire quelque chose d'agréable ou d'estimable en agissant au sein de, et pour, un parti.

3.2. Les fonctions des partis politiques

À la suite de Merton, de nombreux politologues se sont attachés à relever les différentes fonctions, manifestes et latentes, que remplissent les partis, mais par rapport au seul (sous-)système politique, et non plus, comme Merton, par rapport à l'ensemble du système social.

ENCADRÉ N° 9.8 : LA TYPOLOGIE CLASSIQUE DES FONCTIONS DES PARTIS DE PETER MERKL

1) le recrutement et la sélection du personnel de gouvernement ;

2) la programmation des activités du gouvernement ;

3) l'exercice et le contrôle du gouvernement ;

4) l'agrégation et la satisfaction des demandes sociales, ainsi que la production d'un univers de sens (une idéologie) ;

5) la socialisation politique ;

6) la mobilisation de soutiens au système politique ou la formation d'une « contre-société ».

Source : Merkl, 1977.

Au-delà de l'inventaire auquel elles procèdent – et des différentes étiquettes dont elles usent pour ranger sous des appellations fonctionnelles les activités des partis – l'intérêt principal des analyses fonctionnalistes consiste à permettre de saisir des différences entre les partis dans la mesure et la façon dont ils remplissent, ou non, les fonctions sociales qui leur sont attribuées : différences entre partis d'un même système politique national, différences selon les époques prises en compte, etc.

La classification des principales fonctions des partis que nous proposons ci-après est établie au plus près des fonctions du système politique telles qu'elles ont été dégagées par Almond et Coleman, puisque nous avons déjà eu l'occasion de développer celles-ci (cf. chapitre Système politique, section 3).

3.2.1. *Fonction de recrutement et de sélection du personnel gouvernemental*

Une première fonction des partis consiste à donner des bras et des têtes au système politique. Il s'agit de la fonction de *recrutement* et de *sélection* du personnel de gouvernement (entendu au sens large) : parlementaires, par le dépôt de listes électorales au sein desquelles les électeurs sont invités à faire leur choix et les campagnes électorales menées pour « faire passer » leurs candidats ; ministres, par la proposition de candidats aux fonctions ministérielles par le(s) parti(s) qui a/ont la majorité au parlement, auprès du chef de gouvernement ou de l'État, qui, bien souvent, émanent lui-même d'un parti ; voire (hauts) fonctionnaires, comme en Belgique avec la pratique dite des « nominations politiques » dans l'administration publique. Par ce biais, les partis organisent la relève politique en évitant qu'il n'y ait plus assez de personnel (qualifié) pour faire tourner le système politique.

3.2.2. *Fonction gouvernementale ou d'encadrement*

Une deuxième fonction consiste précisément à faire tourner le système politique. Il s'agit de la fonction *gouvernementale*, parfois aussi appelée d'*encadrement*. Il ne s'agit pas simplement que les bras et les têtes fournis par les partis au système politique fassent ce pour quoi ils sont fournis, c'est-à-dire exercent leurs fonctions gouvernementales (comme parlementaires, comme ministres, comme chef de l'État...). Il s'agit aussi pour les partis de veiller à coordonner l'action de leurs différents représentants dans les rouages du système, que ceux-ci exercent des responsabilités ministérielles ou parlementaires, qu'ils les exercent à un niveau institutionnel national ou bien régional ou local, etc. Par ce biais, un parti maintient les actions de ses représentants dans le système politique « sous contrôle » et lui assure ainsi une certaine cohérence d'ensemble.

3.2.3. *Fonction programmatique*

La troisième fonction, appelée de façon générique *programmatique*, consiste cette fois à orienter la marche du système, à le doter d'une feuille de route, à lui assigner une direction. Comment ? D'une part, en définissant un ensemble de grandes fins à l'action du système – il s'agit alors de la (sous-)fonction *idéologique* (cf. chapitre Idéologies) : promouvoir l'égalité des chances entre les femmes et les hommes, protéger la population « de souche », etc. De l'autre, en définissant un programme d'action précis et concret, ce qui correspond à la (sous-)fonction programmatique au sens strict : instaurer des congés parentaux obligatoires pour les femmes et pour les hommes, établir des quotas annuels pour l'immigration, etc.

3.2.4. *Fonction de structuration des suffrages*

Une quatrième fonction consiste à canaliser l'expression des votes des citoyens en faveur de leurs représentants qui, pour une part, constitueront le personnel de gouvernement qui fera tourner le système. Cette fonction dite de *structuration des suffrages* s'appuie directement sur la fonction de sélection, puisque les candidats pour lesquels les électeurs ont la possibilité de voter sont le plus souvent choisis au préalable par les partis qui les adoubent en les plaçant sur « leurs » listes. Elle s'appuie aussi sur la fonction programmatique, puisque ces candidats se présentent le plus souvent devant les électeurs en défendant certaines grandes finalités sociétales et certains éléments programmatiques précis.

Les fonctions suivantes consistent davantage à rapprocher le système politique de son environnement social et donc à relier la société à ses institutions politiques.

3.2.5. *Fonction d'agrégation des intérêts*

Communément appelée d'*agrégation des intérêts*, cette fonction-ci ne se limite toutefois pas à ce qui est visé sous l'intitulé éponyme dans la typologie d'Almond et Coleman (cf. chapitre Système politique, section 3). Elle recouvre aussi ce que ces auteurs dénommaient la fonction d'articulation des intérêts. Il s'agit pour un parti de capter les différentes demandes sociales, ou en tout cas celles avec lesquelles le parti a le plus d'affinité, et de les articuler à la fois dans des discours prescriptifs généraux (« il faut en faire plus pour la sécurité... ») et dans des programmes d'action publique précis (« il faut augmenter de 10 % le nombre de patrouilles policières de nuit dans les centres-villes des grandes villes »). À la différence de la fonction de structuration des votes, cette fonction d'agrégation des intérêts s'exerce de façon continue, et pas seulement en période électorale.

3.2.6. *Fonction de communication*

Également évoquée par Almond et Coleman, la fonction de *communication* consiste pour les partis à rendre compte aux citoyens de la manière dont tourne le système, en donnant du sens à ses productions. Telle est par exemple la raison d'être des communiqués de presse des partis dans lesquels ceux-ci se félicitent ou regrettent telle initiative ou réalisation gouvernementales. Par là, il s'agit aussi de donner du sens à la propre action du parti dans le système politique, à la manière dont il agrège certains intérêts (fonction d'agrégation des intérêts), aux programmes et principes généraux qu'il défend (fonction programmatique), à la sélection qu'il opère entre des candidats en vue de pourvoir à des postes de gouvernement (fonction de recrutement et de sélection).

Les deux dernières fonctions que nous allons présenter ci-après sont généralement considérées comme latentes.

3.2.7. *Fonction de socialisation politique*

La fonction dite de *socialisation politique* consiste à rapprocher le système politique de son environnement social soit en familiarisant les citoyens – en particulier les adhérents des partis – aux institutions politiques, ce qui équivaut à une (sous-)fonction d'*éducation politique,* soit en leur offrant des perspectives de carrière dans le système politique et donc par là aussi des possibilités de (davantage) « s'approprier le système ».

3.2.8. *Fonction de légitimation*

Une dernière fonction, de *légitimation*, contribue à rapprocher le système politique de son environnement social en justifiant sa raison d'être et son mode de fonctionnement. Il s'agit ici de donner du sens au système politique en tant que tel (sa forme, son mode de fonctionnement...) et non plus à ses produits, ses « *outputs* », comme c'était le cas dans la fonction de communication. Parfois cette fonction de légitimation est manifeste, par exemple, lorsque les partis établis justifient l'existence du système politique menacé par les succès électoraux de partis anti-système (cf. *supra*, section 2 et chapitre Clivages, section 9). Mais le plus souvent, cette fonction de légitimation est latente, induite par le fait même que les partis « se prêtent au jeu », se conforment aux rouages du système.

3.2.9. *Fonction tribunitienne*

Il appartient à Georges Lavau (1969b), dans une célèbre étude sur le Parti communiste français (PCF), d'avoir théorisé une fonction latente spécifique qu'il a appelée *tribunitienne*, en référence au rôle tenu par les tribuns représentant de la plèbe dans la Rome antique. Un parti aussi ouvertement anti-système, révolutionnaire, que l'était le PCF dans les décennies de l'après-Deuxième Guerre mondiale (cf. chapitre Clivages, section 9.1) en vient objectivement à conforter le système, en se prêtant au jeu des institutions politiques. Il se présente aux élections. Ses représentants siègent au parlement, même si le parti est le plus souvent ostracisé par les autres partis jusqu'à la formation de l'Union de la gauche, qui n'intervient qu'au début des années 1970. Ses élus utilisent les armes du règlement parlementaire pour faire part de leur opposition aux initiatives du gouvernement en place, etc.

En exprimant ainsi publiquement, y compris au sein même des institutions, la frustration voire la colère de groupes sociaux se sentant « exclus du système », un parti anti-système – de gauche, comme le PCF, mais, éventuellement, aussi de droite, comme le Vlaams Belang (VB) en Belgique ou le Front national (FN) en France – peut contribuer du même coup, à son corps défendant, à atténuer cette frustration et cette colère. « Réduisant la tension », il diminue la probabilité d'un renversement du système politique que le parti continue pourtant de prôner en parole. En tolérant en son sein des partis anti-système qui se font l'exutoire, sur un plan symbolique, des frustrations et colères des « exclus du système », le système pousse ces partis à « faire le jeu du système » et donc en neutralise le potentiel subversif, en réduit dans les faits le radicalisme. Pour autant évidemment que le parti anti-système en question ne conquiert pas une position de force, y compris à l'intérieur du système, lui permettant de renverser le système, comme ce fut le cas en Allemagne du Parti national-socialiste d'Adolf Hitler dans les années 1930.

4 | L'organisation des partis

Après avoir établi quelles fonctions un parti remplit, nous nous demandons à présent : comment un parti fonctionne ? Comment s'organise-t-il pour agir collectivement ? Quelles sont ses structures internes ? On entre ici dans le domaine des approches *organisationnelles*, qui privilégient l'étude des manières dont les partis s'organisent pour fonctionner. Nous prendrons d'abord un point de vue *morphologique*, limité à une description formelle des composantes des partis. Nous traiterons ensuite de la question particulière de la répartition du pouvoir au sein des partis, avant de présenter les principales théories organisationnelles des partis.

4.1. La morphologie des partis

Avoir une vue d'ensemble des composantes organisationnelles internes principales du fonctionnement des partis implique de prendre en considération :

- les textes doctrinaux de référence : déclarations de principe, chartes, manifestes...
- les textes juridiques qui organisent la vie du parti :
  - son statut juridique : le parti est-il une simple association de fait, comme c'est le cas en Belgique, ou bien a-t-il adopté la forme d'une association reconnue par le droit comme c'est le cas en France (dans le format établi par la loi française de 1901 sur les associations volontaires, équivalent à la loi belge sur les associations sans but lucratif) ?
  - ses statuts internes, qui définissent en particulier les différents organes de décision du parti, leur composition, compétences, fréquence de réunion, mode de convocation...
- l'organigramme tel qu'il découle des statuts, mais aussi tel qu'il transparaît du fonctionnement effectif, avec des écarts possibles par rapport à ce qui est prévu dans les statuts, en ce compris les unités administratives non décisionnelles : administration générale, trésorerie, services de communication, d'études, de formation, de radio-diffusion, etc.
- les composants humains : nombre d'adhérents, d'élus, de responsables internes, de membres du personnel (cf. *infra*, section 6) ;
- la comptabilité : faisant apparaître les principaux mouvements de fonds, l'origine et le montant des recettes, l'affectation et le montant des dépenses.

Nous allons nous limiter ici à présenter les niveaux organisationnels des partis, *géographiques*, d'abord, *fonctionnels*, ensuite.

4.1.1. *Les niveaux organisationnels de nature géographique*

Chaque parti s'articule d'abord autour de niveaux organisationnels qui sont établis sur une base *géographique*. Le niveau le plus bas épouse en général les limites territoriales de la collectivité locale la plus restreinte existant à l'échelle de l'État concerné : en Belgique et en Suisse, les communes, en France, les municipalités. Mais il existe des exceptions. Par exemple, les partis ouvriers ont longtemps été organisés, aussi ou alternativement, à l'échelle des entreprises, au travers de « cellules d'entreprise ». Le niveau géographique le plus élevé est considéré comme le niveau *central*. Il correspond, en France et en Suisse, au niveau national, et en Belgique, aujourd'hui le plus souvent, au niveau communautaire, puisqu'aucun parti belge représenté au parlement fédéral avant les élections législatives de 2014 n'était plus constitué à l'échelle nationale, mais établi soit à l'échelle flamande soit à l'échelle francophone (cf. *supra*, section 2).

Au-dessus du niveau central – les « partis politiques européens », par exemple, à l'échelon continental, les « internationales de partis », à l'échelon mondial –, il s'agit essentiellement de niveaux de simple coordination, en vue de produire une action commune à des niveaux supranationaux, entre des organisations qui fonctionnent principalement, d'une manière intégrée, à l'échelle centrale/nationale.

Entre le niveau central et le niveau local viennent s'intercaler un ou plusieurs niveaux géographiques intermédiaires correspondant le plus souvent soit à des collectivités territoriales infra-étatiques de niveau supérieur à la collectivité de base, comme les provinces, en Belgique, ou les cantons en Suisse, soit à d'autres unités administratives comme pour la Belgique les arrondissements administratifs ou les circonscriptions électorales.

ENCADRÉ N° 9.9 : LES NIVEAUX ORGANISATIONNELS GÉOGRAPHIQUES : L'EXEMPLE DU PARTI SOCIALISTE BELGE FRANCOPHONE (PS)

Niveaux géographiques	Unités organisationnelles
Mondial	Internationale socialiste
Continental	Parti socialiste européen (PSE)
Central	PS
Intermédiaire	Fédérations régionales
Base	Unions socialistes communales

Source : élaboration des auteurs.

4.1.2. *Les niveaux organisationnels de nature fonctionnelle*

Chaque niveau organisationnel établi sur une base géographique s'organise à son tour en unités de portée cette fois *fonctionnelle*, c'est-à-dire en autant d'organes dotés de pouvoirs de décisions particuliers à l'échelle du périmètre géographique de compétences de l'unité géographique prise en considération. Ces organes peuvent recevoir des appellations particulières selon les partis, ce qui peut rendre malaisée leur appréhension. Comme pour les niveaux organisationnels géographiques, on peut distinguer un niveau fonctionnel de base, correspondant le plus souvent à des unités organisationnelles appelées « congrès » ou « assemblée générale », un niveau supérieur, correspondant à la « présidence » ou au « secrétariat général », ainsi qu'un ou plusieurs niveaux intermédiaires situés entre l'unité décisionnelle de base et l'unité décisionnelle la plus élevée. Ces niveaux intermédiaires sont baptisés le plus souvent « conseil », « comité » ou « bureau ». La distinction entre ces organes fonctionnels s'opère selon trois critères :

– la *taille* : plus les organes fonctionnels se rapprochent du sommet, moins le nombre de personnes qui les composent est élevé, la « présidence » ou le « secrétariat général » se composant le plus souvent d'une personne seule, mais pas toujours (cf. la coprésidence exercée aujourd'hui par deux personnes à la tête d'ÉCOLO, le parti écologiste belge francophone, ou de *Die Linke*, le parti allemand de gauche radicale).

– le *rythme de mobilisation* : plus les organes fonctionnels se rapprochent du sommet, plus la fréquence de leurs activités décisionnelles est élevée, la « présidence » ou le « secrétariat général » incarnant le parti au quotidien.

– les *pouvoirs de décision* : sur le papier, dans les statuts des partis, souvent, les compétences les plus étendues appartiennent à l'unité fonctionnelle de base, présentée comme « l'organe souverain du parti », décisionnelle pour des matières telles que l'adoption des (réformes de) statuts, des manifestes ou programmes, ou la désignation des candidats du parti aux élections ou des dirigeants internes. Dans les faits cependant (cf. *infra*), plus les organes fonctionnels se rapprochent du sommet, plus ils ont de pouvoirs d'engager le parti au quotidien. Comme dans le cas des États (cf. chapitres Régimes politiques et Parlements et gouvernements), ce sont souvent les organes exécutifs qui sont à la manœuvre et qui exercent le « vrai » pouvoir à l'échelle de l'unité géographique considérée d'un parti, grâce notamment à leur taille réduite et leur fréquence de mobilisation (bien) plus importante que celles des organes « souverains » de base.

ENCADRÉ N° 9.10 : LES NIVEAUX ORGANISATIONNELS FONCTIONNELS : L'EXEMPLE DU NIVEAU *NATIONAL* DU PARTI COMMUNISTE CHINOIS (PCC)

	Organe	Taille	Fréquence
Niveau inférieur	Congrès	2.217	1x/5 ans
Niveau intermédiaire inférieur	Comité central	204	1x/an
Niveau intermédiaire supérieur 1	Bureau politique	25	Variable : de 1x/6 m à 1x/m
Niveau intermédiaire supérieur 2	Comité permanent du Bureau politique	7	1x/sem ou 2 sem
Niveau supérieur	Secrétaire général	1	Quotidien

Source : élaboration des auteurs.

4.2. Le pouvoir au sein des partis : démocratie interne, oligarchie, stratarchie

Étudier les organigrammes des partis permet de mener des comparaisons entre les partis et de dégager des types différents de morphologie partisane. Par exemple, selon le nombre de niveaux géographiques ou fonctionnels des partis, selon les compétences qui leur sont reconnues (degré plus ou moins poussé de décentralisation géographique ou fonctionnelle du pouvoir), ou encore selon leur mode de composition (démocratisation du pouvoir plus ou moins poussée). En comparant les partis sous cet angle, on en vient à s'intéresser à la question de la « démocratie interne » des partis, c'est-à-dire à la manière dont les leviers permettant d'engager l'action du parti sont répartis entre les adhérents.

4.2.1. Tendance générale à l'oligarchie

Les études pionnières dans cette veine de recherche datent du début du XXᵉ siècle. Celle du russe Mosei Ostrogorski (1993/1902) porte sur les partis états-uniens et britanniques, et celle de l'italien d'origine allemande, Roberto Michels (1971/1911), sur le Parti social-démocrate allemand (SPD). Toutes deux concluent à une évolution inexorable de tout parti vers l'oligarchie, au fur et à mesure qu'il s'organise. « Confondue avec le parti, *l'organisation* permanente *de moyen devient une fin*, à laquelle on finit par tout subordonner, écrit Ostrogorski : principes, convictions personnelles, commandements de la morale publique et même de la morale privée » (1993/1902 : 679 ; nous soulignons). « L'organisation est la source d'où naît la domination des élus sur les électeurs, des mandataires sur les mandants, des délégués sur ceux qui délèguent. Qui dit organisation, dit tendance à l'oligarchie », relaye Michels (1971/1911 : 33).

ENCADRÉ N° 9.11 : LA LOI D'AIRAIN DE L'OLIGARCHIE SELON ROBERTO MICHELS

Pour Michels, « (l)'organisation a pour effet de diviser tout parti (...) en une minorité dirigeante et une majorité dirigée » (1971/1911 : 33). L'auteur a nommé cette tendance générale d'évolution des partis la « loi d'airain de l'oligarchie », en référence à l'expression « la loi d'airain des salaires » popularisée par un théoricien socialiste allemand du XIXᵉ siècle, Ferdinand Lassalle. Celui-ci soutenait qu'en régime capitaliste, les salaires tendaient de façon générale et inexorable vers un montant minimal correspondant tout juste à ce qui était nécessaire à la survie des travailleurs.

En inférant pareille loi générale, les deux auteurs peuvent être rattachés à l'école élitaire qui fut l'un des premiers courants théoriques de la science politique (cf. chapitre Qu'est-ce que la science politique ?, section 8.1).

4.2.2. Stratarchie plus qu'oligarchie ?

La plupart des travaux ultérieurs ont largement fait leur cette notion d'oligarchie pour qualifier la nature de la répartition des pouvoirs au sein des partis. Samuel Eldersveld (1964) a toutefois affiné la perspective en proposant de substituer la notion de stratarchie à celle d'oligarchie.

ENCADRÉ N° 9.12 : OLIGARCHIE ET STRATARCHIE

La tendance générale des partis à la stratarchie consiste dans le développement et le renforcement des pouvoirs de *plusieurs* « classes dirigeantes » au sein d'un même parti, alors que la tendance à l'oligarchie consiste simplement dans le développement et le renforcement du pouvoir d'une seule « classe dirigeante » au sein d'un même parti.

La notion de stratarchie invite à ne pas se représenter les partis comme des blocs monolithiques, entièrement commandés par les dirigeants centraux, mais à les voir comme des organisations structurées autour de niveaux géographiques relativement autonomes les uns des autres, susceptibles d'avoir chacun à leur tête une « classe dirigeante » relativement indépendante, à la manière de magasins franchisés des sociétés de grande distribution (Carty, 2004). Aux États-Unis, on décèle ainsi l'existence d'une « classe dirigeante » non seulement au niveau central/fédéral des deux grands partis, républicain et démocrate, mais aussi à l'échelle de chaque État, voire parfois même de chaque Comté.

4.2.3. Mesure de la démocratie interne des partis

Pour autant, tous les partis ne fonctionnent pas selon le même degré de concentration du pouvoir, loin de là. Pour cerner les différences, il faut établir des cadres de comparaison. La grille de comparaison qui fait autorité est issue d'une vaste étude comparative menée sur pas moins de 53 pays durant la période 1950-1962 sous la direction du politologue états-unien Kenneth Janda (1970, 1980).

ENCADRÉ N° 9.13 : LES INDICATEURS DE DÉMOCRATIE INTERNE DES PARTIS SELON KENNETH JANDA

– La nationalisation des structures du parti : quelles sont les compétences respectives des différents niveaux géographiques de pouvoir au sein du parti : le niveau géographique central domine-t-il les autres niveaux ?

– La sélection du chef : comment s'effectue la nomination du chef du parti ?

– La sélection des candidats : comment s'effectue la désignation des candidats aux différentes fonctions électives publiques ?

– L'attribution des ressources financières : qui décide de leur répartition ?

– La formulation des politiques : qui formule les programmes du parti, qui décide de la participation du parti au pouvoir ?

– Le contrôle des communications internes du parti

– Le maintien de la discipline au sein du parti

– Le caractère limité ou non du *leadership*/de « la classe dirigeante »

Source : Lemieux, 1985 : 120.

Sur la base de critères précis de comparaison, il est possible de dégager des types différents de partis selon leur degré plus ou moins poussé de démocratie interne. William Wright (1971) a ainsi proposé de distinguer de façon très simple deux idéaux-types de partis : le parti efficace-rationnel et le parti démocratique. Cette typologie de base a été abondamment reprise, enrichie de critères de distinction supplémentaires.

ENCADRÉ N° 9.14 : TYPOLOGIE DES PARTIS SELON WILLIAM WRIGHT

	Parti efficace-rationnel	Parti démocratique
Polarité organisationnelle	Efficacité	Démocratie interne
Participation	Faible	Forte
Activités	Irrégulières	Continues
Fonctions	Électorales	Idéologiques

Source : le-politiste.com, http://www.le-politiste.com/2011/09/les-partis-politiques-origine-types-et.html, consulté le 14 mars 2014. Traduction des auteurs.

En s'appuyant sur des critères précis de comparaison, nombre de travaux ont démontré que même les partis qui fonctionnaient au départ selon des modalités plus participatives d'exercice du pouvoir en leur sein avaient tendance à évoluer vers une plus grande concentration du pouvoir d'action du parti dans les mains d'une minorité de responsables. Surtout en cas de succès électoraux et de participations au pouvoir gouvernemental. Les partis écologistes, belges ou français, constituent de ce point de vue une illustration récente : même s'ils continuent d'être moins éloignés que les partis plus traditionnels de l'idéal-type du parti démocratique, ils s'en distancient progressivement, de manière croissante.

4.3. Les grands types organisationnels de partis

Le travail de construction typologique pour comparer les partis du point de vue de leur mode de fonctionnement n'a pas concerné que le seul critère de la répartition du pouvoir en leur sein. La quête de types généraux de partis, élaborés à partir d'une perspective organisationnelle, a engendré un foisonnement conceptuel peu propice à la stabilisation des cadres de la connaissance. Plutôt que de nous y perdre, nous allons emprunter les pas de la théorie la plus récente faisant autorité : celle de la cartellisation des partis. Élaborée par les politologues états-unien, Richard Katz, et irlandais, Peter Mair (1995), celle-ci a le mérite d'inscrire le nouveau type de parti qu'elle dégage, le parti-cartel, dans une évolution générale reprenant trois types précédents de partis parmi les plus célèbres : le binôme « parti de cadres » et « parti de masse », construit par le politologue français Maurice Duverger (1992/1951), et le « parti attrape-tout » (« *catch all party* »), suggéré par le politologue allemand, Otto Kirchheimer (1966).

ENCADRÉ N° 9.15 : MAURICE DUVERGER

Professeur à la Faculté de droit de Bordeaux de 1943 à 1955, Maurice Duverger (1917) deviendra le premier directeur de l'Institut d'études politiques de Bordeaux créé en 1948. Il fondera, avec d'autres, et présidera par la suite, le département de science politique de la Sorbonne (Paris I) entre 1955 et 1985. Ses principaux travaux concernent les partis politiques. Il est en particulier l'auteur d'un des premiers manuels de réputation internationale (1992/1951), qui connaîtra de multiples rééditions et traductions, et constitue toujours aujourd'hui une référence centrale pour de multiples pans de l'étude des partis (organisation, adhérents, systèmes de partis…).

4.3.1. *Parti de cadres et parti de masse*

Le tableau suivant résume les principales différences entre parti de cadres et parti de masse, telles que théorisées par Maurice Duverger.

ENCADRÉ N° 9.16 : TYPOLOGIE DES PARTIS SELON MAURICE DUVERGER

Critères	Partis de cadres	Partis de masse
1. Contexte de naissance	Suffrage censitaire	Universalisation du suffrage
2. Origine	Parlementaire	Extra-parlementaire
3. Nombre d'adhérents	Faible	Élevé
4. Coordination/discipline des élus	Faible	Élevée
5. Mobilisation organisationnelle	Électorale	Continue
6. Attractivité/puissance	Notoriété individuelle des membres	Masse de membres représentative de collectifs sociaux préétablis
7. Identité idéologique	Faible : « machine électorale »	Forte : « projet de société »
8. Identité sociologique	Association volontaire d'individus	« Parti-communauté »
9. Organisation	Décentralisée/ponctuelle : comités électoraux	Centralisée/continue : sections de parti

Source : élaboration des auteurs à partir de Duverger, 1992/1951.

Pour l'essentiel, se rattachent aux partis de cadres les partis libéraux et conservateurs qui se sont constitués dans le contexte d'une démocratie représentative au corps électoral réduit, marquée par l'absence de suffrage universel même masculin (cf. chapitres Régimes politiques, section 1, et Citoyens, section 2.1). En revanche, les partis ouvriers, socialistes et communistes, rejetons de la démocratie de masse, apparue à la fin du XIXe et dans la première partie du XXe siècle, se sont le plus souvent d'emblée organisés en partis de masse, dont le « parti indirect » constitue un sous-type emblématique.

ENCADRÉ N° 9.17 : LE PARTI INDIRECT, SOUS-TYPE EMBLÉMATIQUE DU PARTI DE MASSE

À la suite de Duverger (1992/1951), on nomme « parti indirect », tout parti qui fonctionne sur la base d'une adhésion individuelle indirecte, c'est-à-dire une adhésion au parti qui est automatiquement entraînée par une adhésion à une organisation sociale, elle-même souvent membre en tant que telle du parti et représentée dans ses organes dirigeants. Fondé par des syndicats sectoriels affiliés au Trade Union Congres (TUC), des coopératives, ainsi que la société de pensée des Fabiens, le parti travailliste britannique (*Labour*) intègre ainsi toujours en tant que telles ces organisations dans ses organes décisionnels, notamment au sein de son Comité exécutif. Jusqu'à la Deuxième Guerre mondiale, dans le contexte d'une société pilarisée (cf. chapitre Clivages, section 6.2, encadré n° 5.11), les partis socialiste et catholique belges formaient eux aussi des partis indirects. Lorsqu'il se dénommait Parti ouvrier belge (POB), le parti socialiste intégrait en son sein les fédérations syndicales, mutuellistes, coopératives et culturelles socialistes. Certaines de celles-ci continuent à siéger, mais désormais seulement avec voix consultative, au Bureau des partis socialistes francophone et flamand actuels. Durant l'entre-deux-guerres, le parti catholique était organiquement composé de « *standen* » (littéralement des ordres) rassemblés en deux ailes :

– gauche : le Mouvement ouvrier chrétien (MOC) regroupant des organisations similaires à celles intégrées au Parti socialiste, mais appartenant pour leur part au monde catholique, et

– droite : articulée autour d'organisations représentatives respectivement de la bourgeoisie, des classes moyennes et des indépendants, et des agriculteurs.

Cette subdivision collective reste encore très prégnante dans le fonctionnement du parti social-chrétien flamand actuel, le CD&V, même si ces organisations n'apparaissent plus dans l'organigramme du parti.

Certains partis qui, au départ, fonctionnaient comme des partis de cadres se sont largement reconvertis en partis de masse, à l'instar de certains partis confessionnels comme le Parti catholique belge, alors que l'inverse – un parti de masse reconverti en parti de cadres – fut beaucoup plus rare. Aussi, Maurice Duverger avait prophétisé une évolution générale de tous les partis établis vers le type du parti de masse, au risque de disparaître. Pourtant, quelques partis électoralement importants, comme l'UDF (Union pour la démocratie française, créée en 1978) en France – dont est issu le Modem (Mouvement démocrate), créé en 2007 par François Bayrou – vont continuer à fonctionner essentiellement comme des partis de cadres. Surtout, un autre type de parti va émerger, le parti attrape-tout, qui va « détourner » un certain nombre de partis de cadre de l'aspiration généralisée vers le parti de masse. Pour le dire dans les mots de Bernard Manin (1995, cf. chapitre Régimes politiques, section 2.4), si le parti de cadres est typique de la « démocratie du parlement » et le parti de masse, de la « démocratie des partis », le parti attrape-tout l'est, lui, de la « démocratie du public ».

4.3.2. *Parti attrape-tout*

Dans un contexte marqué par l'érosion progressive des grands clivages fondateurs des partis, et des identités partisanes et alignements électoraux stables qui leur étaient liés (cf. chapitre Clivages, section 7), les partis vont être poussés, pour survivre, à chasser sur d'autres terres électorales que leur terreau social traditionnel. Il en résulte une cohérence idéologique amoindrie par rapport à celle dont étaient porteurs les partis de masse. Kirchheimer définit le parti attrape-tout comme un parti qui a « (...) abandonné toute tentative d'encadrement moral et intellectuel des masses, qui s'est plus largement réorienté sur la scène électorale, essayant d'opérer un échange d'une recherche doctrinale et d'effectivité structurelle au profit d'une plus large audience et de succès électoraux immédiats » (1966 : 190 et suivantes, traduction des auteurs). En conséquence, trois traits interreliés caractérisent le parti attrape-tout. *Primo*, le pragmatisme – plutôt que le projet idéologique – domine l'exercice des responsabilités gouvernementales. *Secundo*, la personnalité du/des leaders du parti compte plus que le programme du parti. *Tertio*, la confiance renouvelée au(x) leader(s), par le parti et/ou ses électeurs, se joue davantage sur son/leur bilan, évaluable *ex post*, que sur son/leur programme ou idéologie politique, évaluable *ex ante*.

Notoriété des leaders, cohérence et identité idéologiques faibles, parti-machine électorale, autant de caractéristiques que les partis attrape-tout partagent avec les partis de cadres. À la différence de ces derniers toutefois les partis attrape-tout se développent dans le contexte d'une démocratie de masse bien établie. En outre, ils partagent aussi certains traits avec les partis de masse, comme la discipline de parti et un taux d'adhésion (cf. *infra*, section 5.2) relativement élevé par rapport aux partis de cadres. Néanmoins, cette parenté plus grande des partis attrape-tout avec les partis de cadres peut expliquer que les exemples les plus courants de partis attrape-tout qui sont évoqués dans la littérature concernent des partis de cadres qui se sont reconvertis en partis attrape-tout sans être devenus entre-temps des partis de masse. En Belgique, l'exemple-type est celui du Mouvement réformateur (MR) qui a été fondé en 2002, sur les structures du Parti réformateur libéral (PRL), successeur francophone du Parti libéral (PL), fondé en 1846, à l'origine anticlérical et unitaire. Le MR intégrait également, sous une forme fédérative, le Mouvement des citoyens pour le changement (MCC), dissidence de centre-droit du Parti social-chrétien (PSC), et, jusqu'en 2011, le FDF (Fédéralistes démocrates francophones), parti régionaliste francophone.

Pourtant, la notion de parti attrape-tout a été forgée par Kirchheimer à partir de l'analyse de l'évolution du Parti social-démocrate allemand (SPD) qui était jusqu'alors un exemple classique de parti de masse. C'est que le développement de l'État social (cf. chapitre État, section 3.3), conjugué aux processus de « classemoyennisation », tertiarisation de l'économie et individualisme culturel, a fait perdre à l'identité ouvrière, fondatrice des partis de masse socialistes et communistes, tout à la fois de son ampleur sociale et de sa puissance politique. Il y a sans cesse moins d'ouvriers dans les pays occidentaux et ceux qui le sont encore ne se reconnaissent plus aussi automatiquement qu'avant dans des partis qui s'affichent comme les représentants privilégiés d'une identité ouvrière. Le comportement électoral des ouvriers, comme celui de leurs concitoyens, devient plus volatile (cf. chapitre Citoyens, sections 3.1.2 et 3.2) et s'ouvre au vote à droite voire, surtout, à l'extrême droite (cf. chapitre Idéologies, sections 5 et 10). Dans ces conditions, tout parti de masse d'origine ouvrière est poussé, s'il veut continuer à peser sur les institutions politiques de son pays, à se tourner vers d'autres segments sociaux que la classe ouvrière et à diversifier son programme en conséquence. Un raisonnement similaire peut être avancé pour les partis fondés sur une identité religieuse, vu le processus de sécularisation des sociétés occidentales (cf. chapitre Clivages, section 5.1, encadré n° 5.9).

La notion de parti attrape-tout ne doit pas être galvaudée. Il faut se garder de confondre une tendance générale qui touche, peu ou prou, tous les partis occidentaux, du fait de l'avènement de la « démocratie du public » au sens de Bernard Manin (1995, cf. chapitre Régimes politiques, section 2.4), avec un mode organisationnel propre à un type particulier de partis, qui, à la différence d'autres, peuvent être considérés comme « attrape-tout ». Par exemple, pour qualifier un parti d'attrape-tout, le « grand écart » que l'on peut constater entre le contenu idéologique des diverses propositions du parti, selon qu'elles sont adressées plutôt à tel segment de son électorat ou à tel autre, doit être plus prononcé que ce qu'il a été dans son histoire ou que ce qu'il est ou a été chez ses concurrents.

4.3.3. *Parti-cartel*

À partir du début des années 1990, un nouveau processus de changement dans l'organisation des partis établis peut s'observer en particulier à partir de l'Allemagne, l'Autriche et les pays scandinaves. Il s'agit d'un changement, d'une part, dans les rapports entre les partis établis entre eux, et, de l'autre, dans les rapports entre ces partis et l'État, qui justifie l'élaboration par Richard Katz et Peter Mair d'un nouveau type de parti : le parti-cartel. Le mot-clé pour évoquer ce double changement est la notion de collusion ou de connivence, de complicité, qui ne doit pas être entendue nécessairement en un sens péjoratif. Il s'agit d'une entente passée, au moyen de l'État, entre partis censés être concurrents dans la libre compétition électorale pour l'accès au pouvoir dans les régimes de démocratie libérale (cf. chapitre Régimes politiques).

Le mot « cartel » est à comprendre de façon analogique au cartel économique. Il signifie une entente – dans ce cas-ci pas nécessairement illégale – entre organisations concurrentes, visant à maximiser leurs gains respectifs par rapport à la répartition des gains qui résulterait d'une libre compétition entre elles. Ces ententes entre partis établis ont pour effet de privilégier ceux-ci dans la compétition électorale et l'accès au pouvoir, au détriment de partis nouveaux, surtout les partis « anti-système ». Les accords collusifs conclus entre partis établis peuvent porter sur :

- l'ingénierie électorale : la fixation d'un seuil électoral pour obtenir des élus ou l'adoption de modes de scrutin de type majoritaire (cf. chapitre Parlements et gouvernements, section 1.3.4).

- la constitution de gouvernement : cf. la pratique dite du « cordon sanitaire » en Belgique par laquelle les partis établis se sont engagés à ne pas nouer d'alliances avec les partis d'extrême droite en vue de constituer un Exécutif.

- le financement public des partis : allocation par l'État de ressources financières ou humaines en fonction du nombre de suffrages, d'un seuil de représentation parlementaire ou de l'ampleur de celle-ci, en en excluant éventuellement les partis qualifiés de « non démocratiques », « anti-constitutionnels » ou « liberticides ».

- la régulation publique de l'accès aux mass-médias, en particulier lors des campagnes électorales, proportionnant le temps de parole des partis aux scores électoraux précédents ou à leur représentation parlementaire au cours de la législature qui s'achève.

ENCADRÉ N° 9.18 : LE FINANCEMENT DES PARTIS, UN ENJEU-CLÉ DE LEUR MODE D'ORGANISATION

L'une des principales pierres de touche de l'observation d'un phénomène de cartellisation des partis consiste dans le changement des modes de financement des partis. À partir des années 1970, quasiment tous les États occidentaux vont se doter d'une législation sur le financement des partis, la Belgique le faisant plutôt tardivement, en 1989. Dans des mesures différentes, toutes ces législations cherchent à réguler le financement « sauvage » des partis qui était la norme, et ce, par des moyens comme la publicité obligatoire des dons et donateurs privés, la restriction ou l'interdiction des dons faits par des personnes morales (entreprises, syndicats, ONG...), la publication obligatoire des comptes annuels selon des normes comptables précises, la possibilité de sanctions en cas de non-respect des règles.

Le plus souvent, ces législations se font le support d'un accroissement substantiel du financement public des partis, ainsi que d'une régulation des pratiques électorales, en ce compris les dépenses de campagne. En Belgique, près de 80 % du financement des partis établis est aujourd'hui d'origine publique (Göransson et Faniel, 2008), qu'il s'agisse du financement public direct ou indirect. Et l'on n'entend ici par « financement » que les transferts monétaires. Ne sont pas compris, notamment, les moyens humains que les assemblées peuvent mettre à disposition des parlementaires et groupes parlementaires (assistants parlementaires) ou que les pouvoirs publics peuvent mettre à disposition des ministres (conseillers de cabinet).

En Belgique, le financement public *direct* réside en une dotation accordée, tant au niveau fédéral que wallon et flamand, directement aux partis, à condition qu'ils soient représentés selon des seuils variables de représentation dans une assemblée législative relevant du niveau institutionnel considéré. Proportionnellement le plus important en Belgique, le financement public *indirect* repose sur trois filières :

– le subventionnement de l'activité des groupes politiques, qui sont reconnus dans une assemblée à partir du moment où ils regroupent un certain nombre d'élus (cf. chapitre Parlements et gouvernements, section 1.4.3) ;

– le subventionnement d'activités des partis qui sont reconnues comme d'utilité publique : diffusion de périodiques, émissions radio-diffusées, activités d'études ou de formation, etc. ;

– la rétrocession, selon des règles librement décidées par chaque parti, d'une partie des rémunérations et indemnités perçues par les représentants d'un parti dans les organes publics (parlementaires, ministres, échevins, délégués dans le conseil d'administration d'une intercommunale...). La possibilité légale accordée à tout mandataire de déduire les sommes ainsi rétrocédées des revenus privés qu'il déclare au fisc, en vue de l'impôt sur les personnes physiques, fait entrer ce financement, au départ de nature privée (d'un particulier à une organisation privée), dans la catégorie des financements publics.

Les ententes entre partis de l'establishment politique ont pour conséquence une autonomisation du système de partis (cf. *infra*, section 7) à l'égard de la société civile, et son intégration comme composante à part entière de l'État, doté d'un intérêt public qui en garantit juridiquement la protection. Les partis établis ont ainsi tendance à se comporter davantage en agents de l'État, porteurs d'une raison d'État relativement propre, plutôt qu'en représentants de la société civile, exprimant, même en les filtrant et en les réarticulant les revendications de groupes sociaux (cf. *supra*, section 3.2.5). Ils deviennent ainsi des « partis d'État » qui préservent un État qui les préserve, puisque se trouvant instrumentalisé par eux à cette fin.

ENCADRÉ N° 9.19 : LES RAPPORTS SOCIÉTÉ CIVILE-PARTIS-ÉTAT DANS LES DIFFÉRENTS TYPES DE PARTIS SELON KATZ ET MAIR

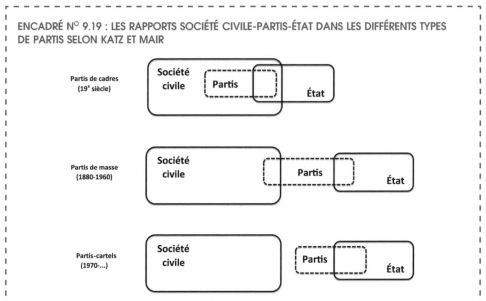

N.B. : le rapport société civile-partis-État qu'incarnent les partis attrape-tout peut être schématisé de la même façon que ce qui est présenté pour les partis de masse. La seule différence réside dans le fait que la société civile est plus hétérogène, n'étant plus composée de grandes catégories sociales homogènes comme dans le cas des partis de masse.

Source : Katz, Mair, 1995 : 10-13. Traduction des auteurs.

La tendance à l'étatisation des partis établis va de pair avec, et encourage, deux autres évolutions récentes. D'une part, la professionnalisation des partis et de la politique : technicisation accrue des positions politiques, tendance à exclure de l'action politique les personnes faiblement diplômées... De l'autre, la « centrisation » de l'action des partis au gouvernement, la relative convergence idéologique des pratiques gouvernementales, quels que soient les partis au pouvoir.

Sur un plan macro-social, la tendance à la cartellisation des partis établis s'expliquerait en raison de la période de relative contraction économique pour les pays occidentaux qui s'est ouverte avec la crise pétrolière de 1973, l'élargissement du libre marché à l'échelle européenne et mondiale et le développement de la concurrence avec des pays émergents (cf. chapitre État, section 5.2). Faute de pouvoir se montrer aussi généreux qu'auparavant vis-à-vis de leur électorat lorsqu'ils exercent le pouvoir, les partis établis ont désormais plus à craindre le mécontentement de leurs électeurs et donc de lourdes défaites électorales. Dans ce contexte, le problème de coordination prioritaire à résoudre par les partis-cartels change de nature, par rapport à ce qu'il était pour les autres types de partis (cf. tableau suivant).

ENCADRÉ N° 9.20 : COORDINATION AU SEIN DES DIFFÉRENTS TYPES DE PARTIS SELON BLYTH ET KATZ

	Parti de cadres	Parti de masse	Parti attrape-tout	Parti-cartel
Nature du problème de coordination	Interne : des élus au sein des assemblées	Externe : entre les élus et des électorats localisés et à identité sociale stable et aiguisée	De réseau : entre les élus et des électorats déterritorialisés, qui ne sont plus dotés d'une identité sociale univoque, au moyen d'avantages publics dans le cadre d'un État social en expansion	Idem, mais dans le contexte d'un État social en stagnation voire en régression, ce qui pousse à une coordination entre partis

Source : élaboration des auteurs à partir de Blyth et Katz, 2005.

4.3.4. *Synthèse des différences entre les quatre types de parti*

En plus de la prise en compte du critère de coordination qui vient d'être évoqué, on peut systématiser la différence entre les quatre idéaux-types de partis les plus célèbres sur la base d'une série d'éléments repris dans le tableau suivant.

ENCADRÉ N° 9.21 : SYNTHÈSE DES DIFFÉRENCES ENTRE LES TYPES DE PARTIS SELON KATZ ET MAIR

Caractéristiques	Parti de cadres	Parti de masse	Parti attrape-tout	Parti-cartel
1a. Période	19ᵉ s.	1880-1960	1945 – …	1970 – …
1b. Contexte	Suffrage restreint	Suffrage élargi puis de masse	Suffrage de masse	Suffrage de masse
2. Capacité publique de distribution des ressources politiquement pertinentes	Très réduite	Relativement concentrée	Moins concentrée	Relativement diffuse
3. Enjeux politiques principaux	Distribution de privilèges	Grandes réformes sociales ou refus de celles-ci	Amélioration générale des conditions sociales	Professionnalisation/ rationalisation de la vie politique
4. Fondements de la compétition inter-partis	Statuts sociaux donnés à la naissance	Capacité de représentation collective	Efficacité politique (à résoudre les problèmes)	Capacité managériale et efficience
5. Modèles de la compétition électorale	Débrouille	Mobilisation	Compétition aiguë	Compétition retenue
6. Ressources de fonctionnement et de campagne électorales	/	Intensives en travail	Intensives en travail et en capital	Intensives en capital
7. Sources principales de financement	Contacts personnels	Cotisations et dons des membres	Large éventail de sources privées de financement	Subventions publiques

8. Relations entre les dirigeants et les membres ordinaires	Les dirigeants sont les membres ordinaires	*Bottom up* : les dirigeants sont redevables vis-à-vis des membres ordinaires	*Top Down* : les membres ordinaires sont des faire-valoir pour les leaders	Rapports leaders-membres de type plébiscitaire dans un contexte de stratarchie
9. Membership	Réduit et élitaire	Large et homogène ; activement recruté et encadré ; accent sur les droits et obligations ; adhésion = conséquence logique d'une identité sociale	Ouvert à tous (hétérogène) et encouragé ; accent sur les droits, pas sur les obligations ; adhésion = marginale par rapport à l'identité sociale	Ni droits ni obligations importantes (estompement de la distinction entre membres et non membres) ; accent sur les membres individuels plutôt que sur des collectifs organisés ; membres utiles pour légitimer les dirigeants
10. Canaux de communication	Réseaux interpersonnels	Canaux partisans	Compétition pour l'accès aux canaux de communication non partisans	Accès privilégié aux canaux de communication régulés par l'État
11. Liaison du parti entre la société civile et l'État (cf. encadré n° 9.19)	Frontières floues entre l'État et la petite partie de la société civile dotée de droits politiques	Les partis relèvent de la société civile originellement, des nouveaux segments dotés de droits politiques	Courtiers (« *brokers* ») concurrents entre la société civile et l'état	Partis de l'État
12. Figure du représentant	Exécuteur testamentaire (« *trustee* »)	Délégué	Entrepreneur	Agent de l'État

Source : traduction et adaptation des auteurs à partir de Katz et Mair, 1995 : 18.

5 | Les adhérents des partis

Qui compose les partis ? Quelles sont les personnes qui les soutiennent, les animent et leur donnent ainsi les moyens de fonctionner ? Combien sont-elles, quel est leur profil ? Autant de questions sur lesquelles portent les approches dites *sociologiques* des partis politiques, qui se centrent sur leurs ressources humaines. Un pan essentiel concerne les études électorales dont nous traiterons, sous l'angle des déterminants des comportements électoraux et du profil des électeurs, dans le chapitre Citoyens (section 3). Dans le présent chapitre, nous ne nous intéresserons donc de manière plus approfondie qu'aux adhérents des partis, c'est-à-dire à ceux qui en sont membres, et ce, tant d'un point de vue quantitatif que qualitatif.

5.1. La catégorisation des ressources humaines et des adhérents des partis

Le tableau suivant propose une catégorisation d'ensemble assez classique des ressources humaines des partis, construite à partir de deux critères : la nature du soutien au parti, pour les non-membres, et la nature de la partipation aux activités du parti en tant que membres.

ENCADRÉ N° 9.22 : CATÉGORISATION DES RESSOURCES HUMAINES DES PARTIS

Rapport au parti	Catégories	Nature du soutien
Externe – Non Membre	Élécteur	Se limite à voter pour le parti
	Sympathisant	Exprime des opinions favorables au parti/participe à certaines activités ouvertes au public
Interne – Membre	« Simple » membre	Cotise mais ne participe pas
	Cadre de base/« simple » militant	Participe au fonctionnement du parti sans responsabilités
	Cadre intermédiaire	Responsabilités de niveau inférieur
	Cadre dirigeant	Responsabilités de niveau supérieur

Source : élaboration des auteurs.

Pour leur part, dans une classification largement diffusée dans la littérature anglo-saxonne, Katz et Mair (1994), toujours eux, ont proposé de distinguer des catégories d'adhérents en fonction des trois principales composantes des partis (cf. *supra*, section 2) :

– le « *party in public office* » a trait à la composante gouvernementale ou institutionnelle, et vise les représentants du parti dans les institutions politiques ;

– le « *party in central office* » a trait à la composante organisationnelle interne et vise les responsables internes et les permanents du parti ;

– le « *party on the ground* » a trait à la composante publique ou sociétale du parti, et vise les membres et les sympathisants, étant entendu que les représentants externes et les responsables internes du parti peuvent aussi, mais de manière secondaire, être actifs « sur le terrain ».

5.2. L'adhésion partisane : modes de calcul et évolution

Trois grands indicateurs permettent de prendre la mesure de l'ampleur de l'adhésion à un parti ou aux partis dans leur ensemble. Le premier enregistre « simplement » le nombre d'adhérents d'un parti qu'il établit donc en *chiffres absolus*. Les deux autres mesurent les adhérents d'un parti en termes *relatifs*, en rapportant le nombre absolu d'adhérents d'un parti au nombre total d'électeurs aux élections auxquelles le parti s'est présenté, pour le taux de pénétration, ou bien au nombre total d'électeurs *qui ont voté pour ce parti* lors des élections auxquelles le parti s'est présenté, pour le taux d'adhésion.

ENCADRÉ N° 9.23 : TAUX DE PÉNÉTRATION ET TAUX D'ADHÉSION, DEUX OUTILS DE MESURE DE L'ADHÉSION PARTISANE

$$\text{Taux de pénétration} = \frac{\text{nombre d'affiliés d'un parti}}{\text{nombre total d'électeurs}}$$

$$\text{Taux d'adhésion} = \frac{\text{nombre d'affiliés d'un parti}}{\text{nombre d'électeurs votant pour ce parti}}$$

D'un point de vue comparatif, les études révèlent d'importantes traditions historiques nationales. La France, par exemple, se caractérise de tout temps par une adhésion partisane traditionnellement faible, alors que l'adhésion partisane a toujours été la plus élevée dans les pays scandinaves, la Belgique se situant dans la catégorie juste en dessous des pays scandinaves.

Quelles que soient les traditions nationales, tous les pays occidentaux font face à une décrue générale, et continue, de l'adhésion partisane, amorcée, selon les pays, à partir d'un pic historique atteint entre les années 1950 et 1990 (Katz, Mair, 1992 ; Mair, Van Biezen, 2001). À un point tel qu'un célèbre ouvrage diagnostiquant cette tendance s'intitule « *Parties without Partisans* » (Dalton, Wattenberg, 2000). Ce phénomène de décrue touche en particulier les partis qui étaient à l'origine des partis de masse (cf. *supra*, section 4.3.1). Soit, comme la plupart des partis communistes, ceux-ci ont disparu ou sont devenus des « petits partis » d'un point de vue électoral. Soit, comme la plupart des partis socialistes, ceux-ci voient la masse de leurs adhérents fondre dans des proportions importantes, comme le SAP (Parti social-démocrate suédois des travailleurs) qui a vu son nombre d'adhérents chuter de 1 150 000 unités en 1980 à 150 000 unités en 2000, soit huit fois moins (Delwit, 2004 : 232-248).

En Belgique, le nombre d'adhérents des partis a commencé à baisser à partir de la fin des années 1980 (Delwit, Pilet, van Haute, 2011 : 31-32). Entre 1990 et 2010, les effectifs partisans ont baissé de 550 000 à 375 000 unités. Entre 1980 et 2010, les partis, francophones et flamands, héritiers des deux grands partis de masse historiques, le Parti ouvrier belge (POB) et le Parti catholique, ont chacun perdu environ la moitié de leurs effectifs. Si leur membership partisan a considérablement fondu, les partis socialistes et sociaux-chrétiens qui étaient originellement des partis de masse demeurent de « grands partis », comparés aux autres, du point de vue de leur nombre d'adhérents. Ainsi, en 2012, le Parti socialiste (PS), héritier du POB, totalisait trois fois plus d'affiliés que le Mouvement réformateur (MR), héritier du Parti libéral, alors qu'aux dernières élections législatives de 2010, le PS n'avait engrangé que 50 % de voix de plus que le MR. De leur côté, les partis plus récents – écologistes, régionalistes, « anti-système »... – demeurent en général de « (très) petits partis ». Ainsi en 2010, date des dernières élections législatives fédérales avant celles de 2014, tandis que le PS affichait un taux d'adhésion de 9 % et le CD&V, héritier flamand du Parti catholique, de 7 %, le taux d'adhésion de la N-VA, premier parti belge en nombre de voix (1.135.000 électeurs) et de sièges (27 sur 150) à la chambre fédérale, ne dépassait pas les 1,5 % (15 800 adhérents). Ce dernier chiffre est très illustratif de la dissociation de plus en plus marquée, dans les États occidentaux, entre le poids électoral d'un parti et son poids en termes d'adhérents. Des partis qui peuvent devenir grands électoralement peuvent demeurer des « nains » en termes d'adhérents.

5.3. Le profil des adhérents des partis

Les outils d'analyse qui servent à étudier le profil des adhérents des partis sont le plus souvent ceux qui ont été construits dans le cadre des études électorales (cf. chapitre Citoyens, section 3.1). Les chercheurs s'intéressent ainsi d'une part, aux *caractéristiques sociales générales*, correspondant globalement aux variables structurelles des études électorales (âge, sexe, catégorie socio-professionnelle, convictions philosophico-religieuses, etc.), et de l'autre, aux *idées et opinions politiques*, correspondant globalement aux variables liées au vote sur enjeux dans les études électorales, si ce n'est que s'y ajoutent habituellement des positionnements sur l'échelle gauche/droite. Il en résulte des profils d'adhérents relativement différents selon les partis.

En ce qui concerne la Belgique, on observe ainsi que la pilarisation (cf. chapitre Clivages, section 6.2, encadré n° 5.11) pèse encore fortement sur le profil des adhérents des deux plus « grands » partis actuels en termes d'adhérents, le PS francophone et le CD&V flamand, héritiers des deux partis de masse historiques, le Parti ouvrier belge (POB), pour l'un, le Parti catholique, pour l'autre. Des enquêtes menées dans le courant des années 2000 (Delwit, Pilet, van Haute, 2011 : 60, 113, 194) révèlent ainsi un taux de 98,5 % des membres du CD&V qui se déclarent croyants (97 %, « catholiques ou chrétiens »). À près de 80 %, les membres du CD&V disent avoir fréquenté l'enseignement libre confessionnel durant leurs études secondaires. Les membres du CD&V qui sont affiliés à un syndicat le sont à 95,5 % auprès de la Confédération des syndicats chrétiens (la CSC), et les affiliés à une mutuelle, le sont à 91,5 % auprès de l'Alliance nationale des mutualités chrétiennes (ANMC). Inversement, au PS, 38,5 % seulement des membres se déclarent croyants, alors qu'ils n'ont suivi qu'à concurrence de 11 % l'enseignement libre confessionnel durant leurs études secondaires. Les membres du PS qui sont affiliés à un syndicat le sont à 91 % auprès de la Fédération générale du travail de Belgique (la FGTB, le syndicat socialiste), et les affiliés à une mutuelle le sont à 77 % auprès de Solidaris, dénomination actuelle de l'Union nationale des mutualités socialistes (UNMS).

Les études sur les profils d'adhérents peuvent aussi mettre en lumière des éléments de convergence entre partis. Ainsi, plus on se rapproche des catégories d'adhérents appartenant au « sommet » ou à l'« état-major » d'un parti, plus la catégorie des diplômés de l'enseignement supérieur prend de l'ampleur. Au début des années 2000, deux tiers des cadres intermédiaires au PS et trois quarts dans les trois autres grands partis belges francophones (le cdH, le MR et ÉCOLO) étaient ainsi porteurs d'un diplôme de l'enseignement supérieur (Delwit, Helings, van Haute, 2003a et b), alors que ce pourcentage n'était que de 20 % dans l'ensemble de la population. À l'issue des élections régionales de 2004, les diplômés de l'enseignement supérieur comptaient pour plus de 95 % des parlementaires wallons (Delwit, Pilet, Hellings, van Haute, 2005 : 40). Ceci illustre bien la tendance à la spécialisation des partis – et à leur déconnexion progressive de l'environnement social global – relevée par Katz et Mair dans leur théorie sur la cartellisation des partis (cf. *supra*, section 4.3.3).

6 | Les idées des partis

Quelles idées défendent les partis ? Quel genre de mesures figurent dans leurs programmes ? Quels types d'initiatives législatives ou gouvernementales soutiennent-ils ou combattent-ils ? Les approches *doctrinales* s'intéressent particulièrement à ces questions. Elles peuvent prendre pour objet deux ordres d'idées de nature différente. D'un côté, les idées « propres » du parti, exprimées dans des *discours* formalisés dans des textes écrits (manifestes, résolutions de congrès, programmes électoraux...) ou prononcés par des porte-parole du parti, au nom du parti. De l'autre côté, les idées que le parti contribue à « faire passer » par ses *actes* : vote de ses parlementaires à l'occasion d'un processus législatif, approbation du texte d'un arrêté de gouvernement ou d'un projet de loi par ses ministres... Les instruments qui en permettent l'analyse empruntent largement, pour une part, aux études sur les idéologies politiques (cf. chapitre Idéologies) – on compare les idées d'un parti, émises sur une thématique particulière ou prises dans leur ensemble, aux principales idéologies politiques – et de l'autre, aux études électorales portant sur le vote sur enjeux (cf. chapitre Citoyens , section 3.1.3). Un horizon de généralisation commun consiste alors à comparer les partis entre eux en fonction du positionnement de leurs idées sur un axe gauche/droite. Comme il est beaucoup question de ces cadres idéels ailleurs dans le manuel – y compris dans la théorie des clivages qui rattache l'identité des partis à leur positionnement sur des clivages portant sur de grands enjeux de développement social (cf. chapitre Clivages) –, nous limiterons ici nos développements à une précision méthodologique et une application à la Belgique.

Si l'axe gauche/droite est construit de manière unidimensionnelle, comme dans l'approche de Norberto Bobbio (cf. chapitre Idéologies, section 5), il se réfère le plus souvent aux positions partisanes relatives aux enjeux socio-économiques. Mais il peut aussi être construit de manière multidimensionnelle ou « intégrée ». L'analyste distingue alors, d'une part, les questions socio-économiques, qui portent sur la production et la distribution des richesses matérielles dans la société, et de l'autre, les questions socio-culturelles ou éthiques, qui portent sur les normes comportementales en société, en dehors de la vie économique. Le positionnement de gauche est alors assimilé à une attitude « *illibérale* » sur le plan socio-économique, prônant l'intervention de l'État au détriment de l'individualisme, et à une attitude *libérale* sur le plan socio-culturel, prônant la non-intervention de l'État au profit de l'individualisme. Une tendance récente, issue des études électorales, tend à isoler un troisième volet de questions, catalogué « *law/order and immigration* », portant spécifiquement sur deux thématiques : l'État pénal, c'est-à-dire tout ce qui touche à la pénalisation, et aux sanctions qui l'accompagnent, des comportements considérés comme délictuels, d'un côté, et l'ouverture de l'État aux populations étrangères, de l'autre. Dans les deux cas, est considérée comme de gauche l'attitude la plus tolérante, c'est-à-dire la moins répressive dans le premier cas et la plus ouverte dans le second.

Les études sur les idées des partis consistent autant en des comparaisons synchroniques, entre les partis d'un même système politique national et entre les partis de différents pays, qu'en des comparaisons diachroniques, entre les positions des partis considérées à des périodes de temps différentes. Les études portant sur la Belgique francophone montrent ainsi que les partis peuvent être positionnés aujourd'hui de gauche à droite dans l'ordre suivant : ÉCOLO, PS, cdH, MR. D'un point de vue diachronique, l'évolution d'ÉCOLO vers la gauche est frappante, au point que ses idées sont désormais situées généralement plus à gauche que celles du PS, ce qui n'était pas le cas à l'origine, dans les années 1980 et 1990. D'un point de vue comparatif, le système des partis belges francophones se situe relativement à gauche. Dans les études comparatives internationales en effet, le parti le plus à droite de ce système de partis, le MR, est situé tout au plus très légèrement au centre-droit quand il n'est pas situé carrément au centre-gauche.

7 | Les systèmes de partis

Mais qu'entend-on précisément par « système de partis » ? Quels en sont les grands types et sur quels critères de distinction reposent-ils ?

7.1. Qu'est-ce qu'un système de partis ?

Pour bien saisir la portée de cette notion, laissons-nous guider par ces propos introductifs célèbres du politologue italien Giovanni Sartori (2011/1976 : 83-84), l'un des théoriciens majeurs des systèmes de partis : « il est acceptable de parler de système de partis sans se soumettre à toutes les exigences de l'analyse des systèmes proprement dits [cf. chapitre Système politique] (…), [t]*outefois* a minima, le concept de système est dépourvu de sens – à des fins d'enquête scientifique – à moins que (1) le système ne montre des propriétés qui n'appartiennent pas à une observation séparée des éléments qui le composent et (2) que le système ne résulte de, et ne consiste en, interactions structurées des parties qui le composent, impliquant par là que de telles interactions fournissent les limites ou au moins la clôture du système. (…) Les partis n'engendrent donc un "système" que lorsque ce sont des parties (…) ; un système de partis est précisément le système d'interactions qui résulte de la compétition entre partis. Cela revient à dire que le système en question concerne le fait que les partis sont en relation les uns avec les autres et la manière dont chaque parti est une fonction (au sens mathématique) des autres partis et réagit, sur un mode compétitif ou autrement, aux autres partis ».

ENCADRÉ N° 9.24 : GIOVANNI SARTORI

Débutant sa carrière en enseignant l'histoire de la philosophie moderne, Giovanni Sartori (1924) est le fondateur du département de science politique de l'Université de Florence. Professeur à l'Université de Stanford (Albert Schweitzer) entre 1979 et 1994, il y termine sa carrière comme professeur émérite. *Parties and Party Systems : A Framework for Analysing* (1976) est considéré comme l'ouvrage fondateur majeur de l'étude des systèmes de partis.

Comme le dit un exégète, « [e]n reprenant la définition proposée par G. Sartori, trois éléments (…) semblent constituer l'idée même de système partisan : la question des systèmes partisans s'intéresse plus aux interactions qu'aux acteurs ; les systèmes partisans représentent des structures stables dans le temps ; ces structures ont pour objet la compétition pour le gouvernement (…). En d'autres termes, au travers de la notion de système partisan, c'est le fonctionnement d'un système de la représentation politique (ou de délégation) qui est étudié » (Sauger, 2007 : 235).

Dans ce sens large de la notion, la théorie des clivages (cf. chapitre Clivages) ou celle sur la cartellisation des partis (cf. *supra*, section 4.3) peuvent être considérées comme des analyses en termes de systèmes de partis, puisqu'elles portent sur des éléments structurels de la compétition interpartisane. Mais tel n'est pas le cas si l'on entend la notion de « système de partis » dans un sens plus restreint. Dans celui-ci, le point de vue est radicalement placé *en aval* de la compétition électorale. La notion de système de partis au sens restreint ne tient pas compte directement des voix recueillies par les partis aux élections, mais bien uniquement de leur traduction en sièges au parlement et des effets de cette distribution de sièges sur les modes d'accès aux fonctions gouvernementales et à leur exercice (cf. chapitre Parlements et gouvernements, section 1.3.4).

7.2. Les types de systèmes de partis et leurs critères fondateurs

Proposée par Duverger (1992/1951), la typologie de base s'articule autour de trois types principaux :

- le système à parti unique, à un seul parti ;
- le système « bipartite » ou « bipartisan », à deux partis ;
- le système « multipartite » ou « multipartisan », à plus de deux partis.

En réalité, le premier type de système de partis, celui à parti unique, ne concerne pas, par définition, les régimes de démocratie libérale (cf. chapitre Régimes politiques, section 3.3). La notion serait d'ailleurs intrinsèquement contradictoire : « Comment un seul parti peut-il, seul, engendrer un *système* ? Un système de quoi ? Certainement pas de *parties*. Ainsi, le parti unique ne peut-il produire un système de partis » (Sartori, 2011/1976 : 82-83, l'auteur souligne). Il reste donc comme grands types principaux les systèmes bipartisan et multipartisan.

Le critère de distinction de base des systèmes de partis tel qu'élaboré par Duverger se réfère au nombre de partis *représentés au parlement* – et non pas qui se présentent aux élections. Pour sa part, Sartori a limité la portée de ce critère aux seuls partis dits « *pertinents* » (« *relevant* »), à savoir ceux qui « (…) surnagent une fois écartés les partis "non utilisés dans des coalitions", à moins que leur "pouvoir d'intimidation" n'affecte la tactique de la compétition inter-partisane » (Sartori, 2011/1976 : 194). Le critère quantitatif de la taille parlementaire des partis est donc pondéré par un critère qualitatif qui est moins facile à appréhender que le pur critère numérique, à savoir le fait qu'un parti entre effectivement en ligne de compte lors de la formation des coalitions gouvernementales, et ce, même si sa représentation parlementaire est très petite. Deux cas de figure. Soit il a un « *potentiel de coalition* », étant donné que les partis plus grands l'envisagent comme un partenaire de coalition possible.

Soit il a un « *potentiel de chantage* », il a un effet repoussoir sur les « partis de gouvernement » qui pousse ceux-ci à entrer dans des coalitions avec des partis qu'ils n'auraient pas nécessairement envisagés comme partenaires dans d'autres circonstances (Sartori, 2011/1976 : 183-184). Ainsi des coalitions forgées avec une série de petits partis par la Démocratie chrétienne (DC) en Italie des années 1950 à 1990, afin de maintenir le Parti communiste italien (PCI) dans l'opposition.

C'est en application de ce critère de pertinence qu'un système de partis comme celui du Royaume-Uni pouvait en 2005 encore être qualifié de bipartisan, alors que douze partis étaient représentés à la chambre des communes. Seuls en effet les partis conservateur et travailliste alternaient au pouvoir, selon que l'un ou l'autre décrochait la majorité des sièges, sans jamais se soucier pour former un Exécutif de la représentation des autres partis (Mair, 2007 : 246). Si les élections de 2010 n'ont pas changé le nombre élevé de partis représentés à la chambre des communes, elles ont en revanche privé l'un des deux grands partis traditionnels d'un nombre de sièges majoritaire. Le premier d'entre eux, le Parti conservateur (307 sièges sur 650), fut donc « contraint » à une alliance avec la « troisième force », les Libéraux-démocrates (57 sièges), pour rejeter dans l'opposition le Parti travailliste (258 sièges) ; les autres partis comptant moins de 10 sièges chacun, ils ne sont eux pas devenus « pertinents » dans ce système de parti qui est passé de deux à trois partis.

Affinant la typologie de base proposée par Duverger, Sartori distingue deux (sous-) types de multipartisme :

- le multipartisme « modéré », si le système de partis compte de 3 à 5 partis pertinents ;
- le multipartisme « extrême » ou « fragmenté », s'il en compte 6 ou plus.

   À partir de cette catégorisation de base des systèmes de partis répartis entre bipartisme, multipartisme modéré et multipartisme extrême, se sont développées toute une série de typologies plus sophistiquées, diversifiant soit les types soit les critères de distinction. Déjà avant Sartori, la typologie des systèmes de partis proposée par le politologue français Jean Blondel (1968) distinguait quatre types de systèmes de partis. Elle était construite pour sa part à partir d'un autre critère quantitatif que le nombre de sièges détenu par un parti au parlement, à savoir le degré de concentration ou, au contraire, de fragmentation des *suffrages* des électeurs entre les partis, entendant donc la notion de systèmes de partis au sens large du terme (cf. *supra*, section 7.1). Blondel distinguait ainsi des systèmes de partis caractérisés par :

- un « bipartisme parfait », si les deux partis principaux concentrent 90 % des suffrages. L'exemple-type est celui des États-Unis (au niveau fédéral).
- un « bipartisme imparfait », si les suffrages que concentrent les deux partis principaux se situent entre 75 et 90 %. Dans ce cas, le plus souvent, un troisième parti a un poids électoral significatif, quoique beaucoup plus faible que les deux partis principaux, mais suffisant pour faire pencher la balance dans un camp ou dans l'autre lors de la formation de coalitions gouvernementales. Ce troisième parti est appelé alors « parti-pivot » et le système de partis parfois nommé également « à deux partis et demi ». L'Allemagne de l'Ouest a longtemps représenté un exemple de système de partis de ce type, avec le Parti libéral comme parti-pivot entre la CDU-CSU (le cartel des partis chrétiens) et le SPD (le Parti social-démocrate).

– le « multipartisme à parti dominant », dans lequel les suffrages ne sont pas concentrés à au moins 75 % sur les deux partis principaux, mais que le premier parti recueille au moins 40 % des voix et deux fois plus de voix que tout autre parti, ce qui a longtemps été le cas au Japon, avec le Parti libéral-démocrate qui a occupé systématiquement le pouvoir depuis sa création en 1955, hormis de 2009 à 2012.

– le « multipartisme intégral » ou « pur » ou « égalisé », qui est un multipartisme sans parti dominant, comme la Belgique l'incarne depuis le basculement engendré par le scrutin législatif de 1965.

ENCADRÉ N° 9.25 : LA TYPOLOGIE DES SYSTÈMES DE PARTIS APPLIQUÉE À LA BELGIQUE

Appliquant à l'évolution de la vie politique en Belgique une typologie des systèmes de partis consolidée à partir de celles de Sartori et de Blondel, Pascal Delwit (2009) dégage quatre types de systèmes de partis qui scandent l'histoire politique de la Belgique :

– un bipartisme pur de 1830 (date de l'indépendance de la Belgique) à 1893 (date de l'instauration du suffrage universel masculin, tempéré par le vote plural) entre le Parti libéral et le Parti catholique.

– un multipartisme modéré, de 1893 à 1945 (fin de la Deuxième Guerre mondiale et établissement en 1948 du suffrage universel) : le Parti ouvrier belge étant à son tour massivement et durablement représenté au parlement, alors que d'autres partis le sont également, mais de manière moins massive et/ou moins durable, comme le Parti communiste ou différents partis régionalistes flamands.

– un bipartisme imparfait, de 1945 à 1965, avec deux grands partis, socialiste et catholique, et un parti-pivot libéral ; bien que représenté au parlement, le Parti communiste n'est pas considéré ici comme un « parti pertinent » au sens de Sartori (cf. ci-dessus), car, sauf juste à la sortie de la Deuxième Guerre mondiale, il n'entrait jamais en ligne de compte pour la formation des coalitions gouvernementales.

– un multipartisme extrême, depuis les élections de 1965, point de départ d'un processus (pour l'instant) continu de fragmentation des suffrages (cf. chapitre Citoyens, section 3.2). En 1958, la concentration des suffrages a atteint un pic historique de 83 % pour les deux principaux partis, socialiste et catholique – et même 95 %, si on y ajoute le parti-pivot libéral. Par contraste, lors des élections législatives de 2010, le total des votes en faveur des partis actuels, flamands et francophones, héritiers du Parti socialiste et du Parti catholique se situait un peu au-dessous des 40 % des suffrages – un peu au-dessous des 60 %, si l'on comptabilise également les votes pour les partis actuels, flamand et francophone, héritiers du Parti libéral. À l'issue de ces élections législatives de 2010, le premier parti à la chambre, la N-VA (Nieuw-Vlaamse Alliantie/Nouvelle alliance flamande), totalisait 17 % des suffrages exprimés.

---

8 | Les groupes d'influence : définition

Quittons l'orbite des partis pour nous intéresser désormais aux groupes d'influence. Rappelons d'emblée les deux principales différences, tendancielles pas absolues, qui distinguent les groupes d'influence des partis (cf. *supra*, section 1). *Primo*, leur volonté d'influencer le pouvoir seulement de l'extérieur, sans chercher à l'occuper par le biais de représentants comme les partis. *Secundo*, le caractère plus restreint des thématiques sur lesquels les groupes d'influence se positionnent n'ayant pas autant vocation que les partis à être « *multi-issues* ».

ENCADRÉ N° 9.26 : SCIENCE ET INFLUENCE : LES THINK TANKS

Entendus au sens littéral comme des « réservoirs de pensée », les think tanks sont définis habituellement comme « (d) des organisations relativement indépendantes, impliquées dans la recherche sur un large spectre d'intérêts. Leur objectif premier est de disséminer cette recherche aussi largement que possible avec l'intention d'influencer le processus de formation des politiques publiques » (Sherrington, 2000 : 174, traduit par Boucher, Royo, 2009 : 34). Le plus souvent juridiquement indépendants, ils peuvent l'être aussi en pratique, tout en s'inscrivant dans un cadre idéologique marqué – libéral, pour la Fondation Soros, la Fondation Ford, ou, en Belgique, Itinera Institute ou la Fondation Hayek –, ou en œuvrant pour un idéal particulier, la paix pour la Carnegie endowment for international peace. Ils peuvent aussi entretenir des liens de proximité avec certains partis politiques – comme la Fondation Friedrich Ebert proche du SPD, le parti social-démocrate allemand –, groupes d'influence – la Fondation André Renard proche de l'interrégionale wallonne de la FGTB (le syndicat socialiste belge) voire ministères – l'Institut français de relations internationales (IFRI), fondé avec le soutien du ministère français des Affaires étrangères.

Rappelons également que l'hétérogénéité des groupes d'influence est bien plus étendue que celle des partis, ce qui explique en grande partie que le domaine d'études des groupes d'influence soit plus éclaté que celui sur les partis, qu'il fasse place à davantage d'études spécialisées sur une gamme *particulière* de groupes d'influence. En effet, la catégorie des groupes d'influence englobe des acteurs par ailleurs aussi différents qu'une firme multinationale soucieuse de voir commercialiser ses produits à base d'organismes génétiquement modifiés (OGM), une confédération nationale de syndicats de travailleurs salariés, un regroupement spontané d'habitants voulant empêcher l'abattage d'arbres dans son quartier, une fondation de recherche spécialisée dans l'intervention dans le débat public, un bureau d'avocats spécialisés dans la pratique du lobbying, ou encore une association de pouvoirs publics désireux de défendre les intérêts des régions insulaires dans les politiques régionales de l'Union européenne. Vu cette grande hétérogénéité qui caractérise les groupes d'influence, nous nous contenterons dans ce chapitre de quelques clarifications sémantiques (dans cette section) et de la présentation des principales classifications générales des groupes d'influence (dans la section suivante)

8.1. Groupes d'influence, groupes de pression et lobbies

Un groupe d'influence peut être défini de manière très simple comme tout collectif qui cherche à influencer l'exercice du pouvoir. Quels que soient sa forme juridique – une association de fait ou établie dans des formes légales, une société anonyme... –, ses modes d'organisation – plus ou moins centralisés, hiérarchisés, professionnalisés... – ou son degré d'institutionnalisation – regroupement spontané ou organisation établie. Quels que soient la nature idéologique des objectifs qu'il poursuit en termes de contenu de politique publique, les valeurs sous-jacentes ou les intérêts sociaux qu'il représente. Peu importe enfin que l'action d'influence en question constitue l'essentiel, une part prépondérante, ou au contraire secondaire, voire infime, des activités du groupe qui la produit. Ce qui fait d'un groupe quelconque un groupe d'influence, c'est uniquement le constat qu'il fait pression en vue d'orienter l'action publique. Qu'un groupe s'arrête de « faire pression » et il cesse d'être un « groupe d'influence », demeurant éventuellement comme « simple » groupe social. Exemple : une union d'anciens combattants qui, une fois exhaussées ses revendications en termes de statut social de ses affiliés ou de perpétuation de la mémoire de la guerre dans les programmes d'enseignement, se transforme pour l'essentiel en une amicale de personnes ayant un passé commun. « Groupe d'influence » et « groupe de pression » sont ainsi synonymes, le second terme traduisant l'expression originale « *pressure group* », encore couramment utilisée dans la littérature anglo-saxonne qui use aussi d'un autre synonyme : « *advocacy group* », littéralement : « groupe plaidant », « groupe *revendicatif* ».

ENCADRÉ N° 9.27 : LA DÉFINITION TRADITIONNELLE DES GROUPES D'INFLUENCE SELON JEAN MEYNAUD

Auteur du premier manuel de référence sur les « groupes de pression » publié en français, Jean Meynaud (1960 : 8) insistait déjà sur le fait que : « (l)e seul critère (*de distinction*) qui préserve des interprétations subjectives est la constatation chez les intéressés de la volonté d'influencer les décisions des pouvoirs publics. Dès qu'elle se manifeste, l'organisme considéré entre dans la classe des groupes de pression. L'inclusion est donc étrangère à tout jugement d'ordre moral sur la valeur de l'action entreprise ; en particulier, elle n'implique, par elle-même, aucune désapprobation ».

Comme toutes les notions de science politique (cf. chapitre Qu'est-ce que la science politique ?, section 7), le terme « groupe d'influence » se veut axiologiquement neutre, dépourvu de tout jugement de valeur négatif, pas plus que positif d'ailleurs. Ce rappel peut être nécessaire, étant donné que dans certaines traditions étatiques nationales, ou dans l'esprit de certains citoyens, les groupes d'influence peuvent avoir mauvaise presse. Ils passent pour vouloir s'arroger des prérogatives (législatives, gouvernementales, administratives...) qui ne leur appartiennent pas au plan juridique. Du coup, craignant d'être stigmatisés, certains de ces groupes rejettent l'étiquette de « groupes d'influence » – ou de « lobbies » – qui leur est accolée sur des bases exclusivement scientifiques.

Si le mot « lobby » s'entend au sens large comme un pur synonyme de « groupe d'influence », il recouvre aussi un sens spécialisé en rapport avec son sens étymologique en anglais, signifiant « couloir », « vestibule ». Dès le début du XIXe siècle, le mot est utilisé dans un cadre politique. Il désigne l'action d'arpenter les couloirs et salons adjacents au parlement britannique, dans le but d'y rencontrer les/des parlementaires pour tenter d'influer sur leurs positions et votes. Par extension, l'expression « lobbying » désigne ainsi, dans son sens spécialisé, une action d'influence qui s'exerce dans l'antichambre du pouvoir, de façon discrète, à l'abri des regards publics, et le mot « lobby » (en anglais, « *lobby group* »), le type spécifique de groupe d'influence dont la pression sur l'action publique tend à s'exercer principalement de façon discrète, « dans l'intimité des salons du pouvoir ». En analyse de l'action publique, quand cette pratique a rapport avec l'étape de « mise à l'agenda » (cf. chapitre Qu'est-ce que la science politique ?, section 1.5, encadré n° 1.4), on la désigne sous l'expression d'« action corporatiste silencieuse » (Garraud, 1990), le mot « corporatiste » soulignant l'intérêt particulier au service duquel se déploient les pratiques d'influence qui s'exercent sous la surface publique.

8.2. Groupe d'influence et groupe d'intérêt

Si la notion de « lobby » au sens spécialisé est donc plus étroite que celle de « groupe d'influence », celle de « groupe d'intérêt » (« *interest group* », en anglais) est, elle, plus large. Pourtant elle est très souvent utilisée dans la littérature scientifique comme synonyme de groupe d'influence. La raison en est que c'est sous le vocable « groupe d'intérêt » que la veine des études contemporaines sur les groupes d'influence a commencé à être creusée aux États-Unis, dans les sillons de l'ouvrage de David Truman, *The Governmental Process : Political Interests and Public Opinion* (1951), dont l'intitulé fait référence à l'ouvrage pionnier d'Arthur Bentley (1908).

ENCADRÉ N° 9.28 : ARTHUR BENTLEY

Docteur de la John Hopkins University en 1895, Arthur Bentley (1870-1957) est considéré comme le pionnier des études sur les groupes d'influence qu'il pose en acteurs centraux des processus de décision politique et de mise en œuvre de l'action publique dans son ouvrage princeps *The Process of Government : A Study of Social Pressures* (1908). Il ne fit pourtant pas de carrière académique, n'enseignant que brièvement à l'Université de Chicago, s'investissant dans le journalisme, la politique puis dans une affaire commerciale privée. Sa vie durant, il livra toutefois en amateur éclairé de multiples écrits scientifiques, également dans les domaines de l'épistémologie et de la philosophie.

Tranchant avec les lectures tant juridiques que journalistiques des « processus de gouvernement », les travaux sur les « groupes d'intérêt » partent de l'idée constitutive du paradigme pluraliste fondateur de la science politique (cf. chapitre Qu'est-ce que la science politique ?, section 8.2) que « seuls les groupes comptent ». Plus que les institutions. Plus que le « génie individuel » des acteurs de chair et d'os qui font la politique au quotidien. Bentley écrit ainsi : « tous les phénomènes de gouvernement sont des phénomènes de groupes faisant pression les uns sur les autres, se formant les uns les autres et produisant de nouveaux groupes et représentants (les organes et les agences de gouvernement) afin de négocier les ajustements » (1908 : 8 ; traduction Nicolas Rouillot, 2011b). Point commun de cette veine de recherche, l'idée que la dynamique politique procède ainsi principalement de l'action de groupes sociaux qui se mobilisent pour défendre un intérêt – d'où l'expression « groupes d'intérêt ».

Un groupe d'intérêt se définit comme tout collectif constitué autour d'un intérêt partagé. Cet intérêt peut être soit d'ordre matériel (l'augmentation du niveau de vie des salariés), soit d'ordre axiologique (lutter pour ou contre la dépénalisation de l'avortement). Il peut s'agir aussi d'un mélange des deux : l'augmentation du niveau de vie des salariés pouvant être poursuivie au nom d'une certaine conception égalitaire de la société qui pose qu'il est juste que les salariés puissent bénéficier également d'une certaine qualité de vie et donc des ressources financières leur permettant d'y accéder. De même, l'intérêt qui peut faire le groupe peut résider soit en une caractéristique sociale commune (une conviction religieuse, un même niveau de revenus, une classe d'âge...) soit en une attitude commune (plus ou moins tolérante à l'égard de l'avortement, plus ou moins ouverte à la redistribution de moyens financiers par l'État dans une visée égalitaire...). Notons qu'un groupe d'intérêt peut être soit manifeste, mobilisé, agissant, soit latent, qui n'existe qu'à l'état de groupe potentiel, mais au nom duquel éventuellement un groupe manifeste peut agir et chercher à influencer l'action publique, s'assimilant alors à un groupe d'influence.

ENCADRÉ N° 9.29 : GROUPE D'INTÉRÊT LATENT ET MANIFESTE

Un groupe d'intérêt passif ou *latent* découle du constat que telles personnes ont en commun une caractéristique sociale (être salarié) ou une attitude commune (être favorable à un meilleur développement du Tiers-Monde) et forment donc sur cette base un groupe entre elles. Un groupe d'intérêt actif ou *manifeste*, lui, est un groupe qui se mobilise, agit, au nom d'un intérêt. Il se fait que l'intérêt en question peut être le même que celui que partage un groupe d'intérêt latent : l'intérêt des travailleurs salariés, l'intérêt du Tiers-Monde... Même dans ce cas, le groupe d'intérêt manifeste n'équivaut jamais au groupe d'intérêt latent. Par exemple, aussi élevé que puisse être son nombre d'affiliés, il est extrêmement rare qu'un syndicat de travailleurs salariés – groupe d'intérêt manifeste – affilie tous les salariés – groupe d'intérêt latent – que ce soit d'un pays ou d'un secteur d'activités. Il est encore plus rare qu'une prise de position de ce syndicat bénéficie de l'accord unanime de ses affiliés. Dans ces conditions, lorsqu'un syndicat exprime une revendication à l'égard des pouvoirs publics, ce n'est que par un raccourci de langage journalistique que l'on peut dire que « les salariés exigent que... ». *A priori*, il faudrait dire que tel syndicat revendique (telle mesure) *au nom des* salariés, et non que « les salariés revendiquent... » (telle mesure).

Mais il y a une différence entre « groupe d'intérêt » et « groupe d'influence » : tout groupe d'intérêt ne cherche pas nécessairement à influencer l'action publique, même si dans les faits, ce sera le plus souvent le cas. Tout groupe d'intérêt n'est pas nécessairement un groupe *revendicatif*. La mobilisation collective de personnes partageant un même intérêt peut consister « simplement » en sa concrétisation *directe*, en dehors de toute intervention publique. À l'origine, le scoutisme, par exemple, incarnait un groupe d'intérêt en ce qu'il regroupait des jeunes dont l'expérience de moments de vie au grand air entre pairs était jugée par leurs parents comme de haute valeur éducative. Mais il ne formait pas (encore) un groupe d'influence, le mouvement initié par Baden-Powell ne faisant nullement pression sur les autorités publiques pour que celles-ci changent les programmes scolaires ou subventionnent les organisations scoutes. Un exemple plus actuel de tels « groupes d'action directe » peut être trouvé dans les initiatives citoyennes en faveur de l'« habitat groupé », de modes de logement plus partagés, entre colocataires ou copropriétaires, que les modes d'habitat dominants, plus privatisés.

8.3. Groupe d'influence, organisation d'influence et mouvement social

Si l'expression « groupe d'influence » ne s'assimile donc pas à celle de « groupe d'intérêt », elle se différencie aussi de celle d'« organisation d'influence », même si ici encore les deux expressions sont proches et souvent utilisées comme synonymes dans la littérature scientifique. Ainsi, Philippe Braud considère comme « groupe d'influence » « [t]oute organisation constituée qui cherche à influencer le pouvoir politique dans un sens favorable aux insatisfactions sociales qu'elle prend en charge » (2011 : 393). Pourtant, une telle définition implique un critère organisationnel qui n'est pas requis par la notion de groupe d'influence, ce qui fait une différence.

Par exemple, un attroupement « spontané » devant un commissariat de police pour exiger la poursuite de policiers soupçonnés d'avoir abattu un « jeune » de façon illégale peut être considéré comme constitutif d'un groupe d'influence, puisqu'il y a pression sur l'action publique, mais non d'une *organisation* d'influence. À l'autre bout – plus « macro » – du spectre des groupes d'influence, un mouvement social peut également être considéré comme *un* groupe d'influence, dans la mesure où il catalyse et agrège un ensemble d'actions de pression sur les pouvoirs publics. Par mouvement social, on entend en effet en science politique tout ensemble d'actions collectives d'une certaine ampleur destinées à peser sur l'orientation du développement d'une société. Selon la conceptualisation du sociologue Alain Touraine (1973), il faut en outre qu'un groupe social y prenne conscience de son existence (principe d'identité), combatte un ennemi (principe d'opposition) et tende à engendrer un ordre social alternatif (principe de totalité). Le plus souvent, comme dans le cas des mouvements ouvrier, féministe ou altermondialiste, l'influence qui est exercée par un mouvement social sur les pouvoirs publics est donc le fruit de l'action plus ou moins coordonnée d'une *multitude* d'organisations singulières – syndicats, mutuelles, coopératives, associations d'éducation permanente, etc., dans le cadre du mouvement ouvrier – et rarement d'une seule. Un mouvement social n'équivaut donc pas à *une* organisation d'influence.

Constatons cependant que dans les travaux sur les groupes d'influence, l'unité commune d'analyse correspond bien le plus souvent à « l'organisation constituée », pour reprendre les mots de Braud. Ces travaux ne s'intéressent ni aux actions collectives plus ou moins informelles, pas plus qu'aux mouvements sociaux qui font l'objet d'une littérature spécifique. L'étude des groupes d'influence se réduit donc en réalité aux « organisations d'influence », expression pourtant très peu usitée dans la littérature scientifique.

9 | Typologies des groupes d'influence

Comme pour les partis politiques, il existe un large éventail de typologies distinguant les groupes d'influence entre eux, allant des plus simples, basées sur un seul critère, aux plus complexes, multicritères. Nous ne présentons ici que celles qui nous semblent les plus diffusées.

9.1. Les typologies à critère unique

Les classifications suivantes se basent toutes sur des critères distinctifs relatifs à la *nature* des groupes d'influence. Dans le premier cas, le statut juridique, privé ou public, de leurs membres fondateurs. Dans le deuxième, le but, profitable (lié au gain financier) ou non, que sert leur action de pression. Dans le dernier cas, le lien qui unit leurs revendications à une identité collective particulière, basée soit sur des caractéristiques sociales communes soit sur une attitude commune.

9.1.1. *Groupes d'influence privés et publics*

La plupart des groupes d'influence sont constitués d'acteurs privés, raison pour laquelle on les rattache traditionnellement au type d'acteurs politiques privés (cf. avant-propos, encadré n° 0.4). Il ne faudrait pas en déduire pour autant que les groupes d'influence ne seraient jamais composés d'acteurs (individuels ou collectifs) publics. Même si statistiquement les groupes d'influence dits alors « publics » sont peu nombreux, ils existent. Ils peuvent ainsi être constitués *entre* organismes publics, dans le but d'influencer l'action d'autres organismes publics. C'est le cas par exemple des unions régionales des villes et des communes en Belgique. Ils peuvent aussi être établis *au sein* d'un organisme public particulier, dans le but d'influer sur l'action de cet organisme public, comme c'est le cas par exemple du groupe parlementaire d'amitié France-Arménie créé au sein de l'Assemblée nationale française.

9.1.2. *Groupes d'influence « non-profit » et « for-profit »*

Dans l'orbite des groupes d'influence privés, la bipartition principale concerne d'un côté, les organisations issues du secteur non marchand – en anglais, les « *non-profit organisations* » –, et, de l'autre, les organisations du secteur marchand – les « *for-profit organisations* ». Comment faire la différence ? Les « *for-profit* » ont pour vocation de dégager des profits pour rémunérer leurs propriétaires et actionnaires, ce sont des firmes comme BP, Solvay ou Monsanto, appelées en anglais « *business groups* » ou « *corporate groups* ». Les « *non-profit organisations* », comme Greenpeace ou Amnesty International, sont déconnectées d'un objectif de profitabilité : tous les surplus de revenus qu'elles génèrent sont réinvestis soit en leur propre sein soit dans d'autres organisations non marchandes. Présentée sous cet angle, cette première classification a le mérite de reposer sur un critère distinctif solide, dont la preuve peut être rapportée en accédant à la comptabilité des organisations en question.

Ce critère comptable présente toutefois deux faiblesses. Premièrement, *quid* des associations sans but lucratif fondées par des firmes pour défendre leurs intérêts : une fédération industrielle comme Essenscia, la Fédération belge des industries chimiques et des sciences de la vie, par exemple ? D'un point de vue strictement comptable, ces organisations se rangent du côté des « *non-profit* » alors que leur objet – le but de leurs actions de pression – reste lié au profit, ce qui conduit la plupart des chercheurs à quand même les ranger du côté des « *for-profit* », mais sur la base alors de la nature de l'intérêt défendu, non de la comptabilité de l'organisation. Deuxièmement, *quid* des organisations – bureaux de consultance ou associations d'avocats – qui, spécialisées dans le lobbying (aux sens large et restreint du terme, cf. *supra*, section 8.1), sous-traitent les actions d'influence de différents types d'organisation, « *non profit* » ou « *for-profit* », pourvu que celles-ci rémunèrent au prix demandé leurs services. D'un point de vue strictement comptable, ces organisations de lobbyistes professionnels se retrouvent assimilées à des « *for-profit organisations* », alors qu'elles peuvent très bien vendre leurs services à des « *non-profit organisations* », comme d'ailleurs à des groupes d'influence publics, ce qui conduit la plupart des analystes à en faire une catégorie *ad hoc*.

9.1.3. *Groupes d'influence catégoriels et promotionnels*

Une autre typologie distingue les groupes d'influence qui se sont constitués et agissent au nom d'un groupe social préexistant, déterminé sur la base de caractéristiques sociales non liées à des attitudes (les travailleurs salariés, les entreprises du secteur agro-alimentaire, les Juifs de Belgique, etc.), et ceux qui se sont constitués et agissent (exclusivement) au nom d'idées/idéaux (organisations de défense des droits de l'Homme, de protection de la nature ou des animaux). Les premiers sont appelés « catégoriels », identitaires ou sectoriels, les seconds, « promotionnels » ou de cause. Les premiers sont assimilés à des « groupes d'intérêt privé », les seconds à des « groupes d'intérêt public » (Jordan, Maloney, Bennie, 1996).

ENCADRÉ N° 9.30 : GROUPE D'INFLUENCE PUBLIC ET GROUPE D'INTÉRÊT PUBLIC

Attention à ne pas confondre l'expression «groupe d'intérêt public», dans laquelle la qualification «publique» est basée sur la nature de l'intérêt pris en charge dans l'action d'influence d'une organisation, et celle de «groupe d'influence public», dans laquelle «public» se réfère au statut juridique de l'organisation qui fait pression. Le plus souvent, les groupes d'intérêt public sont des groupes d'influence *privés*, comme Greenpeace ou Amnesty International par exemple.

Les groupes d'intérêt privé sont souvent considérés comme servant (uniquement) des intérêts matériels particuliers, de leurs membres et/ou du groupe social qu'ils représentent, alors que les groupes d'intérêt public sont censés se mobiliser pour des intérêts éthiques généraux, des biens communs ou des bienfaits profitables sinon à la société entière, en tout cas à de larges secteurs de celle-ci. L'inconvénient d'une telle interprétation réside dans le caractère posé comme antinomique entre des revendications qui relèvent d'un intérêt privé et celles qui relèvent d'un intérêt public. Or est-ce qu'une association de scientifiques comme la Belgian Nuclear Society dont le but est de promouvoir les applications pacifiques de l'énergie nucléaire en Belgique, qui constitue *a priori* un groupe d'intérêt public, ne défend-t-elle pas aussi des intérêts catégoriels liés à des personnes (particuliers, centres de recherches, entreprises) qui professionnellement sont liées au développement de l'utilisation pacifique de l'énergie nucléaire en Belgique ? De l'autre côté, est- ce qu'un syndicat qui revendique une réduction légale et collective du temps de travail des salariés défend-t-il seulement un intérêt privé, catégoriel, en la circonstance l'intérêt particulier des salariés, ou un intérêt collectif parce que ceux- ci sont majoritaires au sein de la population adulte « en âge de travailler » ? Ne défend-il par ailleurs qu'un intérêt *matériel*, alors que par hypothèse, un temps légal de travail moins imposant permettrait de s'occuper davantage de ses enfants, de s'engager dans du bénévolat, etc. soit autant d'intérêts de nature éthique ?

Quoiqu'il en soit, la qualification d'un groupe d'influence comme catégoriel ou promotionnel, comme groupe d'intérêt privé ou comme groupe d'intérêt public, ne doit de toute façon valoir pour un groupe de pression concret qu'à titre principal, et pas nécessairement exclusif. Prenons à nouveau ici l'exemple des syndicats de salariés. Sous réserve de ce qui vient d'être dit, on peut convenir que lorsque les syndicats font pression, la plupart du temps, c'est pour défendre les intérêts *catégoriels* des salariés. Néanmoins, il leur arrive aussi de participer à des actions *promotionnelles*, contre la guerre des États-Unis en Irak en 2003, par exemple, ou pour promouvoir des comportements individuels plus respectueux de l'environnement auprès de leurs membres, etc. En aucun cas donc, le rattachement d'un groupe d'influence au type « catégoriel » ou « promotionnel » ne doit aboutir à une représentation simpliste de l'activité d'influence de ce groupe et encore moins à lui associer un jugement de valeur, négatif dans le premier cas – le groupe se mobilisant soi-disant pour des « intérêts corporatistes », des « mobiles bassement matériels » –, positif dans le second – le groupe faisant pression soi-disant pour de « nobles causes », des « mobiles désintéressés ». Comme pour toute notion de science politique, la qualification retenue doit être déconnectée de tout jugement moral (cf. chapitre Qu'est-ce que la science politique ?, section 7).

La différence entre types catégoriel et promotionnel de groupes d'influence a son utilité, par exemple, lorsqu'on cherche à distinguer les motifs qui poussent les individus à soutenir des organisations d'influence (en s'y affiliant, en en devenant militant, dirigeant, en faisant des dons...). Les études de ce genre ont pour arrière-fond la théorie canonique du paradoxe de l'action collective de Mancur Olson (1978/1966).

Olson part d'un paradigme *stratégique*, communément appelé de l'acteur rationnel (cf. chapitre Qu'est-ce que la science politique ?, section 11.3). Il pose que l'avantage qu'un individu peut escompter comme membre d'un groupe social dont les intérêts sont défendus par un groupe d'influence lui sera de toute façon acquis, que cet individu se soit mobilisé ou non pour contribuer à l'obtenir (une hausse des allocations familiales pour tout parent, par exemple). Il n'a donc aucun intérêt à se mobiliser pour l'obtenir. Autrement dit, l'individu *lambda* serait rationnellement porté à adopter une attitude de « *free rider* », de « cavalier seul », attendant passivement les fruits de la mobilisation d'autrui. Olson en déduit la nécessité « vitale » pour les groupes d'influence en quête de soutiens d'offrir des « incitations matérielles sélectives » au profit de leurs affiliés et militants, censées tirer l'individu lambda de son attitude « naturelle » de « *free riding* ». En Belgique, les syndicats proposent ainsi une série d'« avantages » à leurs affiliés : paiement d'une indemnité en cas de grève compensant l'absence de salaire, service juridique incluant le cas échéant le financement d'actions judiciaires et l'aide d'avocats spécialisés payés par le syndicat, interface vis-à-vis des pouvoirs publics en matière d'allocations de chômage (pré-examen des demandes d'allocations, versement anticipé desdites allocations...), etc.

Mais que vaut cet axiome olsonien dans le cas des groupes promotionnels, qui n'ont, par définition, aucun avantage matériel direct à proposer (sauf à leur personnel rémunéré, bien entendu) ? Toute une littérature s'est développée pour saisir les différentes motivations « non égoïstes » par lesquelles des individus en viennent à accorder leur soutien à des groupes d'influence promotionnels, ainsi que les différents types d'incitants que ces groupes d'intérêt public mettent en place pour s'attirer ces soutiens, en particulier des incitants non (directement) matériels, en termes d'estime de soi, de sentiment de participer à une action juste, d'opportunités de socialisation ou d'édification intellectuelle....

9.2. Les typologies multicritères

Les typologies multicritères suivantes se réfèrent toutes à des critères de distinction relatifs aux modes d'organisation interne des groupes d'influence. Elles se fondent en plus sur des critères relatifs, dans le premier cas, à la nature et l'ampleur des soutiens que les groupes d'influence parviennent à mobiliser dans la société, et dans le second, à la nature et l'ampleur de leurs modes d'action vis-à-vis de l'État/ des pouvoirs publics.

9.2.1. *Groupes d'influence de professionnels, de membres ou de masse*

Une première typologie classique, conceptualisée par M.T. Hayes (1986 ; résumée par Jordan, Maloney, Bennie, 1996), combine les éléments d'organisation interne des groupes d'influence, notamment liés à la concentration/diffusion du pouvoir en leur sein avec le nombre d'adhérents et les sources de soutiens financiers. Elle distingue trois grands types de groupes d'influence : de professionnels, de membre et de masse (cf. le tableau suivant, élaboré par les auteurs).

ENCADRÉ N° 9.31 : TYPES DE GROUPES D'INFLUENCE EN FONCTION DE LEUR MODE D'ORGANISATION INTERNE SELON MARK HAYES

	Groupes de professionnels	Groupe de membres	Groupes de masse
Organisation interne	Centralisée (autour d'un petit noyau de permanents professionnels)	Décentralisée autour de sections locales voire régionales	Centralisée (autour d'un petit noyau de permanents professionnels)
Pouvoir interne	Concentré (dans les mains des permanents)	Diffusé (*bottom up*)	Concentré (dans les mains des permanents)
Adhésion	Faible	Forte/Massive	Forte/massive
Soutiens financiers	Diversifiés (dons individuels, d'entreprises, subventions publiques…)	Des membres essentiellement	Des membres essentiellement

Source : élaboration des auteurs à partir de Hayes, 1986, résumé par Jordan, Maloney, Bennie, 1996.

Même si les catégories sont construites de manière différente, on aura remarqué la parenté de cette classification avec les typologies organisationnelles des partis, en particulier celle de Duverger distinguant les partis de cadres et les partis de masse, et celle de Wright dissociant le parti efficace-rationnel du parti démocratique (cf. sections 4.3.1 et 4.2.3). La typologie de Hayes a permis d'attirer l'attention sur l'émergence, à partir des années 1960, d'un nouveau genre de groupes d'influence promotionnels – mais le type vaut aussi pour les groupes catégoriels –, ceux qualifiés de « groupes de masse ». Ceux-ci partagent certaines caractéristiques avec les « groupes de membres » et d'autres caractéristiques avec les « groupes de professionnels ». Peuvent être rattachées aux « groupes de masse » des organisations comme Greenpeace ou Gaïa, alors que des organisations plus anciennes comme les Ligues nationales des droits de l'Homme, relevaient davantage des « groupes de membres », et d'autres, comme les Ligues nationales contre le cancer, des « groupes de professionnels ».

9.2.2. *Les ressources et répertoires d'action des groupes d'influence*

Les classifications des groupes d'influence basées sur la nature des moyens mobilisés pour « faire pression » comptent parmi les plus répandues aujourd'hui. Parmi ces « moyens de pression », on tente de distinguer – ce qui n'est pas toujours évident – les ressources *stricto sensu*, comme l'ampleur des moyens financiers ou le profil des ressources humaines, qui rendent possible la production des activités de pression mais n'assurent pas nécessairement qu'elles aient une certaine efficacité, des ressources *lato sensu*. Celles-ci constituent les *ressorts* d'influence, elles représentent les véritables déclencheurs de l'efficacité des actions de pression. Il peut s'agir de la représentativité (le nombre de personnes au nom desquelles une organisation exprime des revendications), l'expertise (le caractère fouillé de ses argumentaires et propositions de contenu de politiques publiques), le réseau relationnel (constitué de relais bienveillants aux pressions et propositions), la couverture médiatique (l'amplitude des relais médiatiques des actions et positions)...

Ainsi une organisation comme Greenpeace recourt beaucoup plus au ressort médiatique, notamment en montant des actions spectaculaires, qu'une organisation comme Amnesty International, bien que cette dernière organise régulièrement des conférences de presse et diffuse des communiqués de presse qui peuvent être relativement bien relayés par les médias. Toutes deux recourent aussi ponctuellement au ressort du nombre, notamment par l'envoi de cartes pré-imprimées signées par leurs membres et sympathisants. Mais elles jouent de ce ressort de représentativité de manière moins systématique et « démonstrative » que la plupart des organisations syndicales qui cherchent régulièrement à asseoir leurs revendications sur un poids numérique précis et massif de soutiens (nombre de manifestants, de grévistes, d'élus aux élections sociales, etc.). Amnesty International et Greenpeace jouent également du ressort de l'expertise, basant leurs revendications sur des argumentaires fouillés rédigés le plus souvent par leurs permanents, et de celui du réseau, notamment de journalistes, élus et conseillers de cabinets, bienveillants à l'égard de leurs revendications, davantage en raison de sympathies éprouvées pour la « cause » que sur le mode de faveurs consenties contre des avantages matériels, comme cela peut être le cas dans les pratiques d'influence de certaines « *for-profit organisations* » dans le domaine du tabac ou des médicaments.

Selon les types de ressources – aux sens large et restreint – qui sont mobilisées de façon privilégiée, il est possible de distinguer les organisations d'influence entre elles selon leur plus ou moins grande proximité avec certains *répertoires d'action* (sur cette notion, cf. chapitres Pouvoir, section 3, encadré n° 2.14, et Citoyens, section 4, encadré n° 10.10). Ces critères de distinction sont repris dans l'un des manuels francophones les plus réputés sur les groupes d'influence (Grossman, Saurugger, 2006) lorsqu'il catégorise ceux-ci avant tout selon qu'ils agissent dans le cadre d'un des trois grands types classiques de rapports entre l'État et les groupes d'influence : étatiste, pluraliste ou néo-corporatiste (cf. chapitre Régimes politiques, section 3.3.2, encadré n° 7.22).

9.2.3. *Modèles étatiste, pluraliste et néo-corporatiste de rapports État-groupes d'influence*

La classification des États établie par Emiliano Grossman et Sabine Saurugger (2006) tient compte d'une part, du rôle structurel de l'État dans la société et de la nature dominante de ses politiques publiques – qui constituent les « structures d'opportunités politiques » – et de l'autre, des ressources et répertoires d'action privilégiés des groupes d'influence – dont la mobilisation est fonction de ces structures d'opportunités. Le tableau suivant, légèrement adapté par nous, en rend compte.

ENCADRÉ N° 9.32 : TYPOLOGIE DES RAPPORTS ÉTATS-GROUPES D'INFLUENCE

	Rôle des pouvoirs publics	Groupes d'intérêt	Répertoires d'action dominants	Ressources disponibles	Politiques publiques « typiques »
Étatiste	État dirigiste	Faibles : fragmentés, peu organisés en concurrence	Conflit/Confrontation/mobilisation sociale	Capacité de mobilisation/relais médias	Politiques distributives dirigistes
			Action informelle, collusion et clientélisme	Réseaux d'anciens, capture de domaine de politique publique, ressources financières élevées	Politique d'allocation des ressources/marchés publics
Pluraliste	État régulateur	Moyens : haut degré de professionnalisation, services aux membres, forte concurrence	Lobbying et expertise	Expertise, savoir-faire et ressources financières élevées	Politiques réglementaires/agences indépendantes
Néo-corporatiste	État-médiateur	Forts : très organisés, centralisés, hiérarchisés, statut public, monopole de la représentation, petit nombre d'organisations sectorielles	*Policy makers :* Négociation des politiques publiques (typiquement : organisations de classe)	Pouvoir de mobilisation, représentativité, contrôle des membres, capture de domaines de politique publique	Politiques distributives
			Policy takers (organisations qui subissent l'ordre politique)	Savoir-faire, efficacité	Politiques réglementaires « sectorielles » (ordre des médecins, notaires, etc.)

Source : Grossman et Saurugger, 2006 : 78.

Le premier modèle de rapports État-groupes d'influence qui a été mis en lumière dans la littérature est le modèle pluraliste. Il fut dégagé par les pionniers de l'étude des groupes d'intérêt, les Bentley, Truman, mais aussi Robert Dahl dans son célèbre ouvrage *Who governs ?* (1971/1961) (cf. *supra*, section 8.2 ; et chapitre Pouvoir, section 2.1) qui, tous, analysaient les interactions entre État et groupes d'influence dans le contexte des États-Unis. Dans le modèle pluraliste, des groupes d'influence de nature diverse se mobilisent pour faire pression sur un État bienveillant, car ne revendiquant pas l'indépendance d'action de ses représentants de manière aussi absolue que dans le modèle étatiste. Dans le modèle pluraliste, l'État maintient cependant l'action des groupes d'influence à la lisière de ses institutions politiques. C'est là une différence essentielle avec le modèle néo-corporatiste. Dans celui-ci, se trouvent instituer *au sein* même de l'État des modes de consultation et plus encore de concertation avec les/certains groupes d'influence, devenus des partenaires juridiquement reconnus de l'action publique. Dans le modèle pluraliste, l'État table sur une atténuation de la puissance de pression d'un groupe d'influence particulier, du fait que, par hypothèse – vu la diversité des groupes sociaux – les actions d'influence sur les décideurs politiques seraient nécessairement plurielles, provenant d'une variété de groupes d'influence animés par des mobiles différents. Par exemple, pour le secteur du commerce des aliments : les fédérations industrielles de l'agro-alimentaire, les fédérations d'entreprises de (grande et petite) distribution, les syndicats de salariés des entreprises précitées les associations de protection des consommateurs, les groupes de défense du bien-être des animaux. Par ailleurs, dans ce même modèle pluraliste, l'État table aussi sur la capacité d'arbitrage des représentants politiques entre les différentes pressions diverses sinon contradictoires dont ils sont la cible. L'État pluraliste n'est donc pas un État qui, selon les secteurs de politiques publiques concernés, serait nécessairement sous la coupe exclusive du groupe d'influence le plus puissant.

L'idée même que les rapports entre l'État et les groupes d'influence puissent s'établir selon d'autres modes et logiques que ceux du modèle pluraliste provient d'études menées dans le courant des années 1970 en Europe occidentale, en particulier dans le cadre de pays comme l'Autriche, la Suède ou l'Allemagne, qui ont amené à dégager un autre modèle, néo-corporatiste (cf. chapitre Régimes politiques, encadré n° 7.25), dont l'un des premiers concepteurs fut le politologue états-unien Philippe Schmitter (1979 : 13). Celui-ci définit le modèle néo-corporatiste par contraste avec le modèle pluraliste de la façon suivante (nous avons isolé les éléments-clés de distinction ; traduction Nicolas Rouillot, 2011b) :

ENCADRÉ N° 9.33 : DIFFÉRENCE ENTRE LES MODÈLES PLURALISTES ET NÉO-CORPORATISTES

Pluralisme	Néo-corporatisme
« système de représentation des intérêts dans lequel les unités constitutives sont organisées en :	*« système de représentation des intérêts dans lequel des unités constitutives sont organisées en :*
– un nombre non spécifique de catégories	*– un nombre limité de catégories*
– multiples, volontaires, en compétition entre elles,	*– uniques, obligatoires, non compétitives,*
– non organisées hiérarchiquement et qui s'auto-déterminent (en ce qui concerne le type ou la nature des intérêts),	*– organisées hiérarchiquement et différenciées fonctionnellement,*
– qui ne sont pas autorisées de manière particulière ou reconnues, subventionnées, créées par l'État et qui n'exercent pas le monopole de l'activité à l'intérieur de leurs catégories respectives ».	*– reconnues ou autorisées (si ce n'est créées) par l'État qui leur concède délibérément le monopole de la représentation à l'intérieur de leurs catégories respectives ».*

Source : élaboration des auteurs à partir de Schmitter, 1979, traduit par Rouillot, 2011b.

Dans le modèle néo-corporatiste, les/certains groupes d'influence sont représentés comme tels *au sein* de l'État, dans des organismes publics, comme, en Belgique, les comités de gestion de la sécurité sociale, le conseil national du travail ou le conseil central de l'économie, pour ce qui concerne les organisations représentatives des employeurs, d'une part, et des travailleurs, de l'autre. À la suite d'Offe (1981), Grossman et Saurugger distinguent deux grandes branches au modèle néo-corporatiste (cf. quatrième colonne de leur tableau), selon que les groupes d'influence qui sont intégrés aux rouages de l'État peuvent être considérés comme des « *policy makers* » – ils pèsent sur le cadrage même de la politique sectorielle à laquelle ils sont partenaires – ou bien seulement comme des « *policy takers* » – ils n'ont pas la main sur la définition des lignes directrices de cette politique sectorielle, mais sont associés aux modalités de mise en œuvre. Si dans le modèle néo-corporatiste, les groupes d'influence participent donc *de l'intérieur* à l'action publique, il faut se garder de ne voir l'État que comme une victime passive d'une entreprise de « phagocytage » de la part de groupes d'influence politiquement puissants. D'une part, l'État agit toujours en « victime consentante », vu son rôle de « *gate keeper* », de « gardien de (la) porte » commandant l'accès aux institutions politiques : l'État reste juridiquement le seul maître de la reconnaissance, et des conditions de reconnaissance, de groupes d'influence comme partenaires institués d'une politique publique. Et d'autre part, à ce titre, il n'appartient juridiquement qu'à l'État de « revenir en arrière » et de modifier ces conditions de reconnaissance, d'amoindrir le rôle dévolu aux partenaires privés d'une politique publique, voire de choisir de mener cette politique sans plus de consultation/concertation obligatoire avec certains groupes d'influence.

Le dernier modèle en date qui est apparu dans la littérature, le modèle étatiste, a été construit à partir de l'observation du contexte français. Grossman et Saurugger distinguent au sein de ce modèle étatiste également deux grandes branches (cf. les trois dernières colonnes de leur tableau). On doit à un autre politologue états-unien, Frank L. Wilson (1983), l'une des premières conceptualisations de la branche supérieure (dans le tableau), *protestataire*. Celle-ci s'inscrit dans des rapports *étanches* entre État et groupes d'influence. Leurs relations se déroulent sur le mode du rapport de force « pur et dur ».

ENCADRÉ N° 9.34 : LE MODÈLE PROTESTATAIRE

« Dans le modèle protestataire, les groupes intérêt se dépensent beaucoup pour mobiliser l'opinion ou leur base contre les propositions gouvernementales. À leurs yeux, les manifestations, défilés et grèves sont les clefs évidentes du blocage de toute politique indésirable et ils y ont fréquemment recours. Souvent, ils déclenchent des mouvements de refus afin de saboter les mesures gouvernementales. Les groupes lancent ces actions protestataires sans trop d'espoir de succès ; néanmoins, il s'agit d'exprimer une opposition symbolique, dût-elle s'avérer inefficace » (Wilson, 1983 : 228).

Renouant avec des formes d'action collective protestataires « physiques » mises en exergue par Charles Tilly dans ses travaux sur l'advenue d'un répertoire « moderne » d'actions collectives (cf. chapitres Pouvoir, section 3, encadré n° 2.14, et Citoyens section 4, encadré n° 10.10), les groupes d'influence protestataires se mobilisent essentiellement de manière réactive (aux initiatives des pouvoirs publics) et sur le mode du refus, plutôt que de la proposition « constructive ». Ils n'agissent pour ainsi dire que comme des « *veto players* ».

ENCADRÉ N° 9.35 : LES GROUPES D'INFLUENCE CONSIDÉRÉS COMME DES « *VETO GROUPS* » OU « *VETO PLAYERS* »

Dans l'analyse de l'action publique, on appelle « *veto player* » (Tsebelis, 2002) un acteur politique, individuel ou collectif, qui est capable d'empêcher un changement de politique publique, en fonction de ses préférences qui restent stables dans le temps.

L'autre branche au modèle étatiste, *collusive*, a fait l'objet de beaucoup moins d'investigations. Elle est établie à partir d'une frontière cette fois *poreuse* entre l'État et les/certains groupes d'influence. L'action collusive emprunte, à l'ombre des discours officiels sur la séparation nette entre État et groupes d'influence, des voies d'influence informelles, discrètes, adossées à des réseaux interpersonnels, fonctionnant parfois sur un mode d'échange clientéliste (cf. chapitre Régimes politiques, encadré n° 7.21).

Un des intérêts de la typologie synthétisée par Grossman et Saurugger réside dans ses possibilités d'utilisation à des niveaux d'analyse différents (cf. avant-propos, encadré n° 0.3) : à un niveau macro, pour comparer les États entre eux, de manière globale, du point de vue de leurs rapports aux groupes d'influence ; à un niveau méso, pour comparer un secteur particulier d'action publique d'État à État ou pour comparer différents secteurs d'action publique au sein d'un même État ; à un niveau plus micro, pour comparer les stratégies privilégiées par une même sorte de groupes d'influence (les syndicats, par exemple), soit d'État à État, soit dans un même État (à l'échelle des différents syndicats qui y sont actifs) ou encore pour saisir dans quelle mesure les stratégies d'un même groupe d'influence sont susceptibles de varier selon les circonstances.

L'utilisation de la typologie d'un point de vue *macro* a déjà été évoquée. Si le modèle étatiste est typique de la France, il vaut aussi pour le Japon et dans une moindre mesure, pour des pays de l'Europe du Sud comme l'Italie ou l'Espagne. Le modèle pluraliste est, lui, caractéristique des États-Unis, mais aussi, bien que dans une moindre mesure, du Royaume-Uni. Enfin, le modèle néo-corporatiste prédomine dans des États comme l'Autriche, cas le plus emblématique, l'Allemagne, mais aussi la Belgique ou, historiquement, la Suède ou les Pays-Bas. À un niveau *méso*, l'application de la typologie permet d'observer par exemple que le caractère prédominant du modèle étatiste en France ne vaut pas nécessairement pour tous les secteurs de politique publique. La politique agricole ou la politique familiale fonctionne davantage sur le modèle néo-corporatiste. Enfin, à un niveau plus *micro*, l'application de la grille à l'échelle des syndicats de travailleurs salariés permet de constater que les ressources et répertoires d'actions qui sont privilégiés peuvent varier d'un État à l'autre, selon le modèle État-groupes d'influence qui est dominant au niveau macro. Les syndicats allemands recourent ainsi traditionnellement beaucoup moins à un répertoire d'action de type protestataire que leurs homologues français. Des variations peuvent aussi être relevées dans les stratégies mises en œuvre par les syndicats d'un même État, selon les circonstances. Ainsi, lorsque contrairement aux pratiques traditionnelles de concertation sociale, le gouvernement belge a décidé fin 2012 d'imposer « unilatéralement » certaines décisions telles qu'une modification du calcul de l'index des prix (auquel l'évolution des salaires est liée automatiquement), un blocage des salaires (en dehors de leur indexation), et des mesures restrictives en matière de départ à la pension, le répertoire d'action des syndicats belges a évolué du type néo-corporatiste vers le type protestataire – manifestations, grève nationale...

Il s'est ensuite réinscrit sur le registre néo-corporatiste, lorsque les syndicats ont considéré que le combat sur le cadrage était perdu, mais que le gouvernement leur offrait des possibilités d'influer, par le biais de la négociation avec le patronat de propositions communes, soit sur les mesures de mise en œuvre soit sur le cadrage d'autres réformes en préparation dans le domaine socio-économique.

Dans ce chapitre, il a été question d'organisations collectives qui offrent aux citoyens des cadres de mobilisation et de représentation politiques. La focale de l'analyse a été mise sur ces organisations. Dans le chapitre suivant, la perspective se situera au niveau plus micro des individus-citoyens.

Questions

1) Quelles sont les principales différences entre les partis et les groupes d'influence ? Ont-elles une portée absolue ou relative ?

2) Quels sont les quatre critères contenus dans la définition des partis politiques de La Palombara et Wiener qui fait le plus souvent référence en science politique ? Discutez-en la portée.

3) Quelles sont les grandes approches de l'étude des partis politiques ? En quoi se différencient-elles ?

4) Entendues dans leur sens spécialisé qu'est-ce qui distinguent les notions de « lobbies », « groupes d'intérêts » et « mouvement social » de la catégorie des groupes d'influence ?

5) Quelles sont les principales typologies des groupes d'influence ? En quoi se différencient-elles ?

Bibliographie

RÉFÉRENCES DE BASE

- Duverger M. (1992/1951), *Les partis politiques*, Paris, Seuil.
- Grossman E., Saurugger S. (2006), *Les groupes d'intérêt. Action collective et stratégies de représentation*, Paris, Armand Colin, coll. « U ».
- Katz R., Mair P. (dir.) (1994), *How Parties Organize. Change and Adaptation in Party Organizations in Western Democracies*, London, Sage.
- Lawson K. (1996), « Partis politiques et groupes d'intérêt », *Pouvoirs*, n° 79, pp. 36-51.
- Lemieux V. (1985), *Systèmes partisans et partis politiques*, Québec, Les presses universitaires de Québec.

POUR ALLER PLUS LOIN (À COMPLÉTER)

- Aucante Y., Dézé A. (dir.) (2008), *Les systèmes de partis dans les démocraties occidentales. Le modèle du parti-cartel en question*, Paris, Presses de Sciences Po.
- Balme R., Chabanet D., Wright V. (dir.) (2002), *L'action collective en Europe*, Paris, Presses de Sciences Po.
- Claeys, P.-H., Frognier A.-P. (dir.) (1995), *L'échange politique*, Bruxelles, Éditions de l'Université de Bruxelles.
- Dossier thématique « Système de partis » (2007), *Revue internationale de politique comparée*, n° 2, vol. 14.
- Offerlé M. (1998), *Sociologie des groupes d'intérêt*, Paris, Montchrestien, coll. « Clefs-Politiques ».

CHAPITRE 10
LES CITOYENS

Sommaire

Résumé

Le texte qui suit vise à explorer le champ immense qui recouvre toutes les formes de participation du citoyen à la gestion et l'organisation de la société, d'un point de vue individuel et collectif, formel et informel, conventionnel ou non, dans le cadre de la loi ou contre cette dernière, et dans de multiples perspectives. La « notion » de citoyen doit être utilisée prudemment car elle renvoie à des usages nombreux et à bien des égards, ses multiples significations témoignent de la diversité des moyens et des options à la disposition du citoyen pour marquer de son empreinte l'évolution de la « cité ».

1 | Définition

Le concept de citoyenneté renvoie à des contenus très différents, qui sont liés au fonctionnement de la démocratie et à ses institutions, mais qui peuvent aussi susciter une volonté de réforme de ces dernières et une remise en question de ce fonctionnement. Ici, la citoyenneté est un exercice qui stabilise et entretient la dynamique démocratique, faite de droits et de devoirs ; là-bas, elle peut susciter la volonté d'une transformation plus radicale de la société, quitte à susciter une révolution, ou à faire usage de la violence. Ici, elle est synonyme de respect des institutions, des principes et des valeurs qui fondent le cadre démocratique ; là-bas, elle peut être le moteur qui provoquera une mutation en profondeur de ce dernier. Au final, la citoyenneté représente le lien entre l'individu et la collectivité, entre une volonté, un engagement, un espoir, d'une part, et un mouvement social, une dynamique collective, un projet de société, d'autre part. La citoyenneté établit un lien entre ce que le philosophe politique Cornelius Castoriadis (1986) appelait l'autonomie individuelle et l'autonomie collective en société.

Étymologiquement, le concept d'autonomie renvoie à la capacité de se donner soi-même et en connaissance de cause ses propres lois (*autos* : soi-même et *nomos* : la loi). L'individu autonome tente d'organiser et d'assumer lui-même le sens qu'il donne à son existence (exercice du « libre examen » ou de l'« esprit critique », selon les formulations), il essaie d'avoir un rapport lucide et libre au sens qu'il donne à sa vie au quotidien et à ses projets. Et de la même manière, la société autonome tente d'instituer par la loi, et en connaissance de cause, sa propre organisation, et d'assumer avec du sens et de la créativité le monde dans lequel elle veut vivre (démocratie et vivre-ensemble). « L'autonomie », expose Castoriadis, « prend ici le sens d'une auto-institution de la société, auto-institution désormais plus ou moins explicite : nous faisons les lois, nous le savons, nous sommes ainsi responsables de nos lois et donc nous avons à nous demander chaque fois pourquoi cette loi plutôt qu'une autre ? Cela implique évidemment aussi l'apparition d'un nouveau type d'être historique au plan individuel, c'est-à-dire d'un individu autonome, qui peut se demander – et aussi demander à voix haute : "Est-ce que cette loi est juste" ? » (Castoriadis, 1986 : 237). Il faut des individus autonomes pour construire une société autonome et, à bien des égards, la citoyenneté – dans sa forme apaisée comme dans sa forme subversive – établit le lien entre les deux.

La « notion » de citoyen doit être utilisée prudemment car elle renvoie à des usages nombreux et différents d'un pays à l'autre en fonction des contextes, des enjeux politiques et des périodes de l'histoire. Elle peut renvoyer à un engagement personnel dans le chef d'un individu vis-à-vis d'une cause ou par rapport à un enjeu de société, comme, par exemple, l'engagement de militants dans la lutte contre le racisme, ou contre la « chasse » aux chômeurs. Elle peut renvoyer à un statut légal au sein d'une communauté nationale : ainsi, d'un individu possédant, par exemple, la nationalité belge et à ce titre disposant en Belgique du droit de vote et d'éligibilité (dans les conditions prévues par la loi, telles que l'âge et le lieu du domicile). Elle peut enfin faire l'objet de toutes sortes d'usages visant à justifier l'un ou l'autre projet ou décision politique : ainsi, appuyer un projet politique, culturel ou associatif en indiquant qu'il s'inscrit dans une « perspective citoyenne » est une façon de le légitimer en indiquant qu'il repose sur l'engagement actif – valorisé – de citoyens.

Dans les démocraties représentatives contemporaines, les « notions » de citoyen et – par extension – de citoyenneté renvoient autant aux droits dont peut jouir un individu du fait de son appartenance à une communauté politique qu'aux devoirs que cette même appartenance impose à ce dernier en cette qualité. Le membre d'une communauté politique est appelé citoyen dans la mesure où il est acteur dans l'organisation pratique de la « cité » à travers le vote, l'éligibilité, l'accès à l'administration comme usagé ou comme employé (fonctionnaire), la liberté d'expression et bien d'autres domaines relevant de la « société civile » (engagement au sein d'une association, d'un syndicat, etc.). Il est citoyen parce qu'il peut (ou doit) émettre un suffrage dans le cadre d'une élection (notamment si le vote est obligatoire), peut se porter candidat sur une liste électorale (s'il remplit les conditions requises), peut constituer une association sans but lucratif (dans le respect des normes en vigueur), peut déposer une plainte contre une institution publique (en vertu d'une procédure déterminée), il peut signer une pétition ou participer à une manifestation (en respectant le cadre établi), etc.

Tous ces droits et devoirs font du citoyen un membre à part entière d'une communauté politique. Ils renvoient à la participation en politique, au sens large, dans les régimes dits démocratiques. Ils renvoient aussi à la question de l'émancipation individuelle et collective, et au-delà, à l'engagement dit « citoyen » dans la société.

Les citoyens forment la société civile par opposition au monde politique (cf. chapitre Qu'est-ce que la science politique ?, encadré n° 1.6). La société civile regroupe les citoyens qui appartiennent à la communauté et qui sont, en théorie, autonomes et indépendants vis-à-vis des élus. Cette distinction n'empêche pas qu'un même individu soit un « citoyen » lorsqu'il est convoqué à une élection ou participe à une manifestation, et, en même temps, un « élu » lorsqu'il exerce une fonction politique : à sa qualité de citoyen s'ajoute alors – en démocratie représentative – un mandat de représentation qui lui est attribué par d'autres citoyens. Enfin, la société civile « organisée » réfère aux citoyens regroupés dans des associations indépendantes des instances politiques et publiques (par exemple, des groupes de pression).

1.1. Citoyenneté et nationalité

Outre ce que nous avons expliqué dans le chapitre sur l'État (cf. notamment encadré n° 3.2), insistons sur le fait que le concept de citoyenneté est très souvent, et à tort, associé au concept de nationalité. Il n'est en effet pas rare d'entendre l'un ou l'autre État évoquer son devoir de protection vis-à-vis de ses citoyens à l'étranger au sens où ce dernier est censé assurer une protection à tous ses ressortissants, c'est-à-dire à tous les individus qui possèdent la nationalité de l'État concerné. Il n'est pas rare non plus que les droits politiques (dont principalement le droit de vote et d'éligibilité) ne soient donnés aux citoyens que lorsque ceux-ci sont également ressortissants du pays concerné.

Si tout porte à nous laisser penser qu'il y a identité entre citoyenneté et nationalité, il faut se garder d'une telle association, qui est loin d'être systématique. En effet, il existe des individus qui possèdent une nationalité sans pour autant pouvoir bénéficier de tous les droits octroyés par la citoyenneté, c'est notamment le cas des mineurs d'âge, ou des individus qui se sont vu retirer leur droit de vote ou d'éligibilité suite à une condamnation judiciaire. *A contrario*, il existe des individus qui possèdent une citoyenneté sans que celle-ci soit liée à la nationalité du pays dans lequel ils résident. C'est le cas des étrangers européens (UE) en Belgique qui, sans posséder la nationalité belge, bénéficient d'un certain nombre de droits : le droit de circuler et de séjourner sur le territoire des États-membres, le droit de vote et d'éligibilité aux élections au Parlement européen, le droit de vote aux élections locales du lieu où ils résident, etc. Dans ce dernier cas, on parlera de citoyenneté supranationale – en l'occurrence, de citoyenneté européenne, telle que définie et garantie par les traités européens – qui s'ajoute à la citoyenneté nationale (Weil, Hansen, 1999).

1.2. Citoyenneté et régimes politiques

Si la notion de citoyenneté et *a fortiori* l'idée d'« éducation à la citoyenneté » semblent associées à celle de démocratie, ce lien n'est pas non plus systématique. Et ce pour trois raisons.

Tout d'abord, il existe de nombreux régimes autoritaires qui octroient une citoyenneté à leur population. Par exemple, la Chine populaire autorise le droit de vote de la population, mais limite l'offre politique : il est en effet possible pour les citoyens de choisir entre plusieurs candidats ayant chacun des propositions et un profil différents, mais dans le cadre d'un système politique dominé par le Parti communiste. Le régime octroie et respecte l'application du droit de pétition, qui permet à chaque citoyen de faire valoir ses droits dans un certain nombre de cas, notamment en matière d'expropriation, comme on a pu l'observer lors des préparatifs des Jeux Olympiques de Pékin et du vaste programme d'expropriation organisé par le gouvernement. Les citoyens chinois bénéficient de nombreux droits, malgré le caractère autoritaire et peu démocratique du régime.

Mais il y a une deuxième raison plus fondamentale expliquant le caractère non systématique du lien entre citoyenneté et le régime politique spécifique que constitue la démocratie. L'exercice de la citoyenneté, comme l'exercice de la démocratie, est avant tout une question d'autonomie, d'engagement, de liberté et d'esprit critique des citoyens. C'est une question d'autonomie de l'individu et de la collectivité dans leur capacité de faire des choix pour la « cité » en connaissance de cause. Si, par rapport à ce qui précède, la citoyenneté peut être effectivement réelle en pratique avec un certain nombre de droits et de devoirs, rien ne garantit un usage « démocratique » de ces droits par les citoyens et rien ne garantit l'usage de ces droits par les citoyens en vue d'une plus grande « démocratisation » de la société. La Convention de sauvegarde des Droits de l'Homme et des Libertés fondamentales, signée à Rome le 4 novembre 1950, tente d'apporter une solution à ce problème inhérent à la dynamique démocratique. Dans son article 17, sur l'interdiction de l'abus de droit, elle indique qu'« aucune des dispositions de la présente convention ne peut être interprétée comme impliquant pour un État, un groupement ou un individu, *un droit quelconque de se livrer à une activité ou d'accomplir un acte visant à la destruction des droits ou libertés reconnus dans la présente convention ou à des limitations plus amples de ces droits et libertés que celles prévues à ladite convention* ».

En d'autres termes, la simple existence de droits à la portée des citoyens ne garantit pas du tout que ceux-ci recourent à leur usage, et surtout, rien ne garantit que, lorsque certains droits sont mobilisés, ils le sont dans le but de « perfectionner » le système démocratique, pour autant que l'on s'accorde sur la signification de ce perfectionnement étant donné qu'il est ici question de jugement de valeur et de positionnement vis-à-vis d'options politiques. L'usage des droits par les individus peut mener, selon les diverses conceptions que s'en font les acteurs politiques dans le débat démocratique, au « progrès » ou à une « régression », au développement de la collectivité, selon telle ou telle orientation, à une « plus juste » ou « plus injuste » répartition des ressources, au désintérêt vis-à-vis des affaires publiques et, dans certains cas, les succès électoraux de partis politiques ouvertement hostiles aux fondements de la démocratie. Les droits et les devoirs qui caractérisent la citoyenneté sont donc nécessaires, mais non suffisants pour garantir un climat démocratique en politique garant d'un pluralisme finalement non négociable et non susceptible d'être mis en cause : mais comment « protéger la démocratie contre elle-même » ? Ceci concerne, notamment, les choix quant à la légitimité de « cordons sanitaires » visant à isoler des partis d'extrême droite.

La troisième raison qui explique la difficulté de lier de façon systématique citoyenneté et démocratie se situe au niveau du lien déterminant entre la détention de ressources sociales, économiques et culturelles, d'une part, et la capacité de participer à la vie politique, d'autre part. L'appartenance sociale, la détention de ressources et l'éducation jouent un rôle déterminant sur le comportement politique et l'engagement citoyen. Ce qui précède explique pourquoi aujourd'hui, il existe des citoyens « de seconde zone », incapables de faire usage de leurs droits les plus fondamentaux, incapables de traduire par une action politique le rejet et l'exclusion dont ils font l'objet, ou simplement peu désireux d'agir sur ces phénomènes, alors que d'autres, culturellement ou économiquement moins démunis, parviennent à se structurer, à revendiquer et à exiger des avancées significatives sur le plan social et économique. Ce lien rappelle également la place déterminante de l'enseignement dans la « fabrication » de citoyens assujettis à des devoirs, détenteurs de droits, mais surtout soucieux du développement démocratique et harmonieux de la vie en société, selon les différentes conceptions s'affrontant à cet égard dans le cadre du débat démocratique.

2 | Citoyenneté et participation

Les politologues distinguent plusieurs usages de la notion de participation. Elle s'applique à la problématique de la démocratie (représentative et participative), elle s'applique également aux modalités d'actions citoyennes. À cet égard, les politologues différencient la participation conventionnelle de la participation non conventionnelle.

La participation conventionnelle renvoie à toutes les activités liées au processus électoral : voter, débattre avec autrui, prêter attention aux médias, se rendre à un meeting, aider un parti en campagne, etc. La science politique a consacré de nombreux efforts à expliquer le comportement électoral des citoyens : par les variables sociodémographiques, par l'identification partisane, par les attitudes et opinions, par le choix rationnel, etc. Nous y reviendrons plus loin dans ce chapitre. La participation non conventionnelle correspond à des formes de mobilisation citoyenne qui peuvent être davantage protestataires. La protestation est une modalité de participation citoyenne qui se décline sur un continuum dont les extrêmes vont du plus légal, légitime, pacifique au plus illégal, illégitime, violent.

ENCADRÉ N° 10.1 : TAUX DE RECOURS DES CITOYENS À CERTAINES PRATIQUES PARTICIPATIVES, PAR PAYS

Country	Signing a petition	Taking part in a demonstration	Boycotting some products	Contacting a politician	N =
NZ-New Zealand	89,6	25,2	44,6	31,4	1 332
AU-Australia	83,7	20,7	44,8	33,2	1 848
CA-Canada	79,0	26,2	48,9	44,0	1 156
SE-Sweden	77,1	27,3	45,5	18,9	1 254
FR-France	76,3	55,4	38,8	22,7	1 351
GB-Great Britain	73,7	14,4	45,7	24,4	825
DK-Denmark	69,5	29,9	45,2	24,7	1 167
AT-Austria	69,2	21,9	38,0	34,8	993
FLA-Flanders	69,0	28,7	45,1	17,6	1 380
NL-Netherlands	68,7	28,9	44,5	24,0	1 741
NO-Norway	66,6	25,6	47,6	23,9	1 347
US-United States	66,5	18,8	47,8	43,2	1 462
DE-E-Germany-East	60,7	44,7	43,4	17,3	425
CH-Switzerland	59,1	17,3	33,3	20,3	1 065
SK-Slovak Republic	57,8	22,7	33,6	16,9	1 056
IE-Ireland	55,3	24,9	45,1	35,8	1 051
JP-Japan	55,2	8,4	34,4	5,7	1 191
DE-W-Germany-West	53,1	25,7	37,4	21,8	867
UY-Uruguay	49,4	33,9	26,1	19,4	1 098
KR-South Korea	49,1	18,6	50,2	10,4	1 297
FI-Finland	49,0	14,0	43,5	24,8	1 244
ES-Spain	46,1	55,0	46,5	14,1	2 430
TOTAL	44,7	23,9	37,6	18,1	

Source : International Social Survey Programme 2004 : Citizenship (ISSP 2004) (http://zacat.gesis.org/webview/index.jsp, consulté le 15 mars 2014).

Une autre manière de distinguer les modes de participation entre eux, qui ne recoupe pas le binôme « participation conventionnelle/non conventionnelle », a trait à la distinction entre modes de participation institutionnels et extra-institutionnels. Les modes de participation dits « *extra-institutionnels* » (consistant essentiellement en la libre expression d'une opinion publique et dans le lobbying, cf. chapitre Partis politiques et groupes d'influence) sont appelés comme cela car les procédures de recours à ces canaux de participation ne sont pas institutionnalisées, détaillées dans des règlements publics. Autrement dit, les pouvoirs publics n'en sont pas les initiateurs, leur activation dépendant donc avant tout de mobilisations individuelles et collectives de citoyens. À la différence précisément des modes de participation dits « *institutionnels* » (ceux liés à la démocratie électorale et à la démocratie consultative et délibérative), pour lesquels des procédures précises de participation (moments, lieux, modalités précises d'expression de l'opinion...) ont été définies dans des textes légaux par les pouvoirs publics. Bien évidemment, il existe une zone grise entre ces deux grands types idéaux de modes de participation politique. Par exemple, les pratiques de pétitionnement font *a priori* partie des modes de participation non institutionnalisée, puisque découlant avant tout d'initiatives prises en dehors des pouvoirs publics. En revanche, la prise en compte éventuelle des revendications contenues dans une pétition par des organes publics (parlement, Commission européenne, conseil communal...) peut faire l'objet d'un règlement juridique qui en précise les conditions (nombre de signatures, critères de validation des signatures récoltées...) et les effets (simple prise en considération, mise à l'agenda obligatoire...), ce qui a tendance alors à écarter quelque peu les pétitions des modes de participation qui seraient purement extra-institutionnels.

2.1. La démocratie représentative

« *No taxation without representation* », ce slogan scandé par les colons britanniques installés outre-Atlantique à l'attention du lointain parlement britannique, quelques années avant la Révolution américaine illustre comment la citoyenneté est toujours un mélange de participation aux choses de la « cité » et d'assujettissement à ces dernières. Elle est à la fois un ensemble de droits qui permettent au citoyen d'être l'acteur averti et lucide de l'organisation politique et légale de la cité et de la société, et un ensemble d'obligations contraignantes qui imposent aux citoyens d'être également – certes un sujet éclairé –, mais aussi un sujet consentant placé sous la tutelle de l'État et de la loi. Le mélange de participation et d'assujettissement varie fortement d'un régime démocratique à l'autre et d'une situation historique à l'autre.

La démocratie athénienne (milieu du premier millénaire av. J.-C.), par exemple, offrait un mélange de participation et d'assujettissement très différent d'une catégorie de la population à une autre. Les hommes libres d'Athènes bénéficiaient de droits politiques considérables pour l'époque tout en étant soumis à l'ordre institutionnel et légal qu'ils avaient eux-mêmes institué. Les femmes, les esclaves et les étrangers étaient également soumis à cet ordre, mais sans bénéficier des mêmes droits, notamment et plus particulièrement sur le plan politique. Ainsi, dans une même société se côtoyaient des individus détenteurs de droits et de devoirs substantiels (c'est-à-dire les hommes nés de père athénien ayant suivi une formation militaire et civique), des individus sans droits politiques (les femmes et les étrangers) et des individus aux droits extrêmement limités (les esclaves).

Sans céder à la comparaison de deux situations historiques fortement éloignées l'une de l'autre, on peut indiquer que l'ancien régime d'apartheid en Afrique du Sud fonctionnait également sur une répartition très inégale des droits politiques entre les Blancs et les Noirs dans le cadre d'un assujettissement qui, pour sa part, concernait l'ensemble de la population. Les citoyens blancs bénéficiaient d'une citoyenneté complète leur octroyant – à eux seuls – le droit de vote et avaient l'opportunité de faire valoir de manière effective leurs droits face aux institutions : à bien des égards, pour les citoyens blancs, l'Afrique du Sud était donc une véritable démocratie. Mais la situation était très différente pour les Noirs, les Métis et les Indiens qui, en raison du système légal de ségrégation et de discrimination entre « groupes raciaux », ne pouvaient faire valoir les mêmes droits. Au final, à l'exception du service militaire obligatoire « réservé » aux Blancs uniquement, l'ensemble des « groupes raciaux » devaient se soumettre aux mêmes devoirs dans le cadre national tout en ne bénéficiant pas des mêmes droits.

Ce qui précède est également vrai au regard des étrangers en situation régulière, disposant de papiers en règle, en Belgique, en France ou ailleurs. En effet, souvent les étrangers ne bénéficient pas du droit de vote, ou alors, de façon restrictive, alors qu'ils sont contraints de se soumettre globalement aux mêmes devoirs que les citoyens du pays qui les accueille (on notera ici aussi l'exception en matière d'obligation du service militaire). Dans la même optique, des restrictions en matière de droits peuvent exister, notamment dans l'accès à des postes dans l'administration, la police ou l'armée.

Les suffrages censitaire, capacitaire et plural au XIXe siècle reposaient également sur un mélange de participation et d'assujettissement inégal d'une catégorie de la population par rapport à une autre. Le premier exige que le droit de vote et d'éligibilité soit conditionné par le dépassement dans le chef du citoyen d'un seuil d'imposition fiscale. Son principe vise, selon un principe de justice distributive, à limiter les droits politiques aux individus capables de fournir les moyens financiers à l'organisation politique de la société et, selon une analyse marxiste, à privilégier la détention du pouvoir politique par la bourgeoisie capitaliste et à en écarter le prolétariat. Le deuxième (le suffrage capacitaire) exige que le droit de vote et d'éligibilité soit conditionné par la possession de certains titres (diplômes, etc.) ou l'exercice de certaines fonctions. Son principe vise à limiter les droits politiques aux individus supposément capables – de par leur éducation ou leur fonction – de participer intelligemment et en connaissance de cause à l'organisation politique de la société. Il faut noter à cet égard que le citoyen a changé considérablement ces dernières décennies, avec un accroissement considérable de ses « compétences politiques » rendues possibles par de plus grandes capacités d'information, d'analyse et d'évaluation – produit de l'élargissement progressif, au cours des XIXe et XXe siècles, de l'accès à l'éducation aux niveaux primaire (alphabétisation), secondaire et universitaire.

Le vote plural, enfin, basé également sur la propriété, le statut social, le niveau d'éducation ou le taux d'imposition ou une partie seulement de ces critères, vise les mêmes objectifs, mais selon d'autres modalités, à savoir en attribuant aux électeurs concernés plusieurs voix lors d'un même scrutin, leur donnant ainsi une plus forte représentation par rapport à d'autres électeurs ne disposant quant à eux que d'une seule voix.

Dans ces différents cas, on parlera de citoyenneté restrictive, laquelle caractérise nombre de régimes politiques contemporains. En témoignent les différents droits et obligations auxquels doivent se soumettre les citoyens, à l'instar du service militaire en Israël, qui n'est ni accessible ni obligatoire de façon égale pour tous les citoyens. En témoignent également l'accès restrictif à l'emploi dans l'administration publique en France qui est lié à la nationalité, ou encore le droit de vote limité aux élections locales pour les étrangers en Belgique selon certaines conditions.

ENCADRÉ N° 10.2 : ÉLÉMENTS D'HISTOIRE ÉLECTORALE EN BELGIQUE

1830 : suffrage censitaire réservé aux hommes de plus de 25 ans ;

1883 : extension du droit de vote aux électeurs capacitaires ;

1893 : introduction du vote plural ;

1921 : suffrage universel pour tous les hommes de plus de 21 ans et droit de vote accordé aux femmes au niveau communal ;

1948 : suffrage universel mixte ;

1969 : abaissement de l'âge requis pour le droit de vote à 18 ans au niveau communal ;

1981 : abaissement de l'âge requis pour le droit de vote à 18 ans au niveau national (législatives) ;

1994 : extension du droit de vote aux électeurs européens non belges au niveau des élections européennes ;

2000 : extension du droit de vote aux électeurs européens non belges au niveau communal ;

2004 : extension du droit de vote aux étrangers non-européens (après 5 ans de résidence légale) au niveau communal.

2.2. La démocratie participative, complément à la démocratie représentative

Le lien entre « participation » et citoyenneté renvoie également à un ensemble de conceptions et de pratiques liées à la démocratie. Ce lien est incarné dans le vocable « démocratie participative ». Celle-ci est une modalité d'intervention directe des citoyens dans les processus de décision publique. Ainsi, l'assemblée formée par les citoyens dans l'Athènes antique, le recours au référendum en France ou la votation populaire en Suisse permettent aux citoyens de participer directement au politique. Dans ce sens, on parlera d'ailleurs de démocratie directe. Dans la théorie en science politique, la démocratie participative est aussi présentée par certains auteurs comme une réponse au déficit démocratique pouvant marquer la démocratie représentative et, plus largement, à la contestation des « pouvoirs » en général et de leur légitimité, qu'ils soient politiques à l'échelle régionale, nationale ou supranationale, économiques et financiers, voire scientifiques, techniques ou technocratiques.

ENCADRÉ N° 10.3 : DEUX VERSIONS DIFFÉRENTES DE LA DÉMOCRATIE PARTICIPATIVE : DÉLIBÉRATIVE ET POPULISTE

a) *la version délibérative* : l'intérêt général passe par la délibération citoyenne, comme dans les écrits de Rousseau (*Du contrat social*, 2001/1762) ou la théorie dite de l'agir communicationnel du philosophe politique contemporain J. Habermas (p. ex. *Droit et démocratie*, 1997/1992). L'intérêt général doit être défini par l'ensemble des citoyens (sur le mode bottom-up) – et non par des élites, qu'il s'agisse de représentants ou de fonctionnaires de l'État, de porte-paroles de partis politiques ou de groupes d'influence, ou d'experts) –, assemblés à des moments réguliers pour délibérer des cadres généraux de fonctionnement de la société et parvenir à dégager une volonté générale.

b) *la version populiste* : elle partage avec la version délibérative l'idée générale que l'intérêt général doit être défini par l'ensemble des citoyens, si ce n'est que l'intérêt général équivaut ici au bon sens de la majorité. Un leader politique comme J.-M. Dedecker (chef de file de la Lijst Dedecker, en Belgique) veut rendre la parole au peuple, mais sans exiger que celui-ci délibère collectivement (comme dans le modèle délibératif), jugeant les citoyens assez grands, assez réfléchis pour produire directement leur opinion au sujet des orientations de l'exercice du Pouvoir. L'agrégation de toutes ces opinions individuelles, permettant, comme dans les sondages ou les référendums, de dégager l'opinion (majoritaire) du peuple à laquelle l'intérêt général est assimilé. Sans « perdre son temps » à délibérer collectivement ?

Dans un ouvrage consacré à la question, Marie-Hélène Bacqué, Henri Rey et Yves Sintomer (2005 : 11) indiquent que la « crise de la représentation politique et des formes de gouvernement s'accompagne d'une contestation du pouvoir scientifique et technique à partir duquel sont aussi légitimées les politiques publiques. Les grands défis écologiques, urbains ou de santé, qui deviennent prégnants à l'échelle locale comme à l'échelle de la planète, représentent de nouveaux enjeux pour les mouvements sociaux ». Avec d'autres problématiques, ils suscitent de nouvelles formes de participation que les auteurs nomment pêle-mêle « gouvernance urbaine », « gestion de proximité », « nouveau management public », « modernisation de la gestion locale » ou encore « démocratie participative ».

ENCADRÉ N° 10.4 : LE PÉTITIONNEMENT, UN MODE CLASSIQUE DE PARTICIPATION POLITIQUE NON CONVENTIONNELLE

Le pétitionnement renvoie le plus souvent à la rédaction d'un manifeste ou d'un texte contenant un constat et une revendication le plus souvent suivis d'un ensemble de signatures au bas d'un texte. Ces dernières sont généralement recueillies dans la rue par des volontaires ou des militants de la cause défendue mais, avec l'arrivée d'Internet, des outils sophistiqués en ligne permettent désormais d'organiser une pétition et de recueillir de nombreuses signatures, ce qui lui a donné une nouvelle force comme en témoigne la prolifération de sites web consacrés au pétitionnement. Elles semblent aussi lui avoir donné une nouvelle efficacité à la fois sociologique et institutionnelle. Par exemple, le journal français *Le Monde* (23/10/2009) se demandait il y a deux ans si le fait que Jean Sarkozy, le fils du président français en exercice, avait retiré sa candidature à la présidence de l'institution chargée du développement du quartier de la Défense à Paris, ne devait pas être considéré comme la « première victoire de l'"e-démocratie" » en France, en faisant référence à une pétition signée par 93 000 personnes sur Internet. Le pétitionnement est une des pratiques politiques les plus communes dans les démocraties libérales et selon certaines études comparatives internationales, il s'agit de la pratique politique dite « non conventionnelle » la plus diffusée parmi les citoyens des démocraties occidentales.

La « démocratie participative » regroupe des dispositifs qui permettent aux citoyens de se réapproprier les politiques publiques et l'espace public au-delà de la seule participation aux élections ou au sein d'un parti politique. Concrètement, elle renvoie autant aux conseils de quartiers et aux commissions consultatives qu'aux conférences de consensus, budgets participatifs, sondages délibératifs, jurys citoyens, pétitionnements, etc. Sur le fond, elle participe de la volonté de renouveler la fabrique de l'action publique à l'époque contemporaine marquée par les notions de gouvernance, de proximité, d'imputabilité, de multi-réseaux ou multi-échelles. Elle exprime donc au moins partiellement l'importance d'associer plusieurs acteurs, parfois à des échelons de pouvoir et de régulation différents pour renforcer la responsabilité partagée des décisions publiques.

2.3. Démocratie délibérative et consultative

Participer, c'est aussi participer à un débat et donc délibérer, et c'est aussi donner son avis durant un processus de délibération, c'est-à-dire avoir l'opportunité d'être consulté. On parle de délibération pour évoquer un processus de discussion collectif qui suscite la confrontation des points de vue et l'échange avant une prise de décision. La délibération est au cœur du processus démocratique dans la mesure où elle précède un acte politique et, si celui-ci s'inspire de celle-là, elle lui donne une certaine légitimité. En effet, lorsqu'un choix politique, une politique publique ou une loi sont fondés sur les conclusions d'un débat préalable, ces derniers jouissent d'une plus grande légitimité que lorsqu'ils relèvent du choix d'un mandataire seul ou d'un parti politique. Si la délibération est au cœur du processus démocratique, elle est aussi garante du pluralisme et de la diversité des points de vue et à ce titre elle est un rempart contre l'arbitraire.

La délibération implique également la consultation. En effet, au-delà du débat politique entre les élus et/ou les experts, la démocratie délibérative implique la participation du plus grand nombre et partant, elle valorise la consultation la plus large possible de la population. La démocratie délibérative et consultative implique dès lors la création de dispositifs permettant de prolonger le débat au-delà du champ politique vers la société civile à l'image du référendum qui permet au peuple de se prononcer sur une proposition de loi ou un changement de la Constitution. Le référendum peut être décisionnel, c'est-à-dire impliquer une décision qui ne pourra pas être contestée, ou consultatif, c'est-à-dire figurer l'avis de la population sans que ce dernier soit obligatoirement pris en compte. Il peut aussi être obligatoire ou facultatif, dans ce dernier cas, les citoyens ne sont pas obligés de participer à la votation.

Pour mettre de l'ordre dans les différents modes de participation non conventionnelle et leurs usages, différents cadres d'analyse ont été proposés, afin de mesurer leur densité participative. Dans ce domaine, l'échelle de la participation élaborée par Sherill Arstein (1968, cf. encadré suivant) reste aujourd'hui encore *la* référence classique, même si on a pu lui reprocher une vision implicite en faveur de la participation maximale, que l'on retrouve notamment dans le choix des termes utilisés pour désigner certaines strates, surtout inférieures, de l'échelle de la participation, introduisant donc un jugement de valeur dans l'analyse, alors que l'on sait que l'analyse politologique essaie de ne pas en être imprégnée (cf. chapitre Qu'est-ce que la science politique ?, section 7.2).

ENCADRÉ N° 10.5 : ÉCHELLE DE PARTICIPATION DE SHERRY ARNSTEIN

Action Formation Recherche Evaluation en Santé Communautaire

AFRESC

Pouvoir effectif des citoyens — Partenariat : Redistribution du pouvoir par une formule de négociation entre les citoyens et ceux qui le détiennent. Ces partenariats se concrétisent dans la formation de comités associant ces parties, qui deviennent responsables des décisions et de la planification des opérations. Délégation de pouvoir : Les citoyens occupent une position majoritaire (ou dispose d'un droit de veto) qui leur confère l'autorité réelle sur le plan de la décision, ainsi que la responsabilité de rendre compte publiquement de tout ce qui concerne le programme. Contrôle citoyen : Les tâches de conception, de planification et de direction du programme relèvent directement des citoyens, sans intermédiaire entre eux et les bailleurs de fonds du programme.

Coopération symbolique — Information : Phase nécessaire pour légitimer le terme de participation mais insuffisant tant qu'elle privilégie un flux à sens unique, sans mise en place de canaux assurant l'effet retour (feed back). Consultation : Également légitime mais à peine plus conséquente, car n'offrant aucune assurance que les attentes et suggestions des personnes consultées seront prises en compte. Il s'agit alors d'un simple rituel le plus souvent sans conséquence. Réassurance : Elle consiste à autoriser ou même inviter des citoyens à donner des conseils et à faire des propositions mais en laissant ceux qui ont le pouvoir, seuls juges de la faisabilité ou de la légitimité des conseils en question.

Non participation — Manipulation et Thérapie : Le seul objectif est d'éduquer les participants, de traiter (thérapie) leurs pathologies à l'origine des difficultés du territoire visé. Le plan qui leur est proposé est considéré comme le meilleur. Ce qui est qualifié de participation vise des lors exclusivement à obtenir le soutien du public, au travers de techniques relevant de la sphère de la publicité et des relations publiques.

Pouvoir effectif des citoyens

Coopération symbolique

Non participation

8	CONTRÔLE CITOYEN
7	DÉLÉGATION DE POUVOIR
6	PARTENARIAT
5	REASSURANCE
4	CONSULTATION
3	INFORMATION
2	THERAPIE
1	MANIPULATION

Sherry R. Arnstein (1969) « A ladder of citizen participation » dans l'article de Jacques Donzelot et Renaud Epstein - Démocratie et participation : l'exemple de la rénovation urbaine. Publié dans Esprit (dossier « forces et faiblesses de la participation »), n°326, 2006-pp.5-34

Source : site de l'afresc (action formation recherche évaluation en santé communautaire) : http://90plan.Ovh.Net/~afresc/, consulté le 30 août 2013.

ENCADRÉ N° 10.6 : DIFFÉRENTS MODÈLES DE DÉMOCRATIE SELON DIFFÉRENTS MODES DE PARTICIPATION DANS LES ORGANISATIONS INTERNATIONALES

Modèles Éléments	I **Libéral**	II **Organique- communautarien**	III **Délibératif**	IV **Cognitif**
Définition	**Sphère ou espace des échanges et** des relations entre les acteurs privés, dans une perspective binaire qui oppose État/ Société ou public/privé.	Ensemble de **structures** et d'organisations **intermédiaires** entre les institutions politiques et les personnes privées, qui rassemblent ou représentent des groupes d'intérêt, des communautés ou d'autres corps identifiés au sein de la société.	Ensemble des réseaux actifs dans l'**éspace public** politique, qui ne relève ni de l'appareil administratif et gouvernemental ni du système marchand.	**Réservoir/ Laboratoire** de connaissances scientifiques et de techniques, de savoirs d'ordres divers et d'expériences, susceptibles d'être mobilisés à l'appui du processus de décision publique.
Paradigme de l'action	**Individu**	**Communautés**	**Opinion publique**	**Savoirs**
Critères d'inclusion	• Secteur privé (par opposition au secteur public) • Défense d'un intérêt contigent/ stratégique	• Reconnaissance officielle d'une représentativité organique sur la base de la capacité à générer et à garantir du consensus. • Défense d'un intérêt corporatiste ou identitaire (communautaire)	• Secteur non marchand et non institutionnel • Défense de « L'intérêt général » basé sur des valeurs universelles	• Procédure ad hoc visant un processus d'apprentissage • Intérêt « évolutif »
Acteurs typique	Lobbies (groupe d'intérêt et de pression)	Syndicats, ordres professionnels, instances communautaires et religieuses	O.N.G.	Experts, « sage », citoyens
Critères de légitimité	Libre expression des volontés individuelles et libre concurrence des intérêts particuliers	Équilibre des intérêts sectoriels ou identitaires (souvent perçus comme traditionnels) comme facteurs de stabilité	Mise en œuvre d'une « discussion publique » garantissant l'expression de la volonté générale.	Efficacité décisionnelle découlant d'une procédure pédagogique visant la production d'un savoir « partagé »
Articulation à l'ordre institutionnel	**Pressions extérieures**	**Association à la décision** sur la base du **compromis**, et éventuellement à la mise en œuvre	**Discussion au sein de l'espace public, en amont de la décision**, visant à **stimuler** la décision. Action judiciaire d'intérêt collectif ou général ou reconnaissance du droit d'ester en justice des associations	**Appui direct à la décision** par l'**évaluation des solutions** et de leurs incidences (risque) et **réorientaion** de la décision en fonction de l'évaluation de son application
Modèles de démocratie	libérale	sociale	délibérative	téchnique

Source : N. Angelet *et al.* (dir.), *Société civile et démocratisation des organisations internationales*, Gent, Academia Press, 2005, p. 236.

Les analyses, ultérieures, de la participation citoyenne qui tendent à se différencier du cadre d'analyse pionnier d'Arnstein le feront essentiellement sur deux aspects. D'une part, elles tendront à appréhender davantage la nature des modes différents de participation, sans nécessairement les classer selon la densité participative. Le tableau précédent, issu d'une étude sur les modes de participation dans les organisations internationales, prend ainsi comme variable-clé la nature même du type de participation attendue ou proposée dans différents dispositifs de participation. On reconnaîtra la parenté entre le profil de cette typologie et celle élaborée pour rendre compte des rapports État-groupes d'influence (cf. chapitre Partis politiques et groupes d'influence, encadré n° 9.32).

D'autre part, elles ne partiront plus nécessairement des dispositifs institutionnels de participation, préférant mettre la focale sur le citoyen, ses comportements politiques, pas sur les dispositifs institués de participation. Un exemple récent, intéressant car prenant structurellement en considération l'émergence des nouvelles technologies de l'information et de la communication comme variable des modes de participation, peut être trouvé dans le schéma suivant, qui continue toutefois, comme dans l'échelle d'Arnstein, d'intégrer une mesure de densité participative.

ENCADRÉ N° 10.7 : NIVEAUX DE PARTICIPATION CITOYENNE ET CONTEXTES TECHNOLOGIQUES (INFORMATION ET COMMUNICATION)

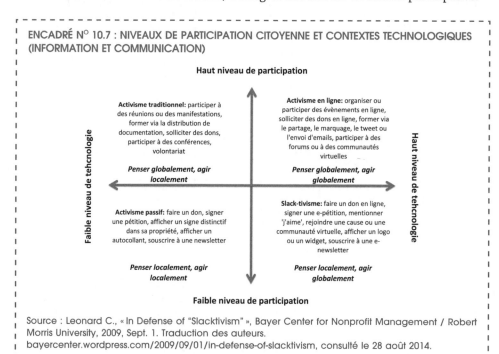

Source : Leonard C., « In Defense of "Slacktivism" », Bayer Center for Nonprofit Management / Robert Morris University, 2009, Sept. 1. Traduction des auteurs.
bayercenter.wordpress.com/2009/09/01/in-defense-of-slacktivism, consulté le 28 août 2014.

2.4. Droits civils, politiques, sociaux et économiques

Le volet « participation » qui caractérise la citoyenneté varie très fort d'un contexte politique et institutionnel à l'autre. De manière générale, on peut diviser les catégories de droits en trois domaines différents. Le premier concerne les droits *civils* et reprend l'ensemble des droits dont bénéficie un citoyen dans le cadre de l'État de droit. L'État est soumis au respect du droit : les institutions politiques, administratives et judiciaires doivent se conformer à la Constitution, aux lois et aux traités internationaux ; chaque individu, groupe ou institution doit pouvoir contester les décisions publiques devant une juridiction et avoir droit à un procès équitable. Chaque individu doit pouvoir participer à des activités politiques et militantes, lever des fonds pour une cause, défendre une opinion ou encore signer une pétition sans être inquiété par les autorités.

Le deuxième domaine concerne les droits *politiques*, dont le droit de vote et le droit de se porter candidat sur une liste électorale sont les plus connus. Le droit de vote et d'éligibilité est le point de départ incontournable de toute forme de participation effective à l'organisation politique de la cité. Est inclus parmi ces droits le droit de constituer un parti politique. Enfin, le troisième domaine concerne les droits *sociaux et économiques* et renvoie à l'État-Providence, c'est-à-dire à tous les mécanismes mis en place par l'État pour assurer au citoyen l'accès à l'enseignement, à la santé, à l'emploi et, le cas échéant, à une série de revenus de remplacement (tels qu'une allocation de chômage en cas de perte d'emploi, une indemnité pour maladie ou invalidité, une pension de veuve, etc. ; cf. chapitre État, section 3.3).

Ces droits sont, d'un pays à l'autre, inégalement hiérarchisés. Si en Belgique ou en France, l'État se voit attribuer un rôle déterminant dans l'attribution effective des droits sociaux et économiques, ces derniers sont secondaires aux États-Unis, en dehors de quelques programmes spécifiques destinés aux personnes âgées ou aux plus pauvres (cf. les programmes Medicare et Medicaid). Et à l'inverse, en matière de droits politiques, si la liberté d'expression est totale aux États-Unis au point de permettre sur la place publique des discours incitant à la haine raciale, elle fait l'objet de multiples restrictions en Belgique, en France et dans de nombreux pays européens (Dumont *et al.*, 2000). On pourrait ajouter le droit garanti par la Constitution de porter des armes et de constituer une milice privée aux États-Unis pour montrer comment chaque pays assume et organise le respect d'un certain nombre de droits et néglige ou ignore d'autres catégories de droits.

Si les droits civils et politiques sont garantis par la nature même de l'État et de sa légitimité dans les régimes démocratiques, il en va tout autrement des droits économiques et sociaux, qui seront plus ou moins garantis selon les gouvernements en place et l'intérêt qu'ils porteront à la situation des personnes fragiles ou en mauvaise santé, des démunis, des chômeurs et des personnes âgées. On peut ici ajouter l'opposition entre les droits-libertés et les droits-créances.

2.5. Droits-libertés *versus* droits-créances

Les *droits-libertés* concernent le droit d'accéder à certaines libertés sans risquer d'être freiné par une intervention de l'État : ces libertés sont opposables à l'État et peuvent être mobilisées et invoquées pour justifier la non-intervention de l'État. Ainsi, on peut faire valoir la liberté de la presse pour justifier le fait que l'État ne peut exiger un contrôle de celle-ci ni l'instauration de la censure. Les *droits-créances*, au contraire, renvoient à la possibilité pour les citoyens d'exiger quelque chose de l'État. Ici, on considère que, pour qu'une liberté ou un droit soit effective/effectif, il faut précisément que l'État agisse dans un domaine particulier. Par exemple, pour que les citoyens puissent avoir accès à un emploi, il est nécessaire, selon cette vision, qu'une action effective de l'État organise le marché de l'emploi.

2.6. Droits de l'Homme

Enfin, en matière de droits, on parle aussi de « droits de l'Homme ». Ceux-ci puisent à plusieurs sources. On mentionne ainsi notamment l'origine chrétienne des droits de l'Homme – de par la centralité de la personne humaine, son irréductible unicité et son absolue dignité (découlant du regard que Dieu porte sur chacune de ses créatures) dans cette religion – avec ce paradoxe qu'une des institutions la représentant (l'Église catholique romaine) a elle-même mis longtemps à les reconnaître. En termes explicites, leurs sources remontent, pour la plupart, à la fin du Moyen-Âge. Il y a les textes anglais, dont l'acte d'*Habeas Corpus* au XVIIe siècle, la Déclaration d'indépendance des États-Unis, qui mentionnent des droits fondamentaux (1776), la Déclaration des droits de l'Homme et du citoyen (1789), la Déclaration universelle des droits de l'Homme (1948) ou encore la Convention européenne des droits de l'Homme (1950).

En matière de droits de l'Homme, on parle de droits de première, deuxième et troisième générations. La première génération fait référence aux droits civils et politiques, qui sont des droits-libertés, opposables à l'État. La deuxième génération fait notamment référence aux droits sociaux, qui renvoient au contraire à des droits-créances, nécessitant l'intervention de l'État, à l'instar du droit à la sécurité sociale, à l'emploi, à l'éducation, etc. On parle enfin de droits de troisième génération, concernant des enjeux plus « globaux » comme le droit à la paix, à la démocratie, à un environnement de qualité, etc.

3 | Participation conventionnelle

Comme nous l'avons vu, la participation citoyenne passe entre autres par le vote, et les revendications des citoyens pour obtenir puis élargir le droit de vote ont constitué une part importante de la mobilisation non conventionnelle jusqu'à la première moitié du XXe siècle. Un chapitre sur les citoyens doit donc marquer un arrêt sur les modalités de scrutin qui influencent la participation conventionnelle des citoyens, avant de s'attacher à expliquer le vote des citoyens et quelques comportements électoraux spécifiques comme l'abstentionnisme (sur les différents modes de scrutin, cf. chapitre Parlements et Gouvernements).

3.1. Le comportement électoral : des modèles explicatifs

Les modèles explicatifs du vote reposent sur l'identification de variables susceptibles de déterminer le comportement politique des individus. Ces modèles se basent sur différents types de variables et, par conséquent, à différents niveaux d'explication. Il y a lieu de distinguer les modèles explicatifs basés sur des données agrégées et ceux issus des données collectées au niveau des individus.

3.1.1. *Modèles géographiques*

Dans le premier cas des modèles basés sur des données agrégées – réalisés à une époque où l'enquête d'opinion n'a pas encore été utilisée par les chercheurs –, l'on retiendra surtout les travaux d'A. Siegfried (2010/1913) qui mettront en relation le comportement de vote avec les caractéristiques de l'habitat. Son modèle, souvent résumé par la phrase « Le granit vote à droite, le calcaire vote à gauche », cherche à démontrer que les personnes habitant des zones plus rurales où l'habitat y est plus dispersé, la pratique religieuse et le respect de la hiérarchie sociale plus présents, ont tendance à voter plus à droite alors que les personnes habitant des zones plus citadines où l'habitat y est plus dense, la pratique religieuse moins affirmée et le respect de la hiérarchie sociale plus estompée, ont tendance à voter plus à gauche. Ce n'est pas le seul exemple puisque, dans leurs travaux, De Smet et Evalenko, dans la lignée du Groupe d'études sociographiques de l'Institut de Sociologie Solvay, publiaient, en 1953, une monographie sur les « Élections législatives du 4 juin 1950 : étude sur la répartition géographique des suffrages ». On peut aussi citer l'exemple des travaux de P. Bois (1960).

3.1.2. *Modèles déterministes ou psycho-sociaux*

En dehors de ces modèles souvent qualifiés de « géographie électorale » sont apparus dans les années 1940, et aux États-Unis principalement, les premiers travaux sur les modèles explicatifs du comportement de vote basés sur des données collectées directement dans le cadre d'enquêtes d'opinion auprès d'échantillon de la population, soit sur la base de données individuelles. Ces modèles souvent classés sous la catégorie des modèles « socio-psychologiques » font directement référesnce aux outils de la psychologie sociale et de la sociologie pour mesurer les déterminants du vote. Ces modèles se basent sur les caractéristiques individuelles dites « lourdes » pour expliquer le vote. Un des travaux fondateurs de ces modèles est celui initié par P. Lazarsfeld *et al.* (1944) et qui mettra en évidence des caractéristiques principales et complémentaires dans l'explication du vote. Ce modèle est qualifié de modèle de Columbia en comparaison de celui de Michigan, développé ci-après.

La méthode utilisée par le modèle de Columbia consiste à interroger un échantillon d'électeurs à différents moments de la période qui précède les élections et à la sortie des urnes (séquences de 7 entretiens à des moments différents avec les mêmes personnes). Le résultat montre l'impact marginal de la campagne électorale sur les comportements électoraux qui sont très largement identiques aux intentions de vote affichées bien avant que la campagne ne soit lancée. Il montre aussi la corrélation entre vote pour tel parti et possession de certaines caractéristiques sociales. Les catholiques, qui à l'époque sont aussi économiquement plus défavorisés, votent massivement pour le parti démocrate, les protestants, pour le parti républicain. D'où la citation la plus célèbre de l'ouvrage : « Une personne pense politiquement comme elle est socialement ». Dès lors, l'analyste des comportements électoraux doit cerner l'identité sociale de l'électeur, au moyen d'une série de caractéristiques sociales objectives telles que le statut socio-économique (indicateurs : niveau de revenu, catégorie professionnelle...) et les convictions religieuses (indicateurs : croyance en une religion, intensité de pratiques...) de l'électeur, ainsi que de ses parents ou grands-parents (= le critère de l'origine familiale/du déterminisme familial).

Au fil des enquêtes, le modèle de Columbia a mis en avant une grille explicative – et aussi prédictive – du vote tenant en six variables structurelles :

- trois variables principales (considérées comme telles en fonction de leur potentiel de corrélation plus élevé avec le comportement électoral) : le statut socio-économique objectif, les convictions religieuses, le lieu de résidence (cette variable présentant une parenté avec le modèle géographique) ;
- trois variables secondaires : le statut socio-économique subjectif (où le répondant se classe-t-il lui-même dans l'échelle sociale ?), le vote précédemment émis et le

vote des parents (indicateur du critère de la socialisation familiale ; dans l'enquête pionnière sur les élections présidentielles américaines de 1940, 77 % des votants avaient voté comme leurs parents).

Si le modèle de Columbia a expliqué une partie de la variation des comportements électoraux, un autre modèle, dit de Michigan (cf. Campbell *et al.*, 1960), explique, quant à lui, les effets de ces variables individuelles dans la perception des enjeux, des candidats et des partis lors des campagnes électorales. L'innovation majeure du modèle de Michigan par rapport au modèle de Columbia est la notion d'identité/identification partisane entendue au sens d'un (processus d') attachement affectif durable d'une personne à un parti. Plus dynamique que son prédécesseur, le modèle de Michigan entend restituer l'ensemble du processus – et de tous les éléments significatifs qui y participent – par lequel un électeur en vient à produire tel comportement électoral lors de tel scrutin. Ce faisant, les enquêteurs en viennent à construire un modèle explicatif articulé autour d'un « entonnoir de causalité » dans lequel les variables structurelles classiques, sociales (en particulier celles déjà présentes lors du processus de socialisation de l'enfant) ont statistiquement une portée plus forte que les variables plus conjoncturelles, politiques liées aux enjeux propres d'un scrutin électoral, aux profils des candidats des partis qui s'y présentent de leurs positions spécifiques, lesquelles sont néanmoins prises en considération dans le modèle d'explication (ouvrant ainsi la voie aux modèles de la tradition stratégique, cf. ci-après).

Deux différences majeures peuvent être mises en exergue vis-à-vis du modèle de Columbia.

D'une part, le modèle de Michigan intègre dans son explication des comportements électoraux les changements de propriétés sociales qui peuvent affecter une personne dans sa trajectoire de vie (par ex. parce qu'il réussit à s'élever au-dessus de sa classe sociale d'origine). Il continue néanmoins, comme dans le modèle de Columbia, d'accorder un poids important aux processus de socialisation : les changements d'identité partisane – qui restent rare tant à l'échelle de la vie d'un individu qu'au regard de la population – s'expliquant essentiellement par les conséquences d'un « changement de milieu ». L'environnement social demeure ainsi la variable explicative majeure des comportements électoraux même si un élément intermédiaire vient s'intercaler dans la relation de causalité entre le milieu et le vote, l'identification/identité partisane, et que celle-ci peut changer au fil du temps, expliquant ainsi un changement de comportement électoral dans le chef d'une personne.

D'autre part, deuxième différence marquante par rapport au modèle de Columbia, le modèle de Michigan intègre la possibilité de changement purement conjoncturel de vote, même sans changement d'identité partisane, du fait des enjeux propres à tels scrutins ou des personnalités politiques spécifiques qui s'y affrontent. Telle est l'explication donnée à la victoire « écrasante » (plus de 55 % des voix) aux élections présidentielles de 1952 (puis de 1956) du Général Eisenhower qui a réussi à casser « le vote démocrate » *a priori* peu porté sur un candidat du sud des États-Unis. Mais ce détournement d'une partie de l'électorat démocrate classique du vote en faveur du candidat du parti démocrate aux élections présidentielles n'était que passager, se réalignant dès le scrutin suivant, portant John Kennedy à la présidence.

Si les deux modèles fondateurs de la sociologie électorale se ressemblent, ils diffèrent sur plusieurs points. Le premier est celui de la méthodologie. Les résultats de l'École de Columbia ne se basaient pas sur un échantillon probabiliste de toute la population américaine mais sur un comté d'un des États des États-Unis. La différence est importante dans la mesure où le modèle de Michigan est généralisable à l'ensemble de la population américaine. Une deuxième différence est que les chercheurs de l'École de Michigan ont demandé aux personnes interrogées de se définir « politiquement » au travers des outils utilisés en psychologie sociale et en sociologie. D'autre part, les chercheurs ont mis en évidence dans le modèle de Michigan l'importance des enjeux dans les choix de vote. Les personnes votent en fonction des enjeux prioritaires pour eux et du positionnement des partis ou des candidats sur ceux-ci. Enfin, le modèle de Michigan a mis en évidence un dernier processus qui ne fera que prendre de l'ampleur depuis les années 1960, à savoir l'effet des candidats dans les choix électoraux. Ce dernier point fait partie du processus appelé « personnalisation politique » dans la littérature scientifique actuelle. En effet, le modèle de Michigan a mis en exergue le processus de désalignement massif des individus vis-à-vis des partis au profit des candidats qui se produira dans les années 1980 et s'amplifiera dans certains pays dans les années 1990-2000. Il en résulte une plus grande volatilité électorale au moment des élections et une certaine « insécurité » pour les partis. Les modèles de géographie électorale et de Columbia procuraient une certaine « sécurité » électorale aux partis dans la mesure où les variables « lourdes » comme l'appartenance à une classe sociale ou encore le niveau d'éducation déterminaient, de manière structurelle, le vote. Les modèles explicatifs du vote vont mettre en évidence la diminution du poids des déterminants lourds du vote par des facteurs plus conjoncturels comme le contexte de la campagne électorale, les enjeux, les médias, les candidats... représentée par les lignes grises discontinues dans le schéma conçu par Dalton, retravaillé ci-après.

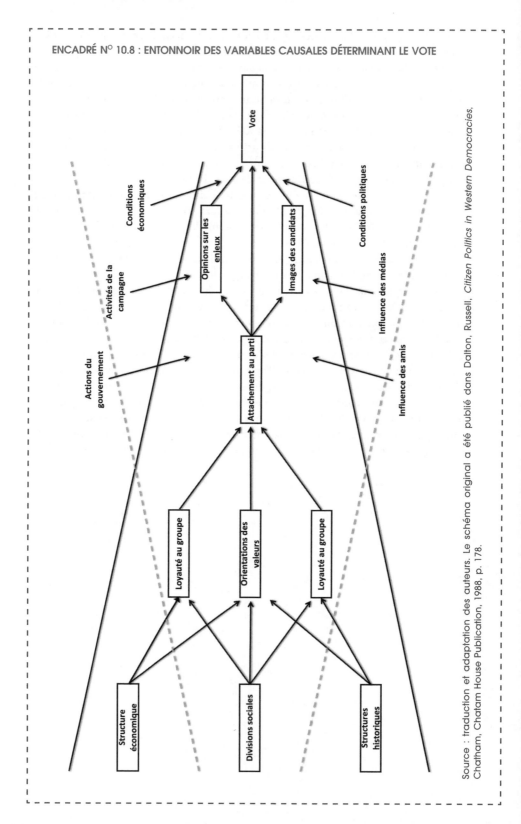

ENCADRÉ N° 10.8 : ENTONNOIR DES VARIABLES CAUSALES DÉTERMINANT LE VOTE

Source : traduction et adaptation des auteurs. Le schéma original a été publié dans Dalton, Russell, *Citizen Politics in Western Democracies*, Chatham, Chatham House Publication, 1988, p. 178.

L'avènement des modèles explicatifs de type stratégique doit beaucoup à un ouvrage paru à la fin des années 1970, *The Changing American Voter* (Nie *et al.*, 1979). L'équipe de recherche réunie pour cette publication montre au travers de l'étude des scrutins électoraux des années 1960 et 1970 un changement de comportements de vote d'une ampleur significative et qui ne peut pas être expliqué par la tradition déterministe. Ils pointent ainsi :

– l'accroissement du nombre d'électeurs « indépendants », c'est-à-dire ceux qui ne déclarent aucune identité partisane ;
– la moindre systématicité chez les électeurs qui continuent d'afficher une identité partisane à voter à chaque scrutin pour le candidat du parti répondant à cette identité ;
– la plus grande connaissance chez les électeurs des données politiques du scrutin (indicateurs : connaissance des thématiques principales de la campagne, des positions en présence, capacité à pouvoir les différencier en référence à un cadre plus général, de portée idéologique, etc.).

Les auteurs de l'ouvrage susmentionné mettent ainsi en lumière les limites des modèles de Columbia et de Michigan, largement dominants dans le monde des études électorales de l'époque. Mais ils le font à partir de changements objectivement observables qui sont intervenus dans les votes (par ex., une beaucoup plus grande volatilité des votes, qui n'était que de 8 % des voix dans l'enquête fondatrice du modèle de Columbia), lesquels renvoie à une série de changements politiques et sociaux plus généraux :

– arrivée d'un nouvel électorat – les femmes et les Noirs, essentiellement – qui n'était pas doté (dans tous les États des USA) précédemment du droit de vote et qui ne bénéficiait donc pas d'un processus de socialisation tel que mis en lumière dans le modèle de Michigan ;
– augmentation générale du niveau d'instruction dans la population qui conduit l'électeur à faire preuve de davantage de réflexion au moment de faire son choix électoral, et donc à être plus sensible aux enjeux et positons des différents candidats en concurrence dans une campagne.

Ces différents facteurs objectifs de changement vont être saisis dans une autre tradition explicative de vote, la tradition stratégique, articulée autour de l'« issue voting », du vote sur enjeux (opposé au vote structurel).

En dehors de ces trois grands types de modèles électoraux, l'École de Michigan avait également généré une typologie pour qualifier les élections et les comportements électoraux sous-jacents. Basée principalement sur l'analyse des résultats officiels des élections au niveau national et parfois au niveau des circonscriptions électorales, la typologie de Michigan distingue trois grands types d'élections : l'élection de maintien, l'élection déviante et l'élection de réalignement. L'élection de maintien se caractérise par la reproduction du vote et la stabilité électorale du système partisan. L'élection déviante se caractérise par un changement de vote au cours d'une ou deux élection(s) de la part d'un groupe d'électeurs pour des motifs particuliers (enjeux, personnalités politiques...). Enfin, l'élection de réalignement est marquée par un changement de vote durable de la part d'un groupe d'électeurs, autrefois fidèles à un parti.

Pierre Martin (2000) a largement revisité cette théorie du réalignement et a affiné cette typologie en caractérisant ces types d'élections par des critères prenant en compte à la fois le changement du système partisan, l'évolution des caractéristiques de l'électorat, les enjeux saillants au moment de l'élection, les résultats électoraux et surtout, l'évolution temporelle des résultats électoraux. Ces différents aspects l'amèneront à distinguer l'élection ou les élections de rupture, la phase réalignement où les élections confirment la nouvelle configuration partisane. Il distinguera également les périodes réalignement ainsi que les périodes de politique ordinaire.

3.1.3. *Modèles économiques, stratégiques*

À côté des modèles qualifiés de sociologiques, déterministes et/ou psycho-sociaux, des modèles économétriques ont été développés sur la base des travaux d'A. Downs (1957). Dans cette perspective, le modèle part du principe que l'électeur va voter pour le parti qui lui offre la plus grande utilité, soit faible coût et gain fort. Selon Downs, les électeurs cherchent à optimiser leur vote à un coût faible. Il s'agit d'appliquer à l'étude des comportements électoraux le paradigme néo-classique dominant dans le champ des études économiques (qui équivaut au paradigme de l'acteur rationnel dans le champ des études sociologiques), et donc de considérer le scrutin électoral non pas comme la traduction dans le domaine politique des comportements électoraux d'une identité sociale préétablie, mais bien comme un jeu entre une offre et une demande sur un « marché électoral ». L'électeur y est appréhendé comme un consommateur de produits électoraux offerts par les candidats/partis en concurrence à l'occasion d'un scrutin. Un consommateur se comportant selon la logique d'action de l'*homo economicus*, c'est-à-dire développant un calcul coût/bénéfice, dans un certain contexte d'information, par rapport à une offre de produits en concurrence qui lui sont adressés.

Dans cette optique-là, d'un côté, l'offre (les personnalités candidates et leurs discours) compte autant dans l'analyse que la demande (les électeurs et leurs caractéristiques personnelles), elle est même plus structurante (on part de ce qui est proposé pour voir comment le consommateur se positionne). De l'autre côté, on pose que le consommateur fait un choix électoral un tant soit peu réfléchi, dont la nature (comme le caractère prévisible) ne peut se réduire à une traduction en termes de vote de ses caractéristiques sociales. Ce sont là les deux grands éléments de rupture des modèles stratégiques par rapport à la tradition déterministe. Avant d'en venir à distinguer les deux grands types de modèles appartenant à cette tradition stratégique, disons un mot du « mauvais accueil » dans le champ des études électorales des cadres d'analyse proposés par Downs, dans le cadre de son approche économique du vote.

À suivre une stricte lecture du vote en termes de calcul coût/bénéfice dans le chef de l'électeur :

– l'électeur ne devrait pas aller voter car le coût du vote pour lui – se déplacer, faire la file, voire prendre du temps pour s'informer afin de produire un vote le plus conforme à ses intérêts – est toujours plus élevé que son bénéfice. Deux raisons expliquent cela. La première consiste à dire que le poids de son vote est faible dans l'ensemble des votes qui détermineront qui est élu. La deuxième porte sur le fait que la probabilité est faible que le candidat le plus proche de ses intérêts, même s'il est élu, fasse une politique qui défende le plus fortement ses intérêts propres, vu la relative hétérogénéité des intérêts sociaux présents dans la société.

– l'électeur le mieux doté sur le plan réflexif devrait s'abstenir d'aller voter, puisque par hypothèse il serait plus à même de trouver/décoder les informations appropriées à la mise en œuvre d'un calcul coût/bénéfice le mieux informé. Or, toutes les enquêtes d'opinion montrent que les abstentionnistes se recrutent proportionnellement beaucoup plus auprès des électeurs non diplômés ou détenteurs de diplômes d'un niveau peu élevé (primaire, secondaire inférieur) qu'auprès des électeurs détenteurs de diplôme des niveaux les plus élevés. Une enquête « sortie des urnes » menée à l'issue des élections législatives de 1999 en Belgique montre ainsi qu'il y aurait proportionnellement deux fois moins de diplômés de l'enseignement primaire qui iraient voter si le vote n'était plus obligatoire que de diplômés de l'enseignement universitaire.

Dans l'univers des modèles stratégiques, on en distingue de deux grands types :

1) les modèles *spatiaux* : ce sont les modèles d'explication les plus simples. Ils établissent une corrélation entre les comportements électoraux et la proximité des positions de l'électeur avec les positions de l'un des candidats/partis en compétition à l'occasion d'un scrutin. Il existe une variation dans cette matrice de base des modèles spatiaux. Celle-ci consiste à pondérer les résultats issus de cette « simple » analyse de proximité des positions des électeurs et des candidats sur un certain nombre de thématiques considérées comme faisant partie de la campagne électorale (qui permet aux candidats de se distinguer entre eux aux yeux des électeurs), en fonction de la pertinence/de la saillance de la thématique pour la détermination du comportement électoral. Le postulat est que toutes les thématiques sur lesquelles les partis prennent position à l'occasion d'une campagne électorale n'ont pas tous pour eux le même poids, la même importance. Certaines thématiques sont prioritaires, d'autres sont secondaires, d'autres ne présentent pas d'intérêt. Les enquêtes vont donc chercher à cerner non seulement le degré de proximité des positions d'un électeur avec celles des partis en présence sur « tous » les enjeux, mais elles vont aussi chercher à déterminer quels sont les enjeux prioritaires pour l'électeur. Les modèles spatiaux qui retiennent cet élément de pondération posent que les électeurs votent en fonction de la proximité de leur position avec celle d'un parti, sur les enjeux qui sont pour lui prioritaires. En Belgique francophone, on voit ainsi que les électeurs issus des communautés musulmanes votent massivement pour le PS en fonction de leur plus grand degré de proximité avec les positions du PS dans le domaine socio-économique, alors que si l'on prend en considération la position de ces électeurs dans le domaine éthique, ou socio-culturel, ceux-ci sont plus proches du cdH. Mais précisément, les enjeux socio-économiques sont plus prioritaires pour eux dans la détermination de leur comportement électoral que les problèmes éthiques (questions relatives au traitement équivalent de l'homosexualité et de l'hétérosexualité, à l'euthanasie, à l'avortement, aux manipulations génétiques...).

2) les modèles *directionnels* : on peut les considérer comme une déclinaison des modèles spatiaux, sur lesquels ils se greffent, en y intégrant de nouveaux éléments de pondération de nature ici plus « stratégique » que « doctrinale ». Sont prises en compte, en plus des éléments idéels pris en compte par les modèles spatiaux, des anticipations quant à l'issue du scrutin (qui va le remporter ? quels vont être les rapports de force parlementaires, etc.) et à ses suites (qui a les meilleures chances

d'être dans une/la majorité parlementaire ? qui a les meilleures chances d'être dans l'exécutif…) qui peuvent influer sur le comportement électoral. Ainsi un électeur dont les positions idéelles sont dans l'absolu plus proches de tel parti pourra voter pour un autre parti, plus distant idéologiquement (mais « pas trop »…), car il juge que ce parti à plus de chance d'envoyer des élus au parlement, ou de faire partie du gouvernement ou encore parce qu'il fait davantage confiance à ce parti-là pour tenir ses promesses au gouvernement ou pour y faire nommer des ministres davantage capables de faire passer leurs idées (plus fermes/fins en négociation au sein du gouvernement, par ex.). Se trouvent donc introduites dans les modèles directionnels des variables qui touchent à la problématique du « vote utile ».

Ainsi, en Belgique, des électeurs qui se situent radicalement à gauche sur le plan socio-économique, dont les positions sont plus proches d'un parti très égalitariste (cf. chapitre Idéologies, section 5) comme le PTB, pouvaient en venir à voter pour le PS qui est moins égalitariste, parce qu'ils constataient que, en tout cas, jusqu'aux récentes élections de 2014, il n'y avait jamais eu assez de voix pour faire désigner des représentants du PTB dans les parlements, national ou régionaux, et qu'ils préféraient donc à tout prendre voter pour le PS pour que leur voix ne soit pas perdue. Mais ils ne votèrent pas pour le MR, duquel leurs positions sur les problèmes socio-économiques étaient trop éloignées idéologiquement. D'où l'enjeu pour un parti comme le PTB – et plus généralement pour tout « petit parti » – d'arriver à convaincre les électeurs qui lui sont proches idéologiquement de lui rester fidèle dans leur vote afin justement de parvenir à casser ce cercle vicieux du vote utile : on ne vote pas pour vous car vous n'avez pas assez d'électeurs, mais nous ne parviendrons jamais à avoir plus d'électeurs si ceux qui nous sont idéologiquement proches préfèrent voter pour un autre parti.

Un des problèmes d'application du modèle de Downs est que l'électeur ne se comporte pas nécessairement de manière rationnelle pour différentes raisons, dont entre autres :

– tous les systèmes politiques ne sont pas bipartisans : dans certains systèmes, la multitude des partis peut rendre l'exercice difficile ;
– l'importance d'un enjeu n'est pas nécessairement la même entre les électeurs et le parti dont ils sont le plus proches en termes de positionnement.

À ces deux premières remarques, il y en a une troisième qui a été observée qui est celle de la polarisation des positions par les partis. En effet, dans le modèle de Downs, la majorité des électeurs se situent autour du centre de l'espace de la compétition politique. Cette situation force les partis à aller chercher des positionnements autour de ce centre. Il en résulte pour les partis une situation d'inconfort dans la mesure où il devient difficile de faire la différence de positionnements entre les partis puisque ceux-ci sont amenés à converger au centre pour y puiser la plus grande masse des électeurs. Dans les faits, les partis ont adopté des attitudes plus polarisées afin de se démarquer des partis concurrents et permettre à l'électeur « médian » de situer sa proximité partisane.

3.2. Types de comportements électoraux : abstentionnisme, volatilité électorale et fragmentation du champ partisan

Les comportements politiques sont définis comme des actes que l'individu accomplit dans le domaine politique. En matière électorale, s'il est possible d'expliquer les comportements à partir de différents modèles et s'il est possible d'identifier des corrélations, voire des liens de cause à effet entre choix électoraux et partis politiques avec leurs programmes, et leurs idéologies, parfois leur positionnement sur l'axe gauche/droite, on peut également constater trois autres phénomènes qui caractérisent les comportements politiques dans les pays occidentaux depuis plusieurs décennies : l'abstentionnisme, la volatilité électorale et la fragmentation du champ partisan.

Le *taux d'abstention* (nombre d'électeurs qui n'ont pas voté par rapport au nombre d'électeurs qui pouvaient effectivement voter) augmente de façon récurrente en Europe et aux États-Unis et il doit être décrit par rapport au *taux de participation* (nombre d'électeurs effectifs, c'est-à-dire les gens qui ont voté, par rapport au nombre d'électeurs potentiels, c'est-à-dire le nombre de personnes qui étaient en droit de voter). La distinction s'impose en effet dans la mesure où les électeurs qui ont voté blanc ou qui ont émis un vote non valable (bulletin déchiré, carte magnétique pliée, etc.) ne sont pas repris statistiquement dans le taux d'abstention. Une telle prise en considération augmenterait davantage ce dernier.

On distingue deux types d'abstention. Le premier type concerne les électeurs qui prennent progressivement leurs distances vis-à-vis du processus électoral au point d'adopter systématiquement, à travers le temps, la même attitude de rejet. Ce dernier peut être motivé par un désaccord profond à l'égard de l'ensemble de la classe politique, par l'impression que, même en émettant un vote en faveur d'une alternance du pouvoir (en faveur d'un parti d'opposition au gouvernement en place), rien ne peut véritablement changer, ou simplement par un retrait progressif de la vie sociale, en ce compris la vie politique. Le deuxième type d'abstention concerne moins une indifférence progressive et structurelle que la volonté d'utiliser cette dernière pour envoyer un signal aux élus et aux partis politiques. Il s'agit ici de ne pas voter pour signifier qu'on serait prêt à faire de même dans le futur au cas où rien ne changerait. Il s'agit ici d'une mise en garde, d'une sanction ou d'un avertissement, sans que cela signifie nécessairement une abstention lors d'un scrutin ultérieur. Enfin, dans cette même perspective, notons qu'un électeur peut choisir de s'abstenir de voter lors d'une élection à un échelon de pouvoir (par exemple des élections européennes car l'UE lui paraît un pouvoir lointain) alors qu'il décide de voter à un autre niveau (par exemple, local, dont il se sent plus proche). Il s'agit en quelque sorte d'abstentionnistes « de circonstance ».

Notons également que, contrairement à une idée reçue, les voix abstentionnistes ne sont nullement attribuées mathématiquement au vainqueur de l'élection. Cette analyse fausse vient du constat qu'en émettant un vote d'abstention, on ne favorise certes pas le vainqueur, mais on ne le défie pas non plus, puisque la voix abstentionniste ne sert à personne, en d'autres termes, dans les faits, le vainqueur profite plus de l'abstention que les perdants. Ce raisonnement est également valable pour le vote « blanc », qui, lui aussi, n'est pas mathématiquement attribué au vainqueur, mais qui ne renforce aucun parti concurrent, ce qui finit par profiter au vainqueur. À titre d'exemple, un parti qui obtient 51 pour cent des voix contre 49 pour cent pour son adversaire n'aurait peut-être obtenu que 50 pour cent des voix, au même titre que son adversaire, si les votes d'abstentions ou votes blancs avaient été comptabilisés en faveur du perdant, supprimant au passage l'écart entre les deux formations. Une manière de « sanctionner » les partis ou de leur envoyer un signal d'autant plus fort qu'il aurait des répercussions effectives sur la scène politique post-électorale serait – pure fiction – de prévoir des sièges vides dans l'enceinte parlementaire, correspondant aux abstentions et aux votes blancs formulés.

Les deux autres tendances qui caractérisent les sociétés occidentales sont la volatilité électorale et la fragmentation du champ partisan. Est volatile quelque chose qui « s'évapore » facilement, qui se dissout, qui est fluctuant et partant insaisissable. La volatilité électorale renvoie à un phénomène de plus en plus fréquent qui caractérise la non-reproduction d'un vote, par un électeur, et pour un même parti, d'un scrutin à un autre. Elle signifie la tendance dans le chef d'un nombre de plus en plus important d'électeurs à ne pas systématiquement voter pour le même parti. La volatilité électorale aggrave la difficulté, évoquée plus haut, de prédire les comportements politiques dans un contexte de plus en plus marqué par l'incertitude quant aux résultats des urnes.

On peut illustrer ce phénomène de volatilité des électeurs par la nécessité qu'ont les équipes de campagne électorale aux États-Unis de terminer celle-ci au centre. En effet, d'après Brown (1994), la nature du système bipartite américain (scrutin majoritaire) a pour conséquence l'impossibilité pour les deux partis de remporter la majorité des voix s'ils s'en tiennent exclusivement à leurs seuls militants, sympathisants ou groupes sociaux qui les soutiennent. « Si les Démocrates ne s'adressaient qu'aux seuls ouvriers et groupes à bas revenus, ils se trouveraient en situation permanente de minorité. Si les Républicains n'étaient assurés que du soutien du patronat, ils resteraient marginaux. Dans un système bipartite, le fait fondamental est qu'aucun des deux partis ne peut espérer remporter la majorité des voix s'il s'en tient à ses seuls militants ou sympathisants, ou aux groupes sociaux qui le soutiennent pleinement. » (Brown, 1994 : 131) Ceci est vrai, selon Brown, dans *tous* les systèmes bipartites (comme le système parlementaire anglais) – ou, préciserions-nous – de tendance bipartite (comme le système électoral présidentiel français, dit aussi multipartite tempéré – conséquence du scrutin à deux tours). Aux États-Unis, les candidats commencent toujours aux « extrêmes » durant les primaires pour s'assurer l'appui des militants et du parti. Il faut se positionner au centre-gauche chez les Démocrates (avec des propositions pour davantage de justice sociale et d'égalité entre les citoyens, notamment au niveau des minorités ethniques, sexuelles, etc.), et très à droite chez les Républicains (avec une fermeté sur les enjeux classiques suivants : baisse des impôts, baisse des dépenses de l'État, condamnation de l'avortement et de l'euthanasie, défense du droit du port d'armes, culte de la responsabilité et du mérite, discours hostile à l'immigration en provenance d'Amérique latine, etc.). Ensuite, une fois retenus par leurs propres partis comme candidats, ceux-ci entament la campagne électorale en se rapprochant progressivement du centre jusqu'au jour des élections. Se rapprocher du centre est nécessaire pour capter le vote des indécis, des électeurs par définition divisés entre les deux camps idéologiques, un vote qui fait souvent l'élection du président et qui repose systématiquement sur des électeurs « volatiles »...

La fragmentation du vote, enfin, fait écho à la distribution des suffrages de façon plus dispersée – moins concentrée – au détriment des principaux partis politiques. Cette dispersion des voix, qui est aussi une conséquence de la volatilité, implique deux conséquences : d'une part, l'augmentation du nombre de partis politiques qui entrent dans le jeu électoral et dans l'exercice du pouvoir, et, d'autre part, la réduction, en proportion, de la taille et du poids électoral des grands partis. Ce phénomène, qui semblait constituer, jusqu'il y a peu, une caractéristique des systèmes multipartites (comptant plus de deux partis politiques dominants), concerne désormais également des régimes politiques bipartites, à l'instar du Royaume-Uni, qui, depuis quelques années, voit ses deux grands partis politiques (les Travaillistes du

Labour Party et les *Tories* ou Conservateurs), aux prises avec l'arrivée d'un troisième parti (les *Liberal Democrats*) dans la course pour le pouvoir.

L'abstentionnisme, la volatilité électorale et la fragmentation du champ partisan expliquent également le succès des partis dits « populistes ». En effet, une des caractéristiques du populisme consiste à substituer le clivage « système/antisystème » ou, plus exactement, l'opposition « élites du système » vs « le peuple » à l'axe « gauche/droite », même si, en général, cette substitution se fait avec un programme qui est plutôt de droite ou plutôt de gauche. Le populisme propose une vision simpliste du combat politique opposant le peuple « honnête et travailleur » et incarnant le bon sens populaire, aux élites « paresseuses et corrompues », qui sont dans l'erreur et la manipulation (Jamin, 2009 : 91-115). Ce faisant, les partis populistes récupèrent une partie des abstentionnistes soucieux d'exprimer, soit leur rejet systématique du système, soit une mise en garde : ils profitent ainsi tant de la volatilité électorale que de la fragmentation du champ partisan, ce qui leur ouvre de bonnes perspectives électorales. Au final, les populistes peuvent être autant la cause que les bénéficiaires de ces phénomènes.

4 | Participation non conventionnelle

4.1. Mobilisation et contestation citoyennes

Comme nous l'avons vu à l'entame de ce chapitre, les citoyens peuvent intervenir par rapport aux phénomènes politiques par une mobilisation de type protestataire appelée, en science politique, participation non conventionnelle. Une des typologies les plus efficaces de protestation citoyenne a été adressée par Marsh (1971) qui en distingue quatre seuils. Une telle schématisation déplace l'attention du « pourquoi » (des citoyens se mobilisent) au « comment » (ils le font). Cette vision somme toute assez stratégique possède également le mérite de différencier les actions citoyennes selon qu'elles apparaissent plus ou moins « normales » par rapport au fonctionnement routinier du système politique.

Un autre auteur majeur éclairant la question des ressources et de la mobilisation sociale est Charles Tilly. L'auteur explique que : « Toute population a un répertoire limité d'actions collectives, c'est-à-dire de moyens d'agir en commun sur la base d'intérêts partagés (...) Ces différents moyens d'action composent un répertoire, un peu au sens où l'on entend dans le théâtre et la musique, mais qui ressemble plus à celui de la commedia dell'arte ou du jazz qu'à celui d'un ensemble classique. On en connaît plus ou moins bien les règles, qu'on adapte au but poursuivi » (Tilly, 1986 : 541). De là découle la notion bien connue en science politique de « répertoire d'action collective ». Tilly distingue un répertoire d'action « ancien » (sous l'Ancien Régime, avant les révolutions nationales) et un répertoire d'action « moderne » (à partir du XIXe siècle, de la Révolution industrielle). À ceux-ci nous pourrions ajouter un répertoire contemporain montrant l'évolution de la mobilisation citoyenne.

ENCADRÉ N° 10.9 : DIAGRAMME CONCEPTUEL DU COMPORTEMENT POLITIQUE NON CONVENTIONNEL

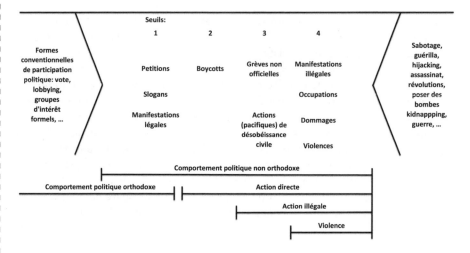

Source : traduction et adaptation des auteurs à partir de A. Marsh, *Protest and Political Consciousness*, Beverly Hills (California), Sage, 1977, p. 42.

ENCADRÉ N° 10.10 : LES RÉPERTOIRES D'ACTION COLLECTIVE ANCIEN, MODERNE ET CONTEMPORAIN

	répertoire d'action « ancien »	répertoire d'action « moderne »	répertoire d'action « contemporain »
exemples	Révolte des paysans	Mobilisation des ouvriers	Mouvement altermondialiste
lieu	Local : révoltes limitées au village, à la paroisse → elles s'adressent au pouvoir local	National : mobilisation qui s'adresse au pouvoir central → pas seulement au chef d'entreprise → faire reconnaître des droits politiques, économiques et sociaux	Global : mouvement s'insérant dans des réseaux qui dépassent le niveau local et national (mais est-ce vraiment possible ? est-ce une addition de mouvements nationaux ?)
liens	La protestation cherche des appuis extérieurs : un notable, un prêtre qui va soutenir les demandes (« patronage »)	La mobilisation est réalisée par des organisations spécialisées (syndicats) qui n'ont pas besoin de soutien extérieur	Le mouvement passe par la recherche de soutiens tous azimuts : conscientiser l'opinion publique internationale
forme	La protestation utilise des moyens existants, mais détournés : elle se manifeste à l'occasion de carnavals, de fêtes villageoises, de processions religieuses, etc.	La mobilisation innove : les syndicats « inventent » la grève et la manifestation	La mobilisation utilise les nouvelles technologies de communication (Internet) et la logique des réseaux

Source : adaptation des auteurs à partir de Cohen, Rai, 2000 : 15, et Tilly, 1984 et 1986.

Plus largement, que la démocratie soit représentative ou participative (cf. la section 2.2), elle considère le pouvoir comme reposant entre les mains citoyennes ; mais, à l'époque contemporaine, il est alors impératif d'interroger la gamme des capacités permettant d'incarner en propre ledit pouvoir. En d'autres termes, de quelles ressources disposent les citoyens pour peser sur les phénomènes politiques ? La dynamique représentative s'inscrit principalement dans la participation conventionnelle et le vote qui est un moyen majeur pour les citoyens de participer à la vie politique. Pourtant, c'est souvent en marge de cette institutionnalisation que se construisent, se développent, ou augmentent les capacités critiques des citoyens. La participation non conventionnelle, y compris toutes les formes de mobilisation – depuis les plus « légères » comme la pétition jusqu'aux plus fortes comme la révolution (cf. la typologie de Marsh dans l'encadré n° 10.9) –, a souvent pris la forme de la mobilisation d'un pouvoir citoyen au-delà des institutions. La littérature en science politique, notamment les théories de la démocratie, montre que les capacités citoyennes peuvent se trouver amplifiées par de telles mobilisations protestataires, certes en fonction de paramètres comme la dimension collective de l'action (cf. chapitre Partis politiques et groupes d'influence), l'absence de représentation NIMBY (« *not in my backyard* » : la mobilisation citoyenne ne doit pas se limiter à la défense d'intérêts particulariste), la prise en compte par les autorités politiques, etc. (Schiffino *et al.*, 2013 : 129-142).

4.2. Citoyenneté et émancipation sociale

Dans un sens plus militant et plus normatif (contenant dès lors un jugement de valeur), la citoyenneté renvoie également à l'idéal d'émancipation. Étymologiquement, *emancipare* renvoie au fait de se séparer de l'achat d'un tiers (*ex* et *mancipare*), de se distancier vis-à-vis de son pouvoir et de sa propriété, et, par extension, de se soustraire à la possession d'un tiers. En d'autres termes, l'émancipation est l'acte par lequel un individu se soustrait à la dépendance qui le lie à un autre individu. Dans l'Antiquité, on citera l'exemple de l'émancipation de l'esclave qui est affranchi par son maître – ou vendu à un tiers – et qui, par ce biais, cesse d'être la possession de ce dernier. Il s'émancipe de sa condition d'esclave ou il s'émancipe de sa relation de dépendance vis-à-vis d'un maître pour retrouver une relation similaire avec quelqu'un d'autre. Aujourd'hui, on citera l'exemple du mineur d'âge qui devient majeur et qui, par ce biais, s'émancipe dans la mesure où, affranchi de l'autorité parentale, il devient juridiquement capable pour tous les actes de la vie civile. Il n'est plus lié à ses parents, il peut agir en son nom sans être dans une relation de dépendance vis-à-vis d'un tiers.

Si le concept d'émancipation fait penser au concept d'autonomie sur lequel nous reviendrons plus bas, il ne charrie pas le même sens. Le premier renvoie à la multiplicité des situations concrètes dans lesquelles un acteur (un individu, un groupe, une institution) peut se retirer d'une relation de dépendance vis-à-vis d'un autre acteur ; le second renvoie à la capacité d'un individu ou d'une société de se donner soi-même et en connaissance de cause ses propres lois. L'autonomie peut exiger une émancipation dans un contexte donné lorsque celle-ci est indispensable pour permettre à un individu ou une société de se donner soi-même et en connaissance de cause ses propres lois. Et l'émancipation peut nécessiter l'autonomie d'un individu pour que ce dernier puisse prendre conscience de sa relation de dépendance et partant de l'intérêt d'une éventuelle émancipation.

Pour départager ces deux notions, on peut affirmer que l'émancipation concerne une lutte contre une relation de dépendance spécifique, alors que l'autonomie renvoie à une façon d'entreprendre sa vie, de l'organiser et de lui donner du sens. Le projet de l'autonomie est plus fort et plus global, il implique un idéal d'émancipation systématique, personnel et collectif, dans tous les domaines de la vie quotidienne.

Intégrée à l'idée de citoyenneté entendue dans un sens militant, l'émancipation est une lutte contre une relation de dépendance spécifique. Ce faisant, la volonté de s'émanciper et les conditions de possibilités de l'émancipation sont tributaires de situations concrètes (mouvements sociaux, dont les luttes ouvrières, les combats féministes, etc.).

La condition ouvrière et la lutte entre les classes sociales ont été marquées – de manière criante au XIXᵉ siècle en Occident – et sont toujours marquées dans certaines parties du monde à notre époque – par la relation de dépendance et d'exploitation dans le cadre de l'économie de marché entre les travailleurs et les détenteurs des moyens de production (c'est-à-dire les actionnaires, propriétaires des usines, des outils et des bureaux). La relation de dépendance se situe au niveau du fait que l'ouvrier ne possède que sa force de travail (qu'il loue contre salaire), alors que l'actionnaire capitaliste possède l'outil indispensable à la création de richesse par l'ouvrier et sa force de travail. Le second peut s'octroyer librement une part de la valeur créée par le premier et le rapport de force peut, dans certains cas, mener à l'exploitation des travailleurs. Si la littérature insiste sur les risques de soumission des travailleurs dans une économie de marché, elle porte aussi, et surtout, sur la nécessité de faire prendre conscience de la réalité de cette relation de dépendance, une démarche difficile qui ne va pas de soi. Il faut permettre aux travailleurs d'avoir une conscience de classe et, partant, de s'organiser collectivement pour lutter contre les aspects parfois scandaleux propres à cette relation de dépendance (licenciements collectifs non justifiés au plan strictement économique en vue d'augmenter le profit des actionnaires, atteintes à la santé des travailleurs en raison des conditions de travail, etc.).

L'émancipation repose donc ici sur deux processus : la prise de conscience d'une relation de dépendance et d'exploitation, et la décision d'entreprendre une action collective pour lutter contre cette dernière. Le mouvement ouvrier a dû démontrer aux travailleurs que leur situation était parfois intolérable : obtenir une telle prise de conscience est peut-être la principale difficulté rencontrée sur le chemin de l'émancipation des individus.

Ce qui précède est également vrai pour d'autres formes de domination et d'exploitation propres à la société de marché à l'époque contemporaine. Livrée à la concurrence et à la compétition entre les individus dans le cadre plus général de la recherche de la rentabilité et du profit, la société de consommation et le marketing publicitaire soumettent les individus à un certain nombre de besoins, d'envies et de prescrits qui ne jouent pas en faveur de l'émancipation et encore moins de l'autonomie des individus. Cette réalité est cependant difficile à percevoir et à dénoncer auprès d'individus d'autant plus conformes qu'ils sont persuadés d'être libres et émancipés. Tout comme le communisme, le libéralisme n'est pas immunisé contre toute dérive totalitaire (Schooyans, 1991).

La littérature sur la condition féminine et la lutte contre les inégalités entre les hommes et les femmes est également intéressante en matière de relation de dépendance et de domination. Elle insiste sur la relation de soumission imposée aux femmes dans le cadre du patriarcat et des rôles qu'il attribue aux deux sexes dans la société, dans la famille, sur le lieu de travail, etc. Comme pour le mouvement ouvrier, l'émancipation passe d'abord par la prise de conscience qu'un certain nombre de prescrits enferment de façon anodine les femmes – mais aussi les hommes – dans des rôles déterminés, et que ceux-ci limitent leur liberté et donc leur possibilité de parvenir à une émancipation. Mais ici aussi cette prise de conscience ne va pas de soi, les relations de dépendance et de soumission dénoncées par les féministes ont dérangé l'ordre établi, et la difficulté pour la société de reconnaître cette réalité n'est pas étrangère au rejet dont le mouvement féministe a parfois pu faire l'objet. Notons au passage que ce combat était celui d'un féminisme bourgeois alors largement déconnecté des réalités de la masse des femmes travailleuses (soumises au travail à la chaîne, dans l'industrie ou, toujours de nos jours, aux caisses de supermarchés), dont on peut questionner l'émancipation par la voie du travail salarié. De nos jours, une telle aliénation peut également toucher l'homme de par la prescription genrée ambiante des rôles assignés aux sexes (a-t-il le droit de choisir de rester au foyer et de s'occuper des enfants, dans un accord établi de commun accord avec son épouse sur une répartition des tâches librement définie par eux deux ?).

En matière de féminisme, il est intéressant d'observer les néo- et alter-féminismes réhabilitant le droit des femmes à s'autodéterminer selon des voies plurielles (dans le travail en dehors ou au sein du foyer). Ceci illustre que les luttes d'émancipation font l'objet de définitions renouvelées au gré des contextes de lieux et d'époques, selon les conceptions construites de manière contrastée au sein des sociétés.

Les deux types de problématiques liées à l'émancipation figurant dans les passages qui précèdent ne sont que deux exemples parmi bien d'autres. Les mécanismes de domination sont multiples dans la vie sociale et professionnelle, comme en témoignent certains types de discrimination interdits par la loi.

La forme la plus extrême de recherche d'émancipation par les citoyens prend la forme de la révolution. Celle-ci est présente à travers l'évolution politique de nos sociétés. Les politologues ont donc essayé d'en comprendre les déterminants. Une des rares modélisations dont nous disposons en science politique explique précisément l'éclatement d'une révolution dans un État à partir du niveau de frustration qu'y ressentent les citoyens. Il s'agit de la « courbe en J » dessinée par James Davies.

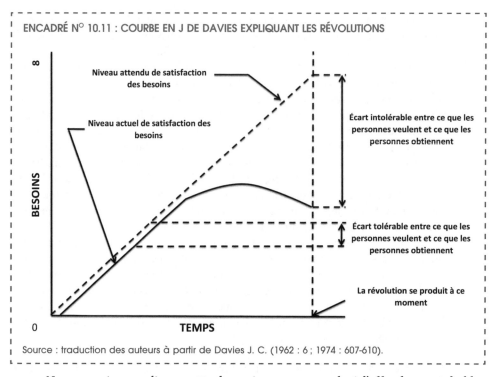

ENCADRÉ N° 10.11 : COURBE EN J DE DAVIES EXPLIQUANT LES RÉVOLUTIONS

Source : traduction des auteurs à partir de Davies J. C. (1962 : 6 ; 1974 : 607-610).

Nous pourrions appliquer cette dynamique, par exemple, à l'effondrement du bloc de l'Est : l'instabilité politique et la protestation des citoyens à l'Est, dans les années 1980, auraient notamment été alimentées, dans cette perspective, par la perception des libertés et du bien-être économique dont jouissaient les ressortissants du bloc de l'Ouest. Pour d'autres auteurs, comme Charles Tilly (1978) ou Theda Skocpol (1985/1979) par exemple, l'éclatement d'une révolution est moins influencé par le rôle en tant que tel des citoyens au sein des régimes politiques, et davantage par les caractéristiques mêmes de ces régimes : le fait qu'ils soient concurrencés par des gouvernements « officieux » soutenus par la population, qu'ils n'affichent plus la volonté de réprimer les contestataires, qu'ils soient affaiblis par des guerres, qu'ils ne puissent plus compter sur la loyauté de leur armée, etc.

Notons que révolution et violence ne sont pas synonymes. Si les citoyens recourent le plus souvent à des formes vives de mobilisation en période révolutionnaire (cf. typologie de Marsh dans l'encadré n° 10.9) et que les régimes politiques peuvent y répondre par la force, une révolution « pacifique », par la non-violence, reste une modalité possible d'émancipation citoyenne telle que figurée emblématiquement par Gandhi.

Questions

1) Expliquez les liens entre les notions de régime politique, de citoyenneté et de participation politique.

2) En quoi la citoyenneté permet-elle différentes formes de participation dans les démocraties ?

3) Pourriez-vous expliquer les principales différences entre les différents modèles explicatifs du vote ?

4) En quoi la fin du XXe siècle est-elle caractéristique de la transformation de la participation politique conventionnelle au travers du vote ?

5) Quelles sont les principales caractéristiques des mouvements sociaux ?

Bibliographie

RÉFÉRENCES DE BASE

- Bacqué M.-H., Rey H., Sintomer Y. (dir.)(2005), *Gestion de proximité et démocratie participative*, Paris, La Découverte.
- Fung A., Wright E. (2005), *Le contre-pouvoir dans la démocratie participative et délibérative*, Paris, La Découverte.
- Mayer N. (2010), *Sociologie des comportements politiques*, Paris, Armand Colin.
- Rosanvallon P. (1998), *Le Peuple introuvable. Histoire de la représentation démocratique en France*, Paris, Gallimard.
- Sintomer Y. (2007), *Le pouvoir au peuple. Jurys citoyens, tirage au sort et démocratie participative*, Paris, La Découverte.

POUR ALLER PLUS LOIN

- Bréchon P. (2006), *Comportements et attitudes politiques*, Grenoble, Presses universitaires de Grenoble, coll. « Politique en plus ».
- Nie N., Verba S., Petrocik J. (1979), *The Changing American Voter*, Cambridge, Harvard University Press.
- Schiffino N., Garon F., Cantelli F. (2013), « Visages de la participation et capacités critiques des citoyens », *Politique et Sociétés*, vol. 32, n° 1, pp. 129-142.
- Tilly Ch., Tarrow S. (2008), *Politiques du conflit. De la grève à la révolution*, Paris, Presses de Sciences Po.
- Weil P., Hansen R. (1999), *Nationalité et citoyenneté en Europe*, Paris, La Découverte.

Liste des encadrés

Fondements de science politique

Fondements de science politique

Bibliographie générale

CHAPITRE 1

- Aristote (1993/env. - 330), *Les politiques*, 2ᵉ éd., Paris, Flammarion, coll. « GF ».
- Badie B., Berg-Schlosser D., Morlino L. (dir.) (2011), *International Encyclopedia of Political Science*, London, Sage.
- Blondiaux L. (1998), « Les tournants historiques de la science politique américaine », *Politix*, n° 40, pp. 7-38.
- Bourdieu P. (1981), « La représentation politique. Éléments pour une théorie du champ politique », *Actes de la recherche en sciences sociales*, n° 36-37, pp. 3-24.
- Bourdieu P. (1989), *La noblesse d'État. Grandes écoles et esprit de corps*, Paris, Minuit, coll. « Le sens commun ».
- Bourdieu P. (2000), *Propos sur le champ politique*, Lyon, Presses universitaires de Lyon.
- Braud Ph. (2011), *Science politique*, 10ᵉ éd., Paris, PUF, coll. « Que sais-je ? ».
- Cantelli F., Paye O. (2004), « *Star Academy* : un objet pour la science politique ? », *in* Cartuyvels Y. (dir.), *Star Academy : un objet pour les sciences humaines*, Bruxelles, Publications des Facultés universitaires Saint-Louis, pp. 65-89.
- Crozier M., Friedberg E. (1981), *L'acteur et le système*, Paris, Seuil, coll. « Points ».
- de Bruyne P. (1995), *La décision politique*, Louvain-Paris, Peeters.
- Déloye Y., Voutat B. (dir.) (2002), *Faire de la science politique. Pour une analyse socio-historique du politique*, Paris, Belin.
- Denquin J.-M. (1985), *Science politique*, Paris, PUF, coll. « Droit politique et théorique ».
- Donzelot J. (1994), *L'invention du social. Essai sur le déclin des passions politiques*, Paris, Seuil, coll. « Points Essai ».
- Favre P. (1985), « Histoire de la science politique », *in* Grawitz M., Leca J. (dir.), *Traité de science politique, Tome 1*, Paris, PUF, chap. 1.
- Favre P. (1995), « Retour à la question de l'objet ou faut-il disqualifier la notion de discipline ? », *Politix*, n° 29, pp. 141-157.
- Favre P., Legavre J.-B. (dir.) (1998), *Enseigner la science politique*, Paris, L'Harmattan.
- Fukuyama Fr. (1992), *La fin de l'histoire et le dernier homme*, Paris, Flammarion.
- Gottraux Ph., Schorderet P.-A., Voutat B. (2000), *La science politique suisse à l'épreuve de son histoire. Genèse, émergence et institutionnalisation d'une discipline scientifique*, Lausanne, Réalités sociales.
- Grawitz M., Leca J. (dir.) (1985), *Traité de science politique*, Paris, PUF.
- Gunnel J. G. (2004), « The Real Revolution in Political Science », *Participation*, vol. 28, n° 2, pp. 5-10.
- Jones Ch. (1970), *An Introduction to the Study of Public Policy*, 1ʳᵉ éd., Belmont, Wadsworth.
- Jobert Br., Muller P. (1987), *L'État en action*, Paris, PUF.
- Kalinowski I. (2005), *Leçons wébériennes sur la science et la propagande*, Marseille, Agone.
- Knoepfel P., Larrue C., Varone F. (2006), *Analyse et pilotage des politiques publiques*, 2ᵉ éd., Zurich, Verlag Rüegger.

- Kuhn Th. (1972/1962), *La structure des révolutions scientifiques*, Paris, Flammarion, coll. « Champ ».
- Lagroye J. (2003), *La politisation*, Paris, Belin, coll. « Socio-Histoires ».
- Leca J. (2001), « Les 50 ans de la RFSP : Une relecture cavalière des débuts », *Revue française de science politique*, vol. 51, n° 1-2, pp. 5-17.
- Lorwin V. R. (1966), *Conflits et compromis dans la politique belge*, Bruxelles, Éditions du CRISP, coll. « Courrier hebdomadaire », n° 323.
- Mabille X. (2011), *Nouvelle histoire politique de la Belgique*, Bruxelles, Éditions du CRISP.
- Merriam Ch. (1931/1925), *New Aspects of Politics*, 2ᵉ éd., Chicago, The University of Chicago Press.
- Merriam Ch., Gosnell H. (1924), *Non-Voting Causes and Methods of Control*, Chicago, The University of Chicago Press.
- Meynaud J., Ladrière J., Perrin Fr. (dir.) (1965), *La décision politique en Belgique*, Paris, Armand Colin et Presses de Sciences Po.
- Milgram S. (1963), « Behavioral Study of Obedience », *The Journal of Abnormal and Social Psychology*, vol. 67, n° 4, pp. 371-378.
- Padioleau J.-G. (1982), *L'État au concret*, Paris, PUF.
- Platon (1993/env. – 430), *Protagoras*, Paris, Le Livre de poche.
- Schwartzenberg R.-G. (1977), *Sociologie politique. Éléments de science politique*, 3ᵉ éd., Paris, Montchrestien.
- Sfez L. (dir.) (2002), *Science politique et interdisciplinarité*, Paris, Publications de la Sorbonne.
- Voutat B. (2002), « Les objets de la science politique. Réflexions sur une discipline sans objet », *in* Sfez L. (dir.), *Science politique et interdisciplinarité*, Paris, Publications de la Sorbonne, pp. 55-76.
- Weber M. (2005/1917), *La science, profession et vocation*, *in* Kalinowski I., *Leçons wébériennes sur la science et la propagande*, Marseille, Agone.
- Weber M. (2004/1904-05), *L'éthique protestante et l'esprit du capitalisme*, Paris, Gallimard, coll. « Tel ».
- Weber M. (2003/1919), *Le savant et le politique*, Paris, La Découverte/Poche.
- Weber M. (1995/1922), *Économie et Société, Tome 1 : Les catégories de la sociologie*, Paris, Pocket, coll. « Agora ».
- Weber M. (1992/1904-1917), *Essais sur la théorie de la science*, Paris, Pocket, coll. « Agora ».

CHAPITRE 2

- Amnesty International (1973), *Report on Torture*, London, Duckworth.
- Arendt H. (1970), *On Violence*, Orlando (Fl.), Harcourt Brace Javanovich.
- Aristote (1993/env. - 330), *Les politiques*, 2ᵉ éd., Paris, Flammarion, coll. « GF ».
- Aron R. (1964), « *Macht, Power*, puissance : prose démocratique ou poésie démonique ? », *European Journal of Sociology*, vol. 5, n° 1, pp. 26-51.
- Austin J. L. (1962), *How to Do Things with Words*, Oxford, Oxford University Press.
- Bachrach P., Baratz M. S. (1963), « Decisions and Non-Decisions: An Analytical Framework », *American Political Science Review*, vol. 57, n° 3, pp. 632-642.
- Barnett M., Duvall R. (2005), « Power in International Politics », *International Organization*, vol. 59, n° 1, pp. 39-75.
- Barry N. (1995), *An Introduction to Modern Political Theory*, London, Macmillan.
- Bauman Z. (2000), *Liquid Modernity*, Cambridge, Polity.
- Beetham D. (1991), *The Legitimation of Power*, London, Palgrave.
- Bierstedt R. (1974), *Power and Progress: Essays on Sociological Theory*, New York, McGraw-Hill.

- Bigo D. (2006), « Security, Exception, Ban and Surveillance », *in* Lyon D. (dir.), *Theorizing Surveillance: The Panopticon and Beyond*, Cullompton, Willan Publishing, pp. 46-68.
- Bodin J. (1993/1576), *La République*, Paris, Le Livre de poche.
- Boulding K. E. (1989), *Three Faces of Power*, London, Sage.
- Bourdieu P. (1972), *Esquisse d'une théorie de la pratique*, Paris, Droz.
- Bourdieu P. (1979), *La distinction. Critique sociale du jugement*, Paris, Éditions de Minuit.
- Bourdieu P. (1981), *Questions de sociologie*, Paris, Éditions de Minuit.
- Bourdieu P. (1989), « Social Space and Symbolic Power », *Sociological Theory*, vol. 7, n° 1, pp. 14-25.
- Braud Ph. (1996), *La vie politique*, Paris, PUF.
- Braud Ph. (2011), *Sociologie politique*, 10ᵉ éd., Paris, LGDJ.
- Butchart A. (1996), « The Industrial Panopticon: Mining and the Medical Construction of Migrant African Labour in South Africa, 1900-1950 », *Social Science and Medicine*, vol. 42, n° 2, pp. 185-197.
- Campbell D. (2006), « Poststructuralism », *in* Dunne T., Kurki M., Smith S. (dir.), *International Relations Theories: Discipline and Diversity*, Oxford, Oxford University Press, pp. 229-246.
- Clegg S., Haugaard M. (2009), « Introduction: Why Power Is the Central Concept of the Social Sciences », *in* Clegg S., Haugaard M. (dir.), *The Sage Handbook of Power*, London, Sage, pp. 1-25.
- Champagne P., Christin O. (2004), *Pierre Bourdieu. Mouvements d'une pensée*, Paris, Bordas.
- Dahl R. A. (1957), « The Concept of Power », *Behavioral Science*, vol. 6, pp. 201-215.
- Dahl R. A. (1971/1961), *Qui gouverne ?*, Paris, A. Colin.
- Dahl R. A. (1968), « Power », *in* Sills D. L. (dir.), *International Encyclopedia of the Social Sciences*, Old Tappan, N.J., Macmillan, pp. 405-415.
- Debrix F. (2003), « Language, Neofoundationalism, International Relations », *in* Debrix F. (dir.), *Language, Agency, and Politics in a Constructed World*, London, M.E. Sharpe, coll. « International Relations in a Constructed World », pp. 3-25.
- de Jouvenel B. (1945), *Du pouvoir : histoire naturelle de sa croissance*, Paris, Hachette.
- Dowding K. (1996), *Power*, Buckingham, Open University Press.
- Edkins J. (2007), « Poststructuralism », *in* M. Griffiths (dir.), *International Relations Theory for the Twenty-first Century*, London, Routledge, pp. 88-98.
- Engels Fr. (1954/1884), *L'origine de la famille, de la propriété privée et de l'État*, Paris, Éditions sociales.
- Élias N. (2011a/1939a), *La civilisation des moeurs*, Paris, Pocket, coll. « Agora ».
- Élias N. (2011b/1939b), *La dynamique de l'Occident*, Paris, Pocket, coll. « Agora ».
- Easton D. (1953), *The Political System: An Inquiry into the State of Political Science*, New York, Alfred A. Knopf.
- Easton D. (1974/1965), *Analyse du système politique*, Paris, A. Colin.
- Foucault M. (1975), *Surveiller et punir. Naissance de la prison*, Paris, Gallimard, coll. « Tel Gallimard », n° 225.
- Foucault M. (1994a/1978), Entretien avec Pasquale Pasquino, « Précisions sur le pouvoir. Réponses à certaines critiques », *Dits et écrits. 1954-1988, Tome 2*, Paris, Gallimard, pp. 625-635.
- Foucault M. (1994b/1978), « La gouvernementalité », *Dits et écrits. 1954-1988, Tome III : 1976-1979*, Paris, Gallimard, 1994, pp. 635-657.
- Giddens A. (1987/1984), *La constitution de la société*, Paris, PUF.
- Goddard J.-C., Mabille B., Castillo M. (dir.) (1994), *Le pouvoir*, Paris, Vrin.
- Goodin R. E., Klingemann H.-D. (1998), « Political Science: The Discipline », *in* Goodin R. E., Klingemann H.-D. (dir.), *A New Handbook of Political Science*, Oxford, Oxford University Press, pp. 3-49.

Fondements de science politique

- Gramsci A. (1975/1916-35), *De l'avant aux derniers écrits de prison (1916-1935)*, Paris, éditions sociales.
- Haggerty K., Ericsson R. (2000), « The Surveillant assemblage », *British Journal of Sociology*, vol. 51, n° 4, pp. 605-622.
- Hindness B. (1996), *Discourses of Power: From Hobbes to Foucault*, Oxford, Basil Blackwell.
- Hobbes Th. (2000/1651), *Léviathan*, Paris, Gallimard, coll. « Folio. Essais ».
- Hunter F. (1953), *Community Power Structures*, Chapel Hill, University of North Carolina Press.
- Jowett G. S., O'Donnell V. (2006), *Propaganda and Persuasion*, London, Sage.
- La Boétie (1997/1549), *Discours sur la servitude volontaire*, Paris, Mille et une nuits.
- Lasswell H. D., Kaplan A. (1950), *Power and Society: A Framework for Political Inquiry*, New Haven, Yale University Press.
- Lipset M. S. (1960), *Political Man. The Social Bases of Politics*, Garden City, New York, Doubleday.
- Lipset S. M. (1966), *Revolution and Counterrevolution: Change and Persistence in Social Structures*, New York, Basic Books.
- Lukes S. (1974), *Power: A Radical View*, London, Macmillan.
- Machiavel N. (2009/1532), *Le Prince*, Paris, Pocket, coll. « Classiques ».
- Marx K., Engels Fr. (1966/1848), *Manifeste du parti communiste*, Paris, Éditions sociales.
- Milgram S. (1963), « Behavioral Study of Obedience », *The Journal of Abnormal and Social Psychology*, vol. 67, n° 4, pp. 371-378.
- Miller D. (1984), *Anarchism*, London, Aldine.
- Mills W. C. (2012/1956), *L'élite au pouvoir*, Marseille, Agone, coll. « L'ordre des choses ».
- Nye J. S. (2004), *Soft Power: The Means to Success in World Politics*, New York, Public Affairs.
- O'Donnell V., Kable J. (1982), *Persuasion: An Interactive Dependency Approach*, New York, Random House.
- Parsons T. (1959), « General Theory in Sociology », *in* Merton R. K. *et al.* (dir.), *Sociology Today*, New York, Basic Books, 1959, pp. 39-78.
- Parsons T. (1969), *Politics and Social Structure*, New York, Free Press.
- Platon (1966/env. - 315), *La république,* Paris, Garnier-Flammarion.
- Poster M. (1990), *The Mode of Information: Poststructuralism and Social Context*, Chicago, University of Chicago Press.
- Poulantzas N. (1978), *L'État, le pouvoir et le socialisme*, Paris, PUF.
- Rose-Ackerman S. (1978), *Corruption: A Study in Political Economy*, New York, Academic Press.
- Scott J. (2001), *Power*, Cambridge, Polity Press.
- Scott J. (2004), « Studying Power », *in* Nash K., Scott A. (dir.), *The Blackwell Companion to Political Sociology*, Oxford, Blackwell, pp. 82-94.
- Tilly Ch. (1984), « Les origines du répertoire d'action collective contemporaine en France et en Grande-Bretagne », *Vingtième siècle*, vol. 4, n° 4, pp. 89-108.
- van Doorn J. A. A. (1962-1963), « Sociology and the Problem of Power », *Sociologia Neerlandica*, vol. 1, pp. 3-51.
- Ward C. (2004), *Anarchism: A Very Short Introduction*, Oxford, Oxford University Press.
- Weber M. (1947), *The Theory of Social and Economic Organization*, Glencoe, Free Press.
- Weber M. (1995/1922), *Économie et société. Tome 1 : Les catégories de la sociologie*, Paris, Pocket, coll. « Agora ».
- Weber M. (1968), *Economy and Society*, Berkeley, University of California Press.
- Wolin S. (1960), *Politics and Vision*, Boston, Little Brown.
- Wrong D. H. (1979), *Power: Its Forms, Bases and Uses*, Oxford, Basil Blackwell.

CHAPITRE 3

- Arcq É., de Coorebyter V., Istasse C. (2012), *Fédéralisme et confédéralisme*, Bruxelles, CRISP, coll. « Les dossiers du CRISP », n° 79.
- Badie B. (2000), « D'une souveraineté fictive à une post-souveraineté incertaine », *Studia diplomatica*, vol. 53, 2000, n° 5, pp. 5-13.
- Badie B., Birnbaum P. (1983), *Sociologie de l'État*, Paris, Hachette.
- Birnbaum P. (1985), « L'action de l'État, différenciation et dédifférenciation », *in* Grawitz M., Leca J. (1985), *Traité de science politique, Tome 3 : L'action politique*, Paris, PUF, pp. 643-682.
- Braud Ph. (2004), *Penser l'État*, Paris, Seuil.
- Chevallier J. (2008), *L'État post-moderne*, Paris, LGDJ.
- Durkheim É. (1973/1893), *De la division du travail social*, 9ᵉ éd., Paris, PUF, coll. « Bibliothèque de philosophie contemporaine ».
- Élias N. (2011a/1939a), *La civilisation des moeurs*, Paris, Pocket, coll. « Agora ».
- Élias N. (2011b/1939b), *La dynamique de l'Occident*, Paris, Pocket, coll. «Agora».
- Fleiner-Gester Th. (1986), *Théorie générale de l'État*, Paris, PUF.
- Foucault M. (2004/1978-79), *Naissance de la biopolitique. Cours au Collège de France. 1978-1979*, Paris, Gallimard-Seuil.
- Gaulme Fr. (2011), « "États faillis", "États fragiles" : concepts jumelés d'une nouvelle réflexion mondiale », *Politique étrangère*, Printemps, vol. 76, n° 1, pp. 17-29.
- Giddens A. (2002/1998), « La troisième voie. Le renouveau de la social-démocratie », *in* Giddens A., Blair T., *La troisième voie. Le renouveau de la social-démocratie*, Paris, Seuil, coll. « La couleur des idées ».
- Held D. (2007), « De l'urgente nécessité de réformer la gouvernance globale », *Recherches sociologiques et anthropologiques*, vol. 38, n° 1, pp. 65-88.
- Hermet G. (1996), *Histoire des nations et du nationalisme en Europe*, Paris, Seuil.
- Hibou B. (1999), « De la *privatisation* des économies à la *privatisation* des États. Une analyse de la formation continue de l'État », *in* Hibou B. (dir.), *La privatisation des États*, Paris, Karthala, pp. 11-67.
- Kelsen H. (1962/1934), *Théorie pure du droit*, Paris, Dalloz, coll. « Philosophie du droit ».
- Lévy-Strauss Cl. (2001/1955), *Tristes tropiques*, Paris, coll. « Terre humaine ».
- Mabille X. (2011), *Nouvelle histoire politique de la Belgique*, Bruxelles, Éditions du CRISP.
- Négrier É. (2007), « L'échelle métropolitaine pour repenser la politique », *in* Faure A., Leresche J.-P., Muller, P., Nahrath S. (dir.), *Action publique et changements d'échelles : les nouvelles focales du politique*, Paris, L'Harmattan, pp. 29-44.
- Paye O. (dir.) (2004), *Que reste-t-il de l'État ? Érosion ou renaissance*, Louvain-la-Neuve, Academia-Bruylant.
- Rillaerts St. (2010), *La frontière linguistique, 1878-1963*, Bruxelles, CRISP, coll. « Courrier hebdomadaire », n° 2069-2070.
- Renan E. (1993/1882), *Qu'est-ce qu'une nation ?*, Paris, Pocket, coll. « Agora »
- Rosanvallon P. (1995), *La nouvelle question sociale. Repenser l'État-providence*, Paris, Seuil.
- Tilly Ch. (1992/1990), *Contrainte et capital dans la formation de l'Europe. 990-1990*, Paris, Aubier Montaigne.
- Tilly Ch. (2007), *Democracy*, Cambridge, Cambridge University Press.
- Tilly Ch., Tarrow S. (2008), *Politiques du conflit. De la grève à la révolution*, Paris, Presses de Sciences Po, 2008.
- Titus Ch. (1931a), « A Nomenclature in Political Science I », *American Political Science Review*, février, pp. 45-60.
- Titus Ch. (1931b), « A Nomenclature in Political Science II », *American Political Science Review*, août, pp. 615-627.

- Weber M. (1995/1922), *Économie et Société, Tome 1 : Les catégories de la sociologie*, Paris, Pocket, coll. « Agora ».
- Zartman I.W. (1995), *Collapsed States*, Boulder (Colarado)/London, Lynne Rienner.
- Zürn M. (1999), *The State in the Post-National Constellation – Societal Denationalization and Multi-Level Governance*, Oslo, University of Oslo, coll. « ARENA Working Paper », n° 35, publication consultable en ligne à l'adresse suivante : http://www.sv.uio.no/arena/english/research/publications/arena-publications/workingpapers/working-papers1999/wp99_35.htm, consulté le 15 mars 2014.

CHAPITRE 4
- Almond G. A., Coleman J. S. (1960), *The Politics of Developing Areas*, Princeton, Princeton University Press.
- Alexander J., Colomy P. (1960), « Neofunctionalism Today: Reconstructing a Theoretical Tradition », *in* Ritzer G. (dir.), *Frontiers of Social Theory: The New Synthesis*, New York, Columbia University Press, pp. 33-67.
- Baechler J. (1996), *Contrepoints et commentaires*, Paris, Calmann-Lévy.
- Bailey K. D. (2001), « Systems Theory », *in* Turner J. (dir.), *Handbook of Sociological Theory*, New York, Kluwer Academic/Plenum Publishers, pp. 379-401.
- Bruce S., Yearly S. (2006), *The Sage Dictionary of Sociology*, London, Sage.
- Buckley W. (1967), *Sociology and Modern Systems Theory*, Engliwood Cliffs, Prentice-Hall.
- Burdeau G. (1966), *Traité de science politique, Tome 1 : Le pouvoir politique*, Paris, PUF.
- Coleman A. J., Verba S. (1963), *The Civic Culture: Political Attitudes and Democracy in Five Nations*, Princeton, Princeton University Press.
- Dahl R. (1961), *Who Governs? Democracy and Power in an America City*, New Haven, Yale University Press.
- Davies J. (1962), « Towards a Theory of Revolution », *American Sociological Review*, vol. 27, n° 1, 1962, pp. 5-19.
- Durkheim É. (1973/1893), *De la division du travail social*, 9ᵉ éd., Paris, PUF, coll. « Bibliothèque de philosophie contemporaine ».
- Easton D. (1965), *A System Analysis of Political Life*, New York, John Wiley & Sons.
- Hempel C. G. (1959), « The Logic of Functional Analysis », *in* Gross L. (dir.), *Symposium on Sociological Theory*, New York, Harper & Row, pp. 271-307.
- Hix S. (2005), *The Political System of the European Union*, Basingstoke, Palgrave Macmillan.
- Jones R. E. (1967), *The Functional Analysis of Politics: An Introductory Discussion*, London, Routledge and Kegan Paul.
- Lapierre J. W. (1973), *L'analyse des systèmes politiques*, Paris, PUF.
- Lilienfeld R. (1978), *The Rise of Systems Theory: An Ideological Analysis*, New York, John Wiley & Sons.
- Malinowski B. (1922), *Argonauts of the Western Pacific*, New York, Dutton.
- Mann M. (dir.) (1983), *The Macmillan Student Encyclopedia of Sociology*, London, Macmillan.
- Marshall G. (dir.) (1998), *Dictionary of Sociology*, Oxford, Oxford University Press, 1998.
- Martindale D. (1965), *Functionalism in the Social Sciences*, Philadelphia, American Academy of Political and Social Sciences.
- Merton R. K. (2006), « Manifest and Latent Functions », *in* Holmwood J. (dir.), *Talcott Parsons*, London, Ashgate, pp. 227-292.
- Mitchell W. (1967), *Sociological Analysis and Politics: The Theories of Talcott Parsons*, Englewood Cliffs, Prentice-Hall.

- Morse C. (1961), « The Functional Imperatives », *in* Black M. (dir.), *The Social Theories of Talcott Parsons*, Englewood Cliffs, Cornell University Press, pp. 100-152.
- Pareto V. (1916) *Trattato Di Sociologia Generale*, Florence, G. Barbera.
- Parsons T. (1951), *The Social System*, London, Routledge and Kegan Paul.
- Parsons T. (1961), « Some Considerations on the Theory of Social Change », *Rural Sociology*, vol. 26, n° 3, pp. 219-239.
- Parsons T. (1966), *Societies: Evolutionary and Comparative Perspectives*, Englewood Cliffs, Prentice-Hall.
- Parsons T. (1971), *The System of Modern Societies*, Englewood Cliffs, Prentice-Hall.
- Radcliffe-Brown A. R. (1922), *Andaman Islanders*, Cambridge, Cambridge University Press.
- Radcliffe-Brown A. R. (1952), *Structure and Function in Primitive Society*, New York, Free Press.
- Rocher G. (1972), *Talcott Parsons et la sociologie américaine*, Paris, PUF, coll. « SUP le sociologue », n° 29.
- Sorokin P. (1928), *Contemporary Sociological Theories*, New York, Harper & Row.
- Spencer H. (1897), *Principles of Sociology*, New York, Appleton-Century-Crofts.
- Sztompka P. (1974), *System and Function: Toward a Theory of Society*, New York, Academic Press.
- Tylor E. B. (1871), *Primitive Culture: Researches into the Development of Mythology, Philosophy, Religion, Art, and Custom*, London, John Murray.
- Von Bertalanffy L. (1968), *General System Theory: Foundations, Development, Applications*, New York, George Braziller.

CHAPITRE 5

- Bartolini, S. (2005), « La formation des clivages », *Revue internationale de politique comparée*, vol. 12, n° 1, pp. 9-34.
- Bartolini, S. (2012), *La mobilisation politique de la gauche européenne (1860-1980)*, Bruxelles, Éditions de l'Université de Bruxelles.
- Bartolini S., Mair P. (1990), *The stabilization of European electorates 1885-1985*. Cambridge-New York, Cambridge University Press.
- Baubérot J. (2004), *Laïcité 1905-2005. Entre passion et raison*, Paris, Seuil.
- Bobbio N. (1996/1994), *Droite et gauche*, Paris, Seuil.
- Bornschier S. (2009), « Cleavage Politics in Old and New Democracies », *Living Reviews in Democracy* (revue électronique), vol. 1.
- de Coorebyter V. (2008), *Clivages et partis en Belgique*, Bruxelles, CRISP, coll. « Courrier hebdomadaire », n° 2000.
- Delfosse P. (2007), « La théorie des clivages. Où placer le curseur ? Pour quel résultat ? », *Revue internationale de politique comparée*, vol. 14, n° 2, pp. 363-388.
- Delwit P. (2011), « Partis et systèmes de partis en Belgique en perspective », *in* Delwit P., Pilet J.-B., van Haute É. (dir.), *Les partis politiques en Belgique*, 3ᵉ éd., Bruxelles, Éditions de l'Université de Bruxelles, pp. 7-33.
- De Waele J.-M. (dir.) (2004), *Les clivages politiques en Europe centrale et orientale*, Bruxelles, Éditions de l'Université de Bruxelles.
- Dumont P., De Winter L. (2003), « Les clivages et les nouveaux enjeux politiques : positions relatives et évolution des électorats francophones », *in* A.-P. Frognier, A.-M. Aish (dir.), *Élections : la rupture ? Le comportement des Belges face aux élections de 1999*, Bruxelles, De Boeck, pp. 70-93.
- Frognier A.-P. (1996), « Partis et clivages en Belgique : l'héritage de Lipset S. M. et Rokkan S. », *in* Delwit P. et De Waele J.-M. (dir.), *Les partis politiques en Belgique*, Bruxelles, Éditions de l'Université de Bruxelles, pp. 249-257.
- Frognier A.-P. (2007), « Application du modèle de Lipset et Rokkan à la Belgique », *Revue internationale de politique comparée*, vol. 14, n° 2, pp. 281-302.

- Inglehart R. (1977), *The Silent Revolution*, Princeton, Princeton University Press.
- Inglehart R. (1993/1990), *La transition culturelle dans les sociétés industrielles avancées*, Paris, Economica.
- Kirchheimer O. (1966), « The Transformation of the Western European Party Systems », *in* La Palombara J. et Weiner M. (dir.), *Political Parties and Political Development*, Princeton, Princeton University Press, pp. 177-200.
- Kitschelt H. (2000), « Linkages Between Citizens and Politicians in Democratic Policies », *Comparative Political Studies*, vol. 33, n° 6-7, pp. 845-879.
- Lavau G. (1969a), « Partis et systèmes politiques : interactions et fonctions », *Revue canadienne de science politique*, vol. 2, n° 1, pp. 18-44.
- Lavau G. (1969b), « Le parti communiste dans le système politique français », *in* Bon F. *et al.* (dir.), *Le communisme en France*, Paris, Armand Colin, coll. « Cahiers de la Fondation nationale des sciences politiques », pp. 7-73.
- Lijphart A. (1968), *The Politics of Accommodation. Pluralism and Democracy in the Netherlands*, Berkeley, University of California Press.
- Lipset M. S. (1963/1960), *L'homme et la politique*, Paris, Seuil.
- Lipset M. S., Rokkan S. (1967), *Party Systems and Voters Alignement: Cross-National Perspectives*, New York, Free Press.
- Lipset M. S., Rokkan S. (2008/1967), *Structures de clivages, systèmes de partis et alignement des électeurs : une introduction*, Bruxelles, Éditions de l'Université de Bruxelles. Traduction de l'introduction à l'ouvrage référencé à la note précédente.
- Mabille X. (2011), *Nouvelle histoire politique de la Belgique*, Bruxelles, Éditions du CRISP.
- Martin P. (2007), « Comment analyser les changements dans les systèmes partisans d'Europe occidentale depuis 1945 ? », *Revue internationale de politique comparée*, vol. 14, n° 2, pp. 263-280.
- Parsons T. (1959), « General Theory in Sociology », *in* Merton R.K. *et al.* (dir.), *Sociology Today*, New York, Basic Books, pp. 39-78.
- Parsons T. (1969), *Politics and Social Structure*, New York, Free Press.
- Rocher G. (1972), *Talcott Parsons et la sociologie américaine*, Paris, PUF, coll. « SUP le sociologue », n° 29.
- Rokkan S. (1970), « Nation Building, Cleavage Formation and the Structuring of Mass Politics », *in* Rokkan S. (dir.), *Citizens, Elections, Parties. Approaches to Comparative Study of the Processes of development*, Oslo, Universiteitforlaget, pp. 72-144.
- Rokkan S. (1995a), « Une famille de modèle pour l'histoire comparée de l'Europe », *Revue internationale de politique comparée*, vol. 2, n° 1, pp. 137-146.
- Rokkan S. (1995b), « Un modèle géo-économique et géo-politique de quelques sources de variations en Europe de l'Ouest », *Revue internationale de politique comparée*, vol. 2, n° 1, pp. 147-170.
- Schiffino N. (2003), *Crises politiques et démocratie en Belgique*, Paris, L'Harmattan, coll. « Logiques politiques ».
- Seiler D.-L. (1980), *Partis et familles politiques*, Paris, PUF.
- Seiler D.-L. (1982), *La politique comparée*, Paris, Armand Colin.
- Seiler D.-L. (2004), « Comparaison et aires culturelles régionales », *Pôle Sud* vol. 2, n° 21, pp. 69-80.
- Seiler D.-L. (2011), *Clivages et familles politiques en Europe*, Bruxelles, Éditions de l'Université de Bruxelles, coll. « Science politique ».

CHAPITRE 6

- Albertazzi D., Mueller S. (2013), « Populism and Liberal Democracy: Populists in Government in Austria, Italy, Poland and Switzerland », *Government and Opposition*, vol. 48, n° 3, pp. 343-371.

- Anderson B. (2002/1983), *L'imaginaire national. Réflexions sur l'origine et l'essor du nationalisme*, Paris, La Découverte/Poche.
- Aron R. (1946), *L'âge des empires et l'Avenir de la France*, Paris, Éditions Défense de la France.
- Aron R. (1983), *Mémoires*, Paris, Julliard.
- Bobbio N. (1996/1994), *Droite et Gauche*, Paris, Seuil.
- Burgat F. (1995), *L'islamisme au Maghreb : la voix du Sud*, Paris, Payot et Rivages, coll. « Petite Bibliothèque Payot », n° 241.
- Busnel F., Tellier F., Grolleau F., Zarader J.-P. (1995), *Les mots du pouvoir. Précis de vocabulaire*, Paris, Éditions Vinci.
- Castoriadis C. (1986), *Les Carrefours du labyrinthe 2 : Domaines de l'homme*, Paris, Seuil.
- Chalmers A. (1987), *Qu'est-ce que la science ? Popper, Kuhn, Lakatos, Feyerabend*, Paris, La Découverte.
- Chevallier J.-J. (1993), *Histoire de la pensée politique*, Paris, Payot.
- Corm G. (2003), *Le Proche-Orient éclaté – 1956-2003*, 3ᵉ éd., Paris, Gallimard, coll. « Folio/Histoire », n° 93.
- Crapez M. (1998), « De quand date le clivage gauche/droite en France ? », *Revue française de science politique*, vol. 78, n° 1, pp. 42-75.
- Denquin J.-M. (1997), *Vocabulaire politique*, Paris, PUF.
- de Benoist A. (2003), « L'effacement du clivage droite-gauche », *in* de Benoist A., *Critiques théoriques*, Paris, L'âge de l'homme, pp. 215-229.
- Durkheim É. (2009/1894), *Les règles de la méthode sociologique*, Paris, Payot, coll. « Petite Bibliothèque Payot ».
- Eatwell R., Wright A. (1999), *Contemporary Political Ideologies*, London, Continuum.
- Fukuyama F. (1992), *La fin de l'histoire et le dernier homme*, Paris, Flammarion.
- Gauchet M. (1985), *Le désenchantement du monde. Une histoire politique de la religion*, Paris, Gallimard.
- Gauchet, M. (1992), « La droite et la gauche », *in* P. Nora (dir.), *Les lieux de mémoire. Tome 3 : Les Frances*, Paris, Gallimard, pp. 394-467.
- Gellner E. (1989/1983), *Nations et nationalisme*, Paris, Payot.
- Jamin J. (2009), *L'imaginaire du complot. Discours d'extrême droite en France et aux États-Unis*, Amsterdam, Amsterdam University Press, coll. « IMISCOE dissertations ».
- Jonas H. (1990/1979), *Le principe responsabilité*, Paris, Le Cerf.
- Khader B. (2009), *Le Monde arabe expliqué à l'Europe*, Paris/Louvain-la-Neuve, L'Harmattan/CERMAC, Academia-Bruylant.
- Laïdi Z. (1994), *Un monde privé de sens*, Paris, Fayard.
- Lefort C. (1981), *L'invention démocratique*, Paris, Fayard.
- Lefort C. (1986), *Essais sur le politique*, Paris, Seuil.
- Lescuyer G. (2001), *Histoire des idées politiques*, 14ᵉ éd., Paris, Dalloz.
- Mair P. (2007), « Left-right orientations », *in* Klingemann H. D., Dalton R. (dir.), *The Oxford Handbook of Political Behavior*, Oxford, Oxford University Press, chapitre 11, pp. 206-222.
- Mairet G. (1978), *Les doctrines du pouvoir. La formation de la pensée politique*, Paris, Gallimard.
- Marx K., Engels F. (1967/1848), *Manifeste du parti communiste*, Paris, Éditions sociales.
- Marx K., Engels F. (1969/1932), *L'idéologie allemande*, Paris, Éditions sociales.
- Miller D. (1984), *Anarchism*, London, Melbourne, J. M. Dent & Sons.
- Nay O. (2007), *Histoire des idées politiques*, Paris, Armand Colin, coll. « U ».
- Noël A., Thérien J.-P. (2010), *La gauche et la droite. Un débat sans frontières*, Montréal, Presses universitaires de Montréal.
- Ory P. (dir.) (2010), *Nouvelle histoire des idées politiques*, Paris, Fayard, coll. « Pluriel ».

- Popper K. (1973), *La logique de la découverte scientifique*, Paris, Payot.
- Popper K. (1985), *Conjectures et Réfutations. La croissance du savoir scientifique*, Paris, Payot.
- Prélot M., Lescuyer G. (1997), *Histoire des idées politiques*, 13e éd., Paris, Dalloz.
- Rémond R. (2002), « Droite-Gauche : où est la différence ? », *Les collections de L'Histoire*, n° 14, janvier.
- Touchard J. (1991), *Histoire des idées politiques, Tome 2*, 12e éd., Paris, PUF.

CHAPITRE 7

- Arendt H. (1995/1951), *Les origines du totalitarisme, Tome 1 : Sur l'antisémitisme*, Paris, Seuil.
- Arendt H. (1984/1951), *Les origines du totalitarisme, Tome 3 : Le système totalitaire*, Paris, Seuil.
- Aristote (1993/env. −330), *Les politiques*, 2e éd., Paris, Flammarion, coll. « GF ».
- Aron R. (1965), *Démocratie et totalitarisme*, Paris, Gallimard.
- Duhamel O. (1993), *Les démocraties – Régimes, histoire, exigences*, Paris, Seuil.
- Durkheim É. (1973/1897), « Préface à la deuxième édition », *in* Durkheim É., *De la division du travail social*, 9e éd., Paris, PUF, coll. « Bibliothèque de philosophie contemporaine », pp. i-xxxvi.
- Duverger M. (1964), *Introduction à la politique*, Paris, Gallimard.
- Duverger M. (1980), *Institutions politiques et droit constitutionnel, Tome 1*, 16e éd., Paris, PUF.
- Eisenstadt S. (1973), *Traditional Patrimonialism and Modern Neopatrimonialism*, Berverly Hills, Sage.
- Finley M. (1985/1983), *L'invention de la politique*, Paris, Flammarion.
- Finley M. (2003/1973), *Démocratie antique et démocratie moderne*, Paris, Payot, coll. « Petite Bibliothèque Payot ».
- Gallagher M., Laver M., Mair P. (2006), *Representative government in modern Europe*, 4e éd., New York, McGraw-Hill Higher Education.
- Garon Fr. (2009), *Changement ou continuité ? Les processus participatifs au gouvernement du Canada, 1975-2005*, Québec, Presses de l'Université Laval, coll. « Gouvernance et gestion publique ».
- Girardet R. (1986), *Mythes et mythologies politiques*, Paris, Seuil.
- Gosselin G., Filion M. (2007), *Régimes politiques et sociétés dans le monde*, Québec, Presses de l'Université de Laval.
- Grossman É., Sauger N. (2011), *Introduction aux systèmes politiques nationaux de l'UE*, Bruxelles, De Boeck.
- Hansen M. (1995), *La démocratie athénienne à l'époque de Démosthène*, Paris, Les Belles lettres.
- Hermet G. (1985), « L'autoritarisme », *in* Grawitz M. et Leca J. (dir.), *Traité de science politique, Tome 2*, Paris, PUF, pp. 269-312.
- Hermet G., Badie B., Birnbaum P., Braud Ph. (2001), *Dictionnaire de la science politique et des institutions politiques*, 5e éd., Paris, Armand Colin.
- Khader B. (2009), « État, démocratie et société civile dans le monde arabe », *in État des résistances dans le Sud – Monde Arabe*, Paris, Syllepse/CETRI, coll. « Alternatives Sud », vol. 16.
- Lalumière P., Demichel A. (1978), *Les régimes parlementaires européens*, 2e éd., Paris, PUF.
- Lauvaux Ph. (2004), *Les grandes démocraties contemporaines*, 3e éd., Paris, PUF.
- Lefort C. (1981), *L'invention démocratique – Les limites de la domination totalitaire*, Paris, Fayard.
- Lijphart A. (1968a), *The Politics of Accommodation. Pluralism and Democracy in the Netherlands*, Berkeley, University of California Press.

- Lijphart A. (1968b), « Typologies of Democratic Systems », *Comparative Political Studies*, pp. 3-44.
- Lijphart A. (1977), *Democracy in Plural Societies: A Comparative Exploration*, New Haven, Yale University Press.
- Linz Juan J. (2006/2000), *Régimes totalitaires et autoritaires*, Paris, Armand Colin.
- Lowit Th. (1979), « Le parti polymorphe en Europe de l'Est », *Revue française de science politique*, vol. 29 n° 4-5, pp. 812-846.
- Mamoudou G., Jenson J., *La politique comparée : fondements, enjeux et approches théoriques*, Presses de l'Université de Montréal, 2003.
- Manin B. (1995), *Principes du gouvernement représentatif*, Paris, Calmann-Lévy.
- Mény Y., Surel Y. (2009), *Politique comparée. Les démocraties*, 8ᵉ éd., Paris, Montchrestien.
- Montesquieu (2002/1748), *De l'esprit des lois*, Paris, Garnier-Flammarion.
- Müller W. C., Strøm K. (dir.) (2000), *Coalition Governments in Western Europe*, 1ᵉ éd.,Oxford, Oxford University Press.
- Nolte E. (2000), *La Guerre civile européenne (1917-1945) : national-socialisme et bolchevisme*, Paris, Édition des Syrtes.
- O'Donnell G. (1973), *Modernization and Bureaucratic-Authoritarianism*, Berkeley, Institute of International Studies, University of California.
- Pitkin H., *The concept of representation*, Berkeley, University of California Press, 1967.
- Platon (1966/env. - 315), *La république*, Paris, Garnier-Flammarion.
- Prélot M., Lescuyer G. (1997), *Histoire des idées politiques*, 13ᵉ éd., Paris, Dalloz.
- Quermonne J.-L. (2006), *Les régimes politiques des pays occidentaux*, 5ᵉ éd., Paris, Seuil.
- Rousseau J.-J. (2001/1762), *Du contrat social*, Paris, Flammarion, coll. « GF ».
- Sartori G. (1973/1962), *Théorie de la démocratie*, Paris, Armand Colin.
- Seiler D.-L. (1982), *La politique comparée*, Paris, Armand Colin.
- Sintomer Y. (2007), *Le pouvoir au peuple. Jurys citoyens, tirage au sort et démocratie participative*, Paris, La Découverte.
- Stepan A. C. (1978), *The State and Society: Peru in Comparative Perspective*, Princeton, Princeton University Press.
- Touchard J. (1993), *Histoire des idées politiques, Tome 1 : Des origines au XVIIIᵉ siècle*, 11ᵉ éd., Paris, PUF, coll. « Thémis Science politique ».
- Traverso E. (dir.) (2001), *Le totalitarisme. Le XXᵉ siècle en débat*, Paris, Seuil, coll. « Points. Essais ».
- Weber M. (1995/1922), *Économie et société, Tome 1 : Les catégories de la sociologie*, Paris, Pocket, coll. « Agora ».

CHAPITRE 8

- Blondel J. (1985), « Gouvernements et exécutifs, parlements et législatifs », *in* Grawitz M., Leca J., *Traité de science politique, Tome 2 : Les régimes politiques et contemporains*, Paris, PUF, pp. 355-404.
- Braibant G. (2002), « Le passé et le présent de l'administration publique », *Revue française d'administration publique*, vol. 2, n° 102, pp. 213-221.
- Chevallier J. (2008), *L'État post-moderne*, Paris, LGDJ.
- Costa O., Kerrouche É., Magnette P. (2004), *Vers un renouveau du parlementarisme en Europe ?*, Bruxelles, Éditions de l'Université de Bruxelles.
- Dowding K., Dumont P. (dir.) (2013), *The Selection of Ministers around the World. A Comparative Study*, London, Routledge.
- Favre P. (2003), « Qui gouverne quand personne ne gouverne ? », *in* Favre P. *et al.* (dir.), *Être gouverné : études en l'honneur de Jean Leca*, Paris, Presses de Sciences Po, pp. 259-271.
- Hayat S., Sintomer Y. (2013), « Repenser la représentation politique », *Raisons politiques*, n° 50, pp. 8-9.

- Kelsen H. (1962/1934), *Théorie pure du droit*, Paris, Dalloz, coll. « Philosophie du droit ».
- Montesquieu (2002/1748), *De l'esprit des lois*, Paris, Garnier-Flammarion.
- Raone J., Schiffino N. (à paraître 2015), « L'hybridité au cœur de la gouvernance contemporaine du risque. L'exemple de la sécurité de la chaîne alimentaire en Belgique », *Revue internationale des Sciences administratives*, vol. 81, n° 2.
- Peters G. (1996), *The future of governing: four emerging models*, Lawrence, University Press of Kansas.
- Pitkin H. (1967), *The Concept of Representation*, Calfornia, University of California Press.
- Rozenberg O., Kerrouche É. (2009), « Retour au parlement », *Revue française de science politique*, voir l'ensemble du dossier spécial : vol. 59, n° 3, pp. 397-506.
- Strøm K., Müller W. C., Bergman T. (dir.) (2008), *Cabinets and Coalition Bargaining: The Democratic Life Cycle in Western Europe*, Oxford, Oxford University Press.

CHAPITRE 9

- Aucante Y., Dézé A. (dir.) (2008), *Les systèmes de partis dans les démocraties occidentales. Le modèle du parti-cartel en question*, Paris, Presses de Sciences Po.
- Balme R., Chabanet D., Wrigh, V. (dir.) (2002), *L'action collective en Europe*, Paris, Presses de Sciences Po.
- Basso J. (1983), *Les groupes de pression*, Paris, PUF, coll. « Que sais-je ? ».
- Bentley A. (1908), *The Process of Government: A Study of Social Pressures*, Chicago, Chicago University Press.
- Blondel J. (1968), « Party System and Patterns of Government in Western Democracies », *Canadian Journal of Political Science*, vol. 1, n° 2, pp. 183-190.
- Blyth M., Katz R. (2005), « From Catch-all Politics to Cartelisation: The Political Economy of the Cartel Party », *West European Politics*, vol. 28, n° 1, pp. 33-60.
- Bonnet F. (2010), « Les machines politiques aux États-Unis. Clientélisme et immigration entre 1870 et 1970 », *Politix*, n° 92, pp. 7-29.
- Boucher S., Royo M. (2009), *Les think tanks : cerveaux de la guerre des idées*, 2ᵉ éd., Paris, Le félin.
- Braud Ph. (2011), *Sociologie politique*, 10ᵉ éd., Paris, LGDJ.
- Budge I., Klingemann H.-D., Volkens A., Bara J., Tanenbaum E., Fording R.C., Hearl D.J., Kim H.M., McDonald M., Mendez S. (2001), *Mapping Policy Preferences: Estimates for Parties, Electors, and Governments 1945–1998*, Oxford University Press, Oxford.
- Burke E. (2012/1770), *Thoughts on the Cause of the Present Discontents*, Memphis, General Books.
- Carty R. K. (2004), « Parties as Franchise Systems: The Stratarchical Organizational Imperative », *Party Politics* 10 : 5-24.
- Claeys P.-H. (1973), *Groupes de pression en Belgique. Les groupes intermédiaires socio-économiques (Contribution à l'analyse comparative)*, Bruxelles, Éditions de l'Université de Bruxelles et CRISP.
- Claeys P.-H., Frognier A.-P. (dir.) (1995), *L'échange politique*, Bruxelles, Éditions de l'Université de Bruxelles.
- Colliard J.-Cl. (1978), « Le système de partis », *in* Quermonne J.-L. (dir.), *Les régimes parlementaires occidentaux*, Paris, Presses de Sciences Po, pp. 70-87.
- Dahl R. (1971/1961), *Qui gouverne ?*, Paris, Armand Colin, coll. « Analyse politique ».
- Dalton R. J., Wattenberg M. P. (dir.) (2000), *Parties without Partisans: Political Change in Advanced Industrial Democracies*, Oxford, Oxford University Press.
- Dandoy R. (2007), « L'analyse des programmes de partis », *in* Frognier A.-P., De Winter L., Baudewyns P. (dir.), *Élections : le reflux ? Comportements et attitudes lors des élections en Belgique*, Bruxelles, De Boeck, pp. 141-156.

- Delwit P. (2004), « La social-démocratie européenne et le monde des adhérents. La fin du parti communauté » ?, *in* Delwit P. (dir.), *Où va la social-démocratie européenne ?*, Bruxelles, Éditions de l'Université de Bruxelles, pp. 229-251.
- Delwit P. (2009), *La vie politique en Belgique de 1830 à nos jours*, Bruxelles, Éditions de l'Université de Bruxelles.
- Delwit P. (2011), « Partis et systèmes de partis en Belgique en perspective », *in* Delwit P., Pilet J.-B., van Haute É. (dir.) (2011), *Les partis politiques en Belgique*, Bruxelles, Éditions de l'Université de Bruxelles, pp. 8-33.
- Delwit P., Hellings B., van Haute É. (2003a), « Les cadres intermédiaires du Parti socialiste et d'ÉCOLO », Éditions du CRISP, coll. « Courrier hebdomadaire », n° 1801-1802.
- Delwit P., Hellings B., van Haute É. (2003b), « Les cadres intermédiaires du Mouvement réformateur et du PSC », Éditions du CRISP, coll. « Courrier hebdomadaire », n° 1804-1805.
- Delwit P., Pilet J.-B., van Haute É. (dir.) (2011), *Les partis politiques en Belgique*, Bruxelles, Éditions de l'Université de Bruxelles.
- Dossier thématique « Système de partis » (2007), *Revue internationale de politique comparée*, n° 2, vol. 14.
- Downs A. (1957), *An economic theory of democracy*, New York, Harper and Row.
- Duverger M. (1992/1951), *Les partis politiques*, Paris, Seuil.
- Eldersveld S. (1964), *Political Parties. A Behavioral Analysis*, Chicago, Rand Mac Nally.
- Garraud P. (1990), « Politiques nationales : l'élaboration de l'agenda », *L'année sociologique*, vol. 40, pp. 17-41.
- Göransson M., Faniel J. (2008), *Le financement et la comptabilité des partis politiques francophones*, Bruxelles, Éditions du CRISP, coll. « Courrier hebdomadaire », n° 1989-1990.
- Grossman, É., Saurugger, S. (2006), *Les groupes d'intérêt. Action collective et stratégies de représentation*, Paris, Armand Colin, coll. « U ».
- Hayes M.T. (1986), « The new group universe », *in* Cigler A. J., Loomis B. A. (dir.), *Interest Group Politics*, 2ᵉ éd., Washington DC, Congressional Quarterly Press, pp. 133-145.
- Janda K. (1970), *A Conceptual Framework for the Comparative Analysis of Political Parties*, Beverley Hills Sage Publications.
- Janda K. (1980), *Political Parties: A Cross-National Survey*, New York, Free Press.
- Jordan G., Maloney W. A., Bennie L. G. (1996), « Les groupes d'intérêt public », *Pouvoir*, n° 79, pp. 69-85.
- Katz R., Mair P. (dir.) (1992), *Party Organizations: A Data Handbook on Party Organizations in Western Democracies, 1960-1990*, London, Sage.
- Katz R., Mair P. (dir.) (1994), *How Parties Organize. Change and Adaptation in Party Organizations in Western Democracies*, London, Sage.
- Katz R., Mair P. (1995), « Changing models of party organization and party democracy. The emergence of the cartel party », *Party Politics*, vol. 1, n° 1, pp. 5-28.
- Katz R., Mair P. (2009), « The cartel party thesis: A restatement », *Perspectives on Politics*, vol. 7, n° 4, pp. 753-766.
- Kirchheimer O. (1966), « The Transformation of the Western European Party Systems », *in* La Palombara J., Weiner M. (dir.), *Political parties and political development*, Princeton, Princeton University Press, pp. 177-200.
- Kitschelt H. (2000), « Linkages Between Citizens and Politicians in Democratic Policies », *Comparative Political Studies*, vol. 33, n° 6-7, pp. 845-879.
- Lavau G. (1969a), « Partis et systèmes politiques : interactions et fonctions », *Revue canadienne de science politique*, vol. 2, n° 1, mars, pp. 18-44.

- Lavau G. (1969b), « Le parti communiste dans le système politique français », *in* Bon F. *et al.* (dir.), *Le communisme en France*, Paris, Armand Colin, « Cahiers de la Fondation nationale des sciences politiques », pp. 7-73.
- Lawson K. (1996), « Partis politiques et groupes d'intérêt », *Pouvoirs*, n° 79, pp. 36-51.
- Lemieux V. (1985), *Systèmes partisans et partis politiques*, Québec, Presses universitaires de Québec.
- Mair P., Van Biezen I. (2001), « Party membership in twenty European Democracies, 1980-2000 », *Party Politics*, 2001, vol. 7, n° 1, pp. 5-21.
- Mair P. (2007), « Le changement des systèmes de partis », *Revue internationale de politique comparée*, n° 2, vol. 14, pp. 243-261.
- Manin B. (1995), *Principes du gouvernement représentatif*, Paris, Calmann-Lévy.
- Merkl P. (dir.) (1970), *Modern Comparative Politics*, New York, Holt, Rinehart and Winston.
- Merton R. K. (1997/1949), *Éléments de théorie et de méthode sociologique*, Paris, Armand Colin.
- Meynaud J. (1960), *Les groupes de pression*, Paris, PUF, coll. « Que sais-je ? ».
- Michels R. (1971/1911), *Les partis politiques. Essai sur les tendances oligarchiques des démocraties*, Paris, Flammarion.
- Offe C. (1981), « The attribution of public status to interest groups: observations on the West German case », *in* Berger S. (dir.), *Organizing Interests in Western Europe: Pluralism, Corporatism and The Transformation of Politics*, Cambridge, Cambridge University Press.
- Offerlé M. (1998), *Sociologie des groupes d'intérêt*, Paris, Montchrestien, coll. « Clefs – Politique ».
- Olson M. (1978/1966), *Logique de l'action collective*, Paris, PUF.
- Ostrogorski M. (1993/1903), *La démocratie et les partis politiques*, Paris, Fayard.
- Pétry F. (2006), « Comparaison chiffrée des plateformes électorales », *in* Pétry F., Bélanger E., Imbeau L. (dir.), *Le Parti libéral. Enquête sur les réalisations du gouvernement Charest*, Québec, Presses de l'Université Laval, 67-82.
- Rouillot N. (2011a), « Les partis politiques : fonctionnement et organisation », article consultable en ligne à l'adresse suivante : http://www.le-politiste.com/2011/09/les-partis-politiques-fonctionnement-et.html, consulté le 15 mars 2014.
- Rouillot N. (2011b), « Les groupes d'intérêt », article consultable en ligne à l'adresse suivante : http://www.le-politiste.com/2011/12/les-groupes-dinteret.html, consulté le 15 mars 2014.
- Sartori G. (2011/1976), *Partis et systèmes de partis. Un cadre d'analyse*, Bruxelles, Éditions de l'Université de Bruxelles.
- Sauger N. (2007), « Les systèmes de partis en Europe : équilibre, changement et instabilité », *Revue internationale de politique comparée*, vol. 14, n° 2, pp. 229-241.
- Schmitter Ph. C. (1979), « Still the Century of Corporatism? », *in* Lehmbruch G., Schmitter Ph. C. (dir.), *Trends toward Corporatist Intermediation*, London, Sage, pp. 7-52.
- Seiler D.-L. (2000), *Les partis politiques*, Paris, Armand Colin.
- Sherrington Ph. (2000), « Shapping the Policy Agenda: Think Tank Activity in the European Union », *Global Society*, vol. 14, n° 2, pp. 173-189.
- Touraine A. (1973), *Production de la société*, Paris, Seuil.
- Truman D. (1951), *The Governmental Process: Political Interests and Public Opinion*, New York, Knopf.
- Tsebelis G. (2002), *Veto Players. How Political Institutions Work*, Princeton, Princeton University Press.
- van Haute É. (2009), *Adhérer à un parti. Aux sources de la participation politique*, Bruxelles, Éditions de l'Université de Bruxelles.

- Weber M. (2003/1919), *Le savant et le politique*, Paris, La Découverte/Poche.
- Weber M. (1995/1922), *Économie et société*, Tome 1 : *Les catégories de la sociologie*, Paris, Pocket, coll. « Agora ».
- Wilson F. (1983), « Les groupes d'intérêt sous la Cinquième République. Test de trois modèles théoriques de l'interaction entre groupes et gouvernement », *Revue française de science politique*, vol. 33, n° 2, pp. 220-254.
- Wright W. (1971), « Comparative Party Models: Rational-Efficient and Party Democracy », *in* Wright W. (dir.), *A Comparative Study of Party Organization*, Columbus, Charles Merril, pp. 17-54.

CHAPITRE 10

- Bacqué M.-H., Rey H., Sintomer Y. (dir.) (2005), *Gestion de proximité et démocratie participative*, Paris, La Découverte.
- Bois P. (1960), *Paysans de l'Ouest. Des structures économiques et sociales aux options politiques depuis l'époque révolutionnaire dans la Sarthe*, Le Mans, Vilaire.
- Bréchon P. (2006), *Comportements et attitudes politiques*, Grenoble, Presses universitaires de Grenoble, coll. « Politique en plus ».
- Brown B. (1994), *L'État et la politique aux États-Unis*, Paris, PUF.
- Campbell A, Converse Ph., Miller W., Stokes, D. (1960), *The American Voter*, New York, John Wiley & Sons.
- Castoriadis C. (1986), *Les Carrefours du labyrinthe 2 : Domaines de l'homme*, Paris, Seuil.
- Cohen R., Rai Sh. (2000), « Global social movements – Towards a cosmopolitan politics », *in* Cohen R., Rai Sh. (dir.), *Global social movements*, London, The Athlone Press, pp. 1-17.
- Davies J. C. (1962), « Toward a Theory of Revolution », *American Sociological Review*, vol. 27, n° 1, pp. 5-19.
- Davies J. C. (1974), « The J-Curve and Power Struggle Theories of Collective Violence », *American Sociological Review*, vol. 39, n° 4, pp. 607-610.
- Downs A. (1957), *An economic theory of democracy*, New York, Harper and Row.
- Dumont H., Mandoux P., Strowel A., Tulkens F. (dir.) (2000), *Pas de liberté pour les ennemis de la liberté. Groupements liberticides et droit*, Bruxelles, Bruylant.
- Frognier A.-P., Bol D., Swyngedouw M. (2012), « Une démocratie multipartisane. Flandre-Wallonie : vingt ans d'analyse des comportements électoraux », *in* von Busekist A. (dir.), *Singulière Belgique*, Paris, Fayard, ch. 10, pp. 129-139.
- Fung A., Wright E. (2005), *Le contre-pouvoir dans la démocratie participative et délibérative*, Paris, La Découverte.
- Habermas J. (1997/1992), *Droit et démocratie*, Paris, Gallimard, coll. « Essais ».
- Hessel S. (2011), *Le Chemin de l'espérance*, en collaboration avec Edgar Morin, Paris, Fayard.
- Jamin J. (2009), *L'imaginaire du complot. Discours d'extrême droite en Europe et aux États-Unis*, Amsterdam, Amsterdam University Press.
- Lazarsfeld P., Berelson B., Gaudet H. (1944), *The People's Choice*, New York, Duell, Sloan & Pearce.
- Martin P. (2000), *Comprendre les évolutions électorales. La théorie des réalignements revisitée*, Paris, Presses de Sciences Po.
- Mayer N., Boy D. (1997), « Les "variables lourdes" en sociologie électorale », *Enquête*, n° 5, pp. 109-122.
- Mayer N. (2010), *Sociologie des comportements politiques*, Paris, Armand Colin, coll. « U ».
- Nie N., Verba S., Petrocik J. (1979), *The Changing American Voter*, Cambridge, Harvard University Press.

- Raone J., Schiffino N. (à paraître 2015), « L'hybridité au cœur de la gouvernance contemporaine du risque. L'exemple de la sécurité de la chaîne alimentaire en Belgique », *Revue internationale des Sciences administratives*, vol. 81, n° 2. http://ras.sagepub.com
- Rosanvallon P. (1998), *Le Peuple introuvable. Histoire de la représentation démocratique en France*, Paris, Gallimard.
- Rosenberg S. (2002), *The Not So Common Sense: How People Judge Social and Political Life*, New Haven, Yale University Press.
- Rousseau J.-J. (2001/1762), *Du contrat social*, Paris, Flammarion, coll. « GF ».
- Schiffino N., Garon F., Cantelli F. (2013), « Visages de la participation et capacités critiques des citoyens », *Politique et Sociétés*, vol. 32, n° 1, pp. 129-142.
- Schooyans M. (1991), *La dérive totalitaire du libéralisme*, Paris, Éditions universitaires.
- Siegfried A. (2010/1913), *Tableau politique de la France de l'Ouest sous la Troisième République*, Bruxelles, Éditions de Bruxelles.
- Skocpol Th. (1985/1979), *États et révolutions sociales. La révolution en France, en Russie et en Chine*, Paris, Fayard.
- Tilly Ch. (1978), *From Mobilization to Revolution*, Reading, Addison-Wesley.
- Tilly Ch. (1984), « Les origines du répertoire d'action collective contemporaine en France et en Grande-Bretagne », *Vingtième siècle*, vol. 4, n° 4, pp. 89-108.
- Tilly Ch. (1986), *La France conteste – de 1600 à nos jours*, Paris, Fayard.
- Tilly Ch., Tarrow S. (2008), *Politiques du conflit. De la grève à la révolution*, Paris, Presses de Sciences Po.
- Weil P., Hansen R. (1999), *Nationalité et citoyenneté en Europe*, Paris, La Découverte.

Index des personnes

Index des notions

Q

Table des matières

Fondements de science politique

Fondements de science politique